HISTOIRE DE FRANCE
DES RÉGIONS

EMMANUEL LE ROY LADURIE

HISTOIRE DE FRANCE DES RÉGIONS

LA PÉRIPHÉRIE FRANÇAISE DES ORIGINES À NOS JOURS

PRÉFACE DE JACQUES JULLIARD

ÉDITIONS DU SEUIL
27, rue Jacob, Paris VIᵉ

CE LIVRE EST PUBLIÉ DANS LA COLLECTION
L'UNIVERS HISTORIQUE

ISBN 2-02-041568-2

© ÉDITIONS DU SEUIL, MAI 2001

www.seuil.com

Préface

Le problème des « minorités périphériques », selon l'expression forgée ici même par Emmanuel Le Roy Ladurie, ne se confond pas avec la question classique de la centralisation française et des résistances à cette centralisation. La seconde, que l'on pourrait qualifier de « problématique Tocqueville », est avant tout d'ordre administratif et politique. Elle ne concerne pas seulement les provinces les plus extérieures de la République, notre royaume de France comme dirait Péguy. Les effets de la centralisation, qu'elle soit monarchique ou républicaine, se font sentir sur tout le territoire, et même au cœur du système, c'est-à-dire à Paris. Après tout, y eut-il jamais ville qui ait eu autant à souffrir de l'autoritarisme national, de la Ligue jusqu'à la Commune, que la capitale de la France ? Certes, jamais capitale ne fut à l'échelle européenne autant choyée, embellie, célébrée. Mais jamais cité ne fut autant suspectée, surveillée, rudoyée que celle-ci.

Ainsi, la « problématique Tocqueville » était l'un des fils rouges qui couraient tout au long d'un volume que j'avais dirigé, quant à ces divers thèmes. On la voit à l'œuvre aussi bien dans les conflits sociaux que dans les luttes religieuses. L'État français a toujours visé, et de façon aussi autoritaire qu'il a chaque fois fallu, à la présence du centre dans chacune des parties de l'ensemble.

La problématique Le Roy Ladurie est un cas particulier et très spécifique de la précédente. Ce qui est ici en question est moins l'autorité du centre que l'homogénéité des diverses parties. Il ne s'agit pas, ou pas seulement, d'un problème administratif ou politique. Les enjeux sont au moins autant géographiques, linguistiques et culturels. Autrement dit, les gouvernements qui, tous régimes

7

*confondus, se sont succédé sur cette terre depuis plus d'un millé-
naire n'ont pas seulement attendu des populations une obéissance
aussi large que possible aux impulsions du pouvoir central. Ils ont
exigé d'elles l'adhésion des esprits et des cœurs, en d'autres termes,
l'unanimité intellectuelle et spirituelle du peuple de France.*

*Y sont-ils parvenus ? Oui, dans une large mesure. On peut le
déplorer ou s'en réjouir : la France n'avait peut-être jamais été un
pays politiquement et culturellement aussi unifié qu'il ne l'est
aujourd'hui. À cet égard, la quarantaine de rois « qui en mille ans
firent la France », selon l'expression de Maurras, a accompli le
plus dur travail, parfois le plus impopulaire. Faisant alterner la
contrainte et la séduction, la force et la concertation, ils ont patiemment tronçonné, isolé, affaibli, concassé les particularismes locaux.
Ils ont souvent, à l'égard des plus grandes de ces provinces périphériques, Bretagne et Occitanie, laissé subsister des îlots d'autonomisme local que la Révolution française, avec une incroyable
bonne conscience – celle de la démocratie –, a impitoyablement
réduits et pulvérisés. Au nom d'une positivité qu'on ne peut, sans
mauvaise foi, condamner en sa totalité.*

*Ajoutons qu'à une date récente la compromission plus ou moins
volontaire d'un certain nombre de mouvements autonomistes ou
indépendantistes – Alsace, Flandre, Bretagne – avec l'occupant nazi
avait durablement, mais pas pour toujours tant s'en faut, discrédité
certains particularismes provinciaux et périphériques sous leur
forme politique. Depuis la Seconde Guerre mondiale, ceux-ci (après
une forte résurgence soixante-huitarde) ont donc choisi de se manifester sous une forme économique et culturelle, notamment au cours
des années soixante-dix. Il y a une dizaine d'années, à l'exception de
la Corse, les particularismes culturels semblaient être sur le recul.
L'intervention d'un tiers – en l'occurrence, l'Europe – dans le tête-
à-tête État central-régions périphériques est en train de modifier les
données du problème sans pour autant le dépassionner. À l'intérieur
de la dialectique conflit-intégration, qui sous-tend le bel ouvrage
d'Emmanuel Le Roy Ladurie, l'avantage a paru revenir à l'intégration, notamment pendant le double septennat de François Mitterrand.
Mais la crise corse de la fin du siècle a semblé renvoyer le balancier*

dans l'autre sens, en relançant le débat sur les régionalismes périphériques, Bretagne, Alsace, Pays basque, voire Savoie.

Aujourd'hui, à la lumière de l'Europe, les deux évolutions sont
concevables. Il est souhaitable que la décentralisation continue et
même s'élargisse, mais il ne faudrait pas qu'elle aboutisse à une
accentuation du nationalisme, francophobe en Corse, corsophobe
en France continentale. Une telle évolution, porteuse de germes
xénophobes et même racistes, serait une régression. La marge est
étroite. Elle suppose du sang-froid de la part des politiques, du
discernement chez les intellectuels, et une claire vision des priorités
de la part des peuples. Le débat, c'est-à-dire la dialectique mon-
dialisation-régionalisation, est en train de gagner, sous des formes
diverses, l'ensemble des régions de la planète. Il dominera le siècle
qui s'ouvre. Formons le vœu qu'un peu partout on arrive à des
solutions acceptables sans recours à la violence.

JACQUES JULLIARD

REMERCIEMENTS... ET MISE AU POINT

Ce livre doit beaucoup à mes amis André Burguière, Jacques Revel, Jacques Julliard et Michel Winock qui parrainèrent la publication d'une « première version » d'icelui, beaucoup plus brève, dans le volume *L'État et les Conflits* de l'*Histoire de la France* parue aux Éditions du Seuil en 1990.

Les impératifs d'une publication ne coïncident pas toujours avec les exigences de l'actualité qui parfois « bouge » très vite, notamment quant aux données changeantes du problème corse. Nous avions signalé, lors de la rédaction « définitive » du présent ouvrage, que l'Élysée observait vis-à-vis de Matignon une attitude d'expectative quelque peu silencieuse au sujet du nouveau statut (2000) de l'île de Beauté. Ce n'est plus le cas en 2001 : des divergences marquées sont apparues en effet à ce propos entre les deux instances suprêmes de la République.

S'agissant du problème plus général des minorités périphériques et/ou linguistiques en France comme ailleurs, évoquons aussi la parution toute récente de l'intéressant ouvrage de Jean-Michel Barreau, *Vichy contre l'école de la République* (Flammarion, 2001). Ce volume aborde des questions très différentes de celles qui sont envisagées ci-après ; il offre cependant à notre usage une chronologie fort précieuse des divers textes et données législatives, réglementaires, universitaires, relatives à l'enseignement des langues régionales depuis la fin du XIXe siècle jusqu'aux années 1940.

On notera aussi la publication ces temps-ci d'un ouvrage du linguiste anglais David Crystal, *Language Death* : à l'en croire, une langue disparaît tous les quinze jours, parmi les milliers de langages actuellement parlés dans le monde.

Avant-propos

Le 24 juillet 2000, un grand journal parisien [1]* « ouvrait » son édition quotidienne sur un festival de titres qui, pour certains d'entre eux, « tiraient l'œil » : « Grâce au sumo, Chirac retourne Poutine »... « Le roller des villes cherche sa voie »... « Le béton défigure les côtes françaises », etc. Par ailleurs, une rubrique modeste, au centre droit de la Une, sollicitait sans tapage l'attention du lecteur : « Ferments corses dans les régions ». Le sens de ce petit texte, en tout état de cause, était net et clair : les concessions aux nationalistes corses éventuellement octroyées par Matignon pouvaient paraître excessives ; et parmi celles-ci, l'enseignement possiblement obligatoire de la langue corse, le partage du pouvoir législatif avec les insulaires, etc. Surtout, le journal reprochait implicitement à nos autorités gouvernementales de relancer les revendications « dans d'autres régions traditionnellement attachées à la préservation de leur identité » (lisez : dans les provinces ou portions de provinces qui disposent d'une langue minoritaire, telle que breton ou basque ; avec, en plus, un ou deux cas particuliers, comme la Savoie, linguistiquement moins individualisée). Ce petit encadré était suivi, en page quatre cette fois, par toute une série d'enquêtes fort édifiantes, fussent-elles quelque peu gonflées en certain cas par rapport aux réalités locales. Première à entrer en lice, Judith Weintraub donnait le ton en s'aidant de quelques citations oppositionnelles et polémiques : Jean-Louis Debré (RPR) souhaitait l'organisation d'un référendum sur la Corse. Claude Goasguen, porte-parole de Démocratie libérale, s'en prenait, lui, au ministre de l'Intérieur : « Jean-

* Les notes sont placées en fin de volume, p. 363 *sq.*

11

Pierre Chevènement ouvre sa gueule, mais il ne démissionne jamais. » De fait, cet homme d'État avait critiqué assez vertement les positions jospiniennes sur la Corse, mais il n'avait pas encore (à l'époque) restitué son portefeuille. Henri Paillard, à son tour, explorait le filon régionaliste et se faisait l'interprète, nullement partial, des états d'âme des Basques français. Il citait Renaud d'Élissagaray, président de l'Association pour un département Pays-Basque, un président qui « ne décolérait pas » depuis l'annonce du plan Jospin pour la Corse, et qui était soutenu en cela par Jacques Saint-Martin, ancien directeur de la firme Izarra, productrice d'une illustre liqueur locale. D'Élissagaray prenait soin, bien sûr, de se différencier des terroristes de l'ETA ; il soulignait judicieusement que sur les 263 000 habitants du Pays basque français, près de la moitié n'étaient pas d'origine basque, « ce qui leur vaut pourtant des droits égaux à ceux dont jouissent ou devraient jouir leurs concitoyens nés en basquitude authentique ». La situation ouest-pyrénéenne serait plus compliquée encore qu'on ne pourrait croire, du fait des pressions, certes discrètes, qu'exerce le gouvernement de Madrid, peu soucieux de voir s'établir à la frontière nord de l'Espagne une entité basco-française de plein exercice, fût-elle purement et simplement « mono-départementale ». Et puis, autre empêchement toujours concevable, le président du conseil général des Pyrénées-Atlantiques, François Bayrou, homme politique d'envergure nationale, n'est sans doute pas très chaud, conclut Paillard, pour voir « son département coupé en deux », réduisant ainsi de 50 % le fief sud-occidental du leader de l'UDF.

Le journaliste Francis Puyalte, écrivant pour le même quotidien, fut dépêché, pour sa part, vers la péninsule armoricaine. Depuis Brest, dont il a fait sa base opérationnelle, il signale que « les Bretons veulent parler breton », titre un peu simpliste puisque – nous y reviendrons – seule la moitié ouest de la grande presqu'île est authentiquement bretonnante ; la partie orientale, centrée sur Rennes, dispose d'un dialecte *gallo*, d'origine effectivement gallo-romaine et proche de la langue française, laquelle a fortement contaminé ce langage régional depuis près d'un millénaire. Puyalte note à ce propos que Jean-Yves Cozan, « grand ami de Chirac » et conseiller général d'Ouessant, voudrait dorénavant que l'enseignement du breton soit rendu obligatoire dans les écoles du Finistère, du Morbihan et des Côtes-d'Armor ; facultatif, d'autre part, en Loire-Atlantique et Ille-et-Vilaine. Remarquons à ce propos que le rattachement de la Loire-Atlantique à la Bretagne n'est pas encore un fait acquis ; et puis, autre problème, si le Finistère en effet fut à vocation 100 % bretonnante, il n'en va pas de même des Côtes-d'Armor ni du Morbihan dont les portions orientales sont elles aussi situées dans le système gallo. Enfin, on n'ose pas faire remarquer, tant les susceptibilités vis-à-vis de ce « thème » (c'est le cas de le dire) sont demeurées chatouilleuses, on n'ose pas faire remarquer qu'il est déjà tellement difficile de faire apprendre à nos enfants l'anglais, et même tout simplement le français ! M. Claude Allègre (honni soit qui mal y pense !) ne nous disait-il pas encore il y a peu que l'anglais est devenu aussi indispensable que l'algèbre dans la culture des jeunes et des adultes… Glissons… Même M. Pierre Méhaignerie, qui est le plus doux des hommes, y va, dans les mêmes coupures de presse, de son homélie régionaliste, Démocratie chrétienne oblige ; allant plus loin, il n'hésite point à se féliciter du projet Jospin sur la Corse ! « La loi devrait être un moteur, or elle est trop souvent un corset », ajoute-t-il en cultivant la métaphore et même l'allitération. L'UDB, « proche des autonomistes armoricains », voit se profiler, au moins à titre d'hypothèse, « un statut d'autonomie interne pour la Bretagne » aux législatives prochaines. Scul l'*Engann*, autre organisation, assez mystérieuse, « garde de Conrart le silence prudent », ou du moins le gardait-elle en ce 24 juillet de l'an 2000. On la comprend, puisque ses leaders furent maintes fois incarcérés depuis l'attentat du mois d'avril qui causa la mort d'une malheureuse employée d'un *fast-food*.

À Annecy (d'après Serge Pueyo), le chef de file des indépendantistes « savoisiens », Patrice Abeille, parle, pour le moment, de souveraineté partagée, tout en refusant la violence. Les modérés, Michel Barnier et Bernard Bosson, prônent de toute manière une réunification départementale ou régionale de la Savoie. Le député RPR Michel Bouvard prend une position d'ouverture, mais nuancée. Il désire, lui aussi, la création d'une « Région Savoie » de plein exercice, mais il rappelle opportunément qu'on ne doit pas jouer avec la souveraineté car « la Savoie doit beaucoup à la République dans son développement ». Position que partage entièrement le grand historien (de gauche) de la Savoie et d'ailleurs, Jean Nicolas, Ardéchois de naissance et Alpin de cœur. Jean Nicolas souligne en effet la nécessaire appartenance savoyarde à la République, donc à la France... et à l'Europe.

La revendication régionale, cependant, semble se faire jour un peu partout. Même en Alsace, le peu révolutionnaire Daniel Hoeffel, ancien ministre, demande un droit à l'expérimentation ; ce qui revient à vouloir la fusion des deux départements (et de la province) en une seule entité alsacienne. Le régionaliste Robert Spieler souhaite le maintien sur place d'une partie de la TVA collectée *in situ*, au bénéfice de la grande plaine sise entre Rhin et Vosges. Quant aux Occitans et occitanistes, réunis en conclaves dans des villes languedociennes à la belle saison 2000, sous la houlette de Robert Lafont, ils ont et ils auront certainement leur mot à dire... Même si l'occitanisme, ces temps-ci, paraît être le parent pauvre de ce « Réveil » authentique ou peut-être gonflé. Il est vrai que l'« Occitanie » éventuellement habille trop large, par rapport aux sentiments plus spécifiquement provinciaux de ses habitants : Languedociens, Provençaux, Limousins, Auvergnats...

Somme toute, le gouvernement français, par ses mesures ou projets de mesures concernant la Corse, a ouvert la boîte de Pandore, selon le mot du sénateur Hubert Haenel, Alsacien lui aussi. Cette boîte dont l'actualité apparaît ainsi plus évidente que jamais, il n'est pas question, pour nous, dans le présent ouvrage, de la refermer ; simplement d'en décrire et d'en identifier patiemment le contenu ; il n'a rien perdu de sa vigueur ni, en certains cas, de sa virulence.

Une esquisse du présent essai était parue voici quelques années dans l'un des tomes d'une *Histoire de la France*, dirigée par André Burguière, Jacques Revel et, plus spécifiquement encore en l'occurrence, Jacques Julliard. Nous l'avons développée ici même, en souhaitant, parmi d'autres vœux, que notre texte puisse fournir aux décideurs quelques points de repère au sujet de questions régionales et périphériques dont la complexité défie parfois l'imagination. Périphérie n'est certes pas synonyme d'insignifiance, bien au contraire. Il est vrai que les problèmes d'immigration, venue de l'est (par-delà l'ancien rideau de fer) et surtout du sud, autrement dit d'Afrique proche ou lointaine, sont nettement plus graves, plus difficiles même que ceux qui nous préoccupent ici. Mais la manière tantôt brutale (et telle n'est pas notre préférence), tantôt élégante dont les monarchies puis les républiques avaient su résoudre (en partie pour le moins) ces difficultés liées à la périphérie nationale constitue peut-être une leçon, positive ou négative, pour la classe politique française affrontée aux Africains et aux Beurs, mais aussi aux Corses et aux Basques, si radicalement différents que soient les uns et les autres, face aux réalités franco-françaises.

Introduction

Die Geschichte einer jeden Nation,
ist ein grosser Synoekismus.

Theodor Mommsen,
Römische Geschichte (éd. 1874, I, 6).

Une histoire des minorités françaises, de leurs conflits avec la
« grosse majorité » et plus encore de leur intégration souvent réussie
à l'ensemble national pourrait se concevoir à deux niveaux. En premier lieu, il s'agirait bien sûr des minorités linguistiques ; elles se
localisent toutes, *ipso facto*, à la périphérie (certes largement conçue)
du royaume, puis de la République. Leur liste exhaustive inclut les
Alsaciens-Lorrains de langue germanique (= alémanique et « francique »), les néerlandophones de Dunkerque et Hazebrouck ; les celtophones de Bretagne occidentale ; les Basques français du Labourd,
de la Basse-Navarre et de la Soule ; les Nord-Catalans du Roussillon
(Pyrénées-Orientales) ; les Corses ; les dialectophones de langue
franco-provençale en Savoie et Dauphiné ; enfin les Occitans, au midi
d'une ligne approximative qui inclut, vers le sud, Bordeaux, Limoges, Clermont-Ferrand, Valence et les Alpes de Provence[1].

En second lieu, on pourrait évoquer diverses « minorités » d'un
tout autre genre, et cela au sens que les publicistes anglo-saxons
donnent à ce mot. Il s'agirait, en cette deuxième hypothèse, de groupes mainte fois, mais pas nécessairement, militants ; ils se rattachent
à des entités ethniques, religieuses ou sexuelles ; elles ne disposent
point, dans l'Hexagone, d'un territoire particulier (à la différence des
Alsaciens, Corses, Basques, etc.). Parmi ces groupes non strictement
territoriaux, citons les protestants, les juifs, les Arméniens[2], les

17

immigrés de toute sorte, Européens (tels que Portugais ou Polonais), mais aussi Maghrébins, Africains, Tamouls, sans oublier les vastes immigrations du passé, parmi lesquelles celles des Irlandais jacobites et catholiques des XVIIe voire XVIIIe siècles, fuyant les persécutions d'origine protestante infligées par l'Angleterre dominatrice. *Erin* opprimée par *Albion* a contribué ainsi au repeuplement, tant élitaire que populaire, de ce qui deviendra ultérieurement *Marianne* : il suffisait d'y penser[3]. À ces diverses « entrées humaines » venues des nationalités ou ethnicités les plus diverses, depuis les Gitans jusqu'aux Algériens, en passant par les Portugais, il conviendrait d'ajouter (au titre de ces mêmes minorités de toute sorte, exogènes ou endogènes, ne disposant point d'un territoire particulier dans l'hexagone) deux catégories qui eussent étonné dans cette liste, voilà quelques dizaines d'années, mais que diverses militances récentes et principalement nord-américaines nous incitent à évoquer pour le coup : les homosexuels et les femmes[4]. Le statut minoritaire et mainte fois militant de ceux-là ne fait de doute pour personne. Celles-ci, par contre, sont légèrement majoritaires sur le plan démographique : mais l'expression particulière, idéologique parfois, que le féminisme donne de leur situation ou de leurs demandes éventuelles n'intéresse activement qu'une minorité, certes visible.

Disons-le tout net : nous ne considérerons point, dans le présent ouvrage, ce second niveau. Quant aux groupes à dominante sexuelle ou bien d'immigration, ils représentent à beaucoup d'égards, comme tels, un problème relativement contemporain. À moins de parler, bien sûr, dans des chapitres concernant l'histoire économique de la France, du rôle des banquiers allemands et des marchands italiens à Lyon, au XVIe siècle ; ou des pionniers du négoce hollandais à Nantes au XVIIe. Mais telle n'est pas notre tâche en ce livre.

Il sera donc uniquement question, dans les pages qui vont suivre, des minorités linguistiques, périphériques, géographiques. Elles peuvent, à leur tour, être classées en deux sous-groupes.

Dans les portions septentrionales de l'Hexagone, proches du vieux domaine d'oïl, ces entités culturelles et territoriales se rattachent (ou se rattachaient), sauf exception, à des districts administratifs et provinciaux qui les dépassent, les englobent. L'exception, bien sûr, est majeure : c'est l'Alsace. Celle-ci, depuis l'apparition d'un duché d'Alsace au VIIe siècle, et à travers diverses métamorphoses, détient une conscience provinciale de plein exercice, qui s'affirmera encore, beaucoup plus tard, avec « l'intendance d'Alsace » des XVIIe et XVIIIe siècles. En revanche, le destin des minorités germanophones de Lorraine est inséparable de l'existence propre, puis du rattachement à la France, des vastes territoires de Lorraine, à prédominance francophone, et qui, jadis, se subdivisaient en duché, évêchés, etc. La petite zone flamingante aux environs de Dunkerque n'a de cohérence administrative que pour autant qu'elle appartient à l'ensemble autrement vaste des Pays-Bas du Sud (francophones), phagocytés par le Roi-Soleil au XVIIe siècle. La basse Bretagne (celtique) est indéchirable du duché de Bretagne, dont la moitié orientale est gallophone.

En revanche, au sud de la Loire, ou plus exactement au sud des frontières dialectales oïl/oc, nous avons affaire, sous des formes diverses, à des minorités, ou du moins à des territoires de plein exercice, parmi lesquelles la francisation (devenue aujourd'hui majoritaire, voire quasi totale) s'est imposée *de l'extérieur*, comme innovation transmise depuis l'anticyclone linguistique du Bassin parisien.

De là, deux approches différentes, de notre part, selon qu'il s'agira, par exemple, de la Lorraine, dans notre première partie, ou du Roussillon, au second volet de cette étude.

Une autre forme de classification, plus simple, consisterait à distinguer entre les minorités *non latines* au nord-est, au nord et à l'ouest (respectivement alsacienne, lorraine-germanophone, flamande-flamingante, bretonne-celtophone et basque) ; et les minorités de langue latine ou romane : elles incluent les Roussillonnais *alias* Nord-Catalans, les Corses, les Franco-Provençaux [5] du Dauphiné, de Bresse, de Savoie et même jadis de Lyon. Enfin, et surtout, les Occitans. Ceux-ci, dont la dénomination fait du reste problème, constituent et de loin l'aire linguistique la plus vaste ; elle vient immédiatement pour l'effectif humain et pour la superficie après les zones d'oïl. Mais elle est éclatée, répétons-le, en diverses provinces, ou sous-ensembles dont la « conscientisation » est plus nette : on est ou on naît gascon, ou provençal, plus et plutôt qu'occitan.

CARTE LINGUISTIQUE DE LA FRANCE TRADITIONNELLE

FLAMAND

LORRAINE SEPTENTRIONALE (Francique)

BRETON (celtique)

ALSACIEN

ALSACE

LANGUE FRANÇAISE ET PARLERS DES PAYS D'OÏL

FRANCO-PROVENÇAL

Savoie

limousin

auvergnat

LES PAYS DE LANGUE D'OC

gascon

languedocien

provençal

PAYS BASQUE FRANCAIS

NORD-CATALAN (Roussillon)

CORSE

Dunkerque, Lille, Metz, Strasbourg, Mulhouse, Quimper, Vannes, Poitiers, Genève, Bourg-en-Bresse, Vichy, Limoges, Lyon, Annecy, Clermont-Ferrand, St-Étienne, Chambéry, Grenoble, Bordeaux, Valence, Bayonne, Toulouse, Montpellier, Nice, Marseille, Bastia, Perpignan, Ajaccio

100 km

Légendes Cartographie

Pour la Bretagne et la "Flandre française flamingante", nous avons retenu les limites linguistiques des années 1880 quant à l'Armorique, et de 1873 pour les Flamands. Depuis cette époque, les limites en question se sont "reculées" dans les deux cas, l'une vers l'ouest, l'autre vers l'est.

L'aire "franco-provençale" inclut, outre la Savoie, les régions lyonnaise, stéphanoise, grenobloise et sud-jurassienne.

En Lorraine septentrionale, le "francique" malgré son nom est un parler germanique, à l'image des anciens Francs germanophones.

Il va de soi que la langue française s'étend aujourd'hui sur l'ensemble du territoire national, bien au-delà des pays d'Oïl...

.... limite linguistique

limite de la Savoie

PREMIÈRE PARTIE

Les minorités
non latines

1

Alsace

Le terme d'Alsace-Lorraine, vieux d'un très long siècle, ne doit pas faire illusion. Le devenir de chacune des deux zones qui forment cette entité composite présente, de part et d'autre, des différences considérables. D'un côté, le duché bilingue dont la capitale est Nancy. De l'autre, une région, l'Alsace, qui, au XVIᵉ siècle, avant le rattachement français, s'avérait aussi « allemande », si tant est que ce mot eût un sens à l'époque, disons à tout le moins aussi « germanique » ou alémanique, qu'étaient « welches » la Champagne et la Picardie.

Il est vrai que cette authentique germanicité alsacienne ne remontait point à la protohistoire ! L'Alsace fut celtique avec le reste de la Gaule, puis gallo-romaine aux premiers siècles de notre ère. Mais, à partir du VIᵉ siècle, la série classique des invasions (surtout alémaniques et franques) aboutit à une germanisation totale : celle-ci est le fruit connexe de l'immigration armée ou pacifique, venue d'outre-Rhin, et de l'assimilation des autochtones, ci-devant romanisés. On peut considérer ce processus de transfusion culturelle comme tout à fait achevé au cours de la seconde moitié du VIᵉ siècle. C'est en effet le temps où Grégoire de Tours parle de « la ville ci-devant gallo-romaine d'Argentorate, maintenant appelée Strasbourg ». En 640, les rois francs [1] créent, aux fins militaires, un duché d'Alsace, qui du reste déborde, par-delà le territoire ainsi nommé de nos jours, en direction de Belfort et du Jura bernois. À l'époque carolingienne prennent forme deux évêchés : celui de Bâle et celui de Strasbourg. Les limites de cette seconde circonscription se maintiendront à peu près telles jusqu'en 1801 [2]. Cela dit, ne majorons point Strasbourg comme capitale provinciale, au déclin du Iᵉʳ millénaire : ce chef-lieu diocésain, seule ville « importante » d'une

25

Alsace qui alors était presque purement rurale, n'aurait, semble-t-il, qu'environ 3 000 habitants au IXᵉ siècle !

Peu avant l'an mil, l'Alsace devient position clef pour les empereurs ottoniens ; tout à fait à l'écart, en conséquence, des destinées encore pédestres qui seront longtemps réservées à la *Francia occidentalis* du premier Capet[3].

Les Hohenstaufen, à leur tour, manifestent une certaine prédilection pour les territoires de l'immédiate rive gauche du Rhin. Frédéric II (1194-1250) tient même l'Alsace pour « la plus chère de ses possessions familiales », la prunelle de ses yeux. Les Habsbourg, un peu plus tard, sont « déjetés » vers l'est, et donc marginalisent la terre alsacienne. La région, au XIIIᵉ siècle, participe à la mode rhénane de la diffusion des « rapports de droit » *(Weistümer),* ou « Coutumiers », à l'usage de la paysannerie ; ils tâchent de limiter au profit des seigneurs la vague d'émancipation rurale, sans parvenir à empêcher tout à fait la mise en œuvre progressive de celle-ci. Aux mêmes époques, Strasbourg accède au rang prestigieux de cité d'empire et de ville libre ; la culture urbaine n'est pas en reste : le poète Gottfried de Strasbourg, mort vers 1210, est l'auteur d'une version en langue allemande de *Tristan et Yseult.* De son côté, la mystique rhénane, fine fleur de la culture germanique, trouve son point de départ au couvent des dominicains strasbourgeois, en la personne de maître Eckart, prieur de ce monastère depuis 1314.

L'Alsace est donc allemande pour le meilleur… et pour le pire : en 1349, au lendemain de la peste noire, les massacres de juifs dans les villes de cette région se conforment à un « modèle » (si l'on peut dire) assez répandu à cette époque outre-Vosges et outre-Rhin.

Au reste, les influences proprement françaises, à la fin du Moyen Âge, vont pénétrer dans le fossé rhénan sous des formes parfois contestables : en 1444, la « visite » en haute Alsace du dauphin Louis, futur Louis XI, à la tête d'une bande d'écorcheurs, ne survivra pas dans les souvenirs de la postérité comme l'un des plus remarquables témoignages du rayonnement ni du génie français hors des frontières nationales.

Quant à l'imprimerie, tout juste inventée par Gutenberg, elle démarre précocement à Strasbourg dès 1458, avec une dizaine d'années d'avance sur Paris, « phare » de la culture française !

Au commencement du XVIe siècle, les moines d'Issenheim, proches de Colmar, capitale de l'Alsace méridionale, désirent faire travailler des artistes à leur galerie de tableaux, puis à leur grand retable : ils embauchent Schongauer et Grünewald, mais certainement pas Bourdichon ni Perréal. La réforme luthérienne à Strasbourg se répand dès 1523 par l'intermédiaire de Martin Bucer et de Wolfgang Capiton. Elle attire même, pour quelques années, certains non-conformistes venus de l'Église de France, au nombre desquels Jean Calvin.

En 1525, l'Alsace est l'un des points forts de la très allemande guerre des paysans ou « révolte des rustauds », écrasée il est vrai par le duc, volontiers francophone, qu'est Antoine de Lorraine, déboulant dans la vallée rhénane par le passage de Saverne. Le bon duc, qui s'ensanglante les mains pour la circonstance, craignait-il que la rébellion, jusqu'alors spécifiquement germanique, n'aille déteindre en pays welche ? Au cours de ces années, le pouvoir alsacien est disséminé entre le Habsbourg, l'évêché strasbourgeois, les fiefs de la noblesse d'Empire, et la Décapole (ligue de dix villes, dans la région). Tant bien que mal, les *Landtage*, états généraux d'Alsace, très souvent réunis de 1528 à 1616, introduisent une espèce d'unité représentative, que menacent les dissensions religieuses : sur les 900 villes et villages de la province, 300 sont protestants en 1585 ; mais le reste demeure encore catholique et se maintiendra ultérieurement dans le giron de l'Église romaine. En tout état de cause, l'Alsace du XVIe siècle ne se mêle guère de politique française, sinon à Lyon où Minkel et Obrecht, banquiers luthériens de Strasbourg, immigrés au carrefour Saône-Rhône, soutiennent de leurs prêts d'écus les Valois ; ceux-ci, en effet, bien que catholiques, sont au gré de ces financiers les adversaires naturels des Habsbourg ultrapapistes : « Les ennemis de mes ennemis sont mes amis. » Dans le sens inverse, bien timides encore demeurent les intrusions de la France officielle en Alsace. Et, par exemple, le « voyage d'Allemagne » d'Henri II, dont les conséquences sont essentielles pour la Lorraine, demeure sans effet durable entre Vosges et Rhin.

Avec les Bourbons, cependant, on change de style : ils ne courent plus, comme faisaient certains Valois, après de mirifiques et mythiques héritages en Italie. Leurs préoccupations se portent davantage vers les frontières de l'est : déjà, Henri IV, autour de 1600, voudrait bien s'immiscer dans les minuscules conflits qui opposent le clergé régulier de Strasbourg au protestantisme local. Est-ce l'annonce du grand orage qui va bouleverser la vie ou du moins l'appartenance nationale des générations suivantes ?

Autour de 1630, un maître ardennais, Daniel Martin, enseigne la langue française à Strasbourg. Martin n'est qu'un minuscule symptôme. L'essentiel, bien sûr, tient aux événements diplomatiques et militaires qui accompagnent localement la guerre de Trente Ans. Dès la décennie 1620, les autorités de la ville libre de Strasbourg, qu'inquiète le projet impérial de restitution des biens cultuels aux catholiques, négocient avec la France pour obtenir de Louis XIII un soutien d'argent et de soldats. L'intrusion française outre-Vosges correspond donc, dès l'origine, à une action d'appui proluthérienne contre les Habsbourg. La suite des rapports franco-alsaciens restera fortement marquée par ce fait initial. Dans une région qui compte seulement quatre villes protestantes importantes (Wissembourg, Landau, Munster et Strasbourg) contre cinq villes catholiques et deux cités mixtes, l'« hérésie » devient le fait d'une minorité, certes active. Celle-ci doit trouver des renforts à l'extérieur ; si besoin est, jusqu'au Louvre. Le rôle gallophile ou gallo-centrique que joue *in situ* la francophonie indigène dans une Lorraine bilingue sera donc paradoxalement tenu par le luthéranisme, pourtant germanophone, dans une Alsace jusqu'alors allemande à cent pour cent. Le fait que l'évêché (catholique) de Strasbourg soit régi à partir de 1625 par l'archiduc d'Autriche Léopold, fils d'empereur, confère une particulière urgence aux demandes d'aide, adressées à la France, qui émanent des citoyens de cette ville, majoritairement férus d'antipapisme. Ils ne portent pas dans leur cœur le régime de Vienne.

Tout va se jouer en huit ans (1633-1640). Années de basculement vers le royaume ! Elles renversent, et pour longtemps, huit siècles de germanisme intégral. Cette pénétration brusquée des Français au-delà des Vosges, en *Blitzkrieg*, est différente de la lente mainmise du royaume capétien sur la Lorraine : une mainmise qui demandera en tout plus de deux siècles (1552-1766).

La Suède, ô paradoxe, ouvre le ban : pendant l'année 1632, en effet, les soldats de Gustave-Adolphe, souverain de ce pays, s'installent en Alsace et jusqu'à Colmar, pour préserver le pays des menaces impériales ou catholiques. Mais Gustave-Adolphe meurt (1632) et les généraux protestants sont battus à Nordlingen (1634). Les villes de Mulhouse et de Strasbourg, effrayées par la perspective d'une reconquête « papiste », acceptent de prendre des contacts avec la France. Celle-ci, qui supplée la Suède, représente un moindre mal, comme puissance catholique certes, mais tolérante aux protestants, et hostile aux Habsbourg. De son côté, Richelieu ne songe, au début, qu'à se tailler une route vers l'Allemagne à travers Strasbourg ; mais, en 1639, Bernard de Saxe-Weimar meurt, qui serait devenu en cas de survie, pour le compte de la France, un landgrave germanique d'Alsace fort présentable ; de ce fait, l'occupation ou la simple incursion militaire française, lancée dès 1633, se transforme à partir de 1640 en administration directe *de facto*, avec envoi de gouverneurs et d'intendants. La frontière naturelle, ce faisant, n'est pas l'objectif recherché. Ce qui a cours, en réalité, c'est une espèce de logique « fonctionnaliste » : sans que tout soit nécessairement prémédité, elle substitue, en moins d'une décennie, aux simples « prises de gages » du début une annexion à peine déguisée.

Les traités de Munster, en 1648, consacrent le fait accompli d'une cession de l'Alsace à la France. Les Habsbourg préfèrent cette solution (chirurgicale) à celle d'un maintien de la région dans l'Empire : l'Alsace serait devenue dans cette seconde hypothèse un cheval de Troie, par quoi le Bourbon suzerain eût pu intervenir dans le cadre germanique au détriment de l'intérêt bien compris des Habsbourg ; au détriment, surtout, de l'emprise de ceux-ci sur la couronne impériale. Ironiquement, on peut donc imputer à Vienne le détachement de l'Alsace par rapport à l'ensemble proprement politique de l'« Allemagne », celle-ci serait-elle encore fort divisée. Non négligeable est aussi, quant à cette première incorporation de l'Alsace au monde français, la reconnaissance régionale, par le pouvoir parisien, d'un *statu quo* des religions établies ; cette reconnaissance garantit pour l'avenir un certain loyalisme des Églises, catholique et protestante, à l'égard du royaume. Il est vrai que l'équilibre cultuel qui s'instaure de la sorte ne représente pour l'instant qu'une assez faible consolation dans un pays que vingt ans de guerres laissent, vers 1650, dépeuplé, dévasté par les pillages et les passages de troupes. De 1672 à 1678, la guerre de Hollande, destructrice elle aussi pour tout ce qui borne la vallée du Rhin, n'arrange pas les choses. La France, certes, y consolide ses acquêts de Munster, malgré la protestation qu'émet à ce propos le municipe de Colmar (il y a donc en Alsace, à l'époque, certains ressentiments francophobes et mêmes nationalistes, s'il est permis de leur appliquer cet adjectif). En 1681, Strasbourg, sous pression militaire, doit admettre la souveraineté française et la recatholicisation de sa cathédrale, à ceci près, clause décisive, que le protestantisme préserve en ville la plupart de ses positions, y compris universitaires.

Sur le plan de l'Alsace prise comme un tout, « Monsieur l'Intendant », venu de France, n'est pourtant pas taillé sur le modèle, qui serait peu attractif, d'un proconsul exclusivement brutal ; ses supérieurs, au Louvre comme à Versailles, lui recommandent de suivre, autant que possible, l'exemple des archiducs (d'Autriche) qui l'avaient précédé sur place dans les fonctions administratives ; en 1701, le contrôleur général des Finances prononce la phrase célèbre : « Il ne faut point toucher aux usages de l'Alsace. » Autant dire que l'intendant louis-quatorzien est essentiellement un commissaire du roi auprès des diverses instances locales, qu'elles soient de gouvernement ou de représentativité, et dont beaucoup sont antérieures à l'arrivée des Français.

L'accomplissement principal qui conditionne et prépare une pacifique résolution des conflits est d'ordre religieux. « En Alsace, le Saint-Esprit est aux ordres du roi », déclare, sans rire, l'intendant Charles Colbert. Les catholiques sont, bien entendu (comment pourrait-il en être autrement sous Louis le Dieudonné ?), favorisés par le nouveau pouvoir venu du Bassin parisien : on institue donc à leur profit le *simultaneum* (encore pratiqué de nos jours) qui les fait coexister ou plutôt alterner avec la communauté protestante dans le même temple-église. On réserve plus ou moins (en vérité plus que moins) les charges officielles aux fidèles de l'Église romaine, ce qui incite maint protestant arriviste à se convertir. De façon exclusive, on cantonne le pénible et coûteux logement des troupes parmi les zones « hérétiques »… Néanmoins, l'essentiel des libertés religieuses est préservé : le sort de la grosse minorité luthérienne d'Alsace paraît enviable quand on le compare aux infortunes qui affectent les huguenots calvinistes de l'« intérieur » du royaume ; ceux-ci sont privés de toute existence autre que clandestine, du fait de la Révocation de l'édit de Nantes. Il n'est pas question pour le Roi-Soleil d'appliquer cet acte en Alsace, province dans laquelle, au surplus, l'expression « édit de Nantes » n'a pas lieu d'être, vu le caractère tardif du rattachement à la France, par rapport à la date du texte libéral qu'avait signé Henri IV dans la cité bretonne (1598). Le Roi-Soleil et plus tard Louis XV vont régner en Alsace comme avaient fort équitablement gouverné en France le Vert-Galant et Louis XIII. Ils encouragent l'une des Églises (catholique), mais laissent survivre et même prospérer le culte concurrent (réformé). À soi seul, ce dualisme, dont on regrette qu'il n'ait pas subsisté *aussi* à l'ouest des Vosges, fait beaucoup pour assurer la loyauté des populations d'Alsace. Ne les travaille, d'autre part, qu'un faible prurit de nationalisme linguistique, puisqu'il n'y a pas d'unification du vaste ensemble allemand (d'outre-Rhin), qui pourrait fonctionner comme pôle séducteur à l'égard d'une hypothétique tendance locale (en Alsace), laquelle serait expressément germanophile. De toute manière, les fidélités, vers 1700, vont au prince ou au monarque plus qu'au parler national. Le « corps de la langue » n'a pas encore remplacé le « corps du Roi » (M. de Certeau).

Le XVIIIᵉ siècle, entre Vosges et Rhin, voit proliférer la démographie, sans que ce phénomène engendre, sur le plan politique, un malaise particulier. L'effectif humain de la province en ce temps des Lumières double presque, comme celui de Strasbourg, en comparaison avec les bas niveaux consécutifs aux désastres de l'époque antérieure (depuis la guerre de Trente Ans jusqu'aux conflits louis-quatorziens). Ce puissant essor plébiscite ou ratifie la nouvelle paix française, consacrée par le siècle des Lumières. La pomme de terre, les assolements nouveaux et plus intensifs, un peu d'industrialisation mulhousienne permettent de faire face, sans trop de difficultés, au gonflement du nombre des hommes (mais le début des années 1770, disetteux, est dur à passer). Une cohabitation linguistique et culturelle, qui s'affirme relativement harmonieuse, assure un puissant développement de l'alphabétisation élémentaire en langue allemande, ainsi que de la haute culture, celle-ci poussée en avant par l'enseignement supérieur, francophone ou germanophone, et par les débuts locaux du *Sturm und Drang*. La Prusse monte au zénith. Du coup, le rapprochement français avec l'Autriche (notamment lors des noces du futur Louis XVI et de Marie-Antoinette) met un terme à la vieille lutte contre les Habsbourg ; elle avait opposé, depuis le XVIᵉ siècle, les « Gaulois » aux « Germains ». En cas de perpétuation, elle aurait pu déchirer l'Alsace. Par ailleurs, cette province, même soumise à l'autorité gouvernementale et militaire de Versailles, maintient ses formes spécifiques d'administration (sous l'égide, il est vrai, de l'intendant et du gouverneur). Les hiérarchies aristocratiques, à la mode allemande, les « cascades de dédain » demeurent nettement plus contraignantes que dans la France de l'« intérieur ». Malgré l'appui officiel que reçoit l'Église romaine, le *simultaneum* catholico-protestant persiste au XVIIIᵉ siècle à fonctionner dans cette province, de façon satisfaisante ; et cela d'autant mieux que, vers la fin de l'Ancien Régime, l'esprit de tolérance fait de gros progrès.

La Révolution française, lors de la fête de la Fédération (14 juillet 1790), marque, en théorie, un ralliement volontaire des Alsaciens à ce qui, au départ, n'avait été qu'une annexion de fait, décrétée par Richelieu, puis par Louis XIV et Louvois, sans que fussent consultés les habitants. Et pourtant, cette Révolution détruit, par-delà le 4 août 1789, les structures particularistes du pays. À un degré que n'avaient pas voulu les rois, elle veut parfois discréditer (au profit de la seule langue française) les prétendus « patois », localement germaniques, qui restent pourtant d'usage massif. Sur place, elle dresse les jacobins contre les élites protestantes et dialectophones : celles-ci furent d'abord gagnées à l'idéologie libérale de 1789, puis se laissèrent impliquer, déborder, submerger par un processus « montagnard » qui les dépassait, au terme duquel les attendait la guillotine. Ajoutons, ce qui n'arrange rien, que la Révolution combat le clergé, si puissant à l'est des Vosges. Elle crée donc, par contrecoup, les conditions (théoriques) d'un retournement alsacien vers l'Allemagne, retournement politique qui n'est pour l'heure qu'une vue de l'esprit, mais dont on trouve quelques ébauches dans les textes autochtones et contre-révolutionnaires de l'époque. Il est vrai que Napoléon va mettre bon ordre à tout cela : sur de vastes portions du ci-devant Saint Empire romain germanique, par ses soins conquises, cet empereur crée en effet des emplois et des débouchés pour les Alsaciens, quand ceux-ci sont de bon niveau socioculturel : la connaissance spontanée qu'ils ont de la langue allemande leur vaut, des deux côtés du Rhin, quantité de postes de préfets, de généraux, de magistrats... Les catholiques locaux, de leur côté, se situent maintenant au-delà de l'âge glorieux des grandes familles d'évêques du diocèse de Strasbourg, que celles-ci aient été simplement francophiles (les Furstenberg, au XVIIe siècle) ou françaises (les Rohan, au XVIIIe). Les « papistes » vont se satisfaire désormais de la place plus réduite, certes, mais toujours éminente que leur donne le concordat de 1801 dans les institutions nationales et provinciales. Les protestants, totalement émancipés depuis la dernière décennie du XVIIIe siècle, et les juifs, partiellement libérés, deviennent, de ce fait, volontiers fervents du régime postrévolutionnaire.

Une francisation (encore fort incomplète) de l'Alsace va donc être mise en route dès le règne de Louis-Philippe par le biais d'un apprentissage scolaire toujours plus poussé, qui laissera néanmoins pendant bien des années une place très importante à l'allemand. Les frustrations germaniques existent bien sûr à l'égard de ce rayonnement « welche » que d'aucuns jugent excessif ou impérialiste. Quand, en 1859, le recteur de l'académie de Strasbourg, à certains niveaux d'enseignement, n'autorise plus que trente-cinq minutes de cours en allemand par jour, il suscite de vives plaintes, notamment de la part du clergé pour lequel, comme en Flandre, en Bretagne ou au Pays basque, la langue locale permet de résister aux progrès très francophones des « Lumières » anticléricales [4]. De tels mécontentements, néanmoins, à l'égard d'une certaine « gallicisation » de l'Alsace s'expriment pour l'essentiel non pas tant dans la région mise en cause, mais en Allemagne même, de l'autre côté du Rhin, et jusqu'en Prusse. La revendication linguistique ou teutonne, fille légitime de l'« éveil des nationalités » du XIXe siècle, attise les nostalgies ; elles font regretter aux Allemands, après 1850, la perte d'une province que Louis XIII et Louis XIV avaient arrachée au corps germanique en une époque où celui-ci, peu conscient de son unité fondamentale, était hors d'état de réagir avec force. Mais demeurons dans le cadre alsacien lui-même, si longtemps préservé. N'en déplaise à ceux qui projettent volontiers vers le temps jadis les conflits typiques de notre époque (spécialement quand il est question d'un centralisme « colonial » et des réactions « anticolonialistes » de la part des personnes que celui-ci est censé opprimer), n'en déplaise donc aux tenants d'un anachronisme systématique, le drame particulier de l'Alsace se noue pour l'essentiel après 1870, et ne trouvera dès lors un terme définitif qu'en 1945.

L'annexion, d'abord : Bismarck, en 1870-1871, sème les dents du dragon, autrement dit s'empare de l'Alsace et d'une partie de la Lorraine, démarche fatale qu'en leur sagesse avaient évitée autrefois les alliés de 1815. Ils s'étaient contentés d'arracher à la France la seule Sarre, effectivement germanophone, au lendemain de l'absurde équipée des Cent Jours, qui avait poussé leur patience à bout. L'annexion de l'Alsace au lendemain de la guerre franco-prussienne de 1870 fait écho, elle, à des souhaits déjà formulés outre-Rhin à partir de 1850. Elle tombe, comme la foudre, sur une province minoritairement francophone, mais majoritairement germanophone... et francophile : les libres élections successives de la décennie 1870 donnent en effet aux protestataires qui soutiennent l'ex-pouvoir français les trois quarts des suffrages. C'est le signe (amer) d'une profonde « réussite »... rétrospective : elle avait caractérisé deux gros siècles de francité politique en rive gauche du Rhin[5].

Les nouveaux maîtres berlinois, néanmoins, ne manquent pas d'arguments ni d'atouts, après 1870, pour exercer vis-à-vis de l'Alsace le même processus de séduction... ou de digestion (mais en sens inverse) qui jadis avait réussi aux gouvernements parisiens, de Richelieu à Napoléon III. Les Allemands apportent progressivement dans leurs fourgons la prospérité économique, les lois sociales, les nombreux immigrés nés entre Elbe et Rhin ; enfin la communauté de langue, l'instruction croissante à tous les niveaux... et le maintien du Concordat. Les mirages français s'éloignent d'autant plus que le peuple catholique d'Alsace, qui représentait au départ une composante essentielle de la nostalgie francophile, est choqué par l'anticléricalisme intempérant, voire incontinent, que propose la IIIe République.

La province, malgré tout, demeure longtemps maintenue par l'empire d'Allemagne dans le carcan d'un statut d'exception. En

1911, elle se voit enfin octroyer par Berlin deux assemblées régionales élues : les « mauvais esprits » souligneront volontiers, de nos jours encore, que le pouvoir français n'alla ni n'ira jamais si loin en matière de décentralisation, tant sous le second Empire qu'après 1919, sous la IIIe République finissante[6]. À la veille de la guerre de « quatorze », les souhaits locaux tendent donc à se détourner d'un « impossible » retour à la mère patrie française ; ils vont davantage vers l'autonomisme, dans le cadre du système impérial des Hohenzollern. L'Alsace, derechef, est en voie de rattachement existentiel à la communauté germanique, même si une partie importante de la bourgeoisie strasbourgeoise ou mulhousienne continue à parler et à faire enseigner à ses enfants la langue de Racine ; beaucoup de Français, à l'ouest des Vosges, s'accommodent d'une situation qui, à tort ou à raison, semble irréversible : l'antigermanisme primaire du talentueux dessinateur Hansi, malgré des succès de librairie, ne rallie pas « chez nous » tous les suffrages.

Le premier conflit mondial durcit la volonté de puissance allemande en Alsace, au point que certains dirigeants berlinois rêvent d'un rattachement direct de ce territoire à la Prusse. Pourtant, quand, la guerre gagnée, l'Alsace, en 1918-1919, fait retour à l'Hexagone, la présence allemande récemment rajeunie par un demi-siècle d'assimilations, même révolues, semble bien constituer, sur le moment, une donnée presque infrangible, quoique nullement monopoliste, ni même *a priori* majoritaire.

La France, de ce fait, ne peut prétendre retrouver parmi les Alsaciens, dès 1919, un environnement psychologique de tout repos et qui serait, par hypothèse, comparable à celui si harmonieux dont elle avait joui jusqu'à la fin du second Empire. (Répétons qu'il suffit, pour vérifier l'existence d'un tel paradis perdu des consensus, de se reporter à l'irrécusable témoignage, *a posteriori*, qu'offrent les élections protestataires et francophiles de la décennie 1870, en régime d'occupation prussienne déjà pleinement et durement installé.) Au milieu du XIXe siècle, la prédominance de la germanophonie dans les masses régionales et le fait déjà bien établi d'une certaine francophonie chez les élites n'avaient constitué somme toute que des données assez secondaires quant à la définition d'une identité nationale ou tout simplement d'une loyauté aux pouvoirs parisiens. Mais, au lendemain du premier conflit mondial, la persistance légitime du germanisme, renforcé qui plus est par quarante-huit années de « défrancisation » entre 1871 et 1918, devient *post factum* un fait politique majeur, pour toute la période de l'entre-deux-guerres. Autre élément de perturbation : la France, depuis Louis XIV jusqu'au durable régime concordataire inauguré en 1801, était toujours apparue en Alsace comme un ferme soutien de l'Église catholique ; un soutien qui n'excluait pas du reste, avec le passage du temps, des signes d'amitié vis-à-vis du protestantisme et du judaïsme local. Or l'attitude de l'« Hexagone officiel » vis-à-vis de l'Église romaine passe, du point de vue alsacien, par une phase d'allergie anticurés pendant les décennies 1920 et 1930, en particulier au moment du Cartel des gauches (1924) et du Front populaire (1936). Pour ces deux occasions, en effet, certains politiciens radicaux et socialistes de l'« intérieur » parlent d'introduire les lois laïques dans une Alsace qui veut garder, en sa majorité, le régime procatholique du concordat. Du coup, l'autonomisme, authentiquement régionaliste sous certains aspects, mais cryptogermanophile à d'autres égards, marque des points, de 1924 à 1939 ; il est même soutenu sur son flanc d'extrême gauche par les communistes alsaciens : ceux-ci sont en effet les héritiers locaux de la gauche du Parti social-démocrate allemand ; ils sont aussi les interprètes peu sophistiqués de la théorie léniniste du droit des peuples « coloniaux » à disposer d'eux-mêmes. À vrai dire, indépendamment de ces menues fioritures « bolcheviques », le cœur vivant et battant de l'autonomisme est plutôt à chercher, lui, du côté des zones d'ethnicité catholique et germanophone ; en certaines années du déclin de la IIIe République, ces tendances complexes, mais convergentes, parviennent à faire basculer en faveur de l'« alsacianisme » militant les municipalités de Strasbourg et de Colmar[7].

Les nazis, à partir de 1933, pêchent en eau trouble, bien qu'on ne puisse identifier leur cause, par amalgame absurde et sommaire, à celle de l'autonomisme en soi. Celui-ci se pare souvent des nuances attrayantes du régionalisme, mais parfois aussi des répulsives couleurs de l'antisémitisme, certes marginal.

Vient la défaite française de 1940 : en contraste avec la germanisation de 1871-1918, laquelle avait emprunté des canaux divers (langue, religion, lois pro-ouvrières de Bismarck, socialisme), le processus de nazification de l'Alsace, entre 1940 et 1944, n'érode pas seulement ce qui pouvait demeurer de francité dans la province. Il s'attaque à l'ensemble de l'identité provinciale. Les jeunes hommes sont envoyés sur le front russe : 35 000 d'entre eux n'en reviendront jamais. Le judaïsme est voué, si possible, à la destruction, et Ian Kershaw, dans sa grande biographie de Hitler, notera la précocité de la politique antisémite allemande en Alsace. « Dès juillet 1940, écrit-il, Robert Wagner, Gauleiter du pays de Bade et maintenant chargé, par surcroît, de l'Alsace, et puis Joseph Burckel, Gauleiter de Sarre-Palatinat et chef de l'administration civile en Lorraine, pressent tous deux Hitler d'autoriser l'expulsion vers l'ouest, vers la France de Vichy, des Juifs de leurs domaines. » Le Führer donne son accord et en ce même mois 3 000 Juifs alsaciens-lorrains sont déportés vers l'ouest. Les autres, hélas, ne perdent rien pour attendre[8]. Le IIIe Reich, en outre, opprime le catholicisme alsacien et « pompe » l'économie régionale ; la province est administrée comme une dépendance extérieure par des fonctionnaires nazis dont beaucoup, surtout ceux qui décident, ne sont point « du cru ». Les autochtones récalcitrants sont déportés, tués. Une organisation *ad hoc* entièrement contrôlée par les nazis, l'*Opferring*, ou cercle des sacrifices, est créée dès l'automne de 1940. On le dénommera dans les milieux résistants « cercle des victimes de la propagande nazie ». L'*Opferring* a ses leaders de hameaux ou de blocs d'immeuble, de quartiers ou de villages, de communes et d'arrondissements. Elle est le reflet dégradé, soigneusement tenu en lisière, du Parti national-socialiste. Elle aurait compté plus de 100 000 membres parmi lesquels une immense majorité voire quasi-totalité de recrues fictives, forcées ou opportunistes, à partir de 1941-1942. Les effectifs ainsi prétendus fondront, comme neige au soleil, dès le premier semestre de 1944[9].

L'élite alsacienne, dans ces conditions, a connu des jours difficiles, si du moins l'on s'attache au cas de ceux qui pendant les quatre ou cinq « années de plomb » sont restés au pays, par choix (en soi, fort légitime), ou par nécessité[10]. Un Joseph Rossé, fils de boulanger, d'une famille de treize enfants, instituteur et syndicaliste, fut militant autonomiste et partisan, dès l'entre-deux-guerres, d'un rapprochement avec l'Allemagne. En juillet 1940, il souscrit (de force ?) à un manifeste demandant l'intégration de l'Alsace au IIIᵉ Reich. Titulaire de quelques postes de responsabilité dans sa province alors annexée, il se prononce pour un État-tampon d'Alsace-Lorraine, idée qui, *via* l'ambassade US à Vichy, sera reprise quelque temps, sous une forme inconsciemment burlesque, par le président Roosevelt en personne ! Ultérieurement, Rossé eut des contacts avec la Résistance allemande. Arrêté par les autorités françaises en 1945, il sera condamné lourdement à quinze ans de travaux forcés, et décédera en prison (1951). Le pasteur Karl Maurer s'efforça, pour sa part, de maintenir une certaine autonomie au bénéfice de l'Église luthérienne d'Alsace pendant le quasi-quinquennat nazi. Néanmoins, ayant été nommé par les autorités allemandes président régional de l'administration de l'Église de la Confession d'Augsbourg, on lui prêta de ce fait, et sans doute à tort, des attitudes qui selon la jolie formule de Bernard Vogler « ne furent pas toujours comprises lors de la Libération ». Condamné postérieurement à celle-ci, Maurer fut ensuite gracié. Un Jean Keppi, militant du « Centre » démocrate chrétien d'Alsace (antérieurement à 1914), puis fondateur d'une agence de presse catholique au cours des années 1930, « navigue » après 1940 entre les fonctions que lui confient les autorités germaniques, et la Résistance allemande de l'été 1944. Navigation périlleuse, effectuée par gros temps, comme on peut bien le penser. Double péril en conséquence, puisque Keppi est recherché par la Gestapo, en l'automne 1944… et condamné par les Français en 1947, puis aussitôt réhabilité pour services éminents rendus à la Résistance. Moins heureux fut le cas de l'abbé Joseph Brauner dont la « coopération » avec les nouveaux maîtres, si tant est qu'elle ait existé, fut proallemande et non pas pronazie : ce qui n'empêcha point cet ecclésiastique d'être incarcéré à la fin de 1944 au camp de Strathof où les mauvais traitements devaient hâter sa mort, survenue en juin 1945. Enfin un homme politique connu, Marcel Sturmel, autonomiste de 1929 à 1939, fut lui aussi signataire (obligé…) du manifeste des Trois-Épis visant à l'intégration alsacienne dans la Grande Allemagne, puis il devint adjoint au maire de Mulhouse, « sous la botte ». Malgré des contacts avec la Résistance allemande au titre du Groupe de Colmar, contacts qui eussent dû compenser ce qui précédait, Sturmel fut arrêté en avril 1945, et condamné en 1947 à huit ans de travaux forcés, puis libéré en 1951. On remarquera que, de ces quatre hommes, trois sont liés au catholicisme, et le quatrième à la Réforme protestante, façon de souligner l'importance qu'eurent en ce cas les « questions chrétiennes » exacerbées, dès les années 1920, par la politique quelquefois maladroitement anticléricale de la IIIe République. Il y avait là, semble-t-il, de quoi motiver, à tort sans aucun doute, certains personnages de bonne volonté (effectivement chrétiens), qui de ce fait avaient pris très tôt diverses positions autonomistes excessives. L'administration nazie tenta, comme on peut voir, de récupérer ces militants de l'autonomie à partir de 1940, avec un succès mitigé... et avec beaucoup d'inconvénients ultérieurs pour les intéressés, inconvénients qui deviendront très sensibles et même douloureux à partir de 1945. La naïveté de divers autonomistes, telle qu'on n'ose point, par égard pour certains Alsaciens, la qualifier de jobardise, est une chose. La collaboration pure et simple en est une autre : ce fut le cas d'Hermann Bickler (1904-1984), né en Moselle, lui, et d'origine allemande, ce qui explique certains épisodes ultérieurs. Juriste strasbourgeois, militant autonomiste d'avant-guerre, il devient après la défaite française *Kreisleiter* (dirigeant de cercle) du Parti national-socialiste dans la capitale de l'Alsace et membre de la SS. Mais très vite son destin personnel se sépare de l'outre-Vosges, et il assume les fonctions de haut policier spécial des Occupants, à Paris. Il réussit à s'enfuir vers l'Allemagne en 1944 ; condamné à mort par contumace en 1947, il vivra tranquillement désormais comme chef d'entreprise[11] en Italie du Nord, « échappant aux recherches », à la manière de Marcel Déat. Il meurt dans son lit en 1984. Étonnant destin de ce militant extrémiste, certes peu estimable, sautant d'une carrière à l'autre, sans trop de dégâts personnels...

Abstraction faite de ces avatars terminaux, la situation pour l'Alsace était même plus complexe qu'il n'y paraissait, puisque, au début de 1942 encore, l'un des chefs courageux de la clandestine opposition allemande à Hitler, Goerdeler, n'envisageait point (en cas de disparition du nazisme) ce qui semblait pourtant aller de soi : c'est-à-dire la restitution pure et simple de l'Alsace-Lorraine à la

France. Goerdeler souhaitait tout au plus que cette double province fît l'objet de négociations entre notre pays et l'Allemagne. Illusions assez ridicules d'un personnage qui fut par ailleurs un très grand résistant à la dictature[12]. Au terme de cette malheureuse époque, Strasbourg est libéré pendant les dernières semaines de novembre 1944 ; mais le nord de l'Alsace sera encore affecté lors des premiers jours de 1945 par l'opération allemande « Vent du Nord », sous-produit de l'offensive des Ardennes. Vent du Nord commença en janvier 1945. « Ce fut la dernière offensive de Hitler et la moins efficace. Les troupes allemandes ne purent avancer que d'une tren-taine de kilomètres. » On craignit un moment pour Strasbourg, ce qui occasionna un conflit entre Eisenhower et de Gaulle, celui-ci partisan de défendre à tout prix la capitale alsacienne, récemment libérée par les Alliés. Mais l'offensive allemande s'enlisa. « Vent du Nord fut à peine une forte brise[13]. »

*

À terme, une fois l'hypothèque de l'occupation levée par la recon-quête antihitlérienne, les mauvais souvenirs, qui en quatre ans eurent le temps de prendre racine, sont tels qu'on peut, par contrecoup logique, parler d'un véritable suicide ou même d'un « autogéno-cide » culturel du germanisme en Alsace, *a posteriori*. En tout cas, il y a délégitimation considérable des influences d'outre-Rhin (mais, en revanche, maintien tenace du dialecte). Pour ne prendre qu'un exemple, les sympathies autonomistes qui s'étaient manifestées avant 1940 dans le PC d'Alsace-Lorraine n'ont plus lieu d'être en ce Parti après 1945. Ainsi s'écroule l'un des points forts de la contestation vis-à-vis des pouvoirs français, telle qu'elle avait pris place pendant l'entre-deux-guerres.

S'agit-il donc, après la fin du second conflit mondial, d'un retour à la lune de miel franco-alsacienne, comme on l'avait connue aux XVIIIe et XIXe siècles ? L'ombre portée de l'Allemagne ci-devant agressive s'étant dissipée totalement après 1945, on assiste en tout cas, par-delà cette date, à une symbiose entre l'identité provinciale de l'Alsace, toujours vivante, et la souveraineté française, qui désor-mais règne sans partage. La prégnance du dialecte (comme dans les villes de Suisse alémanique), le rayonnement d'une presse germanophone, malheureusement déclinante[14], un enseignement spécifique de l'allemand dans le secondaire et même à certains égards dans le primaire, l'influence du tourisme, de l'économie, de l'écologisme et des médias de la RFA demeurent des faits de base. Voire, en quelques domaines, des invariants. Mais la politique alsacienne est strictement française avec prédominance des partis nationaux (MRP, puis gaullisme, enfin PS). Ou bien elle est européenne (assemblée de Strasbourg), ce qui permet de réintroduire par la bande, et pourquoi pas en effet, une raisonnable dose de germanophilie. Les réminiscences du nazisme demeurent chargées bien entendu de connotations tout à fait négatives. Sur un tout autre plan, en 1968, la petite poussée folklorique du situationnisme (accompagnatrice de divers retours à une identité alsacienne qui prendrait ses distances par rapport à l'« intérieur ») ne s'est traduite électoralement que par des résultats minuscules, sans comparaison avec la puissante vague d'autonomisme de l'avant-guerre. Les autonomistes alsaciens, en 1978, ne recueillent que 1,04 % des suffrages exprimés. L'Allemagne de l'Ouest, en tout état de cause, demeure fort prudente du fait des fâcheuses initiatives du national-socialisme, jadis, entre Vosges et Rhin. Elle s'abstient, *grosso modo*, de toute intervention dans le paysage politique de l'Alsace, et cela en plein contraste avec ce qu'avait pratiqué l'Allemagne hitlérienne, voire weimarienne. La Bundesrepublik se contente de jouer au-delà de ses frontières occidentales le rôle important que lui confère, très normalement, sa puissance culturelle et plus encore économique.

Allons plus loin encore, ou plus oultre : dans l'Alsace de l'an 2000, les revendications culturelles restent vives ; mais, pour le moment, elles ne débordent qu'assez peu sur le plan politique. Les groupements qui ont ou pourraient avoir certaines tendances autonomistes ne recueillent guère, comme au cours des décennies précédentes, que 2 à 3 % des voix, dans le cas de l'« Union du peuple alsacien », protagoniste du journal *Rot und Wiss*. Quant au mouvement régionaliste alsacien, créé par Robert Spieler, ancien député du Front national, il comptait, aux dernières nouvelles, quatre élus au Conseil régional, ce qui n'est point nul, mais pas impressionnant non plus. De toute manière, la barre électorale des 5 % paraît toujours, pour ces tendances, difficilement franchissable. Les élus lepénistes et mégrétistes (ceux-ci se rapprochant des régionalistes) se spéciali- sent, quant à eux, dans la défense du dialecte. Plus essentielle paraît la démarche du très modéré Daniel Hoeffel ; il milite encore et toujours avec d'autres personnalités alsaciennes pour la fusion des deux départements, Haut-Rhin et Bas-Rhin, selon des modalités qui font l'objet de débats parmi les juristes et les hommes politiques [15]. Mme Trautmann enfin, qui fut maire de Strasbourg, a souhaité, à son tour, davantage de décentralisation. Cela dit, l'avenir reste ouvert, et l'exemple corse, là aussi, pourrait faire des vagues... jusqu'à l'est des Vosges, même si les Alsaciens, pour leur part, répugnent pro- fondément à la violence, ayant gardé, sur ce point, quelques sou- venirs exécrables, datés du pénultième demi-siècle.

2

Lorraine

S'agissant des minorités *non latines*, la Lorraine, précisément, n'aurait point figuré dans notre recension, si n'avait eu lieu l'épisode fondamental des invasions germaniques du IVᵉ siècle, au cours desquelles les Francs et les Alamans franchirent le Rhin et s'installèrent en zone gallo-romaine. Jusqu'à cette date, en effet, la Lorraine (dont le nom n'apparaîtra comme tel qu'ultérieurement, à partir de l'époque carolingienne) participait aux avatars de l'ensemble gaulois, dans ses modalités celtiques, puis romaines. Il n'est pas impossible, du reste, que l'invasion des armées de César, de 58 à 52 avant notre ère, dans cette région cisrhénane, comme ailleurs, ait eu pour but (notamment) d'empêcher un déferlement germanique qui, de toute façon, se produira quelques centaines d'années plus tard. Aux Iᵉʳ et IIᵉ siècles après Jésus-Christ, la ville de Metz et ses alentours bénéficiaient d'une prospérité que matérialisent aujourd'hui encore, après exhumation, les restes des thermes, des amphithéâtres, des mosaïques. À partir du dernier quart du IIIᵉ siècle, cependant, et jusqu'au début du Vᵉ, les populations de l'aire « allemande » (comme on dirait aujourd'hui) se déplacent vers l'ouest, non sans violences, et font bouger la frontière linguistique : elle va courir désormais au sud-ouest du Rhin inférieur, aux dépens de la peau de chagrin gallo-romaine. Ainsi se trouve implantée, aujourd'hui encore, une population germanophone dans la région de Thionville, Saint-Avold, Forbach, Sarreguemines, Bitche et Sarrebourg. Le pointillé sémantique a pu quelque peu trembler, derechef, depuis la fin du Iᵉʳ millénaire[1] ; la langue romane, qu'incarnent les dialectes et puis le langage français, a récupéré, de ce fait, une bande frontalière d'un couple de lieues en direction du nord-est ; le legs des

43

grands débordements alémaniques et franciques demeure néanmoins durable. La germanisation, en tout état de cause, évolue pendant l'Antiquité tardive et sous les Mérovingiens à l'intérieur de limites restreintes… et même restrictives. Elle est contrebalancée par des faits, synchrones ou non, de romanisation d'arrière-saison. Ainsi les vignobles, venus du sud, s'étaient-ils enracinés non loin de Metz à partir des dernières décennies du IIIe siècle (les « vins gris » de Lorraine resteront célèbres). Surtout, le christianisme s'instaure, dont l'avancée majeure entre Meuse et Sarre intervient pour l'essentiel après les années 300-350 ; il lui faudra plusieurs siècles encore pour parvenir à des implantations définitives, et somme toute monopolistes.

Les faits de langue vulgaire, ou « vernaculaire », doivent être remis à leur juste place ; l'élite cléricale du cru, là comme ailleurs, au milieu du Ier millénaire, est latiniste et se soucie assez peu des patois, teutons ou romans, que « baragouine » le menu peuple. Les grandes constructions politiques (Austrasie du VIe siècle, Lotharingie du IXe, d'où viendra le mot Lorraine) enjambent allégrement les barbelés symboliques que dessinera *post festum* l'Atlas des dialectes ; elles forment des constructions biculturelles (dont la Belgique demeurera jusqu'à nos jours, au nord d'Audun-le-Tiche ou de Moyeuvre, le plus important reliquat, d'ampleur effectivement considérable).

Écartons, naturellement, les visions téléologiques en matière d'histoire. De ce que la Lorraine, faut-il dire sur le tard ou sur le tas, est devenue française, on aurait tort de déduire que telle fut toujours sa vocation implicite ou subconsciente. En fait, au début du Xe siècle, la Lotharingie penche encore vers l'ensemble germanique [2], cependant qu'en son sein, à partir de l'année 959, une haute Lotharingie s'individualise, qu'on qualifiera plus tard de « Lorraine » proprement dite. La concrétisation définitive du lignage capétien en France, à partir de 987, souligne d'autant mieux, à l'est de la Meuse et de la Saône, l'autonomisme tendanciel d'une *Francia media* : celle-ci, en Lorraine, Bourgogne, Franche-Comté, pendant le Beau et le Bas Moyen Âge, tiendra la dragée haute aux sirènes royales et impériales, occidentales et orientales. Miracle d'équilibre, en dépit duquel il faut bien de temps à autre choisir son camp : le

« duché lorrain », ainsi dénommé, est attesté depuis le début du
Xᵉ siècle ; or, en 1214, à Bouvines, le duc de Lorraine, aux côtés
de l'empereur Othon, livre bataille contre Philippe Auguste…, et
se retrouve dans le camp des vaincus. Au cours des temps médiévaux, le choix impérial demeure essentiel : par exemple, le duc
lorrain Ferri III, pendant la seconde moitié du XIIIᵉ siècle, met en
place dans ses territoires du nord-est, de Bitche à Sierk, le « bailliage
d'Allemagne », essentiellement germanophone ; le duché lui-même
fonctionne en satellite (de langue principalement romane) du
conglomérat de l'Empire, où commence à briller l'étoile germani-
sante des Habsbourg. *Vice versa*, les comtes de Bar, sur le versant
ouest des pays lorrains, ont tendance, dès le début du XIVᵉ siècle, à
rendre hommage au roi de France pour leurs possessions en rive
gauche de Meuse[3]. Ainsi se matérialisent quelques symbioses !
Celles-ci font de la Lorraine, majoritairement latine ou postlatine,
un fief *spirituel* de la « Romania » tourné spontanément vers Bourgogne, Champagne, pays de Liège et France ; cependant que, sur
un plan de *pouvoir* strict, les loyautés principales sont à l'est du
Rhin. Au surplus, le monachisme français rayonne déjà vers l'outre-
Meuse ; les chanoines et nobles lorrains sont indifféremment pos-
sessionnés de prébendes ou de seigneuries chez les princes allemands et chez les Capétiens. L'ordre du Temple et les hospitaliers
s'implantent outre-Meuse à partir de la Champagne. Les évêques
lorrains, magnats mi-religieux, mi-temporels, se recrutent de plus
en plus, à partir du XIIIᵉ siècle, parmi les lignages aristocratiques du
royaume des Lys. Les gentilshommes locaux épousent des filles qui
leur viennent de l'ouest. Autant de causes de francisation « en profondeur » (sociale, élitiste…) ; à la longue, elles retentissent sur les
germanophones, modestement blottis aux frontières nord-orientales
du duché. Il n'est pas jusqu'au grand poème de la *Geste des Lorrains* (XIIᵉ-XIIIᵉ siècle), sorte de feuilleton versificatoire aux interminables rallonges, qui ne soit nettement plus proche (compte tenu
des écarts chronologiques) de la *Chanson de Roland* ou de l'œuvre
de Chrétien de Troyes que des *Niebelungen*. Par la même occasion,
dans le domaine de l'art, la transition bien connue qui conduit, en
Lorraine comme ailleurs, du style roman à la manière gothique
coïncide avec la nouvelle prédominance d'une architecture à la

française, substituée à l'ancien style des constructions d'églises qui s'inspirait davantage des influences tréviroises, rhénanes ou italiennes. Plus prosaïquement, les agents de la royauté capétienne, vers 1300, s'insinuent à Verdun, à Toul et dans le Barrois, sous prétexte de fonctionner comme arbitres ou comme honnêtes « courtiers », afin de résoudre les conflits locaux. En 1346 et 1356, tout souvenir explicite de Bouvines étant écarté, les contingents lorrains s'alignent en compagnie des Français et se font tailler en pièces à Crécy, à Poitiers : le malheur lui aussi peut créer des liens. Être massacré ensemble... Le duché lorrain, malgré tout, joue le rôle d'amortisseur ; il adoucit les chocs possibles entre Empire et France, sans pour autant s'attacher de façon irréversible à l'un ou à l'autre des partenaires. Les libertés paysannes, copiées des chartes de franchise du Gâtinais ou de l'Argonne, réussissent certes à traverser la Meuse, mais peu la Moselle. Les guerres de Cent Ans, qui affaiblissent la France, poussent à nouveau Toul et Verdun dans la zone gravitationnelle de l'Empire. Mais, au XVe siècle, cette brève séduction de l'Est semble se dissiper ; la Lorraine qui enfantera Jeanne d'Arc, symbole d'une francité virginale, est d'ores et déjà partie prenante aux guerres civiles du royaume : la maison de Bar soutient les Armagnacs ; le duc Charles II, les Bourguignons. Une fois qu'est terminée la guerre anglaise, les princes angevins, d'origine capétienne, auxquels un opportun mariage conféra le duché de Lorraine, deviennent, comme leurs prédécesseurs, des praticiens de la valse-hésitation. Mais, cette fois, ils opèrent entre Français et Bourguignons (les uns et les autres francophones), ce qui exorcise d'autant l'ombre devenue plus lointaine de l'Empire germanique. Quant à la culture proprement dite, son orientation désormais est dépourvue d'ambiguïté : l'autobiographe et historien Philippe de Vigneulles, né en 1471, écrivant sur le passé messin, décide de substituer dans ses textes la langue française au dialecte régional, celui-ci serait-il d'obédience romane.

L'entier basculement stratégique, cependant, se révèle plus tardif et date de 1551-1553 (« voyage d'Allemagne » d'Henri II et mainmise effective de ce roi, lequel délaisse les mirages italiens pour la ville de Metz). Jusqu'au milieu du XVIe siècle, « la France » avait bien pu s'infiltrer de toutes les manières en pays lorrain ; elle en était restée néanmoins, malgré quelques excroissances de bonne taille, à des limites d'action (Meuse, Saône, Rhône…) qui ne la portaient qu'assez peu au-delà des frontières orientales du traité de Verdun (843), à l'époque de Charles le Chauve. Certes, le royaume s'était acquis le Dauphiné (1349), la Bourgogne (1477) et la Provence (1482). Mais, du fait de l'abandon de la Franche-Comté (1493), ces conquêtes « outre Saône-Rhône » définissaient une voie géopolitique de pénétration vers le sud-est, bref vers l'Italie (par l'axe quasi neuf et qui deviendra canonique, « Paris-Lyon-Marseille »), plus qu'elles ne projetaient le royaume vers un Orient lorrain, voire germanique. Il va falloir attendre l'irruption du protestantisme en Allemagne et les possibilités de manœuvre ou d'alliance qui s'offrent de la sorte au roi gallican vis-à-vis des princes luthérano-teutons contre l'empereur catholique, pour que surgisse, à partir de 1551, une révision déchirante de la politique des Valois. Avec l'aide de la Saxe et d'autres souverains réformés, Henri II et François de Guise, éblouissant stratège issu de la ducalité lorraine, arrachent Metz à Charles Quint (1552-1553). Cette avancée française est complémentaire de l'effacement régional des Habsbourg, qui, de toute façon, viennent[4] d'adopter un profil bas en Suisse, aux Pays-Bas… Aussi bien, après 1550-1560, les problèmes franco-français (huguenoterie, etc.) font-ils sentir de plus en plus leur pesanteur spécifique en direction des provinces de l'Est : pendant les guerres de religion, nos ducs lorrains sont mêlés par l'intermédiaire de leurs cousins Guise, ultracatholiques, à l'imbroglio des luttes civiles chez les Valois. Simultanément, à Nancy, Charles III (mort en 1608) va se lancer dans une imitation des méthodes absolutistes, telles que les pratiquent (plus ou moins…) Henri IV à Paris. L'évêché de Metz et le duché lorrain étaient déjà porteurs, par eux-mêmes, d'acculturation française ; or ils entreprennent, au nord d'une ligne Longwy-Sarrebourg, d'encager leur germanophonie (minoritaire) dans l'archidiaconé sarrebourgeois, précisément, et dans le bailliage d'Allemagne, lui-même héritier d'une ancienne tradition[5] ; il est centré sur la localité de Vaudrevange[6]. En 1609, Henri IV formule l'idée (bientôt mise en œuvre) de la création d'un parlement franco-centrique, situé à Metz.

Vis-à-vis des antagonismes religieux, tant en Lorraine qu'en Allemagne, Richelieu se borne, génie en plus, à chausser les bottes

47

d'Henri II et du François de Guise de la prise de Metz. Mais, compte tenu de ce que représente le cardinal, il s'agira, cette fois, de bottes de sept lieues. Le duc lorrain Charles IV, en place depuis 1624-1626, a combattu à la Montagne Blanche[7] en compagnie des forces impériales et catholiques, contre les protestants de Bohême. Il n'en faut pas plus pour que se déclenche chez Richelieu, contre ce supporter nancéien de la dynastie viennoise, le réflexe (agressif) de l'anti-habsbourgisme viscéral. Richelieu envisage donc « de se fortifier à Metz » (où la France est déjà) « et de s'avancer jusqu'à Strasbourg, s'il est possible, pour acquérir une entrée dans l'Allemagne ». Non pas réaliser les frontières naturelles ; mais, sur l'angle nord-est, s'emparer « en passant » (comme aux échecs, une fois de plus) des marges romanes et germaniques d'un Hexagone imprévu, encore à naître ; tout cela pour peser sur les destins de l'Allemagne et pour éviter que la pince habsbourgeoise (Empire plus Espagne) ne se referme sur la France. Crainte paranoïaque, ou prétexte à l'expansion territoriale du royaume ? Un peu des deux, sans doute. Ces dispositions d'esprit chez Richelieu sont à l'origine d'une assez substantielle croissance géographique de l'État, d'un « accroissement du corps de policie », comme aurait dit, lors d'une époque antérieure, Christine de Pisan.

Des années 1630 aux années 1660, la monarchie bourbonienne est coresponsable, au même titre que ses grands ennemis du moment, de plusieurs entreprises belliqueuses, qui détruisent économie et démographie dans le duché, devenu pays de passage militaire et de pillage violent ; il suffit, pour s'en convaincre, de feuilleter les gravures de Callot ; la royauté s'empare ainsi de l'espace lorrain, pour y installer un parlement (le souhait d'Henri IV est enfin réalisé), une intendance, des bailliages et, contiguë, la structure enfin renforcée des fameux « trois évêchés » (Metz, Toul et Verdun). Des avenues s'ouvrent pour les interventions militaires de la France vers les Pays-Bas, le Rhin allemand, l'Alsace. Un nouveau « Septentrion oriental » français (Lorraine, Alsace, bientôt Franche-Comté) se met en place, dont une partie non négligeable de la population (en Alsace et dans les territoires qui forment l'actuel département de la Moselle) parle allemand ou une espèce d'allemand. La suite, en un style quelquefois moins tragique, est de même acabit. « Si la Lorraine avait des Alpes, elle serait une Savoie », disait assez joliment le duc de Saint-Simon, dont je résume la formule. Mais, plaine battue des vents, malgré quelques cuestas, la grande province de l'est est irrémédiablement livrée aux dévastations pérambulatoires des troupes, comme aux « combines » dynastiques et autres, qui feront définitivement tomber le duché en mains françaises (il fut cependant ressuscité, aux années 1660, pour quelque temps, de façon quelque peu dérisoire).

De 1670 à 1737, en effet, une série d'occupations militaires par les armées de Louis XIV et de Louis XV (suivies de restaurations, à éclipses, du lignage ducal) conduit à l'ingénieuse solution qui, de 1737 à 1766, prépare l'intégration définitive au système français : on prévoit, avec l'accord des parties en présence, que Stanislas Leszcynski, ex-roi de Pologne, devenu duc à Nancy au début de cette ultime période, cédera ses territoires au royaume de France, à l'instant même de sa mort. Deux hommes de grand talent, le maréchal de Belle-Isle et l'intendant La Galaizière, régissent cette ultime période, sous le signe de destinées lorraines qui s'humanisent par rapport aux pénibles épisodes du XVIIᵉ siècle. La population régionale se multiplie et s'alphabétise. La gracieuse place Stanislas, à Nancy, est construite selon les perspectives d'une liturgie du prince[8] ; elle « trouve son accomplissement dans la statue de Louis XV » que tout désigne comme le nouveau maître ; il tire les ficelles de Stanislas[9]. À des niveaux plus modestes, la production et la consommation des pommes de terre, à l'allemande, assurent la survie d'une paysannerie et d'un menu peuple urbain qui, pour le niveau de vie justement, ne sont pas toujours à la fête.

De 1766 à 1871, en Lorraine, un grand siècle de présence et de puissance française demeure compatible, dans le cadre de l'Hexagone, avec la continuité d'une germanophonie mosellane, dont le loyalisme au pouvoir parisien ne fait guère problème. La Moselle sous Louis XVIII est, chiffres en main, l'un des départements dont les conscrits sont les moins réfractaires au service obligatoire dans l'armée ; ce département donne également aux troupes un maximum d'engagés volontaires[10] : la forte intégration mosellane à la France s'est donc produite sans incidents majeurs, dans un relatif respect du particularisme linguistique de la petite région. Affaire de

Choiseul

La Lorraine a fait don de Choiseul à la France : par-delà Philippe d'Orléans, Fleury et d'Argenson, avant Maupeou, Choiseul est, en effet, l'un des personnages qui jalonnent les étapes successives du règne de Louis XV.

Sorti d'une grande famille lorraine, renforcée de parentèle dans le royaume voisin, Choiseul fut d'abord officier distingué dans l'armée française à partir de 1743, puis ambassadeur à Rome et à Vienne. Son nom de famille était Stainville ; remarqué par le souverain et la cour, il devient duc de Choiseul durant l'été de 1758 ; il joue ensuite le rôle de principal ministre entre décembre 1758 et décembre 1770. En coexistence ou en alternance avec un cousin, Choiseul-Praslin, il gère les gros postes : affaires étrangères, guerre, marine. Le roi, d'autre part, l'a nommé gouverneur de Touraine et surintendant des postes. Bref, au cours de la décennie 1760, il est en France « le patron de toute la boutique ».

Rouquin sans beauté ni fortune, il s'enrichit des cadeaux de l'État, quitte à dépenser avec faste et à s'endetter lourdement ; il exècre l'avarice, tant elle incarne pour lui, comme pour maint aristocrate, le vice antisocial par excellence. Choiseul en cela est plus proche de Fouquet que de Colbert. Il promène dans le monde un nez en trompette, un esprit vif et un sens réel de l'amitié. Il se pourvoit, sans trop de mal, des hautes relations que lui procurent naissance, entregent, impétuosité. Plutôt mordant, Choiseul sait plaire ou se faire craindre dans les salons comme à la cour. Bougeotte et culture cosmopolite l'ont rendu familier de la monarchie autrichienne, des principicules allemands, de l'armée turque, de l'architecture chinoise, de la peinture flamande et des jardins à l'anglaise. C'est un Lorrain sans rivages ! Ami des philosophes, nullement dévot, il fait preuve d'une certaine tolérance à l'égard de l'hétérodoxie, juive ou protestante. Rude travailleur, amant jamais découragé, il recrute ses conquêtes féminines parmi les dames de l'aristocratie, à la différence de Louis XV qui préfère les cocottes. Et pourtant, Choiseul n'hésiterait point, pour faire sa cour,

« conscientisation » nationale, sans doute : les cérémonies révolutionnaires de la Fédération en 1790 ont transformé les « sujets » en « citoyens », qui, désormais, deviennent tels (en principe…) de par leur libre volonté. Question de légitimité, surtout : une vingtaine

à prostituer sa sœur au roi de de France, comme à moucharder sa jolie cousine. Au jeu des cabales versaillaises, il s'appuie sur la Pompadour dont ensuite, décédée, il négligera le souvenir. Ingratitude coutumière, chez un politicien professionnel ? Il fut du reste, dans les commence-ments de son *cursus* militaire, le protégé du vieux Noailles, qui lui-même en ses débuts faisait fonction de neveu par alliance et de client pour la Maintenon. D'une marquise l'autre ! Choiseul a de qui tenir. La logique de sa position « factionnelle » ou « pompadorienne » l'amène à s'oppo-ser au parti dévot que représentent, proches des jésuites, le dauphin et son serviteur La Vauguyon, chargé de l'éducation du futur Louis XVI. L'ex-Lorrain est un homme complet ; il fut, dans l'armée, très apprécié comme officier du rang, puis d'état-major. Et pourtant il n'est point bel-liciste. Diplomate, mêlant la souplesse à l'autoritarisme, il arrache au pape Benoît XIV, qui ne demande pas mieux, un texte heureusement mou *(Ex omnibus)* sur la rude querelle de l'antijansénisme. Sa femme est née Crozat, qu'il aime et qu'il trompe. Elle l'apparente aux milieux de finance ; ses adversaires, pas toujours de bonne foi (il est noble de race), l'identifient aux maltôtiers : à en croire les puristes, la caque, serait-elle de l'épouse, a toujours senti le hareng.

Sur ses vieux jours, disgracié par le souverain, et semi-physiocrate à la retraite, Choiseul nourrit aux prairies de Chanteloup, pas du tout lor-raines, un troupeau de vaches suisses. En fait d'économie politique, il a pourtant mis en première ligne les destinées du négoce, le « doux commerce » maritime. Pour elles, il sacrifia le Québec, resté terrien, en faveur du lucratif intérêt des exportateurs de Saint-Domingue, et des morutiers de Terre-Neuve. Il encourage, somme toute, une expansion française « à la phénicienne ». Il prône un gallicanisme nationaliste et semi-libéral, teinté de hargne antijésuitique, et de sympathies propar-lementaires : grosse différence avec d'Argenson, jadis ; et avec Mau-peou, plus tard. Despotisme éclairé à la française, en style postbaroque ou postrococo ? Ou plutôt libéralisme à la Henri IV, à la Philippe d'Orléans, à la Dubois... Nous voilà très loin de la place Stanislas, *a fortiori* de Thionville et de Saint-Avold !

d'années avant la Révolution, les peuplements de Forbach ou de Sarrebourg ont suivi sans se plaindre le devenir de leur État lorrain ; la France l'avait « digéré » le plus régulièrement du monde, du fait de l'élégante solution qui fut concoctée à cet effet par le gouvernement de Versailles, aidé en cela par un Stanislas aussi docile que complice, puisque beau-père de Louis XV. Le fait qu'un aristocrate à demi lorrain, Choiseul, ait assuré pour quelques années la direction ministérielle de l'État français a pu faciliter la transition pour les nouveaux régnicoles du nord-est, qui furent ainsi « englobés » à partir de 1766 (date de la mort de Stanislas) dans ce qui va devenir sous peu la « grande nation ». Quels que soient ensuite les « soubresauts » lorrains au moment de la Révolution française ou des petites révolutions du XIXe siècle (1830, 1848), leurs enjeux ne concernent que bien peu la différence linguistique : elle nuance la région sans vraiment la diviser encore. Tout au plus note-t-on des différences de comportement, bien compréhensibles. Les Lorrains germanophones, de Louis XVIII à la IIIe République, émigrent vers l'Amérique du Nord beaucoup plus volontiers que ne le font leurs compatriotes francophones. La Lorraine de langue allemande, plus rurale et traditionaliste que l'autre, reste aussi, de ce simple fait, plus illettrée que sa « rivale ».

L'annexion par Bismarck, en 1871, ressuscite ou tout simplement crée, sans portée réelle dans la longue durée, mais non sans tragédies dans le moyen terme, une question politico-linguistique en Lorraine, ou plus précisément dans la Moselle, à partir d'un fait dialectal qui, jusqu'alors, n'avait guère débouché sur le plan de la grande histoire ni des conflits dignes de ce nom.

Le rattachement, en 1871, de la Lorraine mosellane, de Thionville à Sarrebourg, et de Metz à Bitche, fabrique en effet de toutes pièces une « Alsace-Lorraine » (allemande) qui n'avait jamais existé jusqu'alors comme unité dans la dualité, le tout sous l'autorité du Statthalter de Strasbourg et, localement, du président (allemand) de Lorraine. À une époque où, nous le disions, le « corps du roi » fait place effectivement au « corps de la langue » comme critère d'appartenance nationale, cette incorporation d'une double province au Reich, sur la base de données ou simplement de prétextes linguistiques, est grosse de désastres futurs : elle explique en tout cas largement l'antagonisme franco-germanique, qui fut l'une des causes de la Première, et donc de la Seconde Guerre mondiale. Au bout de tout cela, il y aura des millions et même des dizaines de millions de morts (1914-1945)...

De 1871 à 1913, au terme d'une conquête durement imposée (voir les votes protestataires des Lorrains pendant la première période de leur phase de rattachement à l'Allemagne), on assiste à l'émigration d'une partie des francophones, originaires notamment de l'élite ; on constate aussi la germanisation majoritaire de la cité de Metz (qui jusqu'alors était restée ville totalement latine, puis romane et enfin française, dès les empereurs de Rome jusqu'au temps de Napoléon III).

À la militarisation forcenée de la zone annexée, entre 1871 et 1913, fait suite une nouvelle vague d'ultragermanisation de la Moselle de 1914 à 1918. Qui plus est, une deuxième Moselle « tudesque », née de la présence militaire et manufacturière de l'empire de Guillaume en période d'expansion rapide de la sidé-rurgie, se juxtapose à l'ancien fond rural et archaïque de la Lorraine germanophone de toujours. L'irrédentisme allemand qui se mani-festera par effet boomerang entre les deux guerres, lors du retour en force de l'Hexagone, reçoit ainsi par avance un renfort décisif du fait de cette germanisation de seconde origine, recouvrant le calme substrat alémanique, lui-même hérité des invasions postro-maines. En même temps s'affirme dans le pays d'en face, autour de Nancy, un fort nationalisme français, dont le chantre est Maurice Barrès, en sa *Colette Baudoche* : l'héroïque fille de Metz, pour des motifs patriotiques, refuse le mariage à un charmant et pédant pro-fesseur, venu tout droit de Prusse en Moselle.

Quelles que soient les réticences françaises, bien compréhensi-bles, il est indéniable qu'à l'époque bismarckienne et « wilhelmi-nienne » le germanisme, à la fois d'ancienne et de nouvelle origine, avait pris ou repris « du poil de la bête » en Lorraine ultramessine. L'entre-deux-guerres va en témoigner sur le mode rétrospectif ; en 1923, le nouveau département français de Moselle connaît des grè-ves de solidarité avec les mineurs de la Ruhr qu'irrite l'occupation française. En 1926, les paysans germanophones, inquiets de la (déraisonnable) offensive laïque et anticoncordataire du Cartel des gauches, ne sont pas insensibles au manifeste du *Heimatbund*, lequel revendique pour eux le *Heimatrecht*[11]. Et à l'automne de 1939, les militaires français en Moselle, campés sur la frontière franco-alle-mande et venus de loin, trouveront, en ce lieu, quelques traces d'agressivité à leur encontre, et de germanophilie microrégionale [12], voire microscopique.

1940-1944 ! Il faudra, comme en Alsace, la conquête (qui, à l'heure du bilan, va se révéler contreproductive et suicidaire) par l'Allemagne nazie, envoyant les jeunes Mosellans se faire tuer très nombreux sur le front russe, et mettant la Lorraine sous la botte d'un pangermanisme hitlérien aussi radical qu'oppressif pour déra-ciner après coup, à partir de 1945 (Metz ne fut libéré qu'en novem-bre 1944), l'irrédentisme qu'avait planté sur place, trois quarts de siècle plus tôt, le pouvoir de Bismarck, apprenti sorcier du déclen-chement des catastrophes à venir : cette ultime conquête de 1940-1944 avait été marquée *in situ* sur le mode tragique et parfois tristement folklorique par la création d'une communauté allemande de Lorraine, *Deutsche Volksgemeinschaft in Lothringen*, tardive-ment mise sur pied (juin 1942) et qui revendiquera quelques semai-nes plus tard, fantasmatiquement bien sûr, 217 000 adhérents (sur 700 000 habitants de la zone annexée !). Exclusions et radiations ne manqueront pas de s'ensuivre, au cours d'un tel processus qui tenait à beaucoup d'égards de la politique-fiction. Les leaders nomi-naux de cette *Volksgemeinschaft* se composaient, notamment, d'un sculpteur, d'un agronome et d'un postier, personnages d'origine locale ou frontalière [13]. Le vrai chef était évidemment l'assez sinistre Joseph Bürckel, Gauleiter de la Westmark (Marche de l'Ouest) incluant elle-même la Sarre, une portion du Palatinat, et, à titre purement administratif, mais fort nocif quand même, la partie annexée du pays lorrain [14].

Aujourd'hui, la minorité germanophone de Lorraine est toujours bien vivante, comme telle (quoique sur le déclin). Elle a ou elle avait ses journaux locaux et quotidiens en *Hochdeutsch*. Elle mêle le culte légitime du petit pays à une loyauté sans faille aux institu-tions françaises. Les nostalgies des gloires révolues du Saint Empire ont été heureusement transférées, du fait de l'homme d'État bicul-turel que fut Robert Schuman, à l'idéal européen, qui transcende enfin les frontières.

3

Flandre

La Flandre française de langue flamande, ou Westhoek, comprenait, au Moyen Âge, les châtellenies de Bailleul, de Bergues, de Bourbourg et de Cassel. En 1856, à une époque où le parler flamand conservait dans ces régions une importance plus grande qu'aujourd'hui, la zone proprement « franco-flamingante » coïncidait, d'un point de vue administratif, avec la majeure partie des arrondissements de Dunkerque et d'Hazebrouck ; ils étaient situés tous deux à l'ouest de la frontière belge et au nord de l'arrondissement (essentiellement francophone) de Lille. En 1940, Émile Coornaert, qui fut le meilleur historien de cette microprovince, considérait qu'environ 150 000 personnes y parlaient encore le flamand[1]. Le Westhoek, avant d'être lui-même, avait d'abord été celtique, puis gallo-romain (tout comme l'Alsace). Il fut ensuite germanisé (ou prénéerlandifié...) en profondeur, du IIIᵉ au Vᵉ siècle, ce processus s'étant consolidé de façon définitive au cours de la seconde moitié du Iᵉʳ millénaire. Mais les vicissitudes de l'histoire et les clivages ou divorces dialectaux ont rattaché l'Alsace aux collectivités allemandes, puis françaises, non sans aller et retour dans l'entre-deux. En revanche, le Westhoek, à l'âge moderne et contemporain, se situe politiquement, certes, sur les bords de l'Hexagone ; mais, linguistiquement, il gît à la périphérie culturelle de l'entité néerlandaise et flamande. Si l'on reprend les choses d'un peu plus haut, on constate que, de la fin du IXᵉ siècle à 1384 (date des débuts de la prédominance bourguignonne), le monde flamand, pris en bloc, est attiré par des loyautés diverses : autonomie « comtale », fondée sur l'ethnicité flamingante ; et, d'autre part, quant aux marges, influences des grands pouvoirs voraces (impériaux ou capétiens) qui, depuis le sud-est et le sud-ouest, tâchent d'étendre leur emprise vers les plaines du nord.

Modeste portion d'une plus grande Flandre, le Westhoek, gagné sur la mer et poldérisé, apparaît comme un pays d'initiative et de haute productivité agricole, à forte densité d'habitants. Les révoltes rurales ou antipatriciennes et les guerres de libération y sévissent dès le premier tiers du XIVe siècle : les Français y font alors figure d'adversaires et d'oppresseurs, même si le peuplement régional inclut dans ses rangs, dès ce temps-là, une minorité profrançaise.

Symboliserons-nous le Westhoek du XIVe siècle, à ce point de départ, peu avant le rattachement bourguignon, par l'étonnante personnalité[2] de Yolande de Bar (1326-1395) ?

Le destin de cette femme résume à sa manière les déchirements qui traversent le petit pays : dame de Cassel, seigneuresse de Dunkerque, restée veuve à 18 ans avec deux enfants, remariée en 1353 au frère de Charles le Mauvais, reconstructrice du château local de la Motte-au-Bois, célébrée pour sa beauté par le poète Eustache Deschamps, disposant d'une résidence secondaire à Paris, rue Cassette (déformation de Cassel ?), tantôt hostile et tantôt alliée aux Français, comme au comte de Flandre, Yolande, pendant sa longue existence, aurait, dit-on, fabriqué de la fausse monnaie, jeté dans un puits deux chanoines et assassiné un troisième (à vrai dire un brigand), délivré, puis emprisonné son propre fils, tué un huissier du roi de France et un chevalier ; arraché à une église, malgré le droit d'asile, un homme qu'elle fit mettre à mort. Excommuniée trois fois par le Saint-Père, ses terres interdites à deux reprises, emprisonnée par Charles V et délivrée après paiement d'une rançon de 18 000 livres, elle fut encore arrêtée pour dettes l'année même de son décès et vit saisir son château par les nouveaux maîtres bourguignons en 1395. Et pourtant... elle assistait à la messe tous les jours, respectait le jeûne du vendredi, léguait beaucoup d'argent à de pauvres filles afin qu'elles pussent se marier à de non moins pauvres ouvriers : en somme, elle faisait du « social » ! Elle arbitrait les guerres privées dans sa région et elle accordait des privilèges ou des concessions libératrices aux habitants de Dunkerque et de Cassel. Elle incarnait à sa manière la féodalité flamande, face aux premiers agissements ou vagissements de l'État moderne, dans une contrée en voie de précoce modernisation...

Telle est du moins la vision romantique et pittoresque à souhait que donne de cette remarquable personne l'historien Émile Coornaert, l'éminent érudit tautologiquement franco-flamand de la FFF (Flandre française flamingante). Dans une thèse récente et tout à fait remarquable, soutenue à l'École des Chartes, Michelle Bubenicek a proposé à ce propos diverses corrections ou nuances, et remis quelques pendules à l'heure. Surnage, cependant, de cette belle analyse l'image derechef d'une forte femme, comparable à quelques autres princesses de même acabit ; on pense à Ermengarde de Narbonne, Aliénor d'Aquitaine, Blanche de Navarre, Blanche de Castille, Marguerite de Provence. Et d'évoquer les difficultés classiques des régentes, qu'elles le soient de droit ou de fait. Le goût du pouvoir de ces femmes individualistes, leur veuvage précoce et turbulent, leur surhumaine énergie (la quenouille plus forte que l'épée !), leur « courage d'hommes et cœur de lion »... Yolande fut une « grande Féodale entichée de ses droits et de ses pouvoirs » ; elle était encore capable de mener, depuis sa Flandre et son comté de Bar, une action politique autonome, mais elle entrait en collision avec de grands États : comté de Flandre effectivement plus vigoureux qu'elle ; et puis duché de Bourgogne, et surtout royaume de France. Ces vastes entités réduisaient et absorbaient en divers domaines les forces capables d'indépendance, éventuellement incarnées par une *Virago* puissante dans l'acception noble que la Renaissance donnera encore à ce terme.

En Westhoek, l'époque bourguignonne, puis espagnole se situe entre 1384 (avènement régional de Philippe le Hardi) et 1659 (traité des Pyrénées, qui consacre l'annexion française aux dépens de Madrid). Cette période est caractérisée, le fait est trivial, par d'innombrables guerres, consécutives à divers antagonismes ou initiatives : déferlement français après la mort de Charles le Téméraire (1477) ; répressions antiprotestantes menées par les Ibériques au temps des guerres de religion ; interventions victorieuses des armées de Richelieu, puis de Mazarin aux décennies 1630, 1640, 1650. Ces catastrophes guerrières (et épidémiques) peuvent à plusieurs reprises opérer des coupes sombres, mais point abyssales, dans une démographie flamande qui demeure plantureuse. Elles n'entament pas la vitalité agricole du pays. En ses territoires, il mêle aux pâtures panachées de vaches rousses « les champs bien drainés, couverts de céréales, houblon, trèfle rouge[3] ». Une industrie textile, dont la sayetterie d'Hondschoote constitue l'exemple, apporte des ressources complémentaires aux petites villes comme aux villages. Le flamand, bien sûr, fonctionne en tant que langue essentielle ; mais le français, depuis la fin du Moyen Âge, n'est nullement inconnu dans un pays parsemé d'écoles où l'on enseigne en langue vernaculaire. Le savoir fleurit à tous les étages, qu'il s'agisse (de bas en haut) de l'alphabétisation la plus humble, du folklore des « chambres de rhétorique » et des bibliothèques d'intellectuels, en nombre non négligeable ; ceux-ci étant éduqués aux universités de Douai, de Louvain, de Paris même… L'ambivalence religieuse est totale : au XVe siècle sévit un catholicisme dru, que n'entame guère la verdeur des mœurs populaires et cléricales[4]. Au XVIe siècle, la vague protestante et iconoclaste semble momentanément précipiter les Pays-Bas du Sud dans le giron d'une Réforme exacerbée. Avec même vigueur, quoique en sens inverse, la Contre-Réforme catholique, au XVIIe, fait du Westhoek une nouvelle Jérusalem, fidèle au pape ; les sanctuaires s'y colorent des ferveurs baroques d'un Rubens ou d'un Jordaens et, localement, d'un Reyn, Dunkerquois, ou d'un Van Oost le Jeune, Brugeois-lillois ; les uns et les autres étant grands producteurs de portraits et de compositions religieuses.

Le processus d'annexion française à partir de 1659 s'accompagne des violences coutumières. Depuis le début du règne personnel de Louis XIV jusqu'à la paix d'Utrecht, en 1713, les guerres dans le Westhoek sont fréquentes et dévastatrices. La frontière avec les Pays-Bas espagnols, puis autrichiens, est remodelée diversement au cours de ce gros demi-siècle ; si flottante qu'elle soit, elle fait l'objet d'une chirurgie douloureuse, dont souffrent notamment les propriétaires locaux quand leurs biens fonciers chevauchent le pointillé fatidique. Celui-ci, bien souvent, n'est pas défini cartographiquement avec la précision désirable. Mettons à part Dunkerque, en plein essor, grâce à l'activité des corsaires et du célèbre Jean Bart. Petit havre deviendra grand ! Ce port de l'extrême ouest flamand passe donc de 5 000 habitants, en 1661, à 14 000, en 1706, et ne s'arrêtera pas en si bon chemin[5]. On retrouve là, notons-le en passant, un trait caractéristique de l'époque louis-quatorzienne, aux dimensions de la France. Ce règne « solaire » est mainte fois stimulant pour les ports maritimes, mais il défavorise parfois l'économie paysanne, à cause des pressions fiscales qu'il impose aux habitants des villages[6]. De fait, Dunkerque exceptée, le Westhoek souffre, entre 1659 et 1713, des dévastations, des exodes. Les randonnées militaires des puissances guerroyantes induisent les friches momentanées, ainsi que l'abandon des canaux et des foires. Le royaume des Bourbons n'est pourtant pas, sur place, détesté *a priori*. Certes, après l'annexion, les anciennes loyautés au pouvoir ibérique subsistent encore çà et là pour quelque temps. De bons observateurs français, qui visitent ce qui va devenir le « nord du royaume », considèrent toujours qu'il y faut « désespagnoliser » les esprits. Mais Madrid est loin, beaucoup plus éloigné de Bergues ou de Dunkerque que ne l'est Paris. Et Vienne, où résident les empereurs Léopold, Charles ou Joseph, nouveaux maîtres des Pays-Bas autrichiens (ceux-ci correspondant *grosso modo* à l'actuelle Belgique) n'est pas non plus la « porte à côté ». De surcroît, le souverain d'Autriche va prendre l'habitude, au XVIIIᵉ siècle, de communiquer, par écrit, *en français* avec ses sujets des Pays-Bas au travers des administrateurs qui le représentent *in situ*.

Le Westhoek, désormais partie intégrante du royaume, est donc géographiquement coupé des néerlandophones de Hollande par le bloc « austro-belge » et doit, pour cette raison, se soumettre (d'assez bon gré, du reste) à la culture dominante la plus proche, la plus contiguë : autrement dit, la culture française ; elle « rayonne » depuis Paris par le relais lillois, qu'épaule sur les marges l'université de Douai. Les grandes familles de la noblesse flamande, à l'exemple des Robecq, lesquels descendent des Montmorency, font d'abord grise mine au nouveau pouvoir des Bourbons de France, puis finissent par s'y rallier corps et âmes ; au point qu'ils fournissent à la région (et même à la totalité du Pays-Bas français) des gouverneurs militaires, lesquels illustrent le nom de Robecq à l'époque de Louis XV et de Louis XVI. Au surplus, l'aïeul très chrétien de ces deux rois, en 1685, avait révoqué l'édit de Nantes. Il passait donc d'entrée de jeu pour le plus catholique des monarques. Il ne pouvait dans ces conditions que plaire aux habitants de l'extrême ouest de la Flandre, car ils s'étaient débarrassés depuis longtemps, eux, de la tapageuse minorité protestante qui s'était manifestée sur leurs terres à l'époque de l'iconoclasme. Tout au plus avaient-ils préservé, à titre homéopathique, quelques négociants calvinistes ou anglicans au sein de la communauté dunkerquoise. Argument supplémentaire en faveur du royaume : la présence française au XVIIIe siècle n'est nullement exclusive d'une certaine prospérité, dès lors qu'on sort enfin du long tunnel de la guerre de quatre-vingts ans (1635-1713). L'agriculture du Westhoek persiste à s'intensifier ; elle est l'une des plus productives à l'intérieur des frontières françaises, avec son insistance sur les cultures dérobées, la suppression des jachères et l'élevage bovin à l'étable. La draperie, certes, fait naufrage ; mais les tissages du lin et la fabrication des dentelles la remplacent avantageusement, dans des campagnes où le travail est libre, émancipé des corporations malthusiennes. Il est vrai que les possibilités commerciales du Westhoek sont limitées par la carence du réseau des chemins, souvent effondrés et boueux. Mais, ô chance vicariante, on peut compter sur les voies d'eau, spécialités régionales : on transporte, on trafique grâce à d'excellents canaux, dignes de ceux de la zone anversoise et de Hollande.

Les rois et leurs agents se gardent bien de toucher au système des pouvoirs locaux. Les notables du pays continuent à faire marcher imperturbablement les institutions autochtones, qui, de toute manière, préexistaient à l'intrusion française et survivent à l'instauration de celle-ci : parmi elles, les municipalités ou échevinages, les seigneuries nombreuses, une féodalité où palpite encore un reste d'existence, et enfin les représentants de l'oligarchie des villes ou des communautés, réunis collectivement à l'échelle d'une assemblée régionale qu'on appelle ici *département*. « Coiffant » l'ensemble, l'intendant venu de Paris et ses subdélégués (souvent d'origine « locale ») contactent, de multiples façons, l'élite du cru ; sans trop de rudesse, ils infiltrent, court-circuitent et manipulent par en haut les instances mineures d'une autoadministration de fait : elle est traditionnelle et démultipliée. En 1764, la réforme municipale (manquée) de Laverdy tend pourtant à brouiller le jeu : elle accroît en principe, dans les hôtels de ville, la responsable autonomie des citoyens aisés. On voit naître du coup, dans le Westhoek, vaguement contestataire, un mouvement d'intérêt à l'endroit de la chose publique, telle qu'elle fonctionne ou dysfonctionne. En quoi le pays s'accorde, bien sûr, à la tendance générale comme à l'irritabilité accrue des régnicoles de la région, sensibles, eux aussi, à l'air du temps.

L'exemplaire loyauté d'un clergé tout-puissant (malgré les distances que les communautés laïques tâchent de conserver à l'égard d'icelui) garantit le maintien de l'ordre, au bénéfice de la tranquillité locale ; au profit, qui plus est, du lointain gouvernement de la France. Même dans ce cas, cependant, les remous qui agitent la décennie 1760 déstabilisent quelque peu l'exemplaire Église de Flandre. À plus long terme, le corps enseignant des collèges, truffé d'oratoriens jansénistes et de prêtres séculiers, s'ouvre sous Louis XVI – non sans modération, certes ! – aux idées nouvelles ; elles triompheront dès 1789.

Le Westhoek est, disions-nous, assez remarquablement scolarisé pour l'époque : on compte des écoles dans presque tous les villages, pourvues d'instituteurs à bicorne ; le latin, le flamand et fort peu le français sont inculqués dans huit collèges secondaires, cependant que les universités de Douai et de Louvain assurent la formation estudiantine. Dans l'enseignement local, le français n'est pas obligatoire. Les quelques ordonnances de Louis XIV qui vont dans ce sens restent pratiquement lettre morte. Mais le prestige du parler national de Paris ou de Versailles est localement si fort que l'élite à Dunkerque, à Cassel ou à Bergues devient bilingue ; elle se munit de bibliothèques où 95 % des ouvrages sont imprimés dans la langue du royaume, et 5 % en flamand ou en latin.

En cette micromarge flamingante de l'Hexagone, la Révolution française trouve quelques appuis. Des sociétés populaires s'implantent parmi les bourgades ; la notabilité bourgeoise prend sa forte part des biens nationaux ; une phalange d'avocats, de médecins, de gros cultivateurs, de maîtres de poste concurrence l'ancienne et fourmillante noblesse dans les organes du pouvoir local. Un Bouchette, avocat quinquagénaire, propage les slogans et les idées du club des Jacobins. Mais la masse des curés, sauf quelques professeurs de collège, refuse le serment à la Constitution civile du clergé. L'isolationnisme linguistique, à peine ébréché, vaut forteresse cléricale. La conscription provoque, en outre, une quasi-chouannerie de jeunes hommes ; les conséquences s'en feront sentir en 1813 contre l'ogre napoléonien, amateur de chair à canon flamande, celle-ci bêtement consumée au feu des batailles de Russie, d'Allemagne, de France. Les crises nées de la Révolution, de la guerre, du blocus continental ruinent pour un temps le port de Dunkerque, si florissant jusqu'alors : les « patriotes », croyant bien faire, l'avaient même rebaptisé *Dune libre* ! L'enseignement, malgré une inutile tentative de francisation par les conventionnels en l'an II (1794), continue à se donner en flamand, langue d'église et de terroir. Les classes dirigeantes, superficiellement favorables à Napoléon, qui ne nuit point à leurs intérêts matériels, rallient sans remords, après 1815, le raisonnable camp de la monarchie censitaire.

Au XIXe siècle, la révolution industrielle singularise la zone de Dunkerque, qui bientôt va tourner au républicanisme et au socialisme. Dans les campagnes du Westhoek, les paysans, efficaces et productifs, aux mancherons de leurs modernes charrues, demeurent néanmoins fidèles, sans le moindre complexe, à la langue et à la religion traditionnelles. Harmonieux mélange de dynamisme économique et de conservatisme linguistique. Le problème de la survie du flamand est pourtant posé dès 1833, année au cours de laquelle, en raison de la loi Guizot, le langage régional, là comme ailleurs, est quelque peu brimé dans l'enseignement primaire. Brimades renouvelées en 1866 par Victor Duruy. Bien sûr, des textes aux actes ou aux faits, il y a longue distance à franchir, que raccourciront un beau jour les lois scolaires de Jules Ferry. Elles rendront l'instruction effectivement gratuite, laïque et francophone. Le service militaire obligatoire, appliqué en toute rigueur par la IIIe République mûrissante, ne peut qu'accélérer le brassage des populations jeunes, et faciliter l'adoption, bon gré mal gré, de la langue nationale.

Bien avant qu'on en arrive à ces extrémités, se manifeste, sous le second Empire, une vingtaine d'années après la loi Guizot, un mouvement de défense pour la langue, la culture et la tradition flamandes. En 1853, au moment même où fleurit en Europe le phénomène des nationalités, Edmond de Coussemaker (de Bailleul), chartiste et magistrat, fonde le Comité flamand de France, qui va publier un bulletin périodique, de haute érudition. Le but est d'abord culturel. L'attitude générale est de double patriotisme : culte de la petite patrie (Flandre), emboîtée dans la grande (France). L'aire d'application du Comité s'étend, de façon judicieuse, à la Flandre francophone (en réalité, de dialecte « wallon »), par-delà le trait de craie de la limite linguistique. Il s'agit de faire revivre une conscience authentique, enracinée ; elle serait valable pour les Pays-Bas du Sud, qui néerlandophones, qui romanophones. L'un des fondateurs du Comité, Louis de Baecker, laisse transparaître d'ores et déjà, isolément, des tendances (timides) à l'autonomisme. En 1896, le chanoine Looten prend la tête du Comité flamand. Cet ecclésiastique est ami de l'abbé Lemire, coruscant politicien de la Belle Époque. Le rôle du clergé, dans le mouvement flamingant (tout comme, à l'autre bout de la France, dans le militantisme basque), va se révéler essentiel. Sur le plan purement politique, une vague (ou une vaguelette ?) d'irrédentisme se fait jour à Dunkerque, dès 1888, sous la direction d'Henri Blanckaert, contre la candidature locale du général Boulanger. Slogan :

« Flamands nous sommes, la France n'est pas notre patrie. C'est une pompe aspirante [7] qui tire à elle notre sueur depuis des siècles [sic]. »

Boulanger sera élu, mais les initiatives de Blanckaert ont valeur de symptôme. La politique anticléricale des républicains, aux années 1880, et plus encore en 1902-1905, ne peut que crisper certains catholiques sur la défense de la langue, même lorsque les évêques en viennent à renier le parler « dialectal » dans la prédication et les offices. L'affaire linguistique se complique encore du fait de l'originalité des dialectes « ouest-flamands » du Westhoek, menacés par le français, certes, mais aussi par l'impérialisme des langues de grande circulation que sont le néerlandais de Hollande et le flamand d'Anvers ou de Bruges.

Passé la guerre de 1914-1918, tout est en place pour le menu drame sémantique qui va se jouer au cours des trente années à venir. L'enjeu n'est pas majeur : il concerne au total une population de

« locuteurs » flamands qui, vers 1935, se réduit à 150 000 personnes (autant que de bascophones en France). À eux viennent s'ajouter encore d'assez nombreux citoyens français et francophones, habitants de Lille, de Saint-Omer ou d'ailleurs. Ils gardent conscience (historique) de leur appartenance aux anciens « Pays-Bas sud-occidentaux », incorporés à la France, bon gré mal gré, sous Louis XIV. Le cœur du problème, cependant, n'est pas dénué d'intérêt typologique : il s'agit de savoir ce que peut devenir un groupe linguistique relativement compact dans une société agricole et industrielle de type avancé (la région du Nord est l'une des plus vivantes de France, entre 1910 et 1960, au point de vue de la modernisation économique comme de l'expansion des fermes et des usines). La pièce a son personnage central, sur lequel les recherches récentes ont jeté d'assez vives lumières : c'est l'abbé Jean-Marie Gantois[8].

Né en 1904, d'un médecin de Watten, et ayant appris le flamand qui n'était point au départ sa langue maternelle, Gantois, aidé par quelques amis, pour la plupart prêtres ou séminaristes, fonde, en 1926, le Vlaamsch Verbond Van Frankrijk et, en 1929, un journal mensuel intitulé *Le Lion de Flandre*. L'orientation du mouvement est catholique, en toute clarté ; donc, droitière ou conservatrice (par hypothèse, il en irait tout autrement de nos jours, car l'évolution de l'Église vers la gauche depuis Vatican II déterminerait, dans un contexte par ailleurs analogue, des directions de travail bien différentes). Gantois, lui, se situe de toute évidence à l'écart du régionalisme de gauche d'un Valentin Bresle[9] en son *Mercure de Flandre*, qui fut contemporain du Vlaamsch Verbond. Par contre, l'abbé se rattache d'entrée de jeu au régionalisme français qui, dans l'entre-deux-guerres, est assez florissant, et il compte des amis dans la branche lorraine de cette mouvance, au sein du journal *Die Heimat*, ainsi qu'en Bretagne, en Provence…

Pendant les années 1930, l'abbé cesse, existentiellement, de se rattacher à l'ensemble français, celui-ci serait-il décentralisé ; il s'envisage désormais comme activiste d'une grande Néerlande, ou d'un peuple thiois qui, par-delà Amsterdam, Anvers et Dunkerque, s'étendrait hors des frontières linguistiques du flamand, vers Boulogne, vers Lille[10], et jusqu'à l'ancienne frontière picarde et française du cours de la Somme. Le militantisme flamingant de Gantois et de ses amis s'investit, bien sûr, dans le folklore et dans les entreprises de préservation des particularités locales de la langue ; il est solidaire d'un catholicisme qui refuse les démarches anticléricales et centralisatrices de la République. Tout cela participe d'une visée hiérarchique et « holiste » du monde social, empruntée à Maurras, mais d'application fort élargie : d'un même mouvement, Jean-Marie Gantois renie le libre examen, tel que le pratiquaient les humanistes et la Réforme ; il récuse les philosophies des Lumières et de la Révolution, les laïcités pures et dures, le « jacobinisme de l'Absolutisme et de la Convention ». L'inflation du discours ethnique induit les lecteurs du *Lion de Flandre* à envisager leur francité dans le sillage non plus des Gallo-Romains, mais des ancêtres francs, dont les « Flamands », Clovis en tête (?), seraient les archétypes par excellence. Une touche discrète d'anticommunisme complète le tableau en un temps où, nul ne le niera, la Russie stalinienne offre des « modèles » fort peu séduisants.

La folle dérive commence vers la fin des années 1930, quand Gantois et une partie de son entourage, fascinés par le nazisme, « sautent le pas » qui, depuis la demande légitime d'ethnicité, mène en direction d'un progermanisme militant. L'initialement inoffensive exaltation des races thioises, blondes et romantiques, conduit ensuite ces personnages jusqu'aux délires d'un certain racisme. La guerre, perdue, force la note : en décembre 1940, Gantois écrit à Hitler une lettre surprenante ; il y revendique pour les Flamands de France le droit d'être accueillis, hors Hexagone désormais, « comme membres de la nouvelle communauté germanique ». Sous une soutane de plus en plus ténue (le cardinal Liénard avait relevé Gantois de ses fonctions sacramentelles), l'abbé, manifestement, perdait les pédales. Son journal, à une époque où l'occupant menace (plus ou moins) d'arracher la région du Nord à la France, insulte assez bassement les Français traités de « zazous avachis » ; et plus encore les Méridionaux, qualifiés de « demi-Maures », voire de « Maghrébins », qualificatifs qui, dans le contexte de cette période, se veulent désobligeants. L'abbé et ses amis organisent un institut flamand, des congrès flamands, qui s'inscrivent dans le contexte de la « Nouvelle Europe ». Les autorités allemandes qui tiennent la région française du Nord se méfient de l'initiative du bouillant leader nationaliste (elles adoptent simultanément, ou certaines d'entre elles adoptent une attitude de réserve analogue, en Bretagne). Par contre, la Propaganda Staffel et la Kommandantur SS de Bruxelles encouragent les sectateurs de Gantois, parmi lesquels ils espèrent, pour les SS, recruter des supplétifs. D'où une scission entre Gantois lui-même, hostile à cette compromettante exploitation, et ses partisans les plus extrêmes.

L'influence du Vlaamsch Verbond, tel qu'il sévit tant bien que mal au début des années 1940, demeure limitée, malgré les efforts du flamboyant ecclésiastique qui en assume la responsabilité. Le groupe, même en sa petite région, n'a connu de véritable renommée (fâcheuse)... que lors de l'épuration de 1944, pour laquelle il constitue, bien sûr, une cible facile. Paradoxalement, l'activité de ce qui resta en fait un réseau minuscule (et pourtant non dénué d'importance symbolique) fut maximale pendant l'Occupation dans la région de Lille-Roubaix-Tourcoing, plus sensible à ce genre de propagande que ne l'était l'aire proprement néerlandophone de Dunkerque et de Cassel. Cotisations et abonnements dans l'agglomération lilloise ne concernent néanmoins que quelques milliers de personnes ; beaucoup de sympathisants d'avant-guerre, inquiets de la tournure germanophile que vient d'adopter l'entreprise, prennent soin de s'en détourner. L'abbé en est réduit (vieille habitude chez lui) à se faire homme-orchestre, écrivant dans son journal ou chez divers éditeurs sous plusieurs signatures différentes ; faisant lui-même, affublé d'un pseudonyme, le compte rendu de ses propres livres, dans lequel il incrimine galamment un excès de modération... Fait remarquable : les adhérents du mouvement, une poignée de personnes, sont loin de nourrir en profondeur une vraie sympathie pour le nazisme, même s'ils affichent sottement celle-ci pour les besoins de la cause. En fait, ils restent catholiques et conservateurs, à demi maurrassiens. Leur idéologie véritable a peu de rapport avec celle de Hitler.

L'après-libération fera justice assez lourdement de cette équipée intellectuelle et politique qui, comme tant d'autres, s'était prise au piège que lui tendait l'histoire. Après quelques années de prison, Gantois publie, en 1949 et 1954, sous des pseudonymes (encore !), divers livres où il se révèle désormais fédéraliste européen, et régionaliste persistant. Étant donné son itinéraire et ses succès initiaux, suivis d'une panne en rase campagne, cette double option constitue un genre d'échappatoire assez raisonnable.

Beaucoup plus rudes furent les destinées de certains dirigeants de la minuscule « Ligue des droits du Nord », née d'une scission [11] du mouvement Gantois, à la fin de 1943 ; cette « faction » était ultracollaboratrice, débordant largement sur sa « droite » (mais faut-il parler de droite en l'occurrence), l'étonnant abbé du Vlaamsch Verbond ; le chef de la Ligue du Nord en question était le Dr Pierre Q., « raciste fanatique », se considérant comme allemand, et sautant par-dessus l'étape intermédiaire (devenue inutile) du flamand, pour se rallier corps et âme à la langue teutonne ! Pierre Q. était un personnage à la Bruegel, mais d'un Bruegélisme atteint de sinistrose ultranazillonne. « Jovial, bagarreur, bouillant, désordonné... un pur nazi ! » Il tâchait, sans grand succès, de recruter pour la Waffen SS. Il sera condamné à mort et fusillé en juillet 1946, ainsi que deux autres leaders de son groupuscule, Pierre M., ancien du front de l'Est, exécuté en août 1946, et Antoine C., chargé du recrutement, et fusillé à la citadelle de Lille en juin 1947, pour sa participation à une certaine « brigade des Anges » *[sic]*. Ces trois hommes n'étaient certainement pas des anges, bien au contraire ; mais l'« addition » finale, trois fusillades, paraît quand même *a posteriori* un peu lourde, surtout aux yeux des « Tendres » qu'à très juste titre nous sommes devenus depuis l'abolition « badintérienne » de la peine de mort [12].

On n'en dira pas autant, fort heureusement, du Zuid Vlaamsch Jeugd, jeunesses régionalistes de Flandre, obligatoirement issues de familles « völkisch » nées au nord de la Somme et peuplées, garçons et filles, de « lionceaux » ou de « mouettes ». Accouplement bizarre... Ils se réunirent d'abord à Lille (1943), leur cri de ralliement était « Hou Zee ! » (Tiens bon la mer !). Vaguement hostiles à la cause des Alliés, l'esprit de l'escalier leur fit mettre au point les structures d'organisations qu'ils croyaient nécessaires (secrétariat général, etc.) en juin 1944... Les dirigeants du ZVJ, *alias* JRF « se retrouveront en prison quelques semaines plus tard » et ne seront condamnés, pour finir, en décembre 1946 qu'à des peines de

Michel Delebarre

Michel Delebarre est né en 1946. Indiscutablement, c'est un homme du terroir, des Pays-Bas du Sud, mais aussi de la Flandre française ci-devant flamingante, même si personnellement il a « perdu » pour une grande part la pratique du langage néerlandais ou de la variété dunkerquoise d'icelui, telle que l'utilisaient ses aïeux. Le père de cet homme politique travaillait comme agent immobilier à Bailleul. Les grands-parents étaient de Malo-les-Bains. Élève au lycée de Lille, le jeune Michel procède ensuite à des études de géographie dans l'université de cette ville, jusqu'à la maîtrise inclusivement. Le professorat, dans la suite logique de son *cursus,* ne semble pas l'avoir beaucoup tenté. Il a suivi, surtout à la mairie de Lille, puis dans la région Nord-Pas-de-Calais, la trajectoire de Pierre Mauroy, dont il fut, sous des titres divers, honorifiques ou prosaïques, mais toujours lestés d'un contenu réel, le durable « chargé de mission ». Le « patron » étant devenu Premier ministre en 1981, Delebarre l'a suivi. Le voici donc à Matignon, inspectant les dossiers régionaux et locaux, s'occupant des affaires du Nord-Pas-de-Calais. Il est également responsable des dossiers réservés, ou de ceux qu'on appelle de « sécurité »… En 1982, Robert Lion, directeur de cabinet du Premier ministre, s'en va vers la Caisse des dépôts, et Delebarre le remplace à cette même direction. Nommé préfet, il n'aura pourtant pas l'occasion d'administrer un territoire, même s'il est amené à s'occuper au plan national des données de régionalisation. En 1984, le gouvernement Fabius lui confie le ministère du Travail, lors d'une époque d'important chômage. Occasion pour lui de participer à la création de ces emplois bien particuliers que sont les TUC. La

principe, déjà largement couvertes par une longue incarcération préalable [13].

Aujourd'hui, le mouvement flamand de France, échaudé par la mésaventure, se cantonne avec sagesse dans le domaine culturel dont nul ne peut contester le caractère légitime : puisque aussi bien, en Westhoek, le cadavre dialectal bouge encore. Les flamandophones ne sont pas, ne veulent pas être les derniers des Mohicans de leur aire linguistique ; l'exemple belge leur donne quelque courage flexibilité des salaires et des heures de travail l'occupe également beaucoup et lui vaut certaines polémiques avec le PCF. Par la suite, il est élu député, et d'autre part, vice-président du Conseil régional Nord-Pas-de-Calais, y prenant soin d'éducation, de formation professionnelle, de jeunesse et de sport, d'art moderne également. Il est aussi, dès 1987, l'un des secrétaires nationaux du PS (on en compte une douzaine). En 1988, il est ministre des Transports, de l'Équipement et du Logement, récupérant les secteurs ministériels qu'abandonnait Maurice Faure, passé au Conseil constitutionnel. Il a sous ses ordres, dans ce vaste ministère, un demi-million de fonctionnaires et d'agents de l'État. De la région au centralisme... À Dunkerque, dont il est maire depuis 1989, il hérite d'une ville que l'ultime guerre avait pratiquement écrasée, et où, depuis, « dans la dernière période », la crise industrielle avait sévi. Le haut magistrat local se doit donc d'attirer des entreprises (Coca Cola, Pechiney) et de développer les activités culturelles (bibliothèques, football...). La langue flamande dans cette affaire paraît bien assoupie, ce qui n'étonnera personne. Mais le ministre-maire impressionne les Nordistes, et les Français en général, par son assurance et son humour froid, nuancé d'intelligence et d'attentive affabilité. Il ne dédaigne pas, au temps très actif du carnaval dunkerquois, de bombarder ses administrés depuis le balcon de la mairie à l'aide de poignées de harengs. Tradition oblige ! Au total, une belle carrière, nullement terminée du reste, pour le bonheur d'un homme dans la force de l'âge qui, à l'image de la lointaine Yolande de Bar, dame de Cassel, seigneuresse de Dunkerque, sait garder un pied en Flandre maritime et parfois l'autre dans la capitale. En dépit de l'attrait du « pulsar » parisien, le député n'oublie pas qu'il est maire, et que les questions du littoral, du face-à-face avec le Royaume-Uni aux rives du Channel, et de l'emploi dans la région flamingante comptent beaucoup, pour son *curriculum*.

à ce propos. Et cela même si l'échec, à tout prendre, ou plutôt la catastrophe, du leader initialement bien inspiré qu'était Gantois (dont la carrière fut brisée par une perversion ultérieure, survenue en cours de route) de même que la faillite assez analogue d'un chef autonomiste comme Rossé en Alsace (brave homme, au fond, dans les débuts), révèle une impasse. Il est en effet difficile de remettre en question au XXᵉ siècle les conquêtes que Richelieu et Louis XIV effectuèrent au XVIIᵉ, sur les marges des pays germanophones ou néerlandophones. Et pourtant, ces annexions, à l'époque, au cours d'une phase tendue de l'Ancien Régime, étaient loin de rallier l'unanimité des suffrages. Voyez, par exemple, l'opposition de principe que leur manifestaient Fénelon et ses amis…

Ce même Fénelon, archevêque de Cambrai, aurait-il apprécié le renouveau culturel de « nos » Pays-Bas, tel qu'il se fait jour aux environs de l'an 2000 ? Citons en tout cas parmi les actions qui se veulent expressives d'un tel souci, à base d'ethnicité, l'enseignement du flamand dialectal de la FFF par Jean-Louis Marteel à l'université du littoral de Dunkerque : ce professeur est lui-même le fils d'un marin-pêcheur de la région dunkerquoise ; ses cours, à titre en quelque sorte privatif, ont commencé depuis près d'un quart de siècle, avant d'être officialisés récemment par l'Alma Mater. Dès 1991-1992, Marteel faisait éditer une méthode d'apprentissage du flamand de France ; cette publication a été soutenue financièrement par M. Delebarre, maire de Dunkerque, issu lui-même d'une famille de Bailleul qui fut flamande dans des temps plus anciens. À quoi s'ajoute le rayonnement personnel de l'infatigable Dr Collache et de son épouse, animateurs de l'association linguistique et culturelle Het Rensekor : ces personnes ainsi que leurs fidèles s'efforcent de faire revivre les traditions musicales de la Flandre. Une petite radio locale, dotée d'un émetteur guère puissant, et nommée Uylens Spiegel, « arrose » sur le mode bilingue une région franco-flamingante qui, certes, n'est pas immense, le tout depuis l'un des points culminants de la région à la surface de laquelle pour dire vrai les hauteurs du relief ne dépassent pas quelques dizaines de mètres. Le « Comité flamand » (« Français je suis, flamand je reste ») d'ancienneté plus que séculaire, joue le rôle souvent brillant d'une société savante traditionnelle ; il rayonne en particulier sur Lille avec quelques centaines d'adhérents. Enfin un parti fédéraliste flamand, doué d'engagements régionalistes très nets, avait fait parler de lui en région lilloise voici une quinzaine d'années, mais il semble être actuellement quelque peu en sommeil. D'une façon générale, le souvenir de certains aspects fâcheux du temps de l'Occupation tend, sans trop de regrets, à se fondre graduellement dans les brumes d'un oubli propice. Le devoir de mémoire n'est pas, en l'occurrence, l'impératif catégorique…

4

Bretagne

L'histoire de la Bretagne[1], comme telle, débute entre les années 460 et 570 de notre ère. C'est en effet à cette époque que prend place la migration des Bretons insulaires, venus du pays de Galles, accessoirement de Cornouailles et du Devon, en direction de la péninsule armoricaine. Quant aux dolmens, aux menhirs, aux alignements de Carnac, témoins du néolithique, ils peuvent faire rêver le promeneur ; en fait, ils n'ont rien de spécifiquement breton ; la péninsule a simplement connu les destinées communes de la Gaule : là comme ailleurs, elles furent préceltiques, puis celtiques, enfin gallo-romaines : une exposition récente (en l'an 2000), à Rennes[2], relative à l'ancienne cité de Condate, site originel de ce qui deviendra Rennes, fut fort éclairante à ce propos. Condate, ancienne bourgade gauloise, est désormais gouvernée, dès le IIe siècle de notre ère, par des duumvirs, magistrats issus de l'aristocratie locale, indigène mais plus ou moins romanisée, celle des décurions ou sénateurs (le mot varie). Les dieux romains sous le nom de *Mercure Atepomaros* ou de *Mars Mullo* se sont également implantés dans la future capitale de la région, en fusionnant avec les divinités de l'ancien panthéon celtique ; ils peuvent ainsi arborer les doubles noms cités ci-dessus, romano-gaulois, inscrits de manière impérissable sur les bases de granite qu'ont déterrées, voici peu, nos archéologues. L'un des plus beaux objets que nous ait légués dans cette perspective la latinité d'Armorique, c'est la patère en or massif, datée de la fin du IIIe siècle, et constellée de monnaies, qui fut exhumée en 1774 ; elle sera conservée par la suite au cabinet des Médailles de la Bibliothèque nationale : elle est centrée sur Bacchus en compagnie d'Hercule.

Si corrélée qu'elle puisse être avec l'Antiquité classique ou post-classique, cette patère est contemporaine d'invasions germaniques (260-277), génératrices de crises et d'angoisses, incitant de ce fait les riches à l'enfouissement de leurs trésors, parmi lesquels figure l'illustre plat d'or, herculéen et dionysiaque, incrusté de monnaies qui sont d'or elles aussi. Les invasions venues d'outre-Rhin n'ont certainement pas tué la langue latine ; on peut même imaginer (?), comme l'a fait le chanoine Falch'un, que des populations demeurées celtophones se sont elles aussi maintenues, par-delà les Romains puis les Germains, dans la région de Vannes [3] en attendant d'être rejointes, au secteur ouest de la péninsule, par leurs frères en celtitude venus aux Vᵉ et VIᵉ siècles à partir de l'île britannique.

Ces immigrants tardifs, formés en clans sous la direction de grands aristocrates, ont peut-être tenté, en passant la mer, d'échapper aux Scots, qui, à la même époque ou peu auparavant, dévalaient vers l'Angleterre depuis l'Écosse, du nord au sud. Le substrat gallo-romain, ou gallo-franc, en Bretagne même, ne fut point recouvert entièrement par cette nouvelle vague celtique. Il a survécu, sans trop de problèmes, vers l'est armoricain : tant sur les bords de mer que dans le bassin de la Vilaine.

Un peu plus tard, les Carolingiens vont se méfier de ces « Bretons » qui désormais ne sont plus tout à fait des nouveaux arrivants. L'empire de Charlemagne possède en tout cas, mal ou bien administrée, une « marche de Bretagne ». À partir de 831, Nominoë, chef à double face, réalise l'union de la principauté bretonne, rassemblant sous son autorité les terres proprement celtiques de l'ouest et le pays « gallo », à l'est de la péninsule. Nominoë, dont les nationalistes bretons feront un être charismatique, travaille-t-il pour son propre compte ou pour celui de l'empereur ? Lui-même ne doit pas très bien le savoir. D'autres princes, à la même époque, effectuent une besogne analogue dans de vastes régions semi-autonomes et comparables à la Bretagne, telles que Flandre, Bourgogne, Catalogne...

À la fin du IXᵉ siècle surgit Alain, comte de Vannes, qu'on voit même s'intituler « roi des Bretons par la grâce de Dieu » ! Faut-il dater des dernières années du Xᵉ siècle la prépondérance de Rennes, capitale régionale ? À cette époque, une Maison comtale de la ville établit sa maîtrise sur d'assez vastes parties de la péninsule. Et puis, autour de l'an mil, malgré certaines tentatives capétiennes, on ne rencontre aucune trace d'une quelconque soumission des Armoricains, ne serait-elle que de principe, au royaume de France.

Et pourtant, l'avenir de la Bretagne est à l'est. Les invasions normandes, à la fin du Ier millénaire, y détruisent quasiment le catholicisme en version celtique. C'est donc une Église latine d'Armorique, liée aux monastères du Val de Loire et de Normandie, qui varefleurir ensuite sur les ruines de sa devancière. Le clergé breton,longtemps médiocre, est rénové grâce à l'exemple de saint Yves (XIIIe siècle) et devient satellite de la chrétienté française. Des collèges bretons se forment à l'université de Paris. La « matière de Bretagne » inspire les poèmes de Marie de France. Du point de vue politique, ou de souveraineté, le temps s'efface, au cours duquel la Bretagne, selon Raoul Glaber (XIe siècle), passait « pour un bout du monde, peuplé de barbares et d'ignorants ». Disputée successivement par trois groupes d'influence (Plantagenêts anglo-angevins, Angleterre proprement dite et France), la péninsule, surtout après les années 1230, bascule dans le « giron » de la royauté, au point que le duc breton prête hommage au Capétien, part en croisade avec lui et applique les édits anti-templiers de Philippe le Bel. Lors des débuts du XIVe siècle, on a l'impression d'une affaire classée : la chaloupe armoricaine semble arrimée de façon définitive au vaisseau français de haut bord. Semi-rattachement de fait. Il n'a rien qui puisse surprendre. Au cours de la même période, le Languedoc, autre région périphérique, est réuni au royaume.

Le phagocytage, au profit de la monarchie des lys, n'exclut pas, cependant, une certaine affirmation (étatique) de la personnalité bretonne. Les ducs mettent en place un système administratif ; une « ossature » de plusieurs bailliages ou sénéchaussées. Leurs légistes introduisent dans la péninsule un zeste de droit romain à prétentions centralisatrices ; l'État breton bénéficie, à défaut d'impôts permanents, de l'émission de ses propres monnaies, du droit d'épave ou de bris et de l'essor du domaine ducal.

La vigueur bretonne se fonde également sur l'économie : cultures vivrières certes, mais aussi trafic maritime des vins, depuis l'Aquitaine jusqu'aux régions bordières de la Manche ; croissance, après 1300, de la production et de l'exportation des toiles ; « elles donnent

Christian-J. Guyonvarc'h

Christian-J. Guyonvarc'h est l'un des meilleurs connaisseurs du passé celtique de l'Europe, insulaire et continentale ; à ce titre, il mérite de figurer dans cette courte notice, destinée à illustrer, et même à éclairer les liaisons vastes, voire internationales, de la culture bretonne. Christian-J. Guyonvarc'h est né en 1926 à Auray, dans le Morbihan, à moins d'une lieue du pèlerinage de Sainte-Anne-d'Auray. Son père était inspecteur principal des contributions indirectes. Le jeune Christian eut tout loisir d'apprendre la langue bretonne pendant son enfance, puisque ses père et mère le « remisaient » au cours de l'été chez les grands-parents qui ne parlaient en effet que la langue vernaculaire de l'ouest de la péninsule. Bien que Guyonvarc'h ne soit pas d'ascendance noble, son nom est attesté depuis le VIIe siècle et signifie « digne d'avoir un cheval » ou « digne d'être chevalier ». En fait, notre auteur est d'origine populaire, son père ayant été ouvrier à l'arsenal de Lorient, puis s'étant présenté avec succès au concours des « contributions ». Après des études au lycée de Rennes, et l'exercice de divers métiers ou avatars, Guyonvarc'h, en 1954, devient instituteur à Belle-Île-en-Mer et reprend ses études. Il passe une licence d'allemand à Rennes, et enseigne ensuite à Belle-Île puis à Questembert, jusqu'en 1970. Les événements de mai 1968 l'ont incité à opérer un transfert personnel vers l'enseignement supérieur. Il prépare sa thèse de troisième cycle sous l'égide de l'université de haute Bretagne à Rennes, et sous les auspices de M. Gagnepain, professeur de linguistique générale. Le sujet de thèse concerne « l'expression de la relation dans les langues celtiques ». En effet, le pronom relatif n'existe guère, paraît-il, dans ce groupe de langues, et Guyonvarc'h, qui entre-temps a appris le gallois et l'irlandais, cherche à montrer comment on exprime (quand même) la relation dans ces langages. En 1972, la thèse est soutenue par l'intéressé face à un jury où siègent des spécialistes de linguistique irlandaise et de vieux breton. Après cette date, Guyonvarc'h enseigne à l'université de haute Bretagne à Rennes.

L'épouse et collaboratrice de Christian-J. Guyonvarc'h, Françoise Le Roux, est d'origine mi-bretonne, mi-flamande. Ces deux chercheurs, autour de 1950, ont rencontré Georges Dumézil qui s'est pris d'estime scientifique et d'amitié pour eux ; il leur a concédé progressivement le champ celtique, dans le vaste domaine des recherches relatives à la trifonctionnalité indo-européenne. Dumézil tenait Guyonvarc'h pour une sorte de personnage de la Renaissance, écrivant, imprimant, éditant, diffusant lui-même ses propres ouvrages et ceux de ses amis…

Les principaux livres de Christian-J. Guyonvarc'h (seul ou avec Françoise Le Roux) concernent les druides, les mythologies irlandaises, la civilisation celtique, et l'édition du *Catholicon* de Jehan Lagadeuc, dictionnaire breton-latin-français paru à Tréguier sous la Renaissance, œuvre de haute valeur. En tout état de cause, les « trois fonctions » duméziliennes figurent dans la religion celtique dont les sources connues sont surtout antiques ou irlandaises, et dont la culture bretonne est l'un des nobles avatars. Le trio des rôles est représenté « au sommet », selon Guyonvarc'h, par le dieu Lug : il « coiffe » l'ensemble et domine toutes les autres déités du panthéon, qui fut celui de l'Irlande, du pays de Galles, donc des ancêtres des Armoricains : on en retrouve des traces dans notre folklore péninsulaire.

La première fonction, en particulier, s'attache à la souveraineté, au sacerdoce, à la régulation ; elle est tenue par le Dagda, dieu druide ; le rôle propre du roi, paradoxalement, revient à un guerrier, Nuada. En second lieu, la fonction spécifiquement guerrière se décompose en activité royale, certes régulatrice et distributrice, mais occupée justement (on ne saurait être trop armé en cette religion belliqueuse !) par l'homme de guerre Nuada, qui ne combat pas lui-même, mais supervise, en bon généralissime, les faits de militarisme. Son chef d'état-major est Ogme (le « champion »), lui aussi dirigeant, plus que personnellement batailleur. Enfin, le héros Cûchulainn se dépense de façon directe dans le corps à corps des luttes sanglantes. Quant à la troisième fonction, elle s'adresse à l'économie, à la productivité, l'une et l'autre au service des deux précédentes. Elle s'incarne surtout dans les divinités artisanales (les Celtes étaient en effet de très bons artisans). On trouve parmi elles, en bonne place, le forgeron Goibniu, le bronzier Credne et le charpentier Luchta, puisque aussi bien métal et bois sont deux matériaux essentiels pour les peuples cousins des Bretons ou Bretons eux-mêmes. Bizarrement, les agriculteurs ne sont pas représentés parmi ces dieux, bien que les Celtes, insulaires ou péninsulaires, aient été professionnellement d'excellents éleveurs*.

---

* La Bretagne, on le sait, est malheureusement très éprouvée de nos jours, quant à son vaste troupeau bovin, par l'épidémie dite de la « vache folle ».

des voiles aux navires, des chemises aux vivants, des linceuls aux morts ». L'identité linguistique n'est pas menacée par l'ascendant d'une hégémonie française. La frontière des dialectes est stable ; l'administration francophone (laïque) ou latinophone (ecclésiale) respecte le particularisme celtophone de l'ouest de la région, celle-ci connaissant une montée démographique depuis l'an mil : le mot *ker*, qui signifiait maison au XIe siècle, dénomme le hameau au XIIe siècle ; on ne saurait mieux dire.

Le rayonnement français s'affaiblit pourtant après 1341, quand le royaume, peu à peu, s'épuise dans sa lutte contre les Anglais ; quand la péninsule, d'autre part, est en proie aux crises de succession qui opposent, de 1341 à 1381, les montfortistes, probritanniques, aux blésistes profrançais. La « Bretagne des cinq ducs », de Jean V (à partir de 1399) jusqu'à François II (mort en 1488), cultive à l'écart de la France, et parfois contre elle, les réalités ou les mirages de l'indépendance. L'Armorique, certes, demeure soumise à l'impérialisme (bénin) de la culture continentale la plus proche, cette grande lueur à l'est qui barre nécessairement tout l'horizon. Quant à l'économie, les péninsulaires regardent vers Londres, où résident les buveurs de vin que ravitaillent les barques des marins bretons, transitaires entre Garonne et Tamise.

La remontée en puissance de l'État valois sous Louis XI et Charles VIII met fin aux rêves d'autodétermination, peut-être creux ; ils s'ornaient pourtant des formes séduisantes du gothique tardif, issues de l'école d'architecture et de sculpture du Folgoët. Le mariage forcé d'Anne de Bretagne, étonnante « duchesse en sabots », avec Charles VIII, puis les noces d'amour et d'ambition de la même dame avec Louis XII et, au bout du compte, l'édit d'union de 1532 provincialisent quelque peu la presqu'île, dans la réalité sinon toujours dans les cœurs, plébéiens ou aristocratiques, bretonnants de Morlaix ou francisants de Saint-Malo.

*

Y a-t-il quand même un siècle d'or de la Bretagne, ou même deux siècles d'or successifs ? Si c'était effectivement le cas, cette bonne séric biséculaire se situerait, chose surprenante (?), pendant et après le processus politique d'annexion à la France, ce processus que nous venons de résumer, et que les nationalistes locaux, de nos jours, rendront volontiers responsable des misères et des malheurs de leur région. Cruciales, en fait, sont les six ou sept générations qui courent de 1465 à 1675 (cette ultime année coïncidant avec la révolte des Bonnets rouges, qui fait date charnière pour la conjoncture longue). Les deux cent dix années ainsi mises en cause sont en effet contemporaines d'un long flux d'essor démographique ; au terme d'icelui, la population armoricaine, durant le dernier quart du XVIIe siècle, culmine à 1 800 000 personnes, soit 8,6 % de la population française. Certes, les guerres de la Ligue, à la fin du XVIe siècle, furent pénibles ; momentanément, elles allèrent jusqu'à briser ledit essor, qui, du reste, reprendra *illico*, comme si de rien n'était, dès la nouvelle phase enfin pacifique du règne d'Henri IV. Dans l'ensemble, le phénomène global de hausse longue du peuplement est positif ; il s'explique par l'âge précoce des femmes bretonnes en leurs premières noces ; cet âge se situe à 22-23 ans, aux XVIe et XVIIe siècles, au lieu de 25-26 ans dans le reste du royaume. Le flux d'essor, terminé en France continentale dès 1560, peut donc se poursuivre un gros siècle de plus dans la péninsule. Il ne s'atténuera qu'à la fin du règne de Louis XIV, et puis au XVIIIe siècle, quand les Bretonnes se décideront à épouser tard, comme faisaient déjà depuis la fin de la Renaissance leurs consœurs normandes ou bourguignonnes. Les grandes villes, Nantes, Rennes (45 000 habitants au XVIIe siècle), Saint-Malo (25 000 en 1705), prennent leur part plus que proportionnelle d'une expansion qui affecte à un moindre degré les cités de basse Bretagne celtique, celles-ci demeurant peu importantes.

Indépendamment de semblables nuances régionales, la croissance globale du monde breton ne va pas sans crises de mortalités spasmodiques (les appellerons-nous « accidents de parcours » ? Pour une fois l'expression serait littéralement exacte). Parmi celles-ci figurent, outre les pestes du temps des Valois et des premiers Bourbons, la dysenterie de 1639 (meurtrière) et la disette de 1661-1662. La démographie d'ensemble, dans le long aller, n'en est point trop atteinte. Mais les personnes et familles frappées par telle grosse épidémie pesteuse ou dysentérique connaissent, occasionnellement, leur forte portion de souffrances. La basse Bretagne, encore elle, est moins urbanisée, donc mieux nourrie, car plus favorisée, grâce à la mer aux multiples ressources ; elle est moins touchée par les malheurs provisoires, dus aux crises, que ne l'est la « haute » région de Nantes, de Rennes, de Châteaulin.

Dans le détail, les phases d'épreuve « crisique » se décomposent en un célèbre trinôme : guerre, peste, famine. Le premier terme affecte peu les « presqu'îliens ». Une longue phase biséculaire, et même triséculaire, de « paix française » (1491-1793) succède en effet au temps belliqueux des ducs locaux, que des circonstances malheureuses avaient maintes fois contraints à guerroyer, de leur propre initiative ou du fait des monarques valois. Désormais, le théâtre des conflits s'éloigne des rives du Couesnon et plante ses tréteaux dans les vallées rhénanes ou padanes. On aurait tort de s'en plaindre à Morlaix, à Quimper, à Saint-Brieuc. Un seul accroc, et de taille, déchire gravement – pas pour toujours ! – l'interminable phase pacifique : les guerres de la Ligue, en 1588-1595, voire 1598, portent un coup rude, disions-nous, mais bref à la performance économique et populationniste de la péninsule. Elles sont l'avatar local, en moins prolongé, des guerres de religion qui, plus à l'est, ravagent le royaume pendant trente-cinq ans.

Les nombreuses pestes, comme celles particulièrement rudes de 1629-1632, sont l'occasion de mesures qui ne sont ni plus ni moins efficaces que dans d'autres régions. On crie haro sur les melons, car, gorgés d'eau, ils insufflent la qualité « humide » qui propage l'épidémie (?). On isole les malades dans des baraquements de santé appelés sanitats. C'est là qu'officie la trinité (qui eût enchanté Georges Dumézil, chasseur toujours à l'affût des structures trifonctionnelles) : la trinité des prêtres ; des chirurgiens armés d'un couteau à défaut d'une épée ; des serviteurs, enfin, qui de leur mieux prendront soin des égrotants. Ceux-ci sont bien nourris d'excellents poulets que n'afflige pas encore l'excès d'hormones. Les processions, les sonneries de cloches s'efforcent d'exorciser le désastre microbien à force de prières. Les villes s'endettent jusqu'au cou pour acheter de la corne de cerf ou tel autre remède infaillible. Les moines capucins s'illustrent, à force de courage et de dévouement. Enfin, après 1650, les progrès des méthodes d'isolement (quarantaine, cordon sanitaire), encouragés par la centralisation monarchique, renvoient la Dame blanche (la peste) vers des territoires plus orientaux, loin de la Bretagne et même de la France. La peste de Marseille, en 1720, ne sera qu'une lointaine alerte.

La famine, plus dure à Rennes, moins rude à Douarnenez, fait parler d'elle en 1531, 1562, 1596, 1630, 1661… Dans une province généralement bien nourrie, vrai grenier à blé, cette Intruse est combattue cahin-caha par le parlement, sinon toujours par les échevins qui se montrent, en ce qui la concerne, mous et inefficaces. Les émeutes de subsistances, au cours desquelles la foule tente de prendre en main la justice frumentaire, sont assez peu nombreuses dans les pays bretons : ceux-ci se montrent généralement conservateurs, calmes, ennemis du désordre dans la rue. Les faims périodiques ainsi que les autres chertés multiplient néanmoins et disséminent les hordes de pauvres. D'où le rôle essentiel, au XVIIe siècle, des hôpitaux bretons : ceux-ci, développés au rythme même des établissements homologues dans le reste de la France, marquent un changement net et généralement un progrès substantiel, par rapport aux gestes purement caritatifs qu'avaient pratiqués, en des temps plus anciens, les Rennais ou les Vannetais du Moyen Âge.

À sa manière, la Bretagne ne figure donc point parmi les lanternes rouges de l'expansion postmédiévale en France, dans les divers domaines, y compris institutionnels. Elle conduit même une expansion tambour battant, et sur plus longue durée que ne font d'autres provinces. L'économie, de ce point de vue, offre des preuves convaincantes, spécialement dans le secteur maritime : morues et fourrures sont importés en grande quantité de Terre-Neuve et du Canada. Les navires armoricains font transiter le sel de Bourgneuf et l'alun d'Italie. Trois cents chaloupes pêchent la sardine, expédiée ensuite vers le sud et jusqu'en Méditerranée ; l'huître de Cancale pallie, tant bien que mal, les carences céréalières des temps de disette. La soixantaine de havres bretons témoigne de la structure décentralisée des anciens systèmes portuaires, aussi valable pour le Languedoc et la Provence que pour l'Armorique. Une certaine tendance à la concentration apparaît néanmoins au profit de Nantes et surtout de Saint-Malo, dont se lève la fascinante étoile. Du coup, grâce aux exportations de produits alimentaires ou de textiles, qui partent des criques bretonnes, un Gulf Stream monétaire inonde en retour la côte, et même l'intérieur. De 1551 à 1610, 35 % des monnaies d'argent françaises sont frappées dans les ateliers officiels ou « hôtels des monnaies » de Rennes et de Nantes. Extraordinaire performance pour une province que peuple à peine le dixième de la population du royaume.

À partir de la seconde moitié du XVIIᵉ siècle, Paris et la Normandie l'emporteront sur la Bretagne en termes d'activité monétaire ou maritime respectivement. Centralisme accru, dès lors. Il est vrai que les triomphes armoricains de la fin du XVIᵉ siècle, dans le secteur de la frappe des pièces d'or et d'argent, s'expliquaient aussi par les guerres de religion. Pendant toute une période, celles-ci furent moins sévères dans le bassin de la Vilaine ou dans l'Arcoat, qu'en Languedoc, Provence ou Orléanais. (Mais une telle proposition ne vaut que pour la période antérieure à 1588-1589, date à laquelle commencent les susdites guerres bretonnes de la Ligue.) Quant aux bases proprement industrielles de l'essor, globalement spectaculaire, de 1550 à 1630, elles restent, pour une part, centrées sur la fabrication des toiles, accessoirement du papier. La substructure agricole, elle, est impressionnante et le demeurera jusqu'en notre temps. La Bretagne valoisienne, puis bourbonienne est un empire des blés, des sarrasins, des cidres, des beurres. Au sud, la viticulture est loin d'être négligeable ; elle engendre éventuellement l'alcoolisme des laïcs et même, ô horreur, celui des clercs. Dans l'ensemble, la province est substantiellement alimentée, du moins en temps normal, par contraste avec les cycles courts de la disette.

Principal inconvénient dans tout cela, mais il est de taille : le féodalisme breton est lourd. À l'ouest de la province, la tenure archaïque, dite du « domaine congéable », est cause de gêne pour le monde rural. À l'est, les forteresses ou châteaux trop nombreux témoignent des nécessités stratégiques, devenues obsolètes, qu'avaient engendrées d'anciennes frontières militaires avec la France.

La « différence » entre la Bretagne et le reste du royaume tient-elle, en cette époque, aux questions de « mentalités » ? De fait, l'historien Anatole Le Braz a regroupé autour de la mort les anciennes traditions culturelles de la péninsule ; il les faisait volontiers dériver d'un celtisme d'arrière-saison, qu'avaient conservé les peuples de basse Bretagne. Alain Croix, sur ce point, modère les ardeurs folkloriques des anciens érudits locaux : dans de minutieuses recherches quantitatives sur les XVIᵉ et XVIIᵉ siècles, ce grand démographe n'a rencontré en tout et pour tout que deux suicides ! Ils sont le fait d'un tisserand de Nantes et d'un hôtelier de Rennes. Comme quoi cette société extrêmement intégrée, communautaire, traditionaliste ne laissait pas volontiers s'échapper les individus vers les pentes fatales de l'autodestruction individuelle. Jaugées à ces critères, parfaitement objectifs, du non-suicide, les obsessions de mort n'étaient pas aussi universelles que l'imaginera Le Braz. Par ailleurs, il est vrai que l'on trouve en Bretagne, à l'âge classique, toutes les pompes baroques des cérémonies funéraires : cierges, torches par milliers, têtes de mort, drap noir étoilé de larmes argentines ; bref, un attirail bien connu qu'on rencontre par ailleurs en d'autres provinces de l'Europe occidentale et catholique. Tout au plus peut-on ajouter, et sur ce point on donnera raison à Le Braz, que l'Armorique en tant que bout du monde conservera ces modes macabres plus longtemps qu'ailleurs. Elle garde aussi les traces résiduelles d'un vocabulaire celtique du trépas. Autour des ossuaires monumentaux de basse Bretagne, qui jouxtent les églises campagnardes, rôde en effet, non point « la » mort féminine armée d'une faux comme ce serait le cas dans l'Occident latin ; mais le personnage masculin et squelettique de l'Ankou brandissant un dard, aiguillon, lance ou flèche ; il est attesté comme tel dans la littérature ancienne non seulement de Bretagne, mais aussi du pays de Galles, et dans la péninsule celto-britannique de Cornouailles, matrice de « bretonnitude ». Autant dire que, cette fois, les vieux finistères celtiques renvoient l'écho général d'une tradition préchrétienne : elle transita initialement par Galles et Cornouailles.

En fait de culture, peut-on parler d'une seule Bretagne aux XVIᵉ et XVIIᵉ siècles ? À l'est, on trouve la zone gallo et francophone tournée vers l'écrit, vers l'alphabétisation populaire jusqu'à un certain point ; les nobles et bourgeois y rédigent des livres de raison ; les médecins sont moins clairsemés qu'à l'ouest ; les prêtres confectionnent volontiers des registres paroissiaux ; l'élite fut vaguement (très vaguement !) influencée par le protestantisme ; la haute Bretagne est productrice de quelques bons écrivains, parmi lesquels, au premier plan, le conteur et juriste Noël Du Fail (actif vers 1547-1573). D'autre part, sur le versant occidental de la péninsule, en basse Bretagne, les gens fabriquent non pas des écrits, mais des objets d'art (pieusement recueillis de nos jours par les musées des traditions populaires) ; on révère des saints beaucoup plus nombreux que dans la zone est ; la littérature orale (en breton) joue un rôle essentiel. C'est ainsi que seront préservés jusqu'à nos jours, perpétués de génération en génération par voie purement verbale, les récits d'un crime qui remonte au XVIe siècle, ou même la geste galloise du héros Skolan sorti du purgatoire, dont les origines folkloriques sont haut-médiévales !

La Bretagne est demeurée et restera longtemps le sanctuaire collectif d'un catholicisme épanoui, à raison d'une demi-douzaine de prêtres par paroisse au temps d'Henri IV et de Louis XIII ; ces clercs naquirent souvent au sein de la communauté paysanne dans laquelle ils exercent ; ils sont indigènes, enracinés en terroir. L'Église tridentine les prend en main. Sous l'impulsion de prédicateurs éventuellement bretonnants comme le père Maunoir, elle substitue peu à peu, avec succès, un christianisme des comportements intériorisés à ce qui n'avait été longtemps qu'une religion de simples gestes, dont les historiens prétendront de nos jours qu'ils étaient plus automatiques que profondément vécus (?).

Oserons-nous dire qu'en fin de compte la Bretagne des siècles d'or fait quelque peu penser à l'Espagne, cette autre péninsule, mais pour le coup majeure ? Certes, il peut paraître audacieux de comparer une entité régionale avec les pays ibériques, dont les ambitions s'affirment universelles, mondiales, dès l'époque des Habsbourg, de Charles Quint ou de Philippe II. Et pourtant, dans les deux cas, même triomphe des activités maritimes ; même incapacité à moderniser en profondeur l'arrière-pays ; même domination d'un catholicisme de choc, à coloration jésuitique.

Changement de rythme : le tournant breton se situe vers 1675. La fameuse révolte des Bonnets rouges, cette année-là, sans être à proprement parler « nationaliste-bretonne », se dresse contre les nouveaux impôts (papier timbré) et contre la noblesse. L'État (français) et les privilégiés (locaux) sont fortement attaqués. Le duc de

Chaulnes, avant et pendant les rébellions, gouverne la Bretagne. Il a coutume de régir d'assez haut sa circonscription, par le moyen de nobles clientèles qui lui sont dévouées : il laisse la bride sur le cou aux gentilshommes locaux ainsi qu'au parlement de Rennes, totalement aristocratique lui aussi, et qui gère volontiers les affaires courantes. Or le système Chaulnes ne va pas survivre longtemps à l'ébranlement profond qu'ont révélé ou provoqué les contestataires de 1675. Le pouvoir central doit donc donner la priorité à d'autres formes d'administration, d'autant que le contexte géopolitique dans lequel évolue la péninsule tend vite à changer.

À partir de la fin du XVIIe siècle, en effet, au point de départ de la guerre de Ligue d'Augsbourg (1688), le danger anglais, jusqu'alors insignifiant, se précise. Comme l'a montré Jean Meyer, la Bretagne se transforme en pivot des conflits entre deux couronnes, française et britannique. Ces antagonismes se ranimeront à divers intervalles, jusqu'à leur extinction, cent vingt-cinq années plus tard, en 1815, au terme du désastre final de la France.

La province elle-même, en son espace intérieur, devient le théâtre d'une présence assez insistante de l'armée royale, celle-ci tournée contre le péril étranger, mais aussi éventuellement... contre les autochtones. En termes militaires, la péninsule est donc amarrée à la France une seconde fois, de façon plus intime que par le passé. « Il n'y a plus de Couesnon. » Se révèle pourtant, contrepartie peut-être fâcheuse, un prix à payer en termes de frustration régionale, par le simple fait du déclin de l'autonomie relative qui fut pratiquée *de facto* au XVIe siècle et durant les trois premiers quarts du XVIIe siècle, autonomie que vont battre en brèche pendant deux ou trois générations les intendants devenus plus durs, après la révolte de 1675. Apôtre d'un certain centralisme, l'intendant Béchamel de Nointel, à partir de 1680, tend en effet à court-circuiter le gouverneur. L'intendance établit son pouvoir à travers un réseau de subdélégués qui ne sont pas, comme ce serait le cas aujourd'hui, des sous-préfets appointés, mais (consolation pour les élites locales) de « grands notables bénévoles ». Les peuples, d'autre part, sont maintenant obligés d'accepter les nouvelles taxes fiscales qu'en 1675 ils avaient cru pouvoir refuser. Bon gré mal gré, ils doivent se radoucir ;

ils se résignent (de plus en plus difficilement) à la capitation en 1694, au dixième en 1710, au vingtième après 1750.

Cela posé, en dépit (ou à cause ?) d'une rude vigueur de l'environnement politique, militaire et administratif, la Bretagne du « temps des Lumières » ne va point basculer vers un sous-développement systématique, bien au contraire. Rappelons, à ce propos, d'étonnantes données maritimes. L'Armorique, au XVIIIe siècle, fait courir sur les mers 27 % de la marine française (commerciale), chiffre disproportionné à la longueur de ses côtes. Les chantiers navals bretons construisent plus du tiers des navires neufs, mis en service sur le pourtour du royaume, au temps de Louis XV. L'essor des grands ports, Nantes, Lorient, Brest, sinon Saint-Malo, est spectaculaire : Nantes, grâce à l'immoral trafic des esclaves noirs entre Afrique et Amérique, passe de 45 000 habitants, au XVIIe siècle, à 85 000, en 1789. En Bretagne celtique, Brest, parti de peu et qui demeure un port presque exclusivement militaire, monte à 40 000 habitants en 1785. Saint-Malo, au contraire, plafonne. Le « coup de fouet » de l'incitation océanique et coloniale continue de la sorte à se montrer stimulant pour les foyers d'activité du littoral armoricain.

Dira-t-on que la base manufacturière, elle, reste médiocre, toileries exceptées ? En fait, les historiens régionaux de l'école de François Lebrun tendent aujourd'hui à démolir le mythe d'une économie bretonne strictement paysanne, qui serait centrée, dans le secteur secondaire, autour de la seule activité des toiles et qui aurait raté sa mutation industrielle : car la production de fer et d'argent est florissante au XVIIIe siècle ; au XIXe, on verra même s'installer une structure manufacturière de remplacement avec les beurreries et les tanneries du monde rural, mais aussi les forges d'Hennebont, les aciéries de Trignac, les mines de Pont-Péan, etc.

L'exportation, au temps de Louis XV, demeure néanmoins « à faible valeur ajoutée ». La province expédie, principalement par mer, des produits peu élaborés, surtout agricoles ou primaires : blé, vin, eau-de-vie, sel, mais aussi toiles. La contrebande, maritime et plus encore terrestre, en direction du continent, à travers les perméables cordons des douanes intérieures, demeure l'une des fortes activités régionales, notamment pour le trafic des sels. À la fin de l'Ancien Régime, les faux-sauniers préfigurent la chouannerie d'époque révolutionnaire. L'animation économique s'inscrit donc à l'intérieur de certaines limites : on le voit bien par l'atonie des effectifs humains bretons, dont le nombre n'augmente que de 12,5 % au XVIIIᵉ siècle ; et puis les agréments de la nouvelle civilisation des mœurs et surtout des objets ou denrées ne vont qu'à la minorité : sur les 2 300 000 habitants que compte la province en 1770, seule une centaine de milliers profite quelque peu des fournitures de thé, porcelaine, tabac, épices, sucre, café, chocolat... Dans le cadre des plus grandes villes (Rennes, Nantes, Saint-Malo et Brest en tête), l'urbanisation ne touche guère que 225 000 personnes, tout juste un dixième des masses humaines de la péninsule : le développement maritime de celle-ci, même intense, ne l'a pas déstabilisée dans les profondeurs. Forte est la différence d'avec les Pays-Bas ou l'Angleterre : même vigueur du trafic par bateaux, certes ; mais, s'agissant de ces deux pays septentrionaux, les « effets d'amont » sont bien plus substantiels.

De toute manière, après 1675, la Bretagne plonge dans un cycle difficile. Elle souffre des crises de la fin du règne de Louis XIV qui, guerre et fisc aidant, dureront jusqu'aux années 1713 1715. Par la suite, le décès du vieux roi ouvre pour le royaume une ère de reprise, puis de croissance économique et de « dégel-détente » ; le pourtour côtier de la Bretagne connaît de nouveau un puissant essor ; mais il ne parvient toujours pas à faire décoller convenablement, par sympathie contagieuse, l'intérieur agreste et granitique, qui, malgré quelques progrès, demeure en proie au sous-développement, par comparaison avec d'autres régions françaises. Songeons notamment à l'analphabétisme armoricain ; il est fort marqué si on le mesure aux niveaux atteints par la Normandie voisine, tellement scolarisée [4]. L'attitude vis-à-vis de l'armée royale constitue-t-elle un autre test ? Certes, les Bretons peuplent les navires de la « marine » et de la Compagnie des Indes, comme matelots, officiers, capitaines au long cours. Cette forte présence maritime peut donc « excuser » la carence des Armoricains en ce qui concerne la participation aux troupes de terre de Sa Majesté, qui manœuvrent ou guerroient sur le plancher des vaches, aux frontières méridionales et orientales du royaume. Il n'en demeure pas moins que, souvent illettrés, volontiers déserteurs, de moins en moins nombreux à s'enrôler dans le métier terrien des armes au fur et à mesure que s'avance le XVIIIe siècle, les soldats et officiers bretons de l'armée française, et plus encore leurs compatriotes péninsulaires qui se refusent de façon massive à rejoindre celle-ci, témoignent peut-être pour une croissante allergie de la péninsule au centralisme militaire et politique de l'État royal, pendant les décennies qui précèdent la Révolution. Ou bien faut-il dire et redire que c'est la marine qui constitue l'essentiel pôle d'attraction, au détriment de l'armée de terre ?

*

La vitalité de la province, en revanche, s'affirme, dès lors qu'il s'agit du pouvoir, à prendre ou à combattre. Le « centre » monarchique (Paris, Versailles…) est représenté, sur le mode énergique, tantôt par l'intendance, néanmoins décadente après 1753, tantôt par le gouverneur ou le commandant militaire, dont le flamboyant prototype est le duc d'Aiguillon, arrière-petit-neveu du cardinal de Richelieu : d'Aiguillon régit en effet l'Armorique de 1753 à 1768. Face aux prétentions « gubernatoriales » de l'État bourbonien et absolutiste, le fait dominant de l'histoire bretonne au XVIIIe siècle concerne la puissante montée ou remontée des élites de la presqu'île, noblesse en tête. Elles s'appuient sur des institutions considérables, parmi lesquelles le parlement de Rennes, entièrement dominé par la gentilhommerie péninsulaire : ce haut tribunal cumule, sur le mode amphibie, les privilèges, de l'épée, de la robe et de la terre seigneuriale, sans souci des distinctions ici devenues inopérantes entre noblesse de gentilité (militaire) et noblesse de dignité (robine). Les élites sont également représentées par les états de Bretagne, autrement dit par l'assemblée des trois ordres (noblesse, clergé, tiers état) ; ceux-ci, celtophones ou francophones, se retrouvent à l'occasion de réunions régulières dans la ville de Rennes. Les « états », comme en Languedoc et Provence, confèrent à la province une indéniable originalité par rapport aux régions d'« élections » de la France de « l'intérieur », administrées de façon plus autoritaire ; ils voient cristalliser dans leurs rangs, à Rennes, un lobby spécifique de la noblesse ; on l'appelle le Bastion ; il sera, pendant la seconde moitié du XVIIIe siècle, l'instigateur, puis la première victime des événements prérévolutionnaires et, *in fine*, en 1789, révolutionnaires. L'apprenti sorcier…

La noblesse régionale, économiquement dynamique, est enrichie, souple, flexible, pourvue d'argent, mais aussi de culture ; elle possède, du moins en ville, d'admirables bibliothèques et de beaux hôtels ; elle pratique sans complexes un commerce colonial hautement rentable ; ses fils épousent les héritières bien dotées des négriers de Nantes ; le groupe, ainsi privilégié, inaugure « l'après-Louis XIV » par des activités frondeuses vis-à-vis du pouvoir. Étant donné la haute position de leurs auteurs, elles sont plus efficaces que ne l'avait été, en 1675, la malheureuse et brève jacquerie rurale des Bonnets rouges. Dès décembre 1717, en effet, s'esquissent dans la péninsule certains « frémissements » aristocratiques qui pourraient devenir, à terme, autonomistes, sinon indépendantistes (?). Ils avortent vite. Seuls perdurent dans la rébellion (antifiscale) quelques hobereaux d'Armorique agraire, dirigés par Clément Chrysogone de Guer, marquis de Pontcallec. Ils sont isolés, puis arrêtés ; quatre d'entre eux sont exécutés sur ordre de la chambre royale[5], qui fut convoquée à Nantes par le régent Philippe d'Orléans, moins cruel d'ordinaire (1720). La guérilla nobiliaire, mais purement juridique et pacifique, reprend à partir de 1730 : le parlement de Rennes refuse en effet d'enregistrer, venue de Paris, la législation antijanséniste. Les états de la province, de leur côté, n'aiment pas les impôts nouveaux (capitation, vingtième). Les élites se lancent, en 1759, dans des grèves fiscales qu'appuient le Bastion et le parlement. Le procureur général La Chalotais (que son hostilité à l'éducation populaire dévoile par ailleurs comme un réactionnaire) mène le combat au nom de la province contre le duc d'Aiguillon, gouverneur de Bretagne. Il réussit, en 1768, après moult incidents, à mettre ce grand seigneur dans l'obligation de quitter son poste. D'Aiguillon, devenu ministre, se venge à partir de 1770, aux dépens des structures parlementaires[6] : mais ce premier abaissement des « grands » locaux est de courte durée. Dès la mort de Louis XV, les états et leur vigoureuse commission intermédiaire[7] récupèrent de vastes pouvoirs de contrôle quant aux levées des impôts. L'intendant est mis sur la touche. Le temps absolutiste de Louis XIV et de Béchamel de Nointel semble fort éloigné. Les nobles en profitent, non sans égoïsme, pour affirmer leur privilège fiscal au détriment de la roture et de la bourgeoisie de Rennes ; celle-ci, à partir de la décennie 1780, se désolidarise donc du second ordre et prend le relais de l'agitation.

Des grandes régions septentrionales à minorité linguistique que nous avons évoquées jusqu'à présent – Alsace, Lorraine, Flandre, Bretagne –, cette dernière a poussé au plus loin, durant les dernières décennies de l'Ancien Régime, le vouloir et la capacité de contestation vis-à-vis du pouvoir central. Cette « poussée » s'opère dans un cadre légal qui n'est pas aussi marqué par l'absolutisme et le centralisme monarchique que le prétendra Tocqueville. L'exigence proprement linguistique (« bretonnante ») n'entre dans tout cela que pour une part assez modeste, malgré les vagues de celtomanie qui, depuis 1720, déferlent dans les domaines de l'histoire, de la grammaire, de la traduction, de la nostalgie et de la piété. Les auteurs des livrets dévots se bornent du reste à suivre sur ce point les voies éprouvées de l'utilisation du parler local dans l'enseignement religieux, celles qu'avait indiquées le père Maunoir au siècle antérieur.

La Révolution française, en fin de compte, favorise moins l'identité bretonne que ne le fit l'Ancien Régime : elle compromet le front uni des autochtones. Il s'était déjà lézardé depuis 1770-1780, en raison du « chiasme » que les questions fiscales avaient introduit entre roture et noblesse. À partir de 1788 et 1789, ces conflits deviennent dramatiques : la gentilhommerie, qui fut si longtemps championne de la personnalité régionale contre un royaume centralisé qu'elle estimait trop contraignant, se trouve, en bout de route, débusquée de ce rôle ; elle est « chassée du peuple souverain » par l'intelligentsia bourgeoise et avocassière de Rennes ou d'autres villes de haute Bretagne.

Émerge aussi un paradoxe régionaliste. Le « bon sens » inciterait à croire que la chouannerie, fine fleur de la plèbe contre-révolutionnaire, avait vocation à s'implanter dans la basse Bretagne celtique, centrée elle aussi sur un certain archaïsme, pour le moins linguistique (au sens le plus noble du mot « archaïsme », bien entendu). Or cette belle corrélation ne « marche » pas. Les paysans celtophones de l'ouest sont, plus durement qu'à l'est, « tondus » par les seigneuries. Excepté dans le Vannetais, ils ne croient pas devoir participer de façon massive aux opérations chouannes, objectivement sinon subjectivement alliées à certaine survivance de l'Ancien Régime, y compris « féodale ». Leur abstention prive la guérilla chouanne d'une bonne part de sa dimension d'ethnicité bretonnante, celle-ci se trouvant, de ce seul fait, appauvrie ou diminuée d'autant. Il y a là un fait négatif, ou « soustractif », pour le maintien de l'identité péninsulaire.

La Révolution, d'autre part, endommage la noblesse, épine dorsale de la société armoricaine. L'échine bretonne n'est pas brisée pour autant. Mais le relatif déclin de l'aristocratie du cru (rendu inévitable, entre autres raisons, par la suppression du parlement de Rennes) confère désormais à la presque seule Église romaine, bref, au premier ordre, un rôle central, voire semi-monopoliste, comme conservatoire des anciennes structures idéologiques, hiérarchiques ; celles-ci ayant caractérisé jadis la société de déférence, frappée à mort en 1789-1794. Or, les choses étant ce qu'elles sont, le clergé catholique se veut d'abord universel, transcendant tous les cadres, même nationaux. De ce fait, il ne saurait se confondre totalement, malgré la bonne volonté de beaucoup de recteurs[8], avec les objectifs de renaissance d'une ethnie bretonne que la modernisation sape dans son être et dans sa continuité. Ajoutons que c'est un prêtre catholique, assez spécial il est vrai, l'abbé Grégoire qui, l'un des premiers, a suggéré que la contre-révolution « parlait bas-breton ». Ce qui était un coup bas, non dissimulé, contre la langue celtique et régionale. De la part de Grégoire, gallican donc très français dans tous les sens du terme y compris linguistique, une telle attitude ne pouvait étonner[9].

Cela étant, on va assister, au XIXᵉ siècle, à une espèce de banalisation, certes heureusement inachevée, de la Bretagne. La péninsule connaît, comme d'autres régions françaises à l'époque, une croissance économique et démographique, dès lors qu'est enfin terminée la tourmente révolutionnaire, puis impériale. Mais ce qui faisait la qualité particulière de l'Armor « côtier[10] », avec ses vastes réalisations d'autrefois dans le commerce colonial et lointain, s'atténue quelque peu. La fin brutale ou progressive de l'esclavage aux Antilles dévalorise la prospérité de Nantes, fondée au XVIIIe siècle encore sur les trafics peu reluisants des boutiquiers de chair humaine. Beaucoup de havres, par ailleurs, achèvent de s'assoupir. Tout au plus la côte sud et ouest, avec Lorient, Brest et surtout Saint-Nazaire, nouvelle ville-champignon, connaît-elle une certaine mise à jour du système des grands ports, en même temps qu'une participation active au destin de la marine de guerre (mais justement, il s'agit là d'une flotte étatique, puisque militaire : les marins et les officiers bretons, si nombreux soient-ils à bord, y fonctionnent comme instruments d'un pouvoir extrarégional). Dans d'autres domaines, pourtant, à la fois impalpables et essentiels, s'affirme la conscience d'une irréductible entité « non parisienne » : Chateaubriand, Lamennais et Renan rendent sensible au cœur l'idiosyncrasie des territoires qui leur donnèrent le jour... et qu'ils s'empressèrent de quitter. Hersart de La Villemarqué ressuscite d'une façon parfois impressionniste les vieilles épopées et mélopées des bardes celtiques, préservées jadis par la tradition orale dans l'un des finistères du continent.

Les années 1880-1930 voient se dessiner le maximum démographique de la province, à près de 100 habitants au kilomètre carré, en 1911. Le sursaut de population qu'engendre normalement une natalité restée forte est néanmoins atténué par le mariage tardif et aussi par l'émigration vers la capitale française ou vers New York. À quoi s'ajoutent malheureusement, une certaine surmortalité alcoolique et surtout les 150 000 morts bretons de la guerre de 1914 [11]. Comme souvent depuis le Moyen Âge, et malgré telle ou telle éclipse, intermédiaire, l'Océan s'impose : les activités nautiques (que concrétisent notamment sur la terre ferme les chantiers navals de Saint-Nazaire et les conserveries de sardines, contrôlées par le capital nantais) occupent, par ailleurs, en 1911 encore, 65 000 marins de toute espèce. Les granites, en principe infertiles, qui cuirassent le territoire, servent de socle à l'une des agricultures les plus productives de la République !

En matière politique, les tempéraments locaux inclinent à la modération, malgré quelques taches rouges dans la géographie électorale. Mais le conservatisme religieux n'empêche nullement que se manifeste un certain esprit d'innovation, qui, selon les cas, se réfère à la technologie ou à la presse. La Bretagne, sur ce point, ne dément pas la Flandre. L'abbé Mancel, en compétition avec la noblesse, impulse le syndicalisme agricole. L'abbé Félix Trochu fonde l'*Ouest Éclair* qui deviendra, sous le nom de *Ouest-France*, l'un des grands journaux français. Avant 1789, l'élite bretonne avait fait du régionalisme sans le savoir, comme M. Jourdain faisait de la prose. Ce régionalisme se relève enfin des blessures que lui infligea la longue Révolution française (1789-1880), destructrice des autonomies provinciales. De 1898 à 1914, on voit naître, par épanouissements éphémères mais significatifs, une union, puis une fédération régionaliste bretonne, un collège des druides et des bardes, une association Bruyère bleue, et même un Parti national breton.

Car à la fin du XIXᵉ, ou au début du XXᵉ siècle, il y a encore, dans cette conjoncture ethnique et linguistique, deux ou trois Bretagnes : celle où l'on parle gallo et français, à l'est ; et celle où l'on parle breton (et français) à l'ouest d'une ligne qui court de Vannes à Plouha (localité située à mi-chemin, sur un axe est-ouest, de Saint-Brieuc et de Tréguier) ; il est commode d'utiliser les noms des anciens évêchés pour distinguer ces deux aires ; soit les diocèses de Quimper, Tréguier, Vannes et Saint-Pol-de-Léon quant aux *Bretonnants* ; et d'autre part les circonscriptions diocésaines de Rennes, Dol, Saint-Malo, Saint-Brieuc et Nantes (celle-ci pomme de discorde) en ce qui concerne les *Gallos*. L'aire linguistique du breton proprement dit se divise, ou se divisait, elle, en deux zones dialectales : KLT (espace sémantique de Cornouailles, Léon et Tregor) ; et Vannetais (pays de Vannes), situé lui-même au sud central de la péninsule.

*

Renouveau… et tradition : ici va naître, en Belle Époque (à contrecourant, certes !), le personnage incontestablement armoricain, au moins dans les débuts, de Bécassine. Elle est très mal vue, officiellement, dans la Bretagne actuelle, même si un reste ou zeste de tendresse subsiste à son endroit jusque dans les cœurs les plus endurcis des irrédentistes de la péninsule. Il convient néanmoins d'évoquer ici cette héroïne, serait-ce afin d'en dire pis que pendre, puisqu'elle témoigne pour une certaine image malheureusement négative à bien des égards que d'aucuns ont donnée de la Bretagne, à l'usage de l'Hexagone.

Fondamentalement, dans son principe en tout cas, Bécassine est bretonne bretonnante et même fière de l'être. Entre Arcoat et Armor, Bretagne de l'intérieur et Bretagne côtière, l'héroïne a fait son choix : Arcoat plutôt qu'Armor. Petite fermière, au point initial de son cursus, elle est soucieuse du prix des porcs et des pommes de terre [12], davantage que ne l'intéressent les marchés au poisson de Concarneau ou les conserveries de sardines du pays nantais. Celtophone de base, mais francisée à l'école primaire (sans plus), la jeune Armoricaine, nantie de ce double bagage, proclame volontiers sa bretonnitude, signalée (?) par divers attributs : Bécassine porte une coiffe avec ou sans oreilles de dentelle et elle dispose d'un mouchoir à carreaux transformé en sac de voyage, le tout flanqué d'un vaste parapluie rouge, hérité des grands-parents.

Peu douée, sauf exception, pour le flirt, a fortiori pour le mariage, et encore moins pour l'union libre (catholicisme péninsulaire oblige), Bécassine, en revanche, est totalement branchée sur la vie familiale et sur les pratiques de la puériculture. Toute nourrice sèche qu'elle soit, puisque résolument virginale, mais née d'un pays nataliste, elle déborde de tendresse pour les tout-petits, et elle n'a qu'affection pour son cousinage. Politiquement, son attitude peu favorable vis-à-vis des Arabes, des communistes et des syndicats, tend à démontrer, ô horreur, qu'elle est de droite, on n'ose pas dire monarchiste. Employée de maison chez une marquise, comme nombre de ses compatriotes exilées à Paris, elle sera pourtant, par la suite, au fil d'un long parcours, aviatrice, automobiliste, touriste en Amérique, et même résistante du second conflit mondial. Elle témoigne, plus qu'on ne pourrait croire, sur les qualités d'initiative de la « race » ou du moins de l'ethnie bretonne. De ce fait, elle est moins néfaste, moins péjorative qu'on ne l'a dit, à l'égard de sa patrie d'origine, et c'est pourquoi entre Rennes et Brest, Saint-Brieuc et Lorient, elle conserve aujourd'hui encore une certaine popularité. Mais son rayonnement à partir d'un foyer celtocentrique, même caricatural, n'a guère dépassé les frontières de la francophonie. Bécassine n'a pas su acquérir la consistance mondiale d'un Astérix ou d'un Tintin. Est-ce dû à la superficie trop restreinte de son pays d'origine ; si important et considérable soit-il en tant qu'entité ethnique, spirituelle, culturelle...

*

Après la Première Guerre mondiale fort meurtrière, mais ni plus ni moins que dans bien des régions rurales françaises, pour ne point parler de nos grandes écoles parisiennes et autres, elles aussi décimées ou fauchées – après 14-18 donc les « onze glorieuses » (onze années de prospérité économique, 1919-1929) vont être contemporaines d'une animation ou réanimation de diverses militances, tant syndicales que régionales, à sources souvent religieuses et droitières. Ces militantismes, dans le cas des actions régionalistes, sont également actifs en bien d'autres zones des périphéries de la nation. La Bretagne n'est pas exceptionnelle, en ce domaine. Attaquons-nous d'abord, en tout cas, au syndicalisme, rural en ce qui concerne cet aspect de la vie d'Armorique. La péninsule est en effet, vis-à-vis de la France entière, l'une des terres d'élection des mouvements corporatifs agricoles. Embryonnaires avant 1914, très puissants déjà pendant l'entre-deux-guerres, actifs et militants au cours du dernier demi-siècle, jusqu'à l'an 2000... et au-delà. Émerge donc comme leader principal [13] de ces organisations à l'échelle bretonne, à partir des années 1920, Hervé Budes de Guébriant. Très riche propriétaire, ce personnage sort de la « meilleure noblesse » de Bretagne, et sa famille est alliée à l'aristocratie française. Ses origines ultradistinguées ne signifient point qu'entre ce « seigneur » et les paysans du Finistère la distance sociale soit infranchissable, ni que tout dialogue soit impossible. Bien au contraire ! En un pays qui reste catholique et parfois quasi féodal, les liens de patronage facilitent les contacts, familiers en apparence, quelque peu hiérarchisés en fait entre les grands lignages nobles et les paysans qui sont chefs de famille comme d'exploitation. Ces contacts viennent souvent d'en haut. Ils sont acceptés d'en bas. Il suffit de les vouloir et de les mettre au service des causes qu'entend défendre le christianisme social, lui-même hérité, hors Bretagne, de Lacordaire et Montalembert parfois, *via* le Sillon et Marc Sangnier. Le fait que Guébriant parle breton représente un atout supplémentaire et considérable. Cela dit, la

« celtitude » du noble agriculteur n'irait pas jusqu'à lui faire donner sa fille en mariage à un jeune paysan. Certaines limitations sociales demeurent présentes. « Saint » laïque, personnalité puissante et généreuse, Guébriant n'a pourtant rien d'une image de vitrail : son langage, à l'occasion, ne manque pas de verdeur. Mécène généreux de ses syndicats, et même munificent, il fait de l'agriculture avec de l'argent, et non pas de l'argent avec de l'agriculture. Talentueux organisateur, ce militant – car c'en est un – concilie sans efforts son conservatisme originel de grand propriétaire noble avec les impératifs du développement des populations paysannes, dont il entend stimuler, comme telle, la promotion. Cette promotion, il la veut simultanément provinciale (au meilleur sens du terme) et nationale, en vertu d'un certain sens de la synthèse, éliminatrice de l'extrémisme ; car ce noble leader agraire, authentique bretonnant, n'est nullement un nationaliste breton, ni même un autonomiste armoricain. Son régionalisme est corporatif (non pas politique) et patriotique français.

Très intéressant pour la compréhension du militantisme agricole (breton) dès les années 1920-1930, nous apparaît à ce propos l'antagonisme Guébriant-Mancel. L'abbé Mancel, « péninsulaire » lui aussi, regroupe vers les années 1920, dans une Fédération des syndicats paysans de l'ouest, les « cultivateurs-cultivants » de sa Bretagne natale, autrement dit les exploitants agricoles, à son gré paysans authentiques : le prêtre refuse donc la « collaboration de classe » entre bailleurs (propriétaires terriens, souvent « de sang bleu ») et preneurs (fermiers). Cette coopération que préconise, par contre, notamment dans le Finistère, Hervé Budes de Guébriant. L'abbé Mancel réussit, au début, quelques beaux coups. Sa « Fédération » parvient même à l'emporter pendant un certain temps sur celle des « Ducs » – comme on appelle les aristocrates agrariens du Finistère, supporters de Guébriant. Mais l'abbé, soutenu par ses confrères et par les démocrates-chrétiens, a contre lui l'Action française et le haut clergé : « Méfiez-vous de ces ligues paysannes [de l'abbé Mancel], déclare à l'époque, en substance, Mgr Charost, cardinal-évêque de Rennes, et supérieur hiérarchique de l'abbé. Ne pouvant mordre sur vos syndicats [paysans], elles cherchent à les enlacer dans des replis qui ressemblent à ceux du serpent. Ce que veut l'Église, c'est la doctrine de Jésus-Christ qui recommande l'union des classes [14]. » En fait, devant Guébriant, Mancel ne fait pas le poids. Est-ce l'effet d'une première décléricalisation ? Le château, une fois n'est pas coutume, va l'emporter sur le presbytère. Car l'office de « Landerneau », fondé peu avant Quatorze, influencé par Guébriant (c'est l'office départemental du mouvement finistérien des coopératives et syndicats agricoles) se comporte avec la rationalité d'un grand organisme économique ; il vend les semences de graines sélectionnées et les machines agricoles aux producteurs, il achète en gros et revend au détail les engrais... Le relais de « Landerneau » sera pris, au-delà de la gentilhommerie locale, par les militants de la jeunesse agricole chrétienne, authentiques paysans comme Marcel Léon et Alexis Gourvennec : ils s'empareront du pouvoir à partir des années 1950 dans l'office de Landerneau. Tantôt organisateurs de manifestations violentes, tantôt « rois de l'artichaut », ayant su maîtriser, dès l'époque pompidolienne, les circuits de commercialisation de leurs principaux produits, ils parviendront à re-verser aux paysans producteurs une partie des marges bénéficiaires que s'octroyaient jusqu'alors les intermédiaires du commerce.

*

Peut-on parler des paysans bretons de notre temps et même des époques antérieures (le premier « Landerneau » fut contemporain de la Belle Époque) en n'évoquant que leur syndicalisme, fût-il passionnant ? Il ne s'agit, après tout, que d'une espèce de « superstructure » avec les avantages et les inconvénients du genre. Pour les amateurs de structures sous-jacentes, la monographie n'a rien perdu de son charme, ni le village de son éclat. Le Plozevet d'Edgar Morin et d'André Burguière, en baie d'Audierne et pays bigouden, demeure, à ce point de vue, l'escale obligée, à qui souhaite jeter l'ancre dans la Bretagne authentique, tant rurale que postrurale. Plozevet, c'était d'abord une démographie : vers 1800-1820, dans cette localité, la « pyramide des âges » fut aplatie au sommet, étalée à la base : fourmillement de jeunes, vieillards en petit nombre. Un siècle et demi plus tard, les proportions se renversent. Les pertes militaires de l'initiale Grande Guerre y sont bien sûr pour quelque chose. Mais les décennies qui suivront le désastre seront démographiquement négatives elles aussi : émigration, dénatalité, vieillissement. En 1975, Plozevet était une citadelle du troisième âge.

Au XIXᵉ siècle pourtant l'explosion démographique du bon vieux temps avait pulvérisé le terroir en un morcellement de type flamand, sinon chinois. Les champs s'étaient partagés, à l'excès. Sur ces parcelles peu étendues, les fermiers locaux, appelés *domaniers*, végétaient éventuellement. Ils n'étaient pas toujours à la fête. Les fils s'avéraient parfois plus pauvres que les pères, du fait même des morcellements successoraux, et en dépit des compensations, partielles, qu'apportait une lente et séculaire élévation des rendements agricoles.

Au XXᵉ siècle, la vapeur se renverse. Les peuplements se tassent et l'activité se diversifie. Les Plozévétiens quittent le plancher des vaches. Ils cueillent le goémon, pêchent la langouste, fabriquent le pain de soude. Ateliers, foyers, jardins, usines, commencent à produire respectivement la dentelle, les petits pois et le maquereau au vin blanc. L'épicerie-buvette et la vente des journaux (concurrencés plus tard par la TV) symbolisent leur enrichissement, à coup sûr le désappauvrissement général. Acculturation, alcoolisation aussi, en quelques circonstances : *Ouest-France* et le café arrosé colonisent la bourgade. Notoire en tout ceci, l'élévation du niveau d'existence. Même dans les foyers démunis, on note des améliorations progressives. Elles sont à la mesure, en sens inverse, d'une certaine pauvreté d'ancien type. Au bas de « l'échelle sociale », par exemple, trois frères célibataires, à Plozévet, lors des années 1930, vivaient sur un sol en terre battue et couchaient dans des lits clos, rembourrés par des matelas de toile d'avoine. Or ces frères s'achètent une bicyclette en 1935, une arracheuse de pommes de terre en 1947, un réchaud à gaz en 1950. « Innovations » dérisoires, dira-t-on... Mais depuis 1950 et surtout 1960, le confort actuel (eau sur l'évier, machines ménagères) fait une entrée triomphale au bourg et puis dans les hameaux, amateurs de modernisation... La stratégie de survie s'efface quelque peu devant la stratégie de confort [15]...

Plozévet, c'est aussi le conflit des rouges contre les blancs. S'agissant des agriculteurs, on est en présence d'un antagonisme ou du moins d'un contraste entre les *rouges-petits-vieux* d'une part et sur l'autre bord les *blancs-gros-jeunes* : le renouveau de l'agriculture, localement, est passé en effet par les jeunes cultivateurs, catholiques et ci-devant « de droite » qui régissent les domaines les plus substantiels, tandis que les petits exploitants de gauche, eux, ont longtemps stagné dans l'arriération technique qui du reste enveloppait les beaux secrets des arts et des habiletés traditionnelles. D'une façon générale, depuis la Révolution française, Plozévet est un îlot rouge républicain, dans une Bretagne qui demeura longtemps royaliste et blanche. D'où viennent ces « rougeurs » locales ? Est-ce la faute à l'Église ? C'est ce qu'on déclare. On affirmait que sous l'Ancien Régime, elle avait tondu les Plozévétiens en leur imposant de lourdes dîmes. De là, cent ans plus tard, les frustrations populaires ? Faut-il rappeler, pourtant, que la dîme a survécu en Angleterre jusqu'au XXᵉ siècle et qu'on n'observe dans ce pays rien de semblable ou bien peu… Et puis, Plozévet, avant 1789, était indépendant, nous dit-on, et peuplé de mauvaises têtes. Le bourg n'obéissait point à un seigneur. Pas de seigneurie locale ! La population du cru, depuis belle lurette avait donc (?) fait front contre le clergé, lequel, en réponse, de 1814 à 1914, s'était montré incroyablement maladroit. De temps à autre, l'évêque privait les Plozévétiens, ces « Sans-Dieu », de curé, de sacrements, et même de messe de Minuit. Il croyait par là les « mater »… L'effet, bien sûr, était celui du boomerang. Qui plus est, et l'on tient là, sans doute, une explication très convaincante, chère à André Burguière, une dynastie de notables rouges, les Le Bail, a implanté sur place l'école laïque, depuis le primaire jusqu'au CEG-CES. Ils ont fait jusque vers 1920 leurs propres affaires, en réglant pour le mieux celles de la gauche. Ils sont devenus, dans la foulée, propriétaires terriens d'importance. Ils ont arraché les gens de Plozévet à ce qui leur restait d'« obscurantisme ».

Quant aux paysans, ils se sont réveillés pour quelque temps, grâce aux initiatives audacieuses, syndicales elles aussi, des militants venus de la Jeunesse agricole chrétienne. Mais les militants se lassent et les paysans disparaissent, à l'exception des plus importants et des plus efficients. Une telle « disparition » nous renvoie, ici même, de l'histoire rurale (de l'Armorique) à l'histoire générale (de la Bretagne). La scolarisation, peu à peu, a drainé les cerveaux de Plozévet vers le fonctionnariat parisien. La commune produisait des petits pois. Elle s'est mise à fabriquer des agrégés. Les anciennes plantations de fraisiers se sont couvertes de résidences secondaires et de pavillons de style banlieusard. C'est « l'univers pavillonaire » (Edgar Morin), Garges-lès-Gonesse en bordure océanique. Sur la côte échancrée, le béton a évincé la chlorophylle. Débâcle créatrice, dans laquelle survit en filigrane le conflit rouges-blancs : leur lutte est adoucie, mais toujours présente. Elle donne à la vie plozévétienne ses tonalités automnales.

*

Reste le problème linguistique, voire ethnique et même, au gré de certains, nationalitaire. Car la commune de Plozévet a été frappée de plein fouet par l'enseignement laïque et les *mass media*. Traitement de choc : elle a donc perdu sans douleur, mais non sans dégâts, l'usage de la langue bretonne, déracinée par les instituteurs (bretons eux-mêmes) et, dans la suite des temps, par la télé [16]. Voilà qui nous conduit en effet, au sortir d'une monographie villageoise, jusqu'à l'histoire globale de la province, en tant que telle, bouleversée qu'elle fût pendant le tragique XXᵉ siècle par les problèmes de la langue et de la personnalité régionale, tant celtique que péninsulaire. Dès les années 1920 en effet, à l'aube des onze glorieuses, le flambeau d'identité, peut-être créé de toutes pièces (c'est la fameuse « invention de la tradition »), était passé des mains d'aristocrates pétitionnaires, comme le marquis de l'Estourbeillon, à celles de roturiers hauts en couleur, tels Debauvais et Mordrel : ils créèrent, en 1927, le Parti autonomiste breton. La coïncidence chronologique avec l'entreprise initiale de l'abbé Gantois, près de Dunkerque, s'avérait évidente. On notera que, dès cette fin de la décennie 1920, les fondateurs de ce nouveau parti d'Armorique, et nul ne leur en fera grief, naviguaient en quelque sorte à contre-courant : car, à partir de 1928, l'Église catholique de Bretagne, à la demande des parents, entreprenait déjà progressivement d'enseigner le catéchisme en français. Ce processus aboutira finalement au délaissement total du breton par l'église lors des années 1950, au moment où tous les enfants qui avaient reçu un enseignement religieux en français atteignaient l'âge adulte [17].

Comme en Flandre, comme en Alsace, la montée, puis l'apogée du nazisme dressent, face aux nationalistes éblouis, un cruel miroir aux alouettes, un attrape-nigaud dont beaucoup de militants resteront les victimes complices, meurtries, marquées à jamais dans leur chair et dans leur âme. N'entrons pas trop, faute de place en ce bref exposé, dans le jeu complexe des tendances et des hommes. Yann Fouéré, et puis Debauvais, Mordrel, quelques autres encore, animent pendant une douzaine d'années, de 1932 à 1944, ce que d'aucuns définissent comme le mouvement-soulèvement-redressement (EMSAV) des peuples bretons qui, dans leur majorité, ne les suivent guère. S'agissant de l'activité parfois brouillonne que ces hommes ont déployée à l'époque, nous nous bornerons à paraphraser le jugement sévère, peut-être trop rigoureux, d'un historien qui connaît les archives et que nul n'a sérieusement réfuté sur ce point précis :

> On doit continuer d'affirmer, comme l'a fait dès 1944 une certaine presse, que le mouvement péninsulaire (considéré dans une partie de son avant-garde militante) a mis ses espérances en une Europe remodelée par les Allemands, quitte à se voir infliger par les masses populaires le plus cinglant désaveu. L'attitude antinazie de la grande majorité des Bretons est trop connue pour qu'il soit nécessaire d'insister ; elle rend d'autant plus aberrante la politique suivie par l'EMSAV [18].

Encore nous sommes-nous permis d'atténuer, par respect pour des militants égarés, la formulation sans appel qu'avait proposée en son texte et en son temps Michel Denis.

Dans la pratique, la mouvance « nationaliste-armoricaine », dès les années 1930, combinait un terrorisme homéopathique et bon enfant (destruction, par bombes, de monuments profrançais qui concernaient notamment la duchesse Anne) avec une propagande qui se référait volontiers aux thèmes que charriaient les courants racistes, fascistes et nationaux-socialistes. Plus raisonnable, l'exemple irlandais demeurait source d'inspiration fondamentale. Au cours de la période 1940-1944, l'occupant germanique tantôt soutient, tantôt laisse tomber certains activistes bretons qui lui proposent de temps à autre leurs services dans l'espoir fallacieux de promouvoir leur propre cause. L'épuration de 1944, en particulier sous la forme absolument odieuse des exécutions sommaires, frappe avec dureté, quoique par ricochet, des personnalités majeures ou mineures de l'EMSAV, fusillées à tort et à travers comme collaboratrices, sinon comme « nationalistes-bretonnes ».

Quant aux détails... qui sont évidemment essentiels, divers historiens de la Bretagne (ou d'ailleurs), en des publications récentes, permettent d'y voir plus clair sur cette période régionalement et généralement assez sombre. Leurs contributions s'avèrent éventuellement plus nuancées que celles, toujours pertinentes, mais parfois « brutes de décoffrage » du P\r Michel Denis. On évoquera ainsi avec Yves Jezequel, professeur au lycée de Lannion, la personnalité de Yann Fouéré, sous-préfet de Morlaix en 1940 : Fouéré ne croyait guère à l'indépendance de l'État breton, mais dans les journaux mainte fois importants qu'il anime (*La Bretagne*, 1941, puis *La Dépêche de Brest*, dont il prend le contrôle en 1942), il agite ici et là l'épouvantail du séparatisme, ne serait-ce que pour « taper sur les nerfs » du gouvernement de Vichy [19]. Nettement plus marqué, Olier Mordrel fut l'un des fondateurs avec Debauvais du Parti national breton. Il est l'auteur, en 1940, d'un étonnant poème en l'honneur de six soldats allemands inconnus qui sont tombés, au solstice de juin, pour la libération de la Bretagne (!).

> Sur leurs pas, nous avons relevé la tête
> Sur leurs pas, tombaient nos chaînes

Vichy, et les Allemands eux-mêmes, tiennent « cependant » Mordrel pour un excité, au point qu'il est assigné à résidence dans l'est de la France, voire en Allemagne. Condamné à mort par contumace, notamment en 1946, il bénéficiera de la prescription en 1971. Plus important, quoique moins connu, est Célestin Lainé : chimiste, auteur d'attentats en 1932, il a progressivement recherché pendant l'occupation, notamment à partir de 1943, une collaboration complète avec les Allemands, y compris sur un plan militaire, certes

limité. Il se réfugiera pour finir en Allemagne, puis en Irlande[20].
Dans l'ombre de Célestin Lainé, il faut citer aussi la personnalité
longtemps intéressante puis malheureusement dévoyée elle aussi de
François Debauvais. Président très fantomatique d'un conseil national breton, il affirme encore en 1943 « sa foi celto-germanique dans
la victoire allemande ». Une mort prématurée (mars 1944) lui évite
les souffrances de l'épuration, fussent-elles imméritées dans son
cas, compte tenu de son assez faible taux d'activité politique pendant les saisons fatales.

Ces personnages très divers évoluent aux alentours voire en marge
du « Parti national breton » ; celui-ci, pour dire vrai, mettait à
mainte reprise une « pédale douce » sous la direction de Raymond
Delaporte, militant ci-devant catholique et donc hostile aux thèses
extrémistes ou néopaïennes d'un Mordrel. Vieilles divisions de
« l'extrême droite » qu'on verra rejouer de nos jours encore, en
d'autres circonstances. L'assassinat (tout à fait injustifié) en décembre 1943 du recteur ou curé Perrot, qui fut fondateur dès 1905 de
Bleung-Brug (Fleur de bruyère), fournit un prétexte à la constitution
beaucoup plus redoutable du Belen Perrot (Formation Perrot), agissant violemment contre les maquis à partir de mars 1944[21].

*

Il convient, bien sûr, de nuancer les jugements selon les organisations mises en cause : nous avons mentionné le Parti national
breton, à propos duquel ou à propos des avatars duquel pendant
l'Occupation, Lambert et Le Marec[22], dans un ouvrage fort contestable mais parfois utile, ont des formules qui de temps à autre sont
pour le moins étranges ; parlant de la proclamation ratée, avortée
même, d'une République bretonne en juillet 1940, ils écrivent sans
sourciller, « l'occasion manquée ne se représenta plus » *[sic]* et
encore « après Montoire (octobre 1940), Hitler jouera la carte
France et non plus la carte Bretagne » ; et derechef « après l'espoir
déçu de 1940, une nouvelle lueur naît en 1942 [!] ». Dans le sillage
du Parti national breton, on note aussi les *Bagadou Stourm* (groupes
de combat du PNB) dont l'un des leaders, Yann Goulet, sculpteur
de talent, sera condamné à mort par contumace après guerre, et

terminera sa carrière en Irlande ; et puis le mouvement ouvrier national-breton, fausse-couche « déviationniste » du PNB : il se fit connaître en 1941 ; l'un des dirigeants, Théophile Jeusset, rejoindra ultérieurement la milice en juillet 1944, et sera incarcéré après l'Occupation, jusqu'au début des années 1950 ; il y eut encore *Brezona*, organisation mort-née qui se voulait section bretonne du Parti national-socialiste en Armorique méridionale et Loire-Atlantique ; et quelques autres...

*

Finalement, de cette rude époque, surnagent pour l'essentiel les initiatives, du reste modestes, prises en faveur de l'enseignement facultatif de la langue bretonne (arrêté Carcopino de 1941), ainsi que la « remise en état » de la chaire (universitaire) d'histoire de la Bretagne, à Rennes, légitimement confiée à B. Pocquet du Haut-Jussé. Il faudrait aussi parler, en contrepoint, des très importantes contributions de citoyennes et citoyens bretons, ou non bretons d'origine, à la Résistance française [la seule Résistance morbihannaise perdra 2 200 hommes en l'été 1944 au cours duquel l'armée américaine et les résistants français, fraternellement unis, libérèrent ensemble la péninsule (Boterf, p. 510-511) ; dès 1940-1942, un certain « Hilarion », futur amiral Philippon, espionnait, depuis Brest, les navires de guerre allemands, promis de ce fait à un sort mortel[23]]. Mais tel n'est pas, malheureusement, le sujet, étroitement régional et surtout régionalisant du présent ouvrage, même si ces contributions « résistantialistes » équilibrent en effet largement ce qui vient d'être exposé dans le sens contraire. Quant aux rigueurs de l'épuration, elles auraient fait si l'on en croit Olier Mordrel (mais faut-il adhérer à ses chiffres ?) une quarantaine de morts (?) dans les phalanges du mouvement breton-autonomiste-nationaliste ; et parmi eux, près d'un quart par exécutions légales, le reste par exécutions sommaires (?).

Tout cela bien sûr laissera des traces douloureuses en Bretagne... et même jusqu'en Irlande, terre de refuge par excellence pour les survivants de la malheureuse EMSAV, malmenés autant qu'on pouvait l'être. Ils l'avaient bien cherché, dira-t-on[24]. Peut-être... Les blessures néanmoins sont toujours présentes ; et les cicatrices, apparentes… Quel gâchis en fin de compte, en tout cela, de la part des nationalistes bien sûr qui prirent pendant quatre années les svastikas pour des lanternes. Mais gâchis aussi de la part des épurateurs : beaucoup de ces condamnés, de ces exilés en Irlande, personnages doués à beaucoup d'égards, auraient pu, dans une autre perspective, après une brève et inévitable traversée du désert, faire sinon de belles carrières, à tout le moins effectuer d'utiles parcours, au bénéfice de leur province. L'histoire en a décidé autrement…, et l'historiographie *post factum* elle-même (qu'elle soit savante ou pour ainsi dire spontanée, venant simplement du grand public cultivé) demeure conflictuelle : pour l'un de nos grands dirigeants des chaînes de télévision française d'aujourd'hui, lui-même d'origine bretonne, les nationalistes armoricains mainte fois proallemands des années 1940 sont simplement des « boy-scouts égarés ». Par contre, au gré d'un Pascal Ory, éminent historien de la Collaboration[25], le jugement demeure sans équivoque qu'on doit porter sur un Raymond Delaporte certes tenu pour modéré, mais devenu leader du mouvement breton lors des dernières années de Vichy : Pascal Ory considère en effet que « les options collaborationnistes de Delaporte ne font aucun doute, qu'elles sont encore plus claires qu'à l'époque des grandes envolées mordrélliennes et sans nul doute avec le plus grand consentement des autorités occupantes ». Et Pascal Ory, impitoyable, mais toujours informé, d'enchaîner quant à la péninsule en 1924 sur le port local de la croix gammée (vieil emblème celtique, il est vrai, nullement perçu comme nazi par ses « porteurs » bretons). Et Ory de conclure, sur cette même lancée, par une évocation, une de plus, de la « légion Perrot[26] », qui n'est autre, aux yeux de l'occupant, « que le très accessoire Bretonisch Waffenverband der SS », chargé du « nettoyage » des maquis bretons « aux côtés de la Milice, des parachutistes SS et d'autres groupes germano-bretons de fâcheuse réputation » : groupe Vissault de Coëtlogon, ou Kommando de Landerneau (avril 1944). « Il est de fait que ces troupes auxiliaires, recrutées *in situ*, combattent sous le drapeau breton du… XVe siècle, et sont quelquefois recrutées parmi d'anciens élèves du petit séminaire de Ploërmel ». Mais ce fait-là ou ce double fait ne constitue nullement, aux yeux de l'implacable procureur qu'est

Pascal Ory, une circonstance atténuante[27]. Peut-on, doit-on lui en donner entièrement tort ? Disons en tout cas qu'on n'est pas encore sorti de l'auberge, et que les malheureuses histoires de coopération entre « l'occupant » et les nationalistes de la Péninsule n'en finissent pas de faire des vagues, et d'avoir des retombées – même tardivement. Selon la revue *Tribune juive* en effet (numéro de mai-juin 2000), le Conseil général du Finistère, lors d'une réunion récente, a présenté une demande à Diwan, association fort reconnue et légitime qui scolarise des milliers d'élèves en langue bretonne. Le Conseil général souhaite en effet que Diwan débaptise l'un de ses établissements de la périphérie brestoise, le collège Roparz-Hémon : c'est le nom d'un excellent écrivain, mais dont la « collaboration avec le régime nazi » (je cite *Tribune*) a été mise en évidence par des universitaires, au point qu'elle fut récemment rappelée par la presse. Une telle demande, émanée du Conseil général, fut paraît-il unanime ; elle était déjà bien antérieure au printemps 2000, mais cet épineux problème est revenu sur l'eau après un attentat meurtrier (contre le restaurant McDonald's de Quévert[28]), attribué aux indépendantistes. Les recherches menées par l'historien Ronan Calvez, auteur d'une thèse sur Hémon, démontreraient que ce dernier fut salarié du service de propagande germanique à Rennes, à partir de 1941. Plus intéressantes peut-être que ces initiatives consilio-finistériennes *ad hominem* et *post mortem*, sortes d'exhumations de cadavres *a posteriori*, sont les réflexions elles aussi d'arrière-saison des rejetons ou rejetonnes de militants ainsi moralement engloutis à partir de 1944-1945.

Je pense notamment au beau texte qu'a publié Pierre Rigoulot sur la deuxième vie d'Olier Mordrel, après sa « chute » définitive en 1944-1945, au terme de la libération du territoire. Ce fut d'abord l'inexorable exode vers l'est. En août 1944 (Rennes était libérée depuis le 4 août), Mordrel est en pays rhénan où sa famille assiste au défilé des Hitler-Jugend. Il passe à Baden, puis aux environs de Sigmaringen ; il y reprend contact avec une minuscule portion non point de Bretagne mais de France (collaboratrice, ou vichyssoise, exilée elle aussi). Ce refuge allemand était un revenez-y, puisque, dès 1939-1940, le même militant breton avait vécu outre-Rhin lors de la drôle de guerre[29]. Pendant le nouveau séjour germanique de

1945, « qu'illustre » le nom de Sigmaringen, Mordrel signe même un protocole d'accord, assez ridicule, avec Jacques Doriot sur les bords du lac de Constance et il figure ultérieurement parmi les personnes qui vont assister peu après à l'enterrement de ce même Doriot, décédé par mort violente. En avril 1945, Mordrel est en Italie ; il s'installe d'abord au Tyrol sud-alpin, puis à Milan, et à Rome. Ensuite, ce sera l'Argentine (juin 1948). L'un des fils de Mordrel vit mal cette installation sud-américaine ; il voudrait « mettre la main sur la figure » du père, tout en révérant, du coup, la mémoire de son grand-père (le père d'Olier), qui n'était autre que le général français Gilbert Mordrel, fier et vieux chef gaulois ayant engendré une progéniture imprévue... antifrançaise. Olier Mordrel pour sa part aurait préféré vivre en Irlande, mais son grand rival Célestin Lainé s'y trouvait déjà. Il n'y avait pas place, dans le marigot irlandais, pour ces deux crocodiles simultanément. En 1971, la justice française ayant fait grâce à Mordrel, celui-ci rentre en Armorique où il est plus ou moins bien accueilli. Pour vivre, notre homme se lance dans le métier de crêpier. Les Bretons restés autonomistes le snobent néanmoins à cause de son passé sulfureux. Pour se refaire une vie de relations, Mordrel doit se rapprocher du GRECE, Club d'intellectuels français de la droite dure, certainement plus hexagonal que celto-centrique. Un autre fils de Mordrel voit désormais dans le vieil Olier, échaudé par tant de malheurs, un personnage devenu pondéré et modéré ; Olier a fait sienne la formule d'un ancien de la LVF interrogé dans *Le Chagrin et la Pitié* sur la conduite à suivre après la Seconde Guerre mondiale : « Je conseillerai la prudence... » Osons le dire : les Mordrel ne sont-ils pas devenus d'une certaine façon des personnages de roman, serait-ce de roman noir à deux sous, ou de film de série B ; ils sollicitent une certaine élaboration littéraire [30] nuancée d'indulgence ; tout autant et même davantage que la condamnation sans phrases ou l'inévitable imprécation.

*

Quoi qu'il en soit, les divers règlements de comptes qui n'étaient pas tous littéraires, tant s'en faut, engendreront chez les protagonistes survivants une série de souvenirs pénibles. Sous la IVe et la Ve République, la cause bretonne ne recrutera plus pour une longue période que par le biais du CELIB [31], organisme qui s'intéresse surtout aux questions de productivité régionale : ce groupement est fort de la puissante expansion économique du quart de siècle prégaullien, gaullien et pompidolien, en Bretagne et ailleurs. L'échaudé craint l'eau froide : le CELIB s'interdit toute dérive indépendantiste, si peu marquée soit-elle. Surgissent pourtant des tendances à tout le moins minoritaires comme l'UDB (Union démocratique bretonne) : elle emprunte la voie légale pour développer des positions autonomistes. Le FLB, groupuscule spectaculaire, n'est qu'une pâle et pétaradante contrefaçon de l'IRA d'Irlande du Nord, cet autre bastion d'un celtisme nostalgique. L'esprit soixantehuitard regonfle momentanément, pour quelques lustres, les tendances activistes. La transition désormais est achevée, qui mène le mouvement breton de la droite cléricale et monarchique du début du siècle jusqu'au gauchisme et même à l'ultragauche de notre temps. Celle-ci séduit, là comme ailleurs, la poignée de ceux que tente le nationalisme local, combiné au radicalisme extrême. La masse bretonne, en revanche, a longtemps voté pour la droite, même si d'importantes « poches » socialistes, notamment depuis 1981, s'individualisent à Rennes, Brest et ailleurs. Culturellement [32], la cause bretonne demeure bien vivante, notamment au travers d'une remarquable école historique qu'illustrent les noms de Jean Meyer, Alain Croix, François Lebrun.

Et que dire de l'an 2000, omniprésent, comme toujours... : l'UDB, représentative des autonomistes qui se refusent au terrorisme, compterait 400 « vrais » militants et elle parvient à « faire » environ 4 % des voix ; l'UDB entretient éventuellement des contacts avec le PC et le PS lors des phases d'élections. À l'époque du communiqué officiel de Matignon (20 juillet 2000) sur l'avenir de la Corse – un texte dont on peut se demander ces temps-ci, vu ses conséquences périphériques sur le continent, s'il n'a pas quelque chose de malencontreux –, la même UDB déclarait, par le truchement de son porte-parole [33], que ce statut Jospin « était un formidable encouragement pour la Bretagne », précisant même qu'« il est d'ores et déjà acquis que la question d'un statut d'autonomie interne pour la Péninsule sera l'enjeu politique majeur » des élections régionales de 2004 ; l'UDB se réservant de présenter un plan visant à ce que, dans les meilleurs délais, la Bretagne puisse « accéder au pouvoir d'autonomie que son identité culturelle et sa situation géographique commandent ». L'UDB bute néanmoins sur le grave problème, en ce qui la concerne, de la décadence du langage, et ce malgré la création d'écoles bretonophones (Diwan) aux divers niveaux à commencer par le primaire : en 1997, en Bretagne occidentale, à peine 1 % des 15 à 19 ans déclarent être à même de s'exprimer en breton[34].

S'agissant maintenant d'organisations beaucoup plus dures, pour squelettiques qu'elles puissent être, disons que l'*Engann*, qui pose de temps à autre des bombes, serait « peuplée », elle, d'une cinquantaine de terroristes répartis en une douzaine de commandos de trois à cinq personnes chacun (?).

Les politiciens[35] régionaux des grands partis nationaux, enfin, et qui ne sont pour leur part ni autonomistes ni nationalistes (Jean-Yves Le Drian, Yvon Bourges) demandent, eux, davantage de décentralisation pour les « besognes » culturelles, pour l'aménagement du territoire et les transports. Est-ce le moment de rappeler, même si d'aucuns tendent à « l'oublier », que les directions départementales de l'Équipement ont très largement contribué à doter la Bretagne d'un merveilleux réseau de routes et d'autoroutes (pour ne point parler du TGV), réseau que leur envierait volontiers ma Normandie natale, totalement vierge, elle, de bombes comme de terrorisme, et qui n'exige même pas la réunification de sa vieille province plus que jamais tronçonnée en deux sous-régions, la Basse- et la Haute-Normandie, celle de Caen et celle de Rouen... Cela dit, en notre Bretagne également, des signes de pacifisme, ou plus exactement d'apaisement se sont fait jour à la fin de l'an 2000 : le 28 novembre de cette année, on annonçait que l'ARB (Armée révolutionnaire bretonne, de tendance parfois violente...) restituait une partie des huit tonnes d'explosifs précédemment volées, et dont une autre portion avait été rétrocédée antérieurement à des « camarades » basques...

5

Pays basque

Terminons avec les Basques le tour des populations non latines en France : germaniques, flamandes, celtes, basques. Les unes et les autres vivaient à la périphérie de l'Empire romain, soit qu'elles fussent restées en place, comme les Basques ; soit qu'elles fussent revenues de plus loin comme les Celtes ; elles font partie de cette couronne rénitente qui comprend la vaste aire germanique et les finistères celtophones, et puis, au sud, les entités basques... Ailleurs, au sud et sud-est, les langues plus purement latines ont triomphé sans mélange, ou peu s'en faut, spécialement dans l'actuelle France du « Midi », en Espagne, et en Italie.

Le Pays basque français n'est, ethniquement parlant, qu'une « annexe » de la zone basque espagnole (Biscaye, Alava, Guipuzcoa, Navarre) peuplée, en 1981, de plus de 2 600 000 habitants, dont une forte partie, du reste, parle surtout le castillan. L'Hexagone, lui, comprend trois provinces basques : le Labourd, la Basse-Navarre et la Soule, toutes trois contenues très au large dans le département des Pyrénées-Atlantiques, et peuplées, en chiffres ronds, de 260 000 habitants, dont 80 000 au minimum et 150 000 au maximum parlent la langue euskara (basque), ou du moins, en principe, ont quelque familiarité avec celle-ci.

Tout concourt à poser l'irréductible particularité protohistorique du peuple basque. Définis par la formule sanguine, les autochtones d'icelui, avec leur fréquence du groupe O et du signe rhésus négatif, se distinguent nettement des populations occitanes, gasconnes ou hispaniques qui les environnent.

Les Basques, d'autre part, ont conservé d'une lointaine période néolithique quelques termes significatifs : les mots basques

« hache », « couteau », « houe », « ciseau » sont formés, chacun dans son genre, sur le radical *aitz* (pierre). Voilà qui réfère à une époque reculée, prémétallique, où les instruments contondants étaient encore taillés ou polis dans un matériau de pierre. De même, les vocables concernant le bétail, en ce pays de transhumance et d'élevage, sont basques, mais pas ceux qui intéressent l'agriculture, où les radicaux latins finiront plus tard par l'emporter. Il n'est point exclu que la langue basque ait des affinités berbères (?), ibériques et même causasiennes, voire altaïques [1] ! Les connaisseurs en discutent. L'héritage préhistorique, matérialisé par ailleurs en mégalithes, aide à comprendre la primordiale « fabrique » de cette région, d'étendue modeste, d'originalité fascinante.

La conquête romaine y demeure à certains égards superficielle ; elle se déploie sur le Pays basque, sud et nord, entre 75 et 16 avant Jésus-Christ. La bascophonie septentrionale s'étendait peut-être à tout le pays « aquitain » dans le triangle Atlantique-Garonne-Pyrénées. L'actuel Euskadi-Nord (Soule, Labourd, Basse-Navarre) appartenait aux subdivisions impériales de la Novempopulanie, circonscription qui se rattachait d'un point de vue écologique à ce qu'on appelait quelquefois le *saltus Vasconum*, la forêt des Vascons. Celle-ci, par rapport à l'*ager Vasconum* (campagne des Vascons), étant moins romanisée, plus pauvre en restes archéologiques d'époque romaine et parsemée de toponymes prélatins en -*os* (Bizanos, Biscarosse, etc.). Le *saltus Vasconum,* qui deviendra beaucoup plus tard, en sa partie septentrionale, l'actuel Pays basque français, conservait encore, au début de notre ère, certains éléments de son panthéon spécifique. Il empruntait à la langue latine, outre un vocabulaire agricole, les mots qui concernaient l'administration et la politique.

Viennent les barbares, à partir du IVᵉ siècle après Jésus-Christ. La croûte romanisante s'écaille, laissant apparaître le tuf ethnique ou dialectal, bien antérieur à l'arrivée des légions et même des anciennes tribus celtiques. Les Basques se voulaient pacifiques au temps de l'Empire romain ; ils deviennent belliqueux dans un monde dorénavant éclaté, divisé, en proie aux conflits incessants dont on ne sait s'ils méritent le nom de guerre civile ou de guerre extérieure. Bataillant sur deux fronts, les Basques vont donc affronter successivement les Wisigoths à partir du Vᵉ siècle ; les Francs, dès la fin du VIᵉ siècle ; l'Islam, enfin, à partir du VIIᵉ. En 778, l'arrière-garde de Charlemagne, revenue du siège de Saragosse, est écrasée par les Basques à Roncevaux. Ils tuent le sénéchal de l'empereur, son comte du palais et son préfet de la marche de Bretagne (Roland) ; ces trois personnages ayant été antérieurement préposés, sur le mode respectif et trifonctionnel, à la table, à la justice et aux activités militaires du grand empereur. Malgré ce succès passager, les tribus ouest-pyrénéennes restent coincées entre le marteau franc et l'enclume islamique. Demeurés fidèles à leur ethnicité première, et pourtant christianisés, les Basques vont donc développer sur le plan territorial, du IXᵉ au XIᵉ siècle, des principautés qui seront bien à eux, ou qui, à tout le moins, coïncideront avec leurs territoires de résidence.

D'une façon générale, les Vascons septentrionaux de ce temps-là tendent à se subdiviser en deux branches dont les noms respectifs dérivent du leur : Basques dans l'angle sud-ouest de l'Aquitaine ; Gascons pleinement latinisés, plus au nord et plus à l'est.

Le Pays basque, sur les deux versants des Pyrénées, accède aux éclairages de l'histoire événementielle, lors de l'instauration du royaume de Navarre, mis en place après l'an mil : le territoire de cet État enjambe la ligne de crête ; il inclut, au minimum, la Biscaye et le pays de Pampelune, au sud, et la Basse-Navarre (aujourd'hui française), au nord. Sanche le Grand, au XIᵉ siècle et, plus tard, le géant Sanche le Fort, au début du XIIIᵉ, illustrent, entre autres dynastes, le lignage navarrais qui se bat contre l'Islam ibérique, au temps de la Reconquista. Diverses maisons seigneuriales ou royales, qui surgissent parfois du septentrion et principalement de Champagne, de France, d'Évreux, de Foix, d'Albret, contrôlent ensuite les destinées de la Navarre. Leurs représentants se plient d'ordinaire aux privilèges constitutionnels du petit pays, que détaille le *Fuero viejo* de 1238 (évoquant, à certains égards, la *Magna Carta* d'Angleterre, de 1215). Les privilèges locaux, on n'ose pas dire les libertés populaires, sont d'autant mieux préservés qu'un système de Cortès ou d'assemblées représentatives, reflétant, à doses variables, la noblesse, les bourgs et le clergé, fonctionne depuis le XIVᵉ siècle. La région, d'autre part, est ouverte à de multiples influences, en particulier « nordistes », grâce aux nombreux pèlerins qui se rendent à Compostelle.

Qu'en est-il, historiquement (outre la Basse-Navarre) du Labourd et de la Soule puisque, aussi bien, ces circonscriptions à elles trois bâtissent l'actuel Pays basque français ? La vicomté de Labourd, fondée par Sanche le Grand en 1023, tombe vers 1193 dans le « lot » du duché d'Aquitaine. Le ci-devant vicomte labourdin est donc remplacé, avec le temps, par un bailli que nomme le duc d'Aquitaine, lequel n'est autre, au fil des Plantagenêts… que le roi d'Angleterre en personne. Le bailli ainsi désigné ne se fait pas pour autant britannique, pas davantage que ne le deviendront les maharajas de l'Inde coloniale ! On persiste à le recruter parmi les notables gascons ou basques ; il se perpétue par voie héréditaire ; il est placé sous l'égide hiérarchique du sénéchal de Gascogne. Les transferts de souveraineté vont jouer, par la suite, de façon quasi automatique : le Labourd, aux années 1450, à la fin des guerres de Cent Ans, passe donc sous la domination des rois de France, à l'instar des autres régions de l'Aquitaine.

Les avatars « annexionnistes » ne changent pas grand-chose au destin des institutions locales : le Labourd a sa milice populaire[2], l'Armandat. Il bénéficie de l'existence d'une assemblée représentative des villes ou plutôt des bourgs, et des communautés, le Biltzar. Elle a des compétences militaires, fiscales, administratives. Coincés entre les pouvoirs émanés de la « base » locale (le Biltzar) et les autorités proprement royales (le bailliage, en tant que tribunal, qui sur place incarne le lointain monarque), la noblesse et le clergé locaux n'ont guère de marge de manœuvre ; ils jouissent tout au plus de la classique exemption de charges ou d'impôts qui caractérise les privilégiés. Ils sont donc à la fois détaxés… et « déresponsabilisés ».

La situation n'est guère différente dans la vicomté de Soule : les rois d'Angleterre y avaient imposé, à Mauléon, un capitaine-châtelain, en lieu et place de l'ancien vicomte. Puis le pays fut rattaché à la France au milieu du XVe siècle. Les institutions « souletines » sont étonnamment arboricoles ou sylvestres ! La cour du noyer, majoritairement seigneuriale, rend la justice ; l'assemblée roturière du Silviet, réunie dans un bois comme son nom l'indique, conflue avec le « grand corps » de la noblesse et du clergé au sein d'une cour dont la semi-souveraineté dispose à tout le moins de pouvoirs régionaux. La transhumance et la gestion collective des produits laitiers contraignent les habitants à mettre sur pied d'authentiques démocraties fromagères.

En fin de compte, ces institutions locales du Labourd et de la Soule paraissent homologues de celles de Basse-Navarre (ou de Navarre tout court). Peut-être même furent-elles calquées sur celles-ci. La Basse-Navarre, sorte de fédération de vallées, possède en effet, à la fin du Moyen Âge, son privilège général ou *fuero* ; ainsi que son châtelain à Saint-Jean-Pied-de-Port, en tant que subordonné et représentant global du roi navarrais pour toutes les vallées septentrionales ; elle a aussi des officiers locaux et municipaux (baillis et alcades) ; et puis des péagers et autres collecteurs de rentes, pour le bénéfice du monarque. La justice est rendue par des alcades, et surtout par la cour du roi (pour les nobles) ; par les tribunaux des vallées (géographiquement spécialisés) ; enfin, par la chancellerie de Navarre et par les jurats de certaines villes. Les diverses assemblées populaires, qui s'intitulent « cours générales », ne diffèrent guère, dans leur essence, du Silviet de Soule et du Biltzar de Labourd, déjà mentionnés. Elles se chargent, avant tout, de l'administration des vastes terres communes (régime représentatif et communalisme vont la main dans la main, en pays de montagne). Les milices locales se recrutent parmi les paysans et sont sérieusement armées. Dans l'ensemble, la société inclut un clergé, qui va de soi (mais il est plus ou moins exclu des assemblées générales) ; elle comprend aussi une noblesse ; des *infançons* (semi-nobles) ; des chefs de maison (qui forment la ruralité non noble, quoique relativement privilégiée) ; enfin, à un niveau plus humble, on trouve les *fivatiers* (simples tenanciers subordonnés aux gentilshommes seigneuriaux) ; et même, jusque vers 1400, des *collazos* ou serfs (ceux-ci sont destinés ensuite à disparaître, quand, entre autres raisons, la rareté démographique contraindra chaque seigneur à supprimer pour ses paysans les dernières survivances de la servitude, ces suppressions visant à éviter qu'ils n'aillent s'embaucher ailleurs, sur des terres moins hostiles aux libertés).

L'équipement urbain du Pays basque français vaut d'abord (mais pas seulement) par une ville importante : Bayonne, capitale de la vicomté de Labourd. Elle est située, de manière logique, à l'intersection des axes est-ouest (le réseau fluvial de l'Adour) et nord-sud (routes de France en direction de l'Espagne, et notamment de Compostelle). Elle bénéficie de l'essor général des XIᵉ-XIIIᵉ siècles qui la dote, à des dates diverses, d'une cathédrale, d'un pont de bois sur l'Adour, de couvents mendiants et d'hôpitaux pour les pèlerins de Saint-Jacques. Sur un plan administratif, la ville est le siège du vicomte de Labourd, auquel succéderont le prévôt du roi d'Angleterre, et ensuite, à partir de la seconde moitié du XVᵉ siècle, un gouverneur, désigné par le monarque français. Sous l'égide des Valois, puis des premiers Bourbons, Bayonne devient de plus en plus ville fortifiée (face à l'Espagne qui sera longtemps considérée comme ennemie). Un rempart se superpose aux faubourgs ci-devant médiévaux, dont les quartiers sont parfois rasés d'autorité sur ordre des représentants de la France ; ceux-ci, jusqu'à l'époque de Vauban, les remplacent par d'épaisses murailles défensives. Bayonne a ses chantiers navals : ils opèrent grâce aux troncs d'arbres provenus des proches forêts pyrénéennes. De nombreux matelots, qui sont recrutés dans la ville ou aux alentours, se chargent de convoyer jusqu'aux îles Britanniques les vins de Bordeaux ou les épices, celles-ci étant, lors d'une première étape, importées par voie méditerranéenne. Les marins baleiniers de Biarritz et d'ailleurs sont basques à 100 % ; ils déciment les cétacés jusqu'à les faire à peu près disparaître du golfe de Gascogne à partir du XVIIᵉ siècle. En attendant qu'intervienne cette catastrophe écologique, la pêche à la baleine demeure au Moyen Âge et pendant la Renaissance un monopole, pour le moins régional, des nautoniers basques. Le destin de Bayonne a pourtant basculé après 1451-1453, date de la conquête française et surtout après 1578, quand on développe enfin (grâce à la mise en place du « Boucau neuf ») le port qui depuis quelque temps s'envasait. Les nouvelles spécialités américaines (pêcheries de morue à Terre-Neuve, et culture du maïs, importée) ainsi que l'activité des corsaires donnent à la ville un dynamisme accru. L'essentiel tient pourtant aux ruptures déjà évoquées entre la communauté bayonnaise, en voie d'occitanisation ou plus exactement de gasconnisation (langue latine !), et le pays de Labourd, qui demeure basquissime. Cette solution de continuité, linguistique en particulier, s'était effectuée de façon précoce, dès 1200-1215, après octroi de coutumes particulières pour le chef-lieu du pays, qui différaient des usages labourdins proprement dits. La rupture « schismatique » s'approfondit au cours des siècles.

Le devenir « autonome » de Bayonne ou de Saint-Jean-Pied-de-Port, dans la longue durée, est typique du destin d'un certain nombre de villes neuves et autres bastides du Pays basque, créées de toutes pièces ou bien réanimées, le long du chemin de Compostelle, dans le cadre de l'essor général de l'Occident, au XIᵉ siècle. Ces centres urbains sont affectés par des conflits qui les opposent à leur environnement agreste et dialectophone. Le cas de la rupture linguistique par gasconnisation des Bayonnais, telle que nous venons de l'envisager, en est l'exemple extrême ; mais ailleurs, en 1661 encore, on verra les paysans souletins se révolter, aux cris de « *Herria, Herria* » (le pays, le pays), contre les agents de Louis XIV certes, mais d'abord et surtout contre les « harpies de Mauléon », minuscule chef-lieu de la Soule.

Le décor, faut-il dire le placage, « urbain » ou microcitadin ne doit pas faire illusion : pendant tout le Moyen Âge, ce qui frappe au Pays basque, dans le réseau des paroisses et lieux forts de la rusticité, c'est le vacarme que produisent les luttes intestines entre clans et lignages (les uns et les autres pouvant inclure des centaines de personnes, ou davantage, lointainement pourvues d'un même ancêtre paternel) ; ces lignages étant dotés de terres, châteaux, clientèles, alliances… De tels combats concernent d'assez vastes territoires et peuvent durer, de génération en génération, jusqu'à deux siècles ou même plus ; ils se concluent quelquefois par le *happy end* d'un mariage, scellant la réconciliation des parties jusqu'alors affrontées. Le tout, triste, puis gai, donne lieu à chansons, développements lyriques, fragments d'épopées transmis par tradition orale. Les unes et les autres constituèrent pour longtemps le meilleur de la créativité culturelle du Pays basque : elles ont concerné, maintes fois, les drames de l'amour empêché, la tragédie des garçons et des filles que rapproche la passion et que séparent les querelles entre familles. De ce point de vue, les Basques diffèrent assez peu d'autres populations méridionales dont les personnages, à la façon de Roméo et Juliette ou du Cid, inspireront, à titre exotique, les dramaturges du Nord, Shakespeare ou Corneille. À partir de la fin du Moyen Âge ou des débuts de l'âge moderne, l'émigration vers l'Amérique, les constitutions de milices populaires (Hermandadz ou Armandatz), destinées à maintenir la paix par la force, enfin les opérations répressives que mène de temps à autre l'administration française au nord des Pyrénées calment ce jeu sanglant, sans l'abolir tout à fait. Les traditions de vendetta se maintiendront du reste beaucoup mieux en Corse (plus traditionaliste ?) qu'elles ne feront dans le Pays basque, voué pour finir à une modernisation approfondie.

Les anciennes structures lignagères étaient le fait d'une société de pasteurs : ovins et bovins transhumaient librement par-dessus la crête pyrénéenne ; les porcs locaux, que rendra fameux le jambon de Bayonne, se nourrissaient de faines et de glands sur les pentes forestières. On doit aussi aux Basques, semble-t-il, la découverte du cidre (ou « pomade »). Sur place, la production en restera longtemps plus importante que celle du vin. Bretons et Normands adopteront ensuite la cidriculture dont ils importeront les techniques depuis les ports ouest-pyrénéens.

Christianisés, passés de l'étape tribale au stade monarchique, grâce au gouvernement navarrais, les Basques du Nord vont, à terme, s'intégrer *de facto,* sinon toujours de cœur (et encore moins de langue), à l'ensemble français, au-delà de 1451-1453, en raison du rattachement de la Soule et du Labourd à l'État de Charles VII. La satellisation locale fut plus nette encore dès 1512 : cette année-là, en effet, le territoire *navarrais* est dépecé par la Castille. Elle s'empare de la vaste portion méridionale et ne laisse aux Albret qui régnaient précédemment sur le tout qu'un petit morceau « d'au-delà des Ports (cols) », autrement dit la Basse-Navarre. Deux mariages successifs, avec une Valois, puis un Bourbon, mettent la Basse-Navarre sur la voie d'une « synthèse » avec la France, parachevée de 1589 à 1610 quand Henri de Navarre, devenu Henri IV, empoigne enfin le sceptre et se coiffe de la couronne.

Le XVIᵉ siècle est vraisemblablement contemporain d'une phase de vigoureuse croissance au Pays basque, tant espagnol que français. Morue et maïs, comme cadeaux américains, n'y sont pas étrangers. Sur le plan des habitudes juridiques, il s'agit moins de modifier que de codifier. Le Pays basque français aborde en effet l'âge moderne avec les « rédactions » des coutumes ; dès 1454, Charles VII décide de faire mettre au net les usages locaux en diverses régions du royaume. Il démontre, par de tels agissements, qu'il souhaite non pas promulguer ce qui se doit, en fonction des seuls arbitrages royaux, seraient-ils rationnels ; mais accepter ce qui se fait. Les coutumes (oralement préexistantes) de la Soule sont notées en 1520, noir sur blanc. Suivent celles de Basse-Navarre, appelées « Fors », et du Labourd. Ces rédactions successives se terminent... vers 1633. Majestueux et calme accomplissement ! L'Ancien Régime prend son temps et ne force pas la cadence. Sur 1 038 articles, parmi les textes ainsi collectés dans les trois zones historiques du Pays basque français, 30,5 % concernent la famille ; et 15,2 %, les terres communes. La sphère du « privé » ou, du moins, de l'« apolitique », demeure massive quant aux pratiques des juristes du cru. Celles-ci procèdent du communalisme pastoral, mais plus encore (dans l'intimité) de la « maison-famille » à laquelle Le Play et Bourdieu feront un sort. L'institution domiciliaire est dotée d'un chef, *pater familias* en principe, ou quelquefois *mater familias*. Il (ou elle) est intronisé (e) selon les règles roturières du droit d'aînesse, valables pour le premier-né, éventuellement pour la première-née (à la différence du nord des pays français, où le mode d'héritage en primogéniture est presque exclusivement réservé aux nobles – mâles –, la pratique du droit d'aînesse, en zone sud, est çà et là répandue jusque dans le tiers état). Le chef de famille marie donc en principe son héritier unique, en tant qu'aîné, tel que l'a privilégié la transmission du patrimoine, à la cadette née d'un autre lignage ; par ailleurs, il fait convoler ses propres cadets si possible avec des héritier(ère)s ou, faute de mieux, avec d'autres cadet(te)s. En revanche, marier un héritier avec une héritière violerait la bonne règle ; cela conduirait à fusionner deux maisons, donc à diminuer d'une unité le nombre des cellules économico-familiales qui restent disponibles ; comportement que la communauté de village ou de pays, encore elle, estime préjudiciable au bien collectif, et qu'elle châtie, au besoin, par un charivari. Les structures qui fonctionnent de cette manière sont assez oppressives pour l'individu, mais elles tendent à assurer, avec le minimum de changement ou de perte, la reproduction du social à l'identique, ou peu s'en faut. On trouverait du reste ailleurs l'équivalent de ces pratiques successorales, en particulier dans les régions romanophones des Pyrénées, telles qu'en Béarn ; mais le peuple basque, pour cause de solipsisme linguistique, se montre, sur ce point, plus conservateur et mieux protégé contre les innovations égalitaires que ne le sont les ethnies voisines, latinisées, donc davantage susceptibles (de longue date) d'accepter tel ou tel bouleversement juridique.

En outre la structure morale et sociale du mariage, en tant que base de la famille basque est très fortement épaulée par des coutumes telles que les charivaris, moyens de lutte bruyante, entre autres, contre le remariage abusif des veufs, lequel prive les jeunes de la possession d'une fille ; et puis c'est la jonchée ou *berdurak,* traînée de farine, de chaux, de paille ou de fougères unissant les domiciles respectifs des deux partenaires d'un couple illégitime, cette jonchée aboutissant bien sûr à renforcer par contrecoup la légitimité de l'authentique union conjugale [3]. La famille basque est aussi le lieu géométrique d'une préparation ludique aux activités sportives, le noble jeu de la pelote venant en tête des préférences locales : jeu lui-même productif, à niveau populaire, d'une aristocratie du biceps. Les Catalans d'Espagne, eux, sont des Cicéroniens, des Verbaux du Forum, maniant à merveille toutes les subtilités les plus éclatantes de leur langue oratoire et postlatine. Les Basques, par contre, sont volontiers des champions, capables de parler, le cas échéant, les divers langages de la force physique. Cette tradition corporellement combattive est signalée à l'ouest des Pyrénées depuis l'époque des combats de Roncevaux, dont l'infortuné Roland fut la victime ; elle a perduré depuis lors. *Cy falt la geste que Thuroldus declinet...* [4].

*

Le vaste semis des familles est « coiffé », dans le cadre des trois territoires primordiaux, par les vieilles institutions représentatives qui, passé l'automne du Moyen Âge, vont persévérer dans l'être : le Biltzar labourdin établit, par un système de navette, des liaisons à la fois souples et fortes avec les assemblées particulières des paroisses ou plus exactement des communautés rurales, elles aussi apologistes de la pelote basque ; elles envoient canoniquement à la réunion « biltzarienne » leurs *abbés* ; en fait, il s'agit de délégués tout à fait laïques, braves paysans ou montagnards ; mais ils sont affublés, pour la circonstance, d'une appellation cléricale ou « abbatiale » de pure fantaisie. L'Ancien Régime aime ces déguisements sémantiques, tellement coutumiers eux aussi qu'on oublie qu'ils sont canularesques, tout en recouvrant un contenu fort sérieux.

Par-dessus ces institutions coriaces et qui demeurent semi-autonomes, fleurit, pas toujours efficient, un début de centralisation monarchique. Le duc d'Épernon, puissant dans le Sud-Ouest, et qui fut jadis, contre l'anarchie princière, l'homme à tout faire d'Henri III, s'efforce de placer le Biltzar sous la coupe du bailli, principal officier du roi dans le Labourd. Ce personnage, qui bénéficie d'une titularisation quasi héréditaire, jouit d'une certaine indépendance et n'est donc pas dans tous les cas l'agent docile des pouvoirs centraux tel que l'eût souhaité sans doute Épernon. En 1660, le jeune Louis XIV vient au Pays basque français pour y épouser Marie-Thérèse. À la suite d'agitations diverses, il y rend un arrêt souverain. Ce texte assujettit désormais le Biltzar aux *desiderata* du bailli, lui-même tenu en lisière par l'intendant. Ces volitions royales déploient beaucoup d'énergie rédactionnelle. Jusqu'à quel point sont-elles vraiment mises en vigueur ? Question de traduction des ordres royaux, peut-être, pas toujours clairement « translatés » dans la langue des habitants, elle-même très difficile pour les francophones...

Quant à la vie religieuse (et parareligieuse) d'Euskadi-Nord, la reine Jeanne d'Albret, à partir de 1567-1569, veut imposer, non sans coercition, le calvinisme pur et dur à ses sujets du Béarn et de Basse-Navarre. Les Béarnais, dont la culture est plus perméable, acceptent, souvent du bout des lèvres, d'être endoctrinés. Les Basques, forts de l'isolement linguistique, demeurent réfractaires aux initiatives de la dame de Pau. Ils ne ressentent pas l'urgent besoin de se débarrasser du papisme. On doit néanmoins à Jeanne et à son sous-ordre dévoué Jean de Leizarraga la traduction en langue basque du Nouveau Testament, à partir de la version française et huguenote. Cette publication majeure, parue… à La Rochelle en 1571, constitue l'un des premiers monuments écrits de la littérature ouest-pyrénéenne, en langage vernaculaire.

Une quarantaine d'années plus tard, les faits de religion évoquent aussi le contraste étonnant par quoi Euskadi-méridional manifeste sa différence d'avec Euskadi-Nord. Ce sont en effet deux Basques du Sud, Ignace de Loyola et François-Xavier, qui assurent, l'un la fondation, l'autre le rayonnement mondial (asiatique, en particulier) de la Compagnie de Jésus. Il est vrai que les deux hommes ne se souciaient guère de l'initiale ethnicité qui caractérisa leur enfance ; *vice versa*, c'est à Bayonne, cité sinon basque, du moins semi-confite en basquitude septentrionale, que se trouvent quelques-unes des radicelles du jansénisme. Duvergier de Hauranne fut l'un des premiers adeptes de cette doctrine : or il naquit dans la petite métropole portuaire des futures Pyrénées-Atlantiques en 1581, et il alla même jusqu'à faire de son ami Cornélius Jansen (« Jansenius »), pour quelques années (1612-1614), le principal du collège de Bayonne. Le séminaire bayonnais de Laressore demeurera, jusque sous Louis XV, « infecté » d'augustinisme. L'origine de ces divergences entre deux destinées régionales et plus que régionales vient évidemment de beaucoup plus loin. Port-Royal et Paris, d'un côté, Madrid et Rome, de l'autre, à travers Cornélius Jansen et Ignace de Loyola, tirent respectivement, à hue et à dia, les ouailles des deux versants pyrénéens. Celles-ci n'ont plus qu'à se conformer, chacune pour soi, aux impératifs spécifiques de l'une ou l'autre culture dominante : hispanicité jésuitique à Bilbao ; francité jansénisante à Bayonne.

Moins glorieuse est l'affaire de sorcellerie qui éclate en 1609 dans le Labourd : elle constitue un révélateur s'agissant de la région et de ses rapports avec les pouvoirs environnants ou « englobants ». Les faits de sorcellerie, là comme ailleurs, ne sont pas nouveaux. Mais il semble qu'en 1609 des querelles de clans, à Saint-Jean-de-

Luz, entre factions dominantes, écartées du pouvoir municipal, ou détentrices d'icelui, aient poussé les protagonistes à formuler de graves accusations les uns contre les autres. Le pouvoir royal représenté *in situ* ne manqua pas de se mêler de ces affaires, ne serait-ce que pour affirmer son autorité. En revanche, le clergé diocésain et l'Inquisition espagnole (de l'autre côté de la frontière) se montrèrent équitables et compréhensifs à l'égard des suspects. Les autorités françaises confièrent le dossier à Pierre de Lancre, magistrat bordelais dont les ascendants, basques, avaient réussi dans les affaires commerciales. Implacable, obsessif, de Lancre fit du zèle, jusqu'à se montrer prodigue en tortures et exécutions. Les victimes de ses poursuites furent, dans quelques cas, mais ceux-ci parfaitement minoritaires, d'authentiques sorcières ou sorciers ; ils avaient sévi sans entraves sur le terreau d'une culture ancienne qu'un rationalisme encore lointain, venu de France, n'avait pas encore « modernisée ». Sur place, les peuples n'étaient guère moins cruels que la judicature vis-à-vis de ceux de leurs compatriotes qu'ils soupçonnaient d'artifice surnaturel. À l'encontre des sorciers, les pogroms, plus ou moins spontanés, meurtriers, illégaux, se déclenchaient aisément, plus dangereux encore que l'étaient par ailleurs les procédures légales, certes atroces et suppliciantes que de Lancre mettait en œuvre. Fort heureusement, après 1622, la situation devient plus calme. Les juges cessent de tracasser les « magiciens » qui continuent néanmoins leurs secrètes opérations, en Labourd et ailleurs, sans risquer désormais la brimade ou la « crémade ».

Sabbats et bûchers vont cesser, dans le petit pays, d'émouvoir les passions. Le Labourd n'est pas tout à fait calmé pour autant : les règnes de Louis XIV et Louis XV, sur un plan local, résonnent des perpétuelles doléances de l'autochtonie à propos d'entreprises fiscales du pouvoir, qu'elles soient anciennes ou nouvelles ; à propos encore des droits fiscaux sur les cuirs, les tabacs, les actes des notaires ; au sujet enfin des ventes d'offices de création récente, dont les Labourdins tâchent de se délivrer au prix fort, par la prestation monétaire d'un « abonnement » fixé une fois pour toutes. Le Biltzar, de son côté, persévère vaille que vaille ; les agents du roi tentent d'influencer la procédure électorale qui le constitue ; mais

leur ignorance du langage basque ne facilite point ce type de mani-
pulation par en haut.

L'absence des nobles (souvent mal vus, semble-t-il, par les populations) et celle du clergé, dans les réunions biltzariennes, constitue
du reste un scandale permanent aux yeux des administrateurs ;
ceux-ci sont « parachutés » sur place par le pouvoir royal, en provenance d'autres provinces. Or, aux yeux de tels personnages, la
présence des deux ordres privilégiés devrait aller de soi, dans toute
assemblée régionale à prétentions représentatives. Les Basques
auraient-ils anticipé dans les faits sur la célèbre phrase de Sieyès
« Qu'est-ce que le tiers état ? » ? En Labourd, le tiers est déjà, sinon
« tout », du moins au centre de tout.

En Soule, un antagonisme significatif oppose, dans les débuts,
l'ensemble des communautés basques, toutes catholiques, au parlement (béarnais) de Navarre qu'a fondé Louis XIII et qui siège à Pau ;
ce haut tribunal est majoritairement composé de huguenots : Sa
Majesté l'a voulu tel, comme contrepartie, ou « donnant-donnant »,
pour la réintroduction, par commandement royal, en 1620, du catholicisme dans le Béarn (ce pays, depuis Jeanne d'Albret, était resté
sous le contrôle quasi monopoliste des huguenots). Comme quoi les
questions ethniques – même minuscules en cette occurrence soule-
tine – n'ont pas attendu les crises contemporaines (voyez le cas irlandais) pour se combiner de façon inextricable aux luttes religieuses.

Vers 1691, la question paloise a changé de face : le parlement de
Pau est devenu catholique à 100 %, de par la politique révocatrice
qu'a menée Louis XIV. Les Souletins, épris de papisme, peuvent
accepter enfin, sans faire de manières, l'édit royal de cette année-là ;
il leur ôte l'égide protectrice que déployait sur leurs têtes le parlement de Bordeaux et il les transfère dans le ressort du haut tribunal
navarrais de Pau, territorialement plus proche. À leur tour, les
magistrats palois, bons princes, acceptent maintenant d'utiliser la
coutume de Soule pour juger tout litige en cette région particulière.

Le poids de la centralisation se fait sentir un peu plus tard lors
de la crise de 1727-1733 : au cours de cette période, le Silviet
(assemblée semi-souveraine, roturière et représentative de la Soule)
est vidé de sa substance du fait d'initiatives hostiles, venues de
l'autorité royale (gouverneur et intendant) ; celle-ci est soutenue en

l'occurrence par la noblesse, le clergé, certains notables. Dans ce cas précis, à l'inverse du stéréotype habituel, le centralisme monarchique n'est pas antinobiliaire : à l'inverse, il attaque une institution qui incarne la roture du cru.

Dès le XVIIᵉ siècle, la répression, plus ou moins réussie, contre les libertés locales engendrait, par contrecoup, des « mouvements divers » : de 1650 à 1660, Chourio, syndic labourdin du Biltzar, contestait Urtubie, l'ambitieux bailli que soutenaient l'intendance de Guyenne et le parlement de Bordeaux, fourriers de l'action monarchique. Par la suite, il n'est que juste de reconnaître que le Biltzar aura tendance à dégénérer. À la veille de la Révolution de 1789, il sera en plein dysfonctionnement.

Mais il ne s'agissait là que de l'Assemblée représentative, de surcroît décadente, du Labourd. En Soule, d'autre part, dès le XVIIᵉ siècle, un certain nombre de paroisses gardaient rancune à Troisville (le Tréville d'Alexandre Dumas). Cet « ennemi des peuples basques » tirait ses origines d'une famille marchande ; il était devenu, aux ordres de la royauté, grand seigneur militaire, qu'enrichissait l'acquisition facile de domaines royaux (composés en réalité de terres communales). Le soulèvement dont Tréville est la cible, ou plutôt le prétexte, est dirigé par le curé Matalas ; sa troupe paysanne de quelques milliers d'hommes ne tient pas, en octobre 1661, devant l'armée royale. Matalas est décapité, malgré les vaines démarches qu'a tentées l'évêque en sa faveur. Un pardon officiel est octroyé en décembre 1661, une fois Matalas mis hors jeu. Cette amnistie consacre les nouveaux rapports de forces établis sur le terrain. Ils sont défavorables aux franchises locales, celles-ci étant abaissées, mais non totalement détruites. Dans les deux cas, Chourio et Matalas, les rébellions soutiennent les lois du pays (Herlegue ou Herri-Lege). Un état d'esprit hostile aux villes n'est pas non plus à exclure : Matalas, en particulier, s'en prenait, disions-nous, aux « harpies » de Mauléon, autrement dit aux officiers, nobles ou notables de cette petite ville. À l'en croire, ceux-ci se faisaient contre le monde rural les complices du parlement de Bordeaux.

La Soule et le Labourd sont quelque peu banalisés par le pouvoir français. En revanche, au centre du dispositif, la Basse-Navarre reste un *royaume,* dans le sens littéral du terme ; les institutions y sont plus solides et prestigieuses que dans le cas des deux entités précédentes. L'État navarrais est confié par voie successorale aux Albret, puis aux Bourbons, et donc, après 1589, au roi de France. La catastrophe de 1512 avait rompu pour toujours les liens dynastiques entre la vaste Navarre du Sud, devenue espagnole, et la portion septentrionale de ce qui fut jadis le royaume navarrais « à part entière ». Subsiste donc, au nord des Pyrénées, un micro-État croupion (la Basse-Navarre, justement), lui-même agrégat de vallées et de *plusieurs* petits pays ; alors que Soule et Labourd forment chacun *un* petit pays, lequel constitue à son tour et pour son propre compte une fédération de paroisses. La francisation (très partielle, certes) de cette « Navarre inférieure » n'est pas allée sans quelques cahots après 1589-1600, quand le ci-devant « Albret-Bourbon Navarre » est devenu Henri IV en personne : « Roi de France et de Navarre ». Le train est pourtant sur les rails : en 1620, sous la contrainte personnelle de Louis XIII, la chancellerie de (Basse-) Navarre fusionne, bon gré mal gré, avec le conseil souverain du Béarn, pour former le parlement de Pau, sis dans les territoires béarnais ; mais on le qualifie dorénavant, pour flatter les Basques du Nord, de « parlement de Navarre ». Ce mariage entre Basques catholiques et Béarnais huguenots provoque (on l'a vu) quelques froissements et en provoquera encore, de nos jours, quant aux problèmes du département, unique ou double... Autre particularité, la Basse-Navarre, pendant toute une période, a disposé de monnaies spécifiques, en vertu desquelles les habitants des montagnes pouvaient aller, ô sacrilège, jusqu'à définir Henri IV comme « roi de Navarre et de France », à l'inverse de la formule canonique (« roi de France et de Navarre »). Ces monnaies locales sont supprimées *de facto* à partir de 1634, non sans sursauts ultérieurs ; puis abrogées en 1663, officiellement. Après cette date, quelques tentatives de résurrection feront long feu. Les structures régionales sont donc malmenées, mais seulement dans le secteur monétaire. Pour le reste, elles se défendent bien, et mieux qu'en Soule, à coup sûr.

Fonctionnent aussi, dans ce contexte, des intermédiaires seigneuriaux (les Gramont) et des assemblées représentatives du pays (les états de Navarre).

Intermédiaires seigneuriaux : la grande famille régionale des Gramont avait donné à Henri IV une maîtresse, Corisande. En contrepartie, les Gramont sont gratifiés du poste de gouverneur général du Béarn et de Navarre, que tiendront successivement huit membres de leur lignage : c'est somptueusement payé ! Le gouverneur ainsi choisi dans une prestigieuse lignée du pays reçoit de grosses donations monétaires, tout à fait légales, de la part des gens des trois états du pays bas-navarrais, réunis pour leur assemblée régulière. En remerciement, le duc de Gramont joue le rôle d'intercesseur efficace en cour de Versailles, auprès de laquelle il appuie les demandes des autochtones pyrénéens qui sont ses « gouvernés ». Sans lui, elles auraient moins de chances d'aboutir : le système louis-quatorzien, attirant les magnats locaux vers l'entourage curial versaillais, n'est donc pas « que » parasitaire.

Assemblées représentatives, d'autre part : les « états de Navarre » (nous dirions plus volontiers, au risque de choquer, les « états provinciaux navarrais »), avaient été fondés dès 1523 par Henri d'Albret, soit douze années après la « catastrophe de 1512 ». Les Bourbons, devenus rois de France, ne cherchent nullement à anéantir cette institution collective, alors qu'ils ne se gênent point, par exemple, pour supprimer les états de Normandie au XVIIe siècle. Les états navarrais sont contrôlés par une oligarchie pratiquement héréditaire. Ils n'ont pas la composition monocolore, à base de pure roture quasi démocratique, qui fait le charme discret des assemblées de Soule et de Labourd. Ils s'astreignent à prévoir en leur sein, outre le tiers, une large participation de noblesse, et cela confère à l'ensemble certains pouvoirs de résistance « élitaire » vis-à-vis de « Monsieur l'Intendant ». Ils collectent l'impôt pour les caisses royales, après d'interminables marchandages ; ils veillent à le plafonner raisonnablement, ce qui vaut à la Basse-Navarre, en 1779, de ne payer que 6 à 7 livres de taxe fiscale par tête, au lieu de 15 à 23 livres pour le Français moyen.

S'agissant d'impôts indirects, on note, en 1685, une tentative des gabelles royales pour s'emparer de la propriété de certaines salines en Basse-Navarre. Celles-ci étaient possédées jusqu'alors, sur le plan local, par une communauté d'habitants. Le « coup de main » des gabelous provoque, en sens inverse, un petit soulèvement populaire dont deux leaders sont pendus, d'ordre du rude intendant Foucault. Mais, deux ans plus tard, l'État rend les salines à leurs anciens détenteurs. Curieuses et fréquentes méthodes de l'Ancien Régime, difficiles à comprendre pour nos esprits modernes. On exécute les meneurs... et puis, un peu plus tard, on satisfait les revendications ! Essayons d'imaginer cela chez Renault ou à la SNCF, lors d'une grève...

La grande avancée centraliste, au XVIIIᵉ siècle, concerne l'administration des Ponts et Chaussées : en Basse-Navarre et Labourd (1778), ils prennent en charge la construction des routes, pour le plus grand bien des populations, certes, mais aux dépens d'instances locales telles que le Biltzar, qui, à vrai dire, ne s'occupait que mollement des grands chemins. Ajoutons, dans le même registre « centralisateur », l'implantation d'unités policières, limitées en nombre : elles forment la « maréchaussée ». Celle-ci est légitime, dans un pays qui compte peu de voleurs, mais beaucoup de violents. En 1784, on envisage même de fusionner les trois provinces basques avec le Béarn : ce projet, non réalisé sur le moment, préfigure le futur département des Basses-Pyrénées, qui sera dommageable pour la basquitude, au dire des nationalistes en notre temps. De toute façon, la continuité institutionnelle et royale fut assurée pendant les derniers siècles de l'Ancien Régime par le bailli, noble d'épée, et par ses adjoints, lieutenants généraux ou lieutenants criminels ; leurs charges se transmettent souvent, à travers les générations, dans les mêmes familles.

Les péripéties administratives affectent peu le rythme lent de la vie pastorale, fondée sur la transhumance et sur l'exploitation des grands pâturages communaux. L'arrivée du maïs, déjà évoquée dès 1570, contribue au vif essor de l'agriculture locale. Le maïs est une plante jardinée, gourmande de main-d'œuvre ; l'extension des superficies qui lui sont consacrées accompagne logiquement la montée des effectifs humains. Le débit croissant de la viande de boucherie, dans les villes où le niveau de vie s'améliore, entraîne, d'autre part, la plantation des navets ou *turneps* ; on les destine à la consommation du bétail, pendant la stabulation hivernale[5] ; ils sont typiques des nouveaux assolements, plus intensifs. Il y a donc, jusqu'au XVIIIᵉ siècle inclusivement, expansion corrélative de la production animale et végétale. D'où d'inévitables conflits entre paysans sédentaires et bergers ; ceux-ci veulent maintenir l'intégrité des prairies communales ; ils souhaitent préserver aussi le droit de passage pour leurs bestiaux errants et transhumants, y compris dans les terres semées ou plantées, au risque de provoquer la colère des cultivateurs : on se croirait dans le *Far West* ! Sur certains points, cependant, se manifestent des convergences (pas toujours heureuses) entre paysans sédentaires et bergers nomades, entre Caïn et Abel. Les uns et les autres, en effet, participent à l'offensive générale contre les arbres, à la dévastation des forêts pyrénéennes ; celles-ci sont victimes simultanées du défrichement et du surpâturage. Elles sont en outre livrées sans mesure aux appétits des constructeurs de navires, et des forgerons amateurs de charbon de bois (car le siècle de la houille est encore à venir). Quant à la pêche basque (à partir de Saint-Jean-de-Luz, notamment), dont on sait les exploits transocéaniques, elle a opéré par séries successives : cycle de la baleine, inauguré dans le golfe de Gascogne au Moyen Âge, puis continué au Spitzberg et au Groenland pendant le XVIIᵉ siècle, en fonction du dépeuplement des troupeaux de cétacés les plus proches ; cycle de la morue ensuite, à Terre-Neuve et ailleurs, dont les fastes « modernes » culminent entre 1500 et la Révolution, puis tendent à passer de mode au XIXᵉ siècle ; cycle de la sardine, pour finir ; il est plus typiquement contemporain, encore qu'initié dès le règne de Louis XV.

« L'Événement » de 1789 en Pays basque fait suite à une révolte des privilégiés : les états de Navarre et les parlementaires de Pau étaient jadis en mauvais termes. Ils réalisent pourtant un front commun, non sans succès, pour défendre les franchises régionales contre l'empiétement du centralisme monarchique. États et parlement vont ensuite être pris au dépourvu par la Révolution, qui les balaiera d'entrée de jeu, sans difficulté.

Les élections aux états généraux de 1789 ne posent qu'un seul problème de quelque importance : il concerne la Basse-Navarre. Celle-ci revendique toujours vis-à-vis de la France le statut de royaume indépendant. Elle accepte donc en principe d'envoyer ses délégués auprès de Louis XVI, mais non à l'assemblée des États généraux comme tels. La catastrophe, du point de vue d'un certain localisme ethnique, est pourtant ailleurs. En moins d'une année, à partir de la nuit du 4 août 1789, sont successivement détruites, parce que « privilégiées », les institutions représentatives du peuple basque (Biltzar, etc.) ; ainsi que le titre de roi de Navarre et le royaume correspondant. L'inégalité successorale est vouée aux gémonies. Dans les faits, elle subsistera ; sa perte aurait signifié le naufrage du système des maisons, consubstantiel aux coutumes locales.

En 1790 est formé le département des Basses-Pyrénées. Il fusionne les trois enclaves basques et la zone romanophone du Béarn. Les protestations d'un Dominique-Joseph Garat, personnage dont nous reparlerons, n'y changent rien. Les Basques ont certainement profité des conquêtes égalitaires, et autres, de la Révolution ; mais leur particularisme a subi, de son fait, des pertes que d'aucuns tiennent aujourd'hui pour trop lourdes. Qui plus est, en une zone volontiers cléricale, où langage et prêtrise formaient un duo indéchirable, la Constitution civile du clergé apparaît d'autant plus discordante, donc fâcheuse. La Terreur enfin s'en prend aux jeunes Basques qui refusent le départ obligatoire aux armées ; elle inaugure même la déportation totale (qui par chance va tourner court) des habitants de quelques « communes infâmes », accusées d'être complices de l'Espagne. Barère et Grégoire dénoncent l'idiome ouest-pyrénéen comme véhicule de la superstition et du fanatisme. La décennie révolutionnaire, malgré tout, donne implicitement de nouvelles vigueurs à la langue basque, fort utilisée désormais dans les publications officielles.

Les jeux de l'écrit et de l'oral stimulent la réflexion sur les dialectes. Celtologue et bascophile, le capitaine La Tour d'Auvergne descend d'une branche bâtarde de la grande famille des Turenne. Il s'éprend des peuples du pourtour de l'Hexagone, qui sont réfractaires au français d'oïl. Dans un ouvrage édité à Bayonne en 1790, il propose une approche rationnelle ; elle réfute la soi-disant parenté des langues de Bretagne et du Labourd. Il fait montre ainsi de bon sens, en un temps où Dominique-Joseph Garat se croit obligé d'assigner à ses compatriotes de mystérieux ancêtres phéniciens...

La Révolution marque l'émergence de quelques leaders, authentiquement basques, et qui, pour la première fois, sont d'envergure nationale. Apparaît parmi eux, précisément, Dominique Garat

(1749-1833). Il sort d'une famille labourdine de négociants, médecins, musiciens, sportifs, enseignants, juristes, joueurs de pelote, séducteurs (l'un des membres de ce lignage fut même l'amant d'Aimée de Coigny, la « jeune captive » d'André Chénier, conquête évidemment flatteuse pour le nationalisme de la région, et que ne manqueront pas de relever, presque deux siècles après l'événement, les chroniqueurs consciencieux). Garat fut député en 1789, puis conventionnel, idéologue, académicien, bref, typique de ces notables importants que révèlent par dizaines les années de feu ou de plomb (1789-1815). Il est l'auteur, sous l'Empire, d'un projet de fusion administrative entre les deux portions du Pays basque, espagnole et française. Sa proposition sera reprise de nos jours, indépendamment de sa mémoire, par les nationalistes de Pampelune et de Saint-Sébastien, voire de Saint-Jean-de-Luz.

Le XIXᵉ siècle « post-1815 » est contemporain, au Pays basque français, d'une prise de conscience culturelle qu'encouragent les recherches des linguistes venus d'ailleurs. On signalera parmi eux, outre Guillaume de Humboldt, le prince Louis Lucien Bonaparte, fils de Lucien, et qui passe pour le « géant de la bascologie ». L'intégration toujours plus étroite à la France, depuis Napoléon jusqu'à de Gaulle, est jalonnée par les progrès constants de l'alphabétisme ou de la francisation, en coexistence morose avec les parlers locaux ; ceux-ci gardent vigueur dans le refuge montagnard. L'électorat, depuis qu'existe le suffrage universel, affiche, en règle générale, des tendances « modérées » : lors des élections présidentielles de 1981, le Pays basque donnait 55,76 % de ses voix à Valéry Giscard d'Estaing, ce pourcentage montant à 62,42 % dans l'« intérieur » et tombant à 52,62 % sur la côte, plus ouverte aux influences de la gauche [6].

Dans quelle mesure le Pays basque français est-il influencé par l'esprit nationalitaire, si virulent au-delà des frontières, en Biscaye et Guipuzcoa ? Laissons de côté, quoique pas entièrement…, la question, certes brûlante, du rôle de « base arrière » qu'occupe Euskadi-Nord dans la stratégie de l'ETA terroriste : les militants clandestins, surgis de l'autre côté des Pyrénées, viennent se « mettre au vert » en Basse-Navarre [7], en Labourd et en Soule, d'où les débusque de temps à autre le ministre français de l'Intérieur qui les fait ensuite expulser *manu militari*. Mais, quand il s'agit d'élections[8], c'est une autre affaire : aux législatives de 1967, les candidats du mouvement nationaliste basque en territoire français, Enbata, obtenaient 5 035 voix sur 108 662 suffrages exprimés, soit 4,63 %. Ce pourcentage tombait à 3,59 % en 1978 pour les candidats EHAS, qui représentaient la fraction la plus orientée à gauche de ce qui fut Enbata[9]. Les tenants de l'identité régionale enregistrent, comme il est prévisible, des résultats beaucoup plus substantiels dans le domaine de la culture et de l'éducation, grâce à la fondation des écoles en langue basque.

Le signe Iparettarak, enfin, connote sur place l'extrémisme violent à base purement (?) locale ; il est découplé (en principe) d'Euskadi-Sud et de l'ETA, mais se réfère activement, lui aussi, à la clandestinité violente. Iparettarak est devenu depuis quelques années le fief d'un petit nombre de militants qu'on n'ose pas qualifier de *desperados* ; il s'est parfois recruté parmi d'anciens séminaristes, et fut soutenu, d'assez loin certes, par quelques membres du clergé régional. C'est une façon de rappeler, jusque dans l'outrance, les liens qui se sont tissés, depuis la nuit des temps, entre le langage basque et la religion catholique sur fond, parfois, de mysticisme militant. Et puis des élections plus récentes ont donné quelquefois, localement, certains résultats un peu plus élevés que ceux qui furent indiqués ci-dessus, s'agissant des nationalistes, et dans certains villages...

Iparretarrak (ceux du Nord) est une organisation clandestine du Pays basque français[10], qui fit parler d'elle, initialement, dès 1972-1973. Il s'agissait d'une création « inspirée » à l'origine par l'ETA basco-ibérique ou du moins, soyons précis, par la « branche politico-militaire » de celle-ci (le terrorisme a de ces nuances !). L'entente est restée solide, pendant plusieurs années, entre les deux formations, la grande et la petite, Sud et Nord, de part et d'autre de la chaîne pyrénéenne. Mais dès la fin des années 1970, une certaine ambiguïté – qui se réglera de temps à autre à coup de bombes – va se faire jour. L'ETA souhaitait, certes, avec les « camarades français » que soit formé, si petit soit-il, un département purement basque dans l'angle d'extrême sud-ouest de l'Hexagone. Cette nouvelle entité administrative aurait fonctionné comme prélude à l'ultérieure « émancipation », définitive, d'Euskadi-Nord et à son rattachement (annexionniste) aux territoires beaucoup plus vastes d'Euskadi-Sud. L'ETA cependant avait d'autres soucis : le PBF (Pays basque français) était aussi pour elle un sanctuaire où ses militants, n'étant point pourchassés comme en Espagne, pouvaient se mettre au repos, se refaire une santé, et organiser de nouveaux attentats, quitte à ce que ceux-ci se matérialisent ensuite du côté de Pampelune ou de Bilbao, voire de Madrid. Si l'on voulait être tranquille, il ne fallait donc point pousser à l'excès, en zone nord, les feux de la « libération nationale », sous peine de faire exploser la chaudière. Une rupture ou au minimum un refroidissement très net allait devenir inévitable, de ce fait, entre l'ETA et les frères d'en deçà des monts. C'est bien ce qui se produisit en mars 1980 : informée d'un attentat raté d'Iparretarrak, qui perdit deux militants pour la circonstance, victimes de leurs propres engins de mort, l'ETA ne put que constater le fâcheux amateurisme de ses amis de France qui de surcroît, en raison de leurs pétarades mortelles, mettaient en péril la susdite sanctuarisation des Pyrénées atlantiques, si chère au cœur des camarades sudistes. Il y avait de l'eau dans le gaz ! Dès 1981, Iparretarrak se plaignait d'être marginalisée par l'ETA, trop soucieuse, au gré des Nordistes, de porter le « coup principal » dans sa propre zone et point ailleurs. Pour mieux convaincre Iparretarrak de tenir son rang qui devait donc rester modeste et subordonné, voire pacifique compte tenu des impératifs stratégiques de l'aire méridionale, l'ETA n'hésita point à utiliser des arguments frappants, et même des « bourrades amicales » à l'endroit d'Iparretarrak. En 1985, deux militants nordistes furent successivement agressés notamment par explosifs et l'un d'eux fut grièvement blessé. C'était un coup de l'ETA qui manifestait ainsi son « impérialisme » sur le versant non espagnol de la chaîne pyrénéenne. On est toujours l'impérialiste de quelqu'un. Ces bousculades fraternelles n'empêchèrent point, de la part d'Iparretarrak, certaines initiatives. L'organisation comptait alors parmi ses membres une vingtaine de personnages décidés et aptes aux actions violentes. Parmi eux… ou elles, citons une Marie-France H., instigatrice d'attentats, incarcérée, puis échappant à la prison de Pau en 1986, enfin tragiquement écrasée par un train en 1987 lors de sa nouvelle arrestation près d'une voie ferrée… Mentionnons encore un Gabriel M., échappé de la « geôle » de

Pau dans les mêmes conditions que Marie-France, compromis ensuite à l'occasion d'un meurtre violent (de gendarme) au sortir d'un camping, et condamné vers la fin du parcours, en mars 2000, à quinze ans de réclusion criminelle. Et puis bien sûr, Philippe Bidart, d'une famille très catholique (Mitterrand incriminait volontiers le rôle du clergé dans les rudes affaires basques, y compris aux Pyrénées atlantiques). Famille nationaliste aussi, et même de plus en plus, se dépouillant progressivement à l'en croire de l'identité française comme d'une vieille défroque. Bidart fut l'auteur, entre autres, de la fusillade de Saint-Étienne-de-Baigorry [11] en 1982 : pauvre saint homme de Baigorry, l'un des plus glorieux personnages hagiographiques du Pays basque ; il en aura vu décidément de toutes les couleurs. Bidart lui-même a survécu à la mort au milieu des morts [12] : « Deux CRS abattus dans des circonstances obscures ; une bombe contre un train, qui aurait pu faire un carnage ; deux gendarmes tombés lors de fusillades ; cinq compagnons d'armes fauchés par les forces de l'ordre… puis par leurs propres bombes » (toujours la « maladresse iparretarrakienne » dont se plaignait l'ETA). Il est vrai que, d'après le journaliste « intervieweur » de ce même Bidart, « il n'avait jamais été question de tuer, ni d'être en quoi que ce soit gendarmicide, mais bien vite, les choses dérapèrent ». Philippe Bidart faisait figure, au cours de la décennie 1980, d'agité violentissime. Par contraste avec certains fanatiques froids, on n'ose pas dire butés, qu'on rencontre à plus d'un exemplaire en Corse : praticiens du silence, car « on ne sait jamais, un revolver est si vite parti ». Contraste avec ces gens-là donc, mais aussi, en un tout autre sens, différence marquée d'avec tel ou tel gentil garçon, tout sourire, cherchant de tant de manières à se rendre intéressant, et y parvenant fort bien, ce genre de bon jeune homme qu'on rencontre par exemple dans le mouvement savoyard. Ici, en Savoie, la devise de l'intéressé pourrait s'inspirer de la phrase fameuse « ordinairement je ne suis pas violent » et, sous-entendu : mais d'autres que moi, plus jeunes, plus ardents, pourraient bien eux s'adonner à la violence, si le pouvoir parisien n'écoute pas mon argumentation purement et sagement réformiste…

Il est vrai, pour en rester à Philippe Bidart, qu'en cellule ce militant a beaucoup évolué, nous dit-on. Il a délaissé le « marxisme imbuvable » *[sic]* des premiers temps. Il préconise maintenant des formes d'action moins virulentes, incarnées par le récent mouvement Abertzalen Batasuna (AB). La patrie plutôt que la nation, Déroulède plutôt que Barrès. Les nouveaux autonomistes ont parfois peur de l'ETA, et comme on les comprend ; ils dépassent éventuellement la barre électorale des 10 % de voix, notamment à Baigorry, et les écoles en langue basque entament leur troisième décennie d'existence.

En tout état de cause, le Pays basque français aurait cessé (?), pour ce qu'on en dit, d'être un sanctuaire à l'usage de l'ETA ; on en aurait donc fini (?) avec le rôle de lieu d'asile que les Pyrénées-Atlantiques durent accepter à leur corps défendant lors des vieilles années de la présidence mitterrandienne.

Les Basques français, à vrai dire, n'avaient guère le choix. De toute façon, qu'ils ronchonnent ou que, minoritairement, ils soient consentants, la grande sœur sanglante du Sud ne demandait pas tellement leur avis. Et parfois, elle utilisait certains d'entre eux jusqu'en Espagne même ; jusque très loin vers le Sud bien au-delà de la basquitude ibérique : un certain H.P. de Bayonne, paisible citoyen français, rédigeait ainsi des articles journalistiques bien informés sur les attentats sud-pyrénéens... auxquels, sans le dire, il avait lui-même participé [12] ! Il colportait jusqu'à Séville avec ses équipiers 300 kg d'explosifs ; il était impliqué en Espagne même dans une trentaine d'attentats et dans les assassinats de deux magistrats, trois généraux et un vice-amiral, tous Espagnols, sans compter une action « explosive » à Saragosse qui fit onze morts dont cinq enfants, plus un attentat à la voiture piégée (encore un mort). En 1994, H.P., arrêté depuis 1990, a été condamné au total par les juges espagnols à 1 802 années de prison, dont 121 ans pour la seule voiture piégée. (On sait qu'en Espagne, comme aux États-Unis, à la différence du système français, les peines de prison sont cumulatives.)

Cela dit, on doit raison garder. Le terrorisme d'Iparetarrak est tonitruant de temps à autre [13], mais il demeure groupusculaire. L'aide locale à l'ETA est, elle, plus importante, mais reste confinée à l'intérieur de certaines limites. Le nationalisme diffus enfin ou plutôt l'ethnocentrisme répandu qu'on rencontre un peu partout dans le PBF n'aboutit point pour autant à gonfler les résultats électoraux des listes autonomistes, cryptonationalistes ou ouvertement nationalistes, résultats dont nous signalâmes précédemment la modestie ; ils demeurent aujourd'hui encore en dessous, parfois très en dessous, de la fameuse « fourchette » des 10 %. Et justement, contraste ! Ces situations très minoritaires, voire ultraminoritaires, en zone française, dans le domaine strictement politique, diffèrent beaucoup de l'état de choses qui règne au sud des crêtes pyrénéennes. L'ensemble des partis qui se disent basques y est en perpétuel progrès depuis 1977, obtenant au total 65,6 % des voix lors des élections régionales de 1984 ; ces votes nombreux étaient distribués, dans le temps, en trois tendances, modérée et centriste ; socialiste et même eurocommuniste ; enfin, radicale indépendantiste et liée au terrorisme de l'ETA.

Comment expliquer le taux d'intégration hexagonale, peut-être déclinant, et pourtant, tellement supérieur, des Basques français, par rapport à leurs frères ibériques qui s'orientent, pour les deux tiers d'entre eux, vers la mouvance nationaliste ? Sans doute faut-il penser que la destruction, même regrettable, des privilèges régionaux du Pays basque français, en 1789, fut progressivement vécue par les intéressés comme un « plus », du fait des contreparties positives qu'apportèrent la Révolution et surtout le siècle et demi qui la suivit, en fait de droits démocratiques et de réalisations éducatives ou libérales. On ne saurait en dire autant, bien au contraire, de l'abolition des *fueros* basques par le gouvernement espagnol, en 1839 et 1876 ; cette abolition fut ressentie comme un acte agressif qu'avaient concocté les pouvoirs madrilènes, liés à l'Ancien Régime, contre un petit peuple qui restait fier et indépendant d'esprit, même s'il n'était plus, depuis 1512, détenteur de souveraineté.

D'autre part, les Basques français ont vécu leurs guerres (1870-1871, 1914-1918, 1939-1945) au coude à coude avec les autres citoyens de la République. Les Basques d'Espagne, eux, n'ont eu affaire à la Castille, au temps des conflits militaires, que sous la forme d'un antagonisme qui s'incarnait en de cruelles guerres civiles, initialement carlistes (1833-1839 et 1872-1876), finalement franquistes. La différence est majeure. Elle n'empêche pas, certes, que subsiste au Pays basque français un vigoureux sentiment d'identité ou d'ethnicité. Et parfois une résurrection du « sanctuaire », comme lors de certains attentats de l'ETA de l'an 2000, préparés au Nord, explosés au Sud... Les dernières découvertes de ce genre, à cheval sur la frontière politique, sont le fait de la police française et de sa coopération avec les policiers espagnols. Elles datent de septembre 2000 : arrestation du chef présumé de l'ETA d'Espagne, à Bidart dans les Pyrénées-Atlantiques ; et mise à jour par les enquêteurs français d'un atelier clandestin de fabrications d'explosifs, à l'usage des camarades sudistes (*Le Monde*, 19 septembre 2000). Mais la police face au terrorisme est une chose ; la politique en est une autre, même si des recoupements sont inévitables, en ce contexte, entre politique et terreur...

*

Notons encore, en ce domaine, ou en cette zone frontalière, l'existence non plus de procédures terroristes, mais d'actes de délinquance symboliques d'autant moins punissables qu'ils se situent aux limites du canular, en vertu duquel Guignol, devenu bascophile, se complaît à rosser ou simplement à duper le commissaire. Il s'agit en l'occurrence du vol dc documents relatifs à la « basquitude départementale, tellement souhaitable », vols effectués lors de la belle saison de l'an 2000, par un commando encagoulé aux dépens des Archives départementales, dans la meilleure tradition de la pseudo-agressivité des bandes dessinées, certes nullement sanguinaire en l'occurrence ! Les documents ainsi prélevés sont ensuite présentés à Bayonne, au cours d'une conférence de presse, tendant à promouvoir la création du susdit département basque [14]. Les autorités policières ou judiciaires ont d'autres chats à fouetter [15] ; elles se désintéressent noblement de cette opération délictueuse [16]. Les voitures de la police municipale de Bayonne sont du reste peintes en cette première année du nouveau siècle aux couleurs tricolores, non point bleu-blanc-rouge certes, mais rouge-blanc-vert de l'Euskadisme bon chic bon genre.

Quant aux autonomistes *ou* nationalistes du Pays basque français de la jeune génération, ils se rattachent toujours à Abertzalen Batasuna (AB). Ils admettent parfois la violence politique (*Libération*, 10 août 2000). Mais leurs revendications actuelles, éventuellement susceptibles de surenchères ultérieures, sont de trois ordres : création d'un département basque ; officialisation de la langue, et (comme le demandent aussi les militants corses) rapprochement des prisonniers politiques. Apparemment, les problèmes d'évasions et d'assassinats qui ont affligé la prison d'Ajaccio ne suscitent pas de réflexions ni d'hésitations bien particulières chez les activistes de la région bayonnaise : ils restent partisans, à tous égards, du regroupement des incarcérés dans les geôles de la petite patrie ou à tout le moins de la région. Le souhait formulé en faveur d'un département basque recueille aussi l'appui de nombreux maires du Pays basque français. Mais ces notables basques, dans bien des cas, n'ont pas de sympathie marquée pour AB, ni *a fortiori* pour l'ETA. Quant à la population béarnaise, avec François Bayrou en tête de file, elle est plutôt opposée à la scission de ce qui demeure aujourd'hui encore (août 2000) le département unifié des Pyrénées-Atlantiques.

Pour en rester aux Basques de France en général, on n'a pas le sentiment néanmoins qu'ils soient « très chauds » à terme pour une fusion Euskadi-Nord/Euskadi-Sud ; car celle-ci donnerait possiblement le pouvoir aux éléments durs, ceux de l'ETA, qui ne s'abreuvent pas toujours du lait de la tendresse humaine. Mais ces appréhensions, si tant est qu'elles existent, restent ensevelies dans un certain silence, lequel paraît assez bien établi, quand on questionne à ce propos diverses personnes entre Bidache et Larrau, Saint-Jean-de-Luz et Mauléon. La discrétion en l'occurrence constitue l'une des vertus essentielles, ô combien sympathique, certes, des 260 000 habitants du Labourd, de la Basse-Navarre et de la Soule, dont une moitié environ, répétons-le, n'est pas d'origine basque. Mais il arrive, là comme ailleurs, que la discrétion, de gré et parfois de force, tourne à l'omerta pure et simple...

Puisque nous parlons du silence... et donc du langage, qu'en est-il actuellement de la situation linguistique au Pays basque français ? Disons qu'elle ne joue pas tellement en faveur du parler régional malgré l'intéressante création d'un réseau d'écoles bascophones, *Ikastola*.... Car la proportion de bascophones au sein de la population concernée, si l'on en croit une sérieuse enquête datée de 1991, « baisse » très significativement avec l'âge. De plus d'un tiers chez les plus de 65 ans (37,5 %), elle descend à 11,5 % chez les 16-24 ans [17]. Tout se passe dans ces conditions comme si un certain nombre de jeunes Basques « de chez nous », pronationalistes, utilisaient la langue française, véhicule traditionnel des idéologies militantes en tout genre, pour la défense d'une langue basque qu'en réalité ils ne parlent point, ou peu, ou mal.

Le Pays basque français dispose, en tout état de cause, d'une structure économique originale, qui le différencie quelque peu de celle du Béarn. Tourisme très développé sur la côte basque, agriculture de montagne solide. Les caractères originaux jouent aussi quant à l'orientation estudiantine : avant la création de l'actuelle université de Pau et des pays de l'Adour, les étudiants natifs du Pays basque français allaient s'inscrire à l'université de Bordeaux. Ceux du Béarn s'orientaient plutôt vers l'Alma Mater de Toulouse...

S'agissant toujours de ces problèmes de jeunesse locale ou régionale, disons que de nombreux sympathisants de l'ETA venus du Sud se sont installés au Pays basque français où ils trouvent, très « légitimement », davantage de sécurité vis-à-vis des poursuites que peuvent éventuellement exercer à leur encontre la justice et la police d'Espagne. Quelle sera la réaction des enfants de ces « immigrés », enfants nés de ce fait en France et parvenus aujourd'hui à l'âge de l'adolescence, ou ayant dépassé celle-ci ? Sympathies à l'hexagone ? Ou à l'ETA ? Ou encore à ces deux entités, simultanément ? Il est bien difficile en une telle conjoncture de prévoir l'orientation qui s'imposera, d'une manière ou d'une autre, de la part des jeunes en question... Le fléau de la balance s'inclinant d'un côté... ou de l'autre pourrait bien réserver quelques surprises. Ces jeunes gens, au demeurant fort sympathiques, voudront-ils se conduire encore, dans leur âge mûr, comme des chérubins de la francité ? On demeure, sur ce point, dans l'incertitude... Sur un mode plus neutre, on doit signaler aussi qu'une partie de la bonne bourgeoisie basque d'Espagne, peu alléchée par l'ETA, envoie ses progénitures étudier dans les classes européennes des lycées de Saint-Jean-de-Luz afin d'éviter de regrettables contaminations idéologiques...

La tendance récente en tout cas semble consister en « invasions » de jeunes Basques venus d'Espagne, eux-mêmes appuyés sur place par des sympathisants français. À l'encontre du Sommet européen de Bayonne (octobre 2000), les manifestants cagoulés, souvent importés de l'aire espagnole, ont procédé à des jets de pierre et de cocktails Molotov : il régnait dans la ville chef-lieu, comme une atmosphère de couvre-feu... Il a fallu mobiliser 3 000 policiers parmi lesquels les unités d'élite du RAID. Les militants que celles-ci tentaient de contrôler ont ainsi mené la guérilla urbaine (*Kalle boroka*) dans la capitale du Pays basque français. Les Bayonnais étaient-ils ravis de l'aubaine, et de cette intrusion venue d'au-delà des frontières ? La réponse donnée à cette question n'est pas forcément affirmative. Faut-il rappeler aussi que, dans la même semaine, en Espagne, parmi diverses provinces, plus de 100 000 personnes manifestaient dans le calme et la dignité contre les crimes incessants de l'ETA ? De telles démonstrations ramènent sans doute à son juste niveau la performance, ou encore l'« Intifabasque » [18] des jeunes « envahisseurs d'une ville ». Parmi ces manifestants de Bayonne, et aussi d'Anglet (Pays basque français) qui étaient eux-mêmes à forte majorité sud-pyrénéenne, on notait pour le coup, en tête, les dirigeants de HB (Herri Batasuna Espagne) et de Abertzalen Batasuna *alias* AB (France) ; ces deux organisations ayant dans leur « arrière-cour idéologique » un certain nombre d'activistes parfois très motivés et point trop visibles, disons même clandestins, sur les versants méridionaux, voire septentrionaux de la chaîne montagneuse frontalière [19]. Importants sont toujours les désaccords qui séparent HB de AB quant au degré de « militantisme dur » justifiable ou injustifiable [20]...

DEUXIÈME PARTIE

Les minorités latines

6

Roussillon

Avec le Roussillon, nous abordons, pour la première fois, l'une des multiples minorités méridionales dont la langue est non point germanique, ni celtique, ni pré-indo-européenne, mais directement dérivée du latin. Cette région, située au « plein sud » de l'Hexagone (actuel), fut peuplée préalablement par des tribus ibériques ou du moins qui s'étaient « ibérisées » pendant la seconde moitié de l'ultime millénaire avant le Christ[1]. Elle reçoit ensuite les premiers éléments de sa culture à venir (latine, à destinations catalanes ultérieures) lors de la conquête romaine ; celle-ci fut achevée par les soins de Domitius Ahenobarbus, à la fin du IIe siècle avant notre ère. La voie domitienne, construite à partir de -121, relie par étapes successives l'Italie à la Gaule du Sud, puis à l'Espagne du Nord-Est, et elle traverse la zone roussillonnaise en immortalisant le nom, sinon la mémoire, de Domitius Ahenobarbus. L'oppidum de Ruscino, où l'on pratiquait anciennement la métallurgie, donne l'étymologie du mot Roussillon. Devenue ville romaine, avec forum, curie, thermes, Ruscino constitue le chef-lieu d'une « cité », en fait une importante circonscription territoriale, elle-même subdivisée en plusieurs pays *(pagi)* ; ceux-ci correspondent aux zones historiques du Vallespir, du Conflent, de la Cerdagne et du Roussillon proprement dit. Le blé de la plaine et le fer extrait des minerais locaux s'exportent vers Rome. Pour le reste, la région, à cette époque, est sans caractères bien originaux, puisque latinisée au même titre que la vaste Narbonnaise. Elle laisse survivre des cultes agraires qui sont rendus aux lacs, aux sources, aux arbres, aux rochers. Elle honore de façon classique les dieux que les Romains apportèrent dans leurs bagages, soit Jupiter, Mercure, Vénus, Diane et Apollon.

Tout cela en attendant que s'introduise sur place le christianisme au IIIe et surtout au IVe siècle. Les invasions germaniques sont responsables d'un grave affaissement des structures urbaines du IIIe au Ve siècle. Au fait, ce déclin avait commencé avant même l'arrivée des peuplades originaires d'outre-Rhin. Parmi celles-ci, les Wisigoths forment un groupe d'envahisseurs moins clairsemés ; ils s'installent à partir de 413 dans le Midi français (actuel) et dans le Nord de l'Espagne. Ils sont l'un des multiples ingrédients qui confèrent au Roussillon et à l'Occitanie une spécificité par rapport au mélange gallo-franc quelque peu délatinisé qu'on rencontre dès cette époque dans la moitié nord de la « France ». L'élite wisigothique fusionne avec les aristocrates indigènes ; de ce fait, elle prend en main aisément les leviers régionaux de l'Empire, de l'Église et de la circulation monétaire. Un début d'organisation vassalique naît sous l'égide des nouveaux maîtres. Annonce-t-elle, de façon rudimentaire, ce qui deviendra le « féodalisme » médiéval ?

Quant à la conquête musulmane, elle n'est somme toute qu'un bref épisode, de 720 à 759 de notre ère. Elle a constitué pourtant, beaucoup plus que ne le pensaient jadis les historiens, un véritable cataclysme, « une coupure dont l'histoire offre peu d'exemples [2] » : il y a en effet disparition des textes d'archives, interruption des listes d'évêques ; éradication de tous les monastères wisigothiques, porteurs d'une brillante civilisation latine, et dont rien n'est resté ; la mémoire de l'emplacement et même du nom de telle ou telle abbaye s'étant maintes fois effacée. La reconquête chrétienne par les armées de Pépin le Bref en 759 réintègre le pays dans un ensemble cette fois gallo-franc, où va s'opérer la maturation d'une Catalogne médiévale. Cette expulsion des Arabes par Pépin sera qualifiée plus tard, en style anticipateur, de libération carolingienne. Elle provoque l'établissement, sur le territoire catalan actuel, d'une marche d'Espagne, constituée après 801, et bientôt doublée d'un marquisat de Gothie dont fait partie la zone roussillonnaise. Il s'agit là d'une espèce de glacis défensif à l'encontre des menaces musulmanes, car celles-ci vont peser longtemps encore sur la région. Au VIIIe siècle se forme le comté de Roussillon proprement dit dont le siège administratif coïncide avec l'ancienne Ruscino. La tradition wisigothe est morte, malgré les reliquats juridiques qu'elle laissera derrière elle[3] ; le pays redevient ce qu'il n'avait jamais cessé d'être : une terre latine. La romanité fondamentale de la future Catalogne « nordiste » se renforce aussi du fait de l'immigration des *Hispani*, Espagnols venus du sud. Ce sont souvent des notables, et qui fuient la domination musulmane. Parmi eux, on compte plusieurs Arabes convertis au christianisme. Un contrat terrien conclu à des conditions favorables, l'*aprision*, incite ces nouveaux arrivants à défricher la terre inculte que le Roussillon, peu peuplé, leur offre encore en superficies importantes. Qui plus est, le pays est quadrillé par un réseau d'abbayes bénédictines, qu'ont souvent créées les moines fugitifs, venus eux aussi d'Espagne, et qu'illustrera sous peu l'architecture romane de Saint-Michel-de-Cuxa.

Sur le littoral entre Valence et Narbonne, l'an mil coïncide avec un certain émiettement : une proto-Catalogne à l'état naissant. Le pays s'éclate en différents comtés, dont le Roussillon. Les « caciques » locaux, à l'époque, sont grands propriétaires terriens et chefs militaires ; souvent les mêmes familles, les mêmes hommes dans ces deux catégories. Ils dominent la plèbe paysanne, qui maintes fois plie sous le semi-servage des « mauvaises coutumes ». Dans ce cadre morcelé s'inscrit la tentative de centralisation régionale qu'effectuent, du Midi au Nord, les comtes de Barcelone. Ils ne sont guère dynamiques quant à la *Reconquista* sur l'Islam. Mais, dès le XIIe siècle, ils placent sous mainmise directe les comtés nord-catalans ; ils parviennent même à dominer, vers 1120, toute la côte du golfe du Lion depuis la Provence jusqu'aux approches des bouches de l'Èbre. Au terme d'une longue procédure, qui se poursuit à partir de 1137, Ramon Berenguer IV, comte de Barcelone, épouse Pétronille, héritière du royaume d'Aragon. Le siècle qui va suivre voit briller, malgré quelques revers passagers, la splendeur royale (en propres termes) de la maison aragono-catalane, ainsi réunie initialement par des noces. Cette force d'une famille s'appuie, en Catalogne, sur des bases solides : essor démographique soutenu ; bonification des terres, irriguées ou drainées selon les cas ; commerce avec le Maghreb islamique ; codification des usages régionaux ; régime représentatif des Corts *(cortes)*. La ville de Perpignan, dont le nom est attesté depuis 927, est dotée d'institutions municipales, autrement dit d'un consulat, dès 1157, avant même Barcelone.

La langue catalane, issue d'une latinité coriace, apparaît progressivement, par pièces et morceaux, dans les documents écrits, à partir des XIᵉ-XIIᵉ siècles. En 1258, le traité de Corbeil correspond à un épisode diplomatique majeur. Car la France est maintenant « descendue » en Languedoc, à l'occasion de la croisade contre les Albigeois. D'un commun accord, la limite qui sépare Catalans et Français est fixée au pas de Salses, entre Narbonnais et Roussillon. Ainsi commence une situation frontalière qui va continuer avec des hauts et des bas jusqu'à la définitive annexion des futures Pyrénées-Orientales, effectuée par Mazarin, en 1659.

Durable état de choses, haché d'épisodes. En 1276, un cadet de la famille régnantc d'Aragon-Catalogne bénéficie du favoritisme de ses parents et des mesures successorales à lui destinées : tandis que l'aîné, Pierre III, garde le gros du pouvoir à Barcelone, le cadet, Jacques II, dénommé « de Majorque », reçoit pour lui et ses descendants un petit royaume « majorquin » taillé sur mesure, lequel comprend Montpellier, les Baléares, et, morceaux de roi en effet, le Roussillon, le Confient, le Vallespir, la Cerdagne, soit le quatuor décisif des territoires nord-catalans. La capitale de cet habit d'Arlequin n'est rien moins que Perpignan. L'État-croupion qui se coagule ainsi autour des vallées du Tech, du Têt et de l'Agly n'est en fait qu'un satellite de l'Aragon et se voit même gratifié par ailleurs, en 1285, d'une courte invasion française (il y en aura d'autres) effectuée sous prétexte de « croisade » contre Pierre III l'Aragonais qu'avaient frappé les foudres d'une excommunication pontificale. La fin est proche : en 1344, Jacques III de Majorque doit céder son royaume à Pierre IV d'Aragon. *Exit* la principauté majorquine ; elle fut néanmoins, en trois quarts de siècle d'existence, congruente à l'« air du temps » ; car le Bas Moyen Âge, avant l'ère définitive des grands États nationaux, demeurait fertile en indépendances régionales. Pierre IV, en « avalant » de la sorte son cousin, Jacques III, se doutait-il de ce que plus tard, à leur tour, les Castillans ne feraient qu'une bouchée de sa Catalogne, par Aragon interposé ? Digestions en chaîne... Ce sont banquets de princes !

La courte phase d'autodétermination que vécurent ensemble, de 1276 à 1344, Baléares et Roussillon, a coïncidé pourtant avec quelques belles réalisations : « bâtisse » du château, brièvement « royal », de Perpignan ; culmen démographique ponctué, certes, de crises de subsistances et de mortalités ; grand commerce, en draps et autres produits, avec l'Orient méditerranéen, l'Afrique du Nord, l'Italie, la Flandre ; démarrage manufacturier, à la fin du XIIIe siècle, en ce qui concerne la draperie perpignanaise ; activité locale des juifs prêteurs d'argent et des couvents urbains ; vie de cour bien organisée : à partir d'une microculture roussillonnaise, elle servira de modèle à l'Aragon de Pierre le Cérémonieux et, de là, à tout l'Occident (Bourgogne, France…). Oui, vraiment, il s'en passe des choses à Perpignan, de 1276 à 1344 !

À partir de 1344 et jusqu'en 1463, le Roussillon et ses satellites (Cerdagne, Vallespir) sont de nouveau soudés, vers le sud, à la Catalogne, sous contrôle de la dynastie aragonaise. L'État catalan est un archipel de villes, une fédération de communes, au sommet de laquelle les populations (comme en Pays basque) sont représentées de façon relativement « démocratique » (pour l'époque) par les Corts, assemblée globale qui consent éventuellement l'impôt au souverain. Elle se divise en trois « bras », trifonctionnalité classique : noblesse, clergé et bourgeoisie urbaine ; celle-ci se répartissant à son tour, du moins dans certaines villes, en trois mains (majeure, moyenne et mineure) ; ce trio manuel symbolise à son tour les divers étages sociaux du plus haut au plus bas, du patriciat aux « classes inférieures », entre lesquels se répartissent les familles des non-privilégiés. Quand s'éteint, en 1410 (par suite de la mort du roi Martin Ier l'Humain), la famille régnante, un nouveau souverain est choisi, à la suite d'intrigues diverses, dans la maison de Castille. La monarchie locale s'était montrée longtemps paternaliste, régnant au-dessus des Corts. Après 1410, elle tend à séparer ses destinées de celles des sujets, au point de provoquer par contrecoup d'assez graves insurrections. Les XIVe et XVe siècles, non loin du théâtre des guerres de Cent Ans qui désolent la France voisine, constituent du reste un temps d'insécurité : ainsi s'explique la construction d'assez nombreuses forteresses.

On ne saurait peindre en rose la situation du Roussillon, ni de la Catalogne, au terme du Moyen Âge : dans la longue période qui suit la peste noire (1348) et qu'accompagnent les épidémies ultérieures, le peuplement « pancatalan » baisse de 55 % (de 125 000 à 56 000 feux). L'industrie perpignanaise de la laine décline ; les fermes abandonnées, ou *mas ronecs*, se multiplient. L'or et l'argent manquent, comme dans toute l'Europe ; les pogroms flambent contre les juifs, stigmatisés en tant que boucs émissaires ; les révoltes paysannes et populaires se répètent. D'un point de vue strictement catalan, en 1462, ces révoltes tournent à la catastrophe : cette année-là, en effet, les habitants de la région de Barcelone se lancent dans l'aventure d'une guerre civile contre leur souverain Jean II, comte de Barcelone et roi d'Aragon. Celui-ci s'allie donc à Louis XI, qui devient son ultime recours contre des sujets rebelles. Jean remet à Louis, pour prix de l'alliance, « ses villes, châteaux et droits souverains en Roussillon et Cerdagne[4] ». Le rusé roi de France ne demande pas mieux que de s'emparer de la ville de Perpignan sur laquelle il estime (comme plus tard Charles VIII envers Naples) détenir des droits héréditaires du fait de sa grand-mère maternelle Violante, fille du comte-roi Jean Ier. À deux reprises, 1462-1463, puis 1472-1473, les troupes de Louis s'emparent de la ville. La seconde occupation française dure jusqu'en 1493, date à laquelle le roi Charles VIII, désireux d'avoir les mains libres en Italie, restitue le Roussillon à ses anciens propriétaires, autrement dit à la couronne catalano-aragonaise, Ferdinand et Isabelle, par ailleurs fonctionnellement liés à la Castille comme chacun sait : tous deux font donc en septembre de la même année une entrée triomphale dans Perpignan ; ces vingt années difficiles, à l'ouest des Pyrénées, sont contemporaines ou annonciatrices d'une nette poussée française vers le sud ; elle fut matérialisée, dès le milieu du XVe siècle, par l'emprise des Valois sur une partie du Pays basque ; elle est continuée ensuite un peu plus à l'est (outre la mainmise momentanée sur le Roussillon) par d'interminables guerres en Italie, de 1493 à 1559. Redevenue superpuissance européenne depuis la fin des guerres de Cent Ans, le royaume capétien exerce une pression considérable au-delà des frontières méridionales. Pression dont le point d'application change, il est vrai, selon les années ou les décennies, puisqu'il concerne tantôt les Pyrénées, tantôt les Alpes et la zone transalpine.

Le 13 septembre 1493, les Rois catholiques, Ferdinand et Isabelle, effectuent une entrée triomphale au château de Perpignan restitué par la France. Une semaine plus tard (le 21 septembre), ils expulsent de la ville tous les israélites[5], qui sont dès lors refoulés vers Naples et vers Constantinople. De toute manière, la réintégration du Roussillon dans l'espace ibérique en 1493, après deux petites décennies de francité superficielle, n'est pas un pur et simple retour à la case départ. Entre-temps, l'État espagnol, par le biais de la synthèse entre Castille et Aragon (Catalogne incluse, par conséquent), s'est fortifié, centralisé. Perpignan se subordonne désormais à Barcelone, où réside le lieutenant-général des Rois catholiques, qui le sera bientôt de Charles Quint, puis des Habsbourg de Madrid ; ce « lieutenant » fera figure de vice-roi, voire de potentat. La langue catalane perd de son prestige officiel au profit du castillan, tout comme en France, à la même époque, la langue d'oïl commence à faire pièce aux soi-disant « patois » périphériques.

Contraintes diverses : elles entraînent certaines inimitiés ; en 1629, des tendances agressives se font jour à Perpignan vis-à-vis de Barcelone. Mais c'est une simple péripétie ! Ce qui frappe, en fait, c'est la provincialisation du petit pays. Perpignan, comme Montpellier, s'était jadis comporté en grand port méditerranéen, ouvert à tous les trafics de l'Orient islamique. Or les crises de la fin du Moyen Âge ont fait tomber la population de cette ville de 18 000 habitants, en 1378 encore, à 8 000 au terme du XVe siècle [6]. Par la suite, ce chiffre ne variera guère, avec tout au plus une faible tendance à la hausse, jusque vers 1640. Le déclin sera tout juste masqué sur le tard par les brillantes festivités baroques que prodigue pendant la semaine sainte un catholicisme spectaculaire, rajeuni par la Contre-Réforme et par l'esprit tridentin. Perpignan, bouclé dans ses remparts, fonctionne comme un boulevard de l'Espagne, comme une clef de la péninsule, ce qui lui vaut, entre 1496 et 1600 (notamment en 1496, 1502, 1542, 1597), d'être attaqué à diverses reprises par les remuantes armées françaises.

*

Suivent (après 1597) quatre décennies pacifiques, illuminées dès leurs commencements par la visite du voyageur bâlois Thomas Platter, en 1599, dont les impressions roussillonnaises ne sont pas dénuées d'intérêt. La Catalogne (du Nord), ce sera d'abord pour lui l'escale perpignanaise, à partir d'une frontière fortifiée de part et d'autre, côté français, côté ibérique. Une mule, complaisamment prêtée par un Languedocien cordial, diminue pour une part la fatigue du voyage. Partout, le long de la route, des rochers, des broussailles, des canons, des forteresses ; c'est Leucate, côté français ; et Salses, en bordure espagnole. Partout « ça sent la guerre », même finie depuis peu.

Au cours d'un premier entretien avec les gardes-frontières espagnols, Platter se fait passer pour un exportateur, originaire de Languedoc, et désireux de prospecter le marché catalan pour voir s'il est possible d'y vendre du grain et du vin. Ce mensonge passe « comme une lettre à la poste », ce qui prouve que le Bâlois, après plusieurs années de séjour en *Romania*, parle maintenant un dialecte languedocien assez pur et sans accent germanique bien marqué ; sinon, la fine oreille catalane (ou castillane) des sentinelles, parfaitement habituée au « contact » occitan/catalan, n'aurait pas manqué de repérer le fabulateur. Mais précisément ce contact occitan/catalan n'est point ou pas encore significatif d'une communauté, encore moins d'une *koiné*, contrairement à ce que nous pourrions imaginer en l'an 2000, férus que nous sommes de la fraternité linguistique qui unit en effet de nos jours les militants catalanistes et occitanistes des deux bords. En 1599, les langages étaient certes assez proches ou très proches les uns des autres ; mais les limites nationales qui s'interposaient entre Leucate et Perpignan formaient une véritable frontière, à bien des points de vue. Elle avait tôt fait de différencier le Languedoc d'avec le Roussillon, hispano-catalan à part entière. La communauté des diverses langues romanes, entre les deux « provinces » d'oc et de Catalogne, n'était pas synonyme d'unité.

Platter arrive à Perpignan le 21 janvier 1599. Les militaires français à diverses reprises avaient tenté, en vain disions-nous, d'occuper cette ville, et les tentatives d'agression d'Henri IV, de ce point de vue, n'ont pas été plus heureuses… Le climat de Perpignan est doux, les fenêtres n'ont pas de vitres, les orangers poussent dans les caniveaux. Productrice d'agrumes, la capitale du Roussillon est aussi un centre financier : près du marché aux poissons, Platter s'en va retrouver son commerçant-banquier, pour y négocier une lettre de change. L'étudiant, au fil des rues, est sidéré par les « fraises » des hommes très « collet monté », par leurs petits chapeaux, et par les robes immenses des dames ; elles annoncent Velazquez, avant la lettre. Le Languedoc, par comparaison, semble enfoncé dans un provincialisme vestimentaire. Quant aux différences linguistiques entre catalan et castillan, elles sont d'entrée de jeu modestes, mais pas inexistantes quand même, au gré du Bâlois qui, là comme ailleurs, se veut volontiers polyglotte et, somme toute, bon connaisseur des langues romanes.

Sur le chemin qui mène de Perpignan à Barcelone, Thomas et ses compagnons (leur effectif varie d'un segment de route au suivant) découvrent les joies de l'auberge espagnole : la nourriture y est nulle, c'est le cas de le dire, et le plus simple est d'apporter son manger avec soi ; ou bien de l'acheter dans les boutiques voisines, si elles existent. Le duc de Saint-Simon, plus « péjoratif » encore que Platter, parlera à son tour de « ces hôtelleries d'Espagne [...] ; on vous y indique seulement où se vend [ailleurs] chaque chose dont on a besoin. La viande est ordinairement vivante ; le vin épais, plat et violent ; le pain se colle à la muraille ; l'eau souvent ne vaut rien ».

Franchissement des Pyrénées ; l'étymologie « plattérienne » de ce nom de montagne est fantaisiste. Notre auteur évoque à ce propos le mot grec πυρ (*pur* ou *pyr*), qui veut dire « feu ». Un incendie provoqué par des pâtres aurait propagé les flammes dans toute cette chaîne montagneuse. D'où un écoulement de flots d'argent fondu qui descendaient des cols comme une rivière, en provenance des minerais métalliques que contenait le massif pyrénéen. Les indigènes se seraient alors enrichis d'une façon mirifique, mais seulement à court terme. Folklorique ou farfelue, la digression « pyrénéenne-incendiaire » ainsi proposée (24 janvier 1599) se termine, comme presque tous les soirs, à l'auberge. L'hôtellerie en question est tenue par une famille élargie, ou plutôt verticalement allongée vers le haut, typique des populations de la Méditerranée de ce temps, qu'elle soit ibérique ou balkanique : le personnel de l'établissement se compose en effet du grand-père, du père et du fils, flanqués de leurs épouses et enfants respectifs. L'inconfort du couchage n'en est pas moins désastreux.

Le jour suivant (25 janvier), au petit matin, départ à la lumière des torches. En cours de route, Thomas procède à des emplettes alimentaires. C'est l'occasion pour lui de prononcer quelques bonnes paroles, dans son texte, en faveur de l'économie dirigée qui, à l'en croire, caractérisait l'Espagne de la fin du XVIe siècle : les prix de la nourriture, dit-il, sont fixés par les autorités et cette réglementation paraît strictement observée, appliquée… Dans un ordre d'idées fort différent, à Gérone, ville catalane visitée en passant, un extraordinaire autel baroque – or et pierres précieuses – fascine le rédacteur de la *Description du voyage*. Le périple continue cependant au travers d'une longue avenue de potences : elles témoignent des appréhensions et de la volonté répressive qui émanent des pouvoirs locaux. Vient ensuite le passage en forêt, infestée de brigands, si du moins l'on se fie aux détails donnés par notre homme, amateur de suspense à ses moments perdus. Cette évocation d'un brigandage en forêt (avorté) paraît presque unique dans le long récit de Thomas Platter. Il n'y a donc pas de raison pour en suspecter la sincérité ; les données (braudéliennes) dont on dispose sur les ravages des « bandouliers » aux frontières pyrénéennes, nord et sud, confirment de toute façon que l'insécurité faisait problème dans cette région. Les craintes de Thomas, en cette soirée du 26 janvier, n'étaient pas dénuées de fondement.

Le 27 janvier 1599, de l'Hostalrich à la Battloria, ce ne sont toujours que potences, sinistrement chargées de matériel humain. Les vignes du cru, elles, s'accrochent à des échalas en bois de peuplier ; Thomas note la différence d'avec le Languedoc où le vignoble est toujours en état de reptation, ventre à terre, sans poteaux porteurs.

*

Les fastes de la paix catalane, ainsi évoquée par un Bâlois, sur le mode baroque, ne seront pourtant que de moyenne durée, « interdécennales », comme eût dit Ernest Labrousse. Au terme d'une quarantaine d'années en effet, après le passage du jeune Helvète, vieilli entre-temps puis décédé en son Alémanie natale, le temple de la guerre est derechef ouvert, sur la frontière pyrénéenne.

En 1640, la révolte des Catalans, annonciatrice d'un cycle de révolutions européennes (Fronde à Paris, mouvements d'Angleterre, de Naples, du Portugal, etc.), donne à Louis XIII et à Richelieu l'occasion d'intervenir ; ils peuvent ainsi s'affirmer comme les soutiens et protecteurs de la Catalogne, contre le centralisme madrilène et castillan du comte-duc Olivarès. Perpignan, tenu par une garnison d'Espagne, est assiégé et enlevé en 1642, après un siège extrêmement rude auquel procède l'armée française du cardinal. Simple résurgence de l'intervention précédente (celle de Louis XI), qui, elle aussi, avait joué habilement de l'hostilité catalane au roi d'Aragon… Mais, cette fois, la présence française en Roussillon prend un caractère définitif. Elle deviendra légitime, *a posteriori*, en 1659, de par le traité des Pyrénées, chef-d'œuvre de la diplomatie mazarine.

Le rattachement à l'État louis-quatorzien pose quelques problèmes de délimitation frontalière ; ils sont résolus, à multiples reprises, pour l'avantage des acquéreurs français, dont les agents montrèrent leur fermeté lors des négociations préalables. Les délégués de Philippe IV, eux, s'avéraient plus flexibles. Quelques petites enclaves, néanmoins, à l'exemple de la bourgade ou « ville » de Llivia, demeurent espagnoles, bien que situées à l'intérieur du territoire devenu français. En tout état de cause, elles sont proches des nouvelles bordures. Un modeste transfert de population, dans les deux sens, et qui ne dépasse pas 2 000 personnes, accompagne ces changements : certains Catalans anti-Habsbourg émigrent au nord de la frontière pyrénéenne ; quelques Roussillonnais promadrilènes effectuent le trajet inverse. Le Roussillon forme désormais une province, régie à la française par un gouverneur, né de grande famille, et qui ne réside point ; il se préoccupe surtout de hanter les antichambres et les couloirs de Versailles. Ce gouverneur, en l'occurrence, est un membre du lignage des ducs de Noailles. Quand il est absent, c'est-à-dire presque toujours, un lieutenant-général ou commandant en chef de la province exerce les pouvoirs militaires : ils ne sont pas négligeables en cette zone-tampon ; ils confèrent à leur détenteur le droit d'intervenir en divers domaines de la vie provinciale. La fonction comporte un aspect mondain : le comte de Mailly, commandant en chef pendant la seconde moitié du XVIIIe siècle, se présente à Perpignan, de façon presque continue, comme l'arbitre des élégances et le propagateur des modes septentrionales auprès des élites du pays. Les airs glorieux qu'il croit bon d'afficher de temps à autre ne diminuent en rien cette influence dont je ne pense pas qu'on puisse dire qu'elle fut en tout point maléfique. Face au gouverneur et au lieutenant général, l'intendant se charge, en principe, des tâches administratives et de la fiscalité : à la différence du

Languedoc, et plus tard de la Corse, le pouvoir français n'envisage nullement, pour le Roussillon, que des états provinciaux prennent en main la perception des taxes, destinées au Louvre ou à Versailles : l'intendant contrôle directement, ou d'assez près, le flux de la « pécune ». Des finances des princes, on passe cependant à la richesse d'une région : Raymond de Saint-Sauveur, investi de l'intendance à l'époque de Mailly, fait montre, comme la plupart de ses collègues, de préoccupations utiles ; il s'intéresse à l'urbanisme, à l'alignement des rues perpignanaises, en accord avec l'ingénieur en chef des Ponts et Chaussées.

Lors du siècle antérieur, en 1660, année du mariage royal, Louis XIV était de passage en Roussillon : allait-il mettre en place un parlement nord-catalan ? En fait, il préféra instaurer un simple *Conseil* souverain, cour d'appel régionale qui forme la plus haute instance judiciaire de la province ; compétente pour les crimes graves (et surtout ceux de lèse-majesté) ; également responsable quant à l'enregistrement des édits royaux [7].

Le monarque nomme les nouveaux « conseillers » qui ne sont point, à la différence des autres parlementaires français, possesseurs de leur charge (il serait intéressant de comparer cet organisme au parlement de Metz, instance périphérique que le pouvoir central a créée elle aussi de toutes pièces pour des fins bien précises). Le Roi-Soleil peuple le conseil souverain de Sud-Catalans profrançais, exilés de l'aire barcelonaise [8]. La jurisprudence en vigueur, de la part de cette haute cour, repose sur les « usatges » locaux, épicés de législation capétienne. La centralisation est donc loin d'être totale. Cependant, les Corts (sous forme d'assemblées), qui, dans le principe, représenteraient la population, ne sont plus qu'un souvenir ; on n'envisage même pas de ressusciter leur fantôme. Charles VIII, dont la royauté était essentiellement régulatrice, plutôt qu'absolue, avait témoigné un certain respect pour les privilèges municipaux de Perpignan. Louis XIV et les siens, qui règnent avec davantage d'autorité, se font interventionnistes à l'endroit de l'hôtel de ville : le système du tirage au sort des édiles à partir d'un sac (insaculation) est certes maintenu ; mais la désignation finale de l'« heureux élu » appartient à l'intendant, agent du monarque. Cela n'empêche point la bourgeoisie perpignanaise de survivre en assez bonne condition. Puisque aussi bien une partie de la vieille noblesse locale, antifrançaise, a déménagé vers la Catalogne d'Espagne, au début des années 1660. De ce fait, les bourgeois huppés du chef-lieu de Roussillon, déjà nantis d'une qualité d'honneur, peuvent combler le vide ; ils « grimpent » dorénavant, pendant le dernier siècle de l'Ancien Régime, jusqu'au niveau nobiliaire. De manière corrélative, ils réunissent à leurs biens fonciers les terres soumises à culture intensive et jardinatoire qui avoisinent la cité.

En fin de compte, l'offensive centralisante ou francisante a été poussée assez loin sans que les résultats soient toujours à la hauteur des vouloirs ou des velléités de l'administration. Louis XIV s'est préoccupé de mettre en place des moines, des nonnes, des évêques qui fussent français ou, du moins, fidèles au royaume, comme à l'Église nationale, autrement dit gallicane. Ceci afin de mieux tenir en main les couvents innombrables et la plèbe catalanophone des curés de village. D'où des conflits avec le clergé autochtone. Traditionnellement « tridentin et ultramontain », celui-ci est *a priori* hostile au gallicanisme antipapal que pratique volontiers le monarque de Versailles. L'Inquisition, à tout le moins, est *de facto* vidée de sa substance par le pouvoir français ; nul ne s'en plaindra ! Les antagonismes ethniques au sein du clergé sont longs à disparaître : en 1711 encore, un moine français, mal reçu par ses confrères bénédictins de Saint-Genis, signale expressément à l'intendant « l'antipathie catalane contre les religieux venus du Nord » [9].

Les autorités centrales, Le Tellier et Louvois en tête, veulent aussi, selon les normes de l'esprit classique, limiter les débordements de la licence carnavalesque et de l'exhibition baroque, spécialement développées en Roussillon pendant les fêtes de la semaine sainte. On tâche de remplacer la dévotion à saint Georges, patron de la Catalogne [10], par la fête dynastique de saint Louis, roi de France : substitution vouée à l'échec.

En fait de langage, on note quelques expériences précoces ; elles ont tout au plus valeur de symbole : en 1676, le carême, à la collégiale Saint-Jean-de-Perpignan, est prêché pour la première fois en français. La même année, un avocat francophone crée la surprise en s'exprimant dans cette langue au Conseil souverain. Ces deux épisodes n'obtiennent qu'un succès de curiosité.

En réalité, seule l'action persistante du collège et de la Compagnie de Jésus parvient à entamer quelque peu, au niveau des élites, les bastions de la catalanité. Les jésuites, dès 1690, forment de nouvelles générations de jeunes bourgeois, qui connaissent bien le français. Les mentions obtenues par les auditeurs du cours donné en cette langue sont encore négatives pendant les années 1660, médiocres vers 1670, passables autour de 1680 ; on arrive ensuite au « bien » et au « très bien » à partir de 1690. L'escalade vers les sommets de la félicitation est parlante.

Ajoutons que l'anticalvinisme militant des clergés locaux, d'abord effarouchés par la présence de nombreux huguenots dans l'armée royale, ne peut que s'affirmer en pleine harmonie avec la révocation de l'édit de Nantes (1685). Y a-t-il là un facteur de rapprochement entre le Roussillon et la France ?

Le XVIIIe siècle se situe, pour la culture et le langage, sous le signe d'une coexistence pacifique avec l'Espagne, qui ne peut qu'avantager, au flanc des Pyrénées, la monarchie « ludovicienne ». Le parler catalan (proche du languedocien-narbonnais, en fait, dans le Roussillon) reste d'usage commun au sein du peuple et probablement aussi parmi les classes moyennes, pour les besoins de la vie courante. En revanche, les étages supérieurs de la société sont assez puissamment investis par la langue française, puisque l'unique solution de rechange consisterait à utiliser le castillan, autre langage universel ; or il se trouve que celui-ci, pour des raisons historiques qui tiennent aux motivations régionales, est assez mal vu des Roussillonnais. Le parler catalan, quelque peu provincialisé, marginalisé, gît « entre deux chaises », castillane et française. La seconde présente des attraits certains pour les candidats aux promotions sociales.

Le basculement vers la langue d'oïl à niveau supérieur s'accompagne de la mise en place d'un certain nombre d'associations : les loges maçonniques apparaissent en milieu perpignanais, au niveau des groupes dirigeants, à partir de 1745. Les officiers de la garnison, en général des horsains venus du nord, ont lancé cette mode ; les sommités de la bourgeoisie locale reprennent le flambeau. Un couple de loges, en 1784, s'affuble des appellations d'« Égalité » et de « Sociabilité ». Les participants de l'une et de l'autre se montreront accueillants quelques années plus tard pour l'esprit révolutionnaire.

La francité et ce qui l'environne, tant en matière politique qu'artisti-que, s'inscrivent aussi dans l'architecture. L'édification de nom-breux couvents avait accompagné, au nord-est des Pyrénées, les deux dernières générations de la dominance madrilène, avant 1659. La période française voit la reconstruction de l'hôtel de ville en 1679 ; l'hôpital général est créé en 1686, le théâtre à partir de 1751, l'uni-versité depuis 1760. En plus de l'hôpital, un dépôt de mendicité, une maison de filles repenties (prostituées ou ex-prostituées) complètent ce panorama classique des « implants » caritatifs et immobiliers du dernier siècle de l'absolutisme. Vauban et ses successeurs refont les remparts de Perpignan, bâtissent la forteresse de Mont-louis, établis-sent le nouveau havre de Port-Vendres. À partir de 1705, de bonnes relations s'établissent avec l'Espagne, que dirige dorénavant Phi-lippe V, petit-fils de Louis XIV, et fondateur d'une durable dynastie des Bourbons de Madrid. Malgré quelques nuages passagers sous Philippe d'Orléans, l'amitié transpyrénéenne tend à diminuer l'importance des fortifications frontalières. Le nouveau cousinage entre les rois bourbons d'Espagne et de France permet d'enterrer la hache de guerre et facilite l'intégration pacifique du Roussillon au royaume septentrional, sur la base du « pacte de famille ». C'est l'une des retombées positives, à long terme, de la guerre de succes-sion d'Espagne, par ailleurs si lourde aux contribuables.

Le bien-être, lui aussi, peut détendre certaines situations. À ce propos, on dispose de quelques indices suggestifs. Ils concernent d'abord la population : dans le comté roussillonnais proprement dit, elle était tombée assez bas en 1553, avec 3 725 feux [11]. Or, vers 1728, elle est déjà à 7 837 feux, puis 8 705 en 1740, et 12 000 feux à l'extrême fin du XVIIIe siècle, en 1798-1799. Vauban, au déclin du règne de Louis XIV, s'était soigneusement informé grâce à de savantes enquêtes menées sur place ; il présentait alors le Roussillon comme un petit pays infertile et mal peuplé. Le tableau que propose Arthur Young à la veille de la Révolution est différent : à tort ou à raison, il décrit ce pays comme plus développé encore que la Cata-logne voisine : il y aperçoit des ponts, des routes splendides, une agriculture intensive, arrosée, pratiquement sans jachère. De fait, un vignoble spéculatif et de haute qualité (Grenache, Rivesaltes) s'est accru lors de la phase d'essor qui coïncide avec le temps des

Lumières. Il convient bien sûr de nuancer les vues, parfois super-ficielles, d'Arthur Young. Mais les faits de base demeurent établis : la zone roussillonnaise a connu, dès cette période, un début de diversification agricole à caractère commercial. L'expansion éco-nomique qui intervient de la sorte n'est point indigne de celle qu'on enregistre simultanément à l'époque de Louis XV, de Louis XVI ou de Charles III, aux environs de Barcelone, Narbonne, Montpel-lier, Nîmes ou Toulouse ; bref ; dans l'ensemble des régions cir-convoisines, qu'elles soient d'obédience ibérique ou française. Les deux royaumes des Bourbons, à ce point de vue, forment un tout économique autant qu'un ensemble lignager. Les bienfaits de l'essor[12] sont assez généralement (mais non équitablement) répartis, même si « la marée soulève tous les bateaux » (Pierre Vilar). Le peu-ple roussillonnais n'est pas trop mal nourri, à cinq ou six petits repas par jour. Au niveau du prolétariat rustique, si nombreux dans les pays méditerranéens, subsiste en permanence une considérable dose de pauvreté, sinon de misère, jusqu'à la veille de l'écroulement du sys-tème royal. Mais, au point de vue du rattachement ou de l'attache-ment au royaume, ce qui compte, en définitive, c'est le consensus actif ou passif, issu d'une relative prospérité ; il émane des groupes dirigeants, supérieurs ou moyens : agriculteurs, notables, maîtres artisans, paysans propriétaires, exploitants familiaux de quelque importance à l'échelle des villes et des villages roussillonnais.

Par ailleurs, la bourgeoisie perpignanaise n'eut guère à souffrir des confiscations terriennes éventuellement promulguées par le conquérant venu du nord. Celles-ci eurent lieu à quelques reprises, en effet. Même cruelles et injustes, elles n'affectèrent qu'un faible pourcentage des superficies utiles de la contrée, et n'empêchèrent nullement les rassembleurs de terres en provenance de l'élite cita-dine locale de s'emparer des vignes et des champs dans un assez large rayon autour du chef-lieu. Ainsi a pu se manifester une com-plicité de fait entre les bourgeois du cru et les administrateurs venus de Paris ou de Versailles : en l'occurrence, ceux-ci prenaient soin de laisser la bride sur le cou à ceux-là, pour qui la possession de la terre comptait en toute certitude autant et plus que la défense d'un parler local, du reste plus vivant que jamais dans les profon-deurs du peuple de céans.

S'agissant de la question d'appartenance à telle ou telle nation ou royaume, le Roussillon, le Vallespir, le Confient fournissent un modèle pour ainsi dire expérimental de la façon dont peut se comporter vis-à-vis des pouvoirs annexionnistes une province récemment réunie. Un bref retour en arrière permettra de ce point de vue d'apprécier certaines évolutions psychologiques. Rappelons d'abord, comme le faisait volontiers Joseph Calmette, que Louis XIII a conquis le Roussillon[13], non pas sur ses habitants, mais sur les Espagnols. Le point n'est pas à négliger. Cela étant, la première génération « pyrénéenne-orientale » ou nord-catalane, au cours des années et décennies qui suivent immédiatement le traité des Pyrénées (1659), se livre à certaines actions de résistance, ou du moins de guérilla antifrançaise ou disons anticentraliste : l'instauration des gabelles du sel, localement abolies depuis 1283, et rétablies, malgré les promesses contraires, en 1661, fournit en effet à l'agitation fiscalophobe, sinon francophobe, des motifs considérables. De 1663 à 1672, les faux sauniers, qu'on appellera bientôt les « angelets », en Vallespir, puis en Confient, mènent une lutte armée des plus rudes contre la gabelle que les agents du Roi-Soleil ont introduite dans la région en 1661. Des prêtres du pays, des consuls, des municipalités, des notables petits et grands sont partie prenante à la révolte, en compagnie d'individus assez nombreux qui viennent plutôt des classes « inférieures ». Le mouvement entraîne quelques escarmouches assez violentes ; il trouve une base arrière en territoire espagnol. L'amnistie royale, à partir de 1673, met fin aux combats, mais non à la contrebande du sel ; elle durera, comme en Armorique et ailleurs, jusqu'à la Révolution française.

La lutte quasi insurrectionnelle des faux sauniers contre les gabelous se juxtapose graduellement à des complots de nature plus politique ; ceux-ci interviennent d'abord en 1667 à Saint-Genis-des-Fontaines, du fait de l'abbé castillan du monastère local ; puis, en 1674-1675, ils mijotent, à Villefranche-de-Conflent, dans une région qu'avait remuée déjà la révolte des angelets ; ensuite à Perpignan, qui n'avait guère bougé jusqu'alors ; et enfin, quatrième exemple, à Palalda, non loin de Fort-les-Bains, qu'il est question, en 1675, de livrer aux Espagnols, lesquels, bien sûr, ne demandent pas mieux. Parmi les conjurés, en diverses phases, on trouve, une fois de plus, des paysans aisés, des notables, des ecclésiastiques, des avocats, un gentilhomme, un notaire, un ancien soldat, un maître cordonnier, une femme… L'Espagne, alors en guerre contre la France, soutient assez ouvertement les conspirations. L'ensemble du phénomène atteste de la persistance d'un vigoureux sentiment anti-français pour l'espace au moins d'une génération, sinon de plusieurs.

Le temps des antagonismes purs et durs est pourtant limité. La génération bourgeoise qui vient aux affaires (locales) après 1690 est en effet d'une autre trempe et d'une autre mentalité que celle de ses prédécesseurs. La paix presque définitive avec l'Espagne va bientôt s'établir ; elle tarira la source des complots dont les ficelles étaient tirées de Barcelone ou de Madrid. Et puis l'élite régionale a choisi son camp. On compte encore en Roussillon nombre de fortes têtes que les intendants et leurs subordonnés qualifient, d'un terme courant à l'époque, de « républicains », mot qui veut simple-ment dire ici contestataires. Mais l'incorporation, à défaut d'assi-milation véritable, est en marche. Les notabilités ne se plaignent pas désormais, ou pas trop, de la situation qui leur est faite. Prati-quant un bilinguisme sans complexes, elles utilisent la langue fran-çaise dans leurs contacts avec les autorités en place et parlent catalan avec les domestiques ou les fermiers dans le tête-à-tête de l'exis-tence privative. Les groupes semi-privilégiés jouent de la sorte un rôle d'intermédiaires, qui n'est ni sans profit ni sans plaisir. Il est agréable de parler deux langues, celle du peuple et celle du pouvoir. Présence et culture françaises sont maintenant admises, nécessaire-ment acceptées, intégrées, quelquefois aimées par de petites mino-rités intellectuelles que séduisent les prestiges de la culture domi-nante. Le loyalisme vis-à-vis du monarque compte autant que les ouvertures vis-à-vis du langage d'oïl. À défaut de pratiquer celui-ci, on peut toujours se contenter de révérer Sa Majesté ou de lui mar-quer, à deux cents lieues de Paris, le minimum de déférence indis-pensable. Les fêtes rituelles en l'honneur des Bourbons de Ver-sailles, les feux d'artifice et les cérémonies qui saluent les deuils, mariages et naissances survenus en famille royale ont remplacé les festivités homologues dont s'honoraient jadis les faits saillants de la vie et de la mort des Habsbourg, au temps où ceux-ci, par gou-verneur interposé, dominaient encore à Perpignan. Résignation au nouveau maître, acceptation tantôt fataliste et tantôt joyeuse des avantages incontestables que procure la paix française [14] se combinent pour atténuer progressivement une certaine nostalgie catalane, ou pour la rendre moins douloureuse ; celle-ci reste néanmoins vivace au niveau d'une réelle conscience de l'identité en région : traiter un Roussillonnais de Français sous l'Ancien Régime, c'est l'insulter dans sa qualité d'homme et dans son orgueil. Cela n'empêche pas de nombreux autochtones d'aller se faire tuer dans les armées du roi très chrétien. Prises en bloc, les résistances nord-catalanes au pouvoir de Versailles, si sanglantes qu'elles aient été parfois, sont peu de chose [15], comparées à la guerre civile que menèrent les protestants des Cévennes contre l'intolérance louis-quatorzienne ; pour ne point parler des sanglantes guerres de Vendée, qui sont encore à venir. Les motivations périphériques, même parfaitement respectables, n'arrivent pas à la cheville de l'indomptable vigueur qu'inspire la passion religieuse, idéologique... ou paysanne.

L'intéressant témoin d'une certaine entrée du Roussillon dans l'ensemble français est peut-être à chercher du côté de l'éblouissante carrière, certes atypique, du peintre Hyacinthe Rigaud. Né à Perpignan en 1659, l'année même du rattachement de la province au royaume, Rigau, dont le nom s'adornera d'un *d* terminal aux fins de francisation, sort d'une famille d'artistes professionnels et de producteurs de retables. Il monte jeune à Paris, obtient le prix de l'Académie royale en 1682 et le prix de Rome en 1685 ; il entre à l'Académie de peinture en 1700. Il produit d'éclatants portraits : Louis XIV, bien sûr, mais aussi Corneille, La Fontaine, la Grande Mademoiselle, Bossuet, Boileau ; plus tard, Louis XV et le cardinal Fleury. Rigaud demeure pourtant fidèle à ses origines méridionales, à en juger par la belle et touchante figuration qu'il donne de sa vieille mère catalane.

Si prestigieux soit-il, nord-catalan ou français tout court, l'Ancien Régime ne survivra qu'un demi-siècle à peine au décès de Hyacinthe Rigaud, qui en fut le peintre quasi officiel. Chant du cygne ? On nous permettra, à nous aussi, mais dans un tout autre registre, point directement pictural, de jeter un dernier regard sur la vie quotidienne de ce vieux Régime conclusif, et plus précisément sur la vie matérielle, qui du reste survivra, comme telle, pendant plusieurs générations, pendant et après les années révolutionnaires.

Mme Alice Marcet, l'excellente historienne de la Catalogne du Nord, nous a donné, à tel propos, de précieuses indications : la ration de vin est abondante vers 1780 et pour cause en ce pays de vignobles, à raison d'un litre de « rouge » par jour et par personne, y compris parmi les classes pauvres et les travailleurs de force. L'huile d'olive est comme on sait l'une des composantes essentielles du « régime crétois », lequel assurera, de nos jours, un certain allongement de la vie humaine en diverses régions du Sud de la France et des pays méditerranéens (dont la Crète, bien entendu !). L'huile d'olive était effectivement présente à dose fort convenable, en cuisine roussillonnaise et par exemple pour la fabrication des beignets, bunyetes ou bugnols. L'ollada, lourde soupe, pouvait constituer l'essentiel ou même l'unicité d'un repas. Elle combinait la « verdure » et les graines, le saindoux rance et, de plus en plus, à la fin du XVIIIᵉ siècle, les pommes de terre. La viande, peu abondante, était bœuf et mouton, pour les citadins ; mais chèvre et bouc châtré (festif) à l'usage du monde paysan. Aux jours de maigre (Vendredis, Carême…), les barils de salaisons à base d'anchois et de sardines, pêchées dans la mer proche, assuraient l'ordinaire de qui pouvait se les offrir, cependant que le jeune clergé perpignanais « se régalait », selon l'expression courante dans le Midi, des anguilles que fournissaient les étangs littoraux. La morue, dont les arrivages, en provenance de Terre-Neuve, augmentent au fil des décennies des règnes de Louis XV et Louis XVI, a-t-elle contribué à réduire, là comme ailleurs, l'incidence du goitre, fléau des populations[16] montagnardes tant alpines que pyrénéennes ?

La Révolution française, en des secteurs plus « superstructurels », change bien des choses : truisme ! Pour la première fois, les populations roussillonnaises (ou du moins leurs détachements actifs) sont politiquement mobilisées. Contre le fisc ci-devant royal, bien sûr ; mais aussi, plus largement, contre divers aspects du système souverain, une certaine logique « démocratique » est maintenant à l'œuvre. En décembre 1790, les « patriotes » prennent le pouvoir à Perpignan. En septembre 1792, les élections à la Convention font apparaître un girondinisme, puis un jacobinisme local. La guerre avec l'Espagne simultanément exacerbe ou même produit de toutes pièces, dans le nouveau département des Pyrénées-Orientales, un patriotisme français, qui, au cours des générations précédentes, n'allait pas de soi. Des militants régionaux comme Lucia, girondin, et surtout Cassanyes, montagnard, animent pour le compte de Paris la résistance, âpre et finalement victorieuse (septembre 1793), contre l'invasion espagnole. Au sud, la petite région montueuse du Vallespir forme une « Vendée » ; les résistances paysannes et catholiques aux jacobins s'y appuient carrément sur le soutien ibérique. L'époque thermidorienne et directoriale induit ensuite dans toute la région un retour au modérantisme, à la manière des ci-devant Girondins. Mais l'emprise des six années cruciales (1789-1794) reste ineffaçable : le Roussillon s'implique en profondeur dans le destin national. Non sans contradictions !

Le bouleversement révolutionnaire s'est soldé par une émigration massive ; elle intéresse les neuf dixièmes du clergé et 3,4 % de la population globale, car l'Espagne est proche. Assombries par des guerres trop fréquentes, qui paralysent en général toute croissance soutenue de l'économie, les années impériales sont pourtant contemporaines d'une certaine prospérité perpignanaise, peut-être artificielle ; on la doit surtout aux passages de troupes vers la péninsule ibérique ; elles dépensent en ville d'importantes sommes d'argent. Perpignan est l'une des rares cités françaises dont la population se serait accrue sous Napoléon Ier. Dans le chef-lieu régional, ainsi qu'à Paris, Narbonne et Barcelone, la famille négociante des Durand fait fortune grâce à de fructueuses affaires liées au ravitaillement des armées napoléoniennes pendant la guerre d'Espagne. La langue française connaît quelques progrès supplémentaires dans les groupes encore peu étoffés de « professionnels » du chef-lieu (avocats, médecins, officiers de l'armée), notamment grâce aux entreprises pédagogiques du chanoine Jaubert, devenu principal du collège municipal. « Marchand de soupe », peut-être, mais enseignant remarquable, il forme, à l'usage du pays et d'une élitiste émigration vers le nord, les jeunes hommes instruits, par centaines. Au total, l'étonnant quart de siècle qui va de la réunion des États généraux à la débandade consécutive aux Cent Jours unit la bourgeoisie et la paysannerie catalanes des Pyrénées-Orientales à la nation française par des liens politiques qui vont s'avérer solides.

Au lendemain des susdits Cent Jours, lors de la Restauration, Perpignan demeure ou redevient pour quelque temps encore une ville d'Ancien Régime. Elle est dirigée (au spirituel) par Mgr de Belcastel, ancien émigré qui n'a rien appris ni rien oublié ; elle est menée (au temporel) par Castellane, gouverneur militaire, qui remplit à peu près le rôle régimentaire et mondain qu'occupait Mailly au XVIIIe siècle. La Terreur blanche est moins sanguinaire qu'en Languedoc ; elle est cependant assez vexatoire pour les lignages qui s'étaient compromis dans la Révolution, parmi lesquels ceux d'Arago et de Cassanyes. Les aristocrates étaient proespagnols en 1793 ; mais ils acceptent sans faille le loyalisme français à partir de 1815. Au surplus, l'Espagne castillane admet fort bien que sa frontière naturelle soit aux Pyrénées ; même si, pour beaucoup de Catalans, l'ethnie s'étend aux deux pentes de la montagne. Face aux tentatives éventuelles d'un transfert de souveraineté, la permanence du pouvoir français ne fait pas problème : un Delon, secrétaire de la préfecture depuis le Consulat, assurera encore la transition administrative à Perpignan, l'année 1830, quand on passera de Charles X à Louis-Philippe !

La destinée roussillonnaise, au fur et à mesure qu'avance le XIXe siècle, implique une triple vocation. Celle-ci est d'abord viticole-horticole, puis ferroviaire ; deuxièmement, elle est républicaine, en attendant de se faire socialiste ; pour finir, elle se veut régionaliste, ou du moins « gallo-catalane », selon l'expression de Joseph Calmette. La poussée viticole était sensible dès les années 1820-1840 sur la base d'un système démographique qui conservait pour une ou deux générations les traits d'une natalité forte. L'essor de la vigne s'accélère encore avec l'implantation du premier chemin de fer, au terminus de la ligne Paris-Lyon-Béziers-Narbonne ; à partir de 1858, la connexion ferroviaire est établie avec Perpignan ; en 1867, avec Port-Vendres ; en 1868, avec Cerbère-Port-Bou et la frontière espagnole. L'horticulture, vieille pratique locale, devient conquérante, quand fruits et légumes, sans défraîchir, peuvent prendre le train pour Paris. Le vignoble, néanmoins, reste à la pointe des richesses locales ; il descend dans la plaine ; la production de vin, désormais branchée sur les vastes marchés du Nord, va sextupler de 1865 à 1904.

Avant même ce développement triomphal, et dès le second tiers du XIXe siècle, l'esprit républicain se répand parmi les vignerons, volontiers anticléricaux. Ils donnent leurs votes en mainte occasion au parti rouge et se détournent du conservatisme traditionnel des paysans céréaliers et des grands propriétaires ex-seigneuriaux. La ville n'est pas en reste ; le quinquennat 1830-1834 coïncide, à Perpignan, avec la naissance d'une active agitation démocratique. Au cours des années suivantes, la famille Arago, qui n'est pas venue d'entrée de jeu aux croyances républicaines, fait s'épanouir au chef-lieu et dans les trois arrondissements des Pyrénées-Orientales (ou « P.-O. ») les audaces d'un antiroyalisme vigoureux, capable pourtant d'être flexible. François Arago (1786-1853), savant fort distingué, incarne le type même du « grand bourgeois de province, élu naturel de son pays » (Maurice Agulhon). Il est par excellence et par prémonition l'intégrateur de sa région à la République et par-delà celle-ci à l'Hexagone. En 1846, les partisans d'Arago créent contre la préfecture louis-philipparde le journal *L'Indépendant* ; ils s'allient, pour ce faire, au légitimisme ; les élections de 1846 portent donc Arago à la députation ; l'équipe libérale qui dirige le nouvel organe de presse va s'emparer du pouvoir dans le département, lors de la révolution de 1848. La république est fondée à Paris, mais aussi dans les P.-O. ! Elle s'y appuie sur le réseau des clubs fraîchement pondus, et sur des bases solides dans le milieu agraire. La nouvelle lutte électorale va se circonscrire, fait significatif, entre le banquier Justin Durand, qui incarne les partis de droite, et François Arago, qui sera le vainqueur du tournoi. La répression bonapartiste, après le coup d'État de 1851, frappe de nombreux démocrates dans la plaine maraîchère et viticole. Leurs émules reprennent aisément le pouvoir en septembre 1870, quand est fondée de nouveau la république.

La région bascule de manière définitive hors du camp monarchiste après le conflit franco-prussien. Quelques dates jalonnent ce virage au rouge ; et d'abord la Commune, avortée certes, de Perpignan, en mars 1871 ; ensuite, l'inauguration dans la même ville, en 1879, de la statue de François Arago, comme symbole du démocratisme régional ; pour couronner le tout, la campagne prodreyfusarde de *L'Indépendant* en 1899 ; au total, jusqu'à la guerre de 1914 et même au-delà, intervient toute une période d'hégémonie des républicains. La gauche pourra donc s'offrir le luxe « intérieur » de combats fratricides, entre tendances extrêmes et modérées. Plaine et ville passent progressivement au socialisme SFIO à partir de 1906. Le

Roussillon, mieux qu'aucune autre région périphérique ou provinciale, illustre les thèmes familiers d'une politisation massive de la province française, plus spécialement méridionale, au XIXᵉ comme au premier XXᵉ siècle ; et d'un cheminement obscur ou lumineux de la politique de gauche ; elle est relayée à partir de la IIIᵉ République par les maires, les élus et les instituteurs ; elle fleurit, modeste, dans les ornements civiques du décor villageois [17].

Cette mobilisation est inséparable de la poursuite d'une certaine dérive dans le domaine de l'économie viticole. Il y a intégration croissante des vignerons au marché français grâce au réseau toujours plus arborescent des chemins de fer d'intérêt local, reliés à la grande artère narbonnaise, biterroise, lyonnaise et parisienne. Les industries annexes (tonnellerie, distillerie) se développent d'un même pas. L'agriculture de plaine grandit au détriment des polycultures vivrières de coteau ou de montagne. Larguant les liens d'avec la Catalogne du Sud, les Pyrénées-Orientales s'incorporent (par le biais de la communauté géographique du vignoble) à une toute neuve unité régionale qu'on appelle Midi viticole, ou, comme on dira par la suite, Languedoc-Roussillon. La région qui se constitue de la sorte est nettement « sensible ». Dès 1904 flambent les premières grèves d'ouvriers agricoles, irrités par la crise salariale consécutive aux baisses des prix du vin. La situation est plus piquante encore en 1907, quand les vignerons des bassins de Perpignan, de Béziers, de Narbonne, voire de Nîmes et de Montpellier, s'unissent contre la mévente du « jus de la treille » sous l'égide de Marcellin Albert, leader inventif et farfelu. Le meeting viticole de Perpignan (mai 1907) rassemble 170 000 personnes, à l'exemple d'autres assemblées massives dans les grandes villes languedociennes. Des manifestants incendient la préfecture perpignanaise (juin 1907). En septembre de la même année naît la Confédération générale des vignerons, objectivement plus occitane que catalane ; elle s'enracine quand même dans les P.-O., tout comme dans l'Aude, l'Hérault, le Gard.

La révolte viticole déclenche les diatribes languedociennes contre l'impérialisme des barons du Nord, au nom de la pérennité des pays d'oc. De son côté, le catalanisme reste d'autant plus vivace et réactif que la langue française commence à connaître un puissant essor en

Roussillon ; lors du vote des lois laïques, les foules enthousiastes acclamaient Jules Ferry au cours d'un voyage qu'il effectuait à Perpignan. Dès 1887, 35 % des instituteurs « pyrénéens-orientaux » sont de naissance extradépartementale, donc quelque peu étrangers en principe au langage local [18], dont les bases villageoises et même citadines demeurent pourtant présentes, partout actives. Elles vont jusqu'à se consolider, par suite de la neuve activité des sociétés savantes. En 1833 était venue au monde la Société philomathique, destinée, dix ans plus tard, à s'intituler Société agricole, scientifique et littéraire des Pyrénées-Orientales. Comme d'autres groupes analogues, elle publie son bulletin... en français. Des professeurs locaux, comme Pierre Puigari (1768-1854) et François Cambouliu (1820-1869), s'intéressent à la grammaire et à la littérature du pays. Les fêtes littéraires de Banyuls en 1883, puis les jeux Floraux du Roussillon à Saint-Martin-du-Canigou, en attendant la fondation de la Société d'études catalanes (1906) et de *La Revue catalane* (1907), marquent les tonalités intellectuelles, réflexives, poétiques et ludiques du mouvement ; il ressemble, en moins vaste, en moins talentueux, aux entreprises de Frédéric Mistral en Provence. Le lien au catholicisme, qu'on a vu si net en Alsace, en Flandre, en Bretagne et au Pays basque, émerge de façon moins voyante et pourtant indéniable dans le Roussillon. Divers écrivains et érudits nord-catalans, avant la Première Guerre mondiale, sont hommes d'Église. De 1900 à 1932, un évêque d'origine gasconne, Mgr Carsalade du Pont, intronisé au diocèse de Perpignan, s'enthousiasme pour la langue des P.-O., comme médium de culture et d'évangélisation paroissiale ou pastorale.

À travers les traumatismes, hélas usuels, des deux guerres mondiales, l'histoire contemporaine du Roussillon est celle du remarquable essor d'un pays ensoleillé, d'un *sunbelt,* passant de 215 000 habitants, environ, dans la période 1911-1921, à 230 000, de 1926 à 1954 ; puis, au terme d'un décollage rapide, à 392 000, en 1999. Le maraîchage connaît son apogée aux environs de 1930, avec l'exportation de 72 000 tonnes de légumes par voie ferrée hors du département, au lieu de 12 500 tonnes vers 1910. Le tourisme se développe en montagne et surtout au bord de la mer. En 1981, il attire 1 million et demi de personnes, moitié françaises, moitié étrangères. Sans compter le déferlement annuel des millions et millions de « Nordistes » qui transitent vers les plages de Costa Brava ou d'Andalousie, et laissent derrière eux une longue traînée de sterlings ou de marks dans les bureaux de change départementaux.

Politiquement, l'hégémonie des gauches a subsisté. Non sans quelques transferts en direction des partis « ouvriers » ou « marxistes » : aux élections de 1936, les radicaux disposent encore de 21,5 % des voix, mais les socialistes montent à 31,2 % et les communistes à 19,8 %. La « non-gauche » se contente d'une maigre portion. En 1981, le PCF est à 28 %, les socialistes et radicaux à 34 %. Le rapport de forces devient moins défavorable pour la droite. *Via* le gaullisme avant-hier, le lepénisme hier, elle effectue de temps à autre quelques avances remarquées dans un pays qui s'embourgeoise : un conflit s'esquisse vis-à-vis des immigrants venus du Maghreb islamique. Dans la longue durée, de 1907 à 1981, le rapprochement avec le Sud viticole s'est concrétisé par une intégration au Midi rouge, sur laquelle ont brodé les virevoltes de puissantes personnalités locales comme Arthur Comte et Paul Alduy, échappés pour un temps aux blandices du socialisme.

Qu'est devenu, dans ce contexte, le sentiment d'identité roussillonnaise, ou nord-catalane ? Bizarrement, de ce point de vue « crypto-nationalitaire », le conflit de 1914-1918 a fait problème. Joseph-Jacques Césaire Joffre, enfant de Rivesaltes, né en 1852, soldat du Tonkin (1884-1889), d'Afrique noire (1892-1894), de Madagascar (1900-1903), incarne, depuis sa victoire de la Marne, une fusion réussie entre patriotisme français et fierté régionale.

Vue sous un autre angle, la Première Guerre mondiale approfondit une certaine différence entre les Catalans du Sud, dont l'intelligentsia est volontiers germanophile, et les Catalans du Nord, qui s'avèrent patriotes français, du reste éprouvés par les pertes militaires dues aux combats. Le département des Pyrénées-Orientales compte en effet, en 1918-1919, à l'heure des macabres bilans, 8 400 Roussillonnais morts au champ d'honneur. Au cours du conflit, une rupture presque irrémédiable se produit de ce fait entre Mgr Carsalade, prélat catalaniste de Perpignan, et A.M. Alcover, auteur sud-catalan d'un dictionnaire de la langue ; cet érudit est accusé par l'évêque d'être devenu proteuton, à l'exemple de ses compatriotes barcelonais, et de s'être fait sans vergogne le chantre d'une philologie romane à l'allemande. Il est vrai que d'inexpiables querelles sur l'orthographe ont préparé cette cassure entre les deux segments de la renaissance régionaliste, de part et d'autre des Pyrénées. Les Perpignanais admettent mal, pendant la première moitié du XXᵉ siècle, l'impérialisme orthographique, grammatical et sémantique de la grande Catalogne, ou Catalogne sans rivages ; elle prétend étendre son influence, *via* les philologues ou « philoboches » *[sic]*, bien au-delà de la zone proprement ibérique, et jusque en territoire français.

La Grande Guerre a donc provoqué un clivage de sensibilité aux deux versants de la ligne des crêtes. Nous avons signalé des faits analogues à propos du Pays basque, Euskadi-Sud et Euskadi-Nord. Les querelles orthographiques font sourire ; leur impact est pourtant certain. Après tout, en zone provençale et occitane, elles ont également tracé des frontières entre « mistraliens », à l'est, et « alibertiens », à l'ouest, de part et d'autre du sillon rhodanien. Les divergences quant à la façon d'épeler le vocabulaire catalan se retrouvent du reste lors de la création de Nostra Terra, entre les deux guerres ; ce mouvement veut assumer le problème linguistique aux Pyrénées-Orientales, dans un esprit de fusion avec la Catalogne-Sud. Le Pʳ Amade, de l'université montpelliéraine, écrit donc en 1936, au personnage initiateur de Nostra Terra, pour se plaindre de « la grossière barbarie des normes actuelles de l'orthographe régionale », imposée depuis Barcelone aux locuteurs du Roussillon à partir des diktats de la philologie venue d'Allemagne. Chacun mesurera l'importance que revêt le fait d'écrire *l'importancia* au lieu de *la importancia*. Mais ce qui compte, en l'occurrence, c'est la passion qu'apportent les hommes à exciter certains antagonismes ; et non pas l'enjeu réel qui, vu de l'extérieur, paraît dérisoire. Amade, pour le coup, se situait dans le cadre d'une idéologie franco-centrique à tendance cryptofélibréenne ou cryptomistralienne.

Après 1945, les militants linguistiques disposent encore d'un substrat solide, sinon pour l'offensive, du moins pour la préservation de certains « refuges » catalans. Au lycée Arago de Perpignan, en 1967, le langage local [19] est écrit par 2,2 % des élèves, parlé par 32,2 % et compris par la moitié de l'effectif des jeunes. Au collège de Prades, 51 % des parents d'élèves parlent catalan. Les nouvelles demandes viennent, cette fois, de la gauche, ce qui témoigne (encore un coup) d'un tournant stratégique du régionalisme français, basculant d'un extrême à l'autre du « spectre » des tendances politiques. Le projet de loi d'André Marty (PCF), en 1948, la loi Deixonne (SFIO), en 1951, visent à instituer des enseignements de langue régionale [20] dans le primaire, puis le secondaire, et même (pour le catalan) dans le supérieur. Un groupe roussillonnais d'études catalanes naît en 1960 sur le modèle de l'Institut d'études occitanes. Surgissent par la suite, en 1968, l'Institut roussillonnais d'études catalanes et, en 1969, à Prades, l'université catalane d'été. L'étape suivante est directement politique ; en 1973, deux partis catalanistes présentent des candidats aux législatives, en Roussillon ; il s'agit de la Gauche catalane des travailleurs, dont la tendance est marxiste, et de l'Action régionaliste catalane, à connotations fédéralistes. La première obtient 1,2 % des voix, la seconde 2 %. Au vu de ces résultats modestes, les activistes tendent à délaisser momentanément l'aléa des compétitions électorales. Ils orientent leurs activités vers une stratégie de contacts économiques et culturels entre un Roussillon qu'ont bouleversé l'essor du tourisme, la croissance de l'agglomération perpignanaise et l'arrivée des pieds-noirs ; et, d'autre part, la vaste région autonome de Catalogne, dans l'Espagne démocratisée de Juan Carlos [21].

La brûlante identité catalane est dans tous les cas bien vivante encore, en dépit ou à cause de telles impulsions modernisatrices au nord de la chaîne pyrénéenne ; et l'on retrouve aujourd'hui comme hier toute la vigueur du tempérament régional, faut-il dire ultrasudiste, au meilleur sens de ce néologisme, chez un Arthur Comte, roussillonnais s'il en fut jamais, dont l'intéressant ouvrage *Hommes libres* (326 pages), sorte de journal politique, fut, nous dit l'auteur, « écrit en quinze jours, imprimé au fur et à mesure qu'il était rédigé, jailli comme un roc d'une gerbe de feu [22] ».

*

Où en est au début du XXIe siècle la catalanité ? La région qui nous concerne ici (Pyrénées orientales, autrement dit Roussillon, ou encore Catalogne du Nord), compte 392 000 habitants[23] dont un peu moins d'une moitié serait des Catalans d'origine, et moins de 10 %, des catalanophones réels (20 000 personnes, selon des chiffres qu'il faudrait bien entendu revoir de très près, et vraisemblablement rectifier). Les trois partis autonomistes ou nationalistes en ce département recueillent entre 3 et 6 % des suffrages. Le plus caractérisé parmi les groupes en question n'est autre que le parti Unitat Catalana. Son programme[24] : création d'une collectivité territoriale de Catalogne du Nord « qui deviendrait maîtresse de son destin », et fusionnerait, dans un avenir lointain et vague, avec la Catalogne Sud. Divorce d'avec la région de Languedoc-Roussillon, mais maintien des subsides octroyés par icelle (?). Adoption de deux langues officielles : catalan et français ; remplacement du drapeau tricolore par le pavillon catalan aux quatre barres rouges sur fond jaune[25]. Pour le moment, faute de mieux, on catalanise à grande échelle les noms des rues de Perpignan (108 000 habitants)... et l'on souffre d'un certain désintérêt de la part de la région catalane majeure, celle de l'Espagne du Nord-Est (6 millions d'habitants, dont 1,6 million pour la capitale, Barcelone). Le chômage roussillonnais affecte 18 % de la population, car le climat méditerranéen, comme en Languedoc, attire les sans-travail. L'immigration venue de l'extrême Sud a paru pour sa part favoriser pendant quelque temps et par contrecoup le Front national. Ce ne sont pas nécessairement des facteurs favorables pour l'expansion du catalanisme en termes d'initiative activiste[26]. La violence explosive à la Basque ou à la Corse en tout cas n'est nullement à l'ordre du jour. « Culturellement parlant », si l'on peut m'autoriser cet horrible accouplement sémantique, le catalanisme recueille la majorité sentimentale, ou en tout cas une forte minorité des « suffrages » symboliques. Mais ce n'est pas le cas au même degré dans les urnes authentiques et réelles, celles de la politique électorale et politicienne, en lesquelles ce même catalanisme demeure pour le moment un parent pauvre par rapport aux grands partis d'allure « hexagonale ».

7

Corse

L'homme, en Corse, est récent. La première installation sérieuse, sinon massive, de populations bien attestées, datées par l'archéologie et le carbone 14, ne remonterait qu'aux VIIe et VIe millénaires avant le Christ. Les modes de vie du premier peuplement ne divergent guère de ceux qu'on rencontre à la même époque en milieu continental : cueillette, pêche, chasse ; meules et broyeurs ; culture des céréales ; élevage des bœufs, des chèvres, des porcs. Les villages occupent des éperons barrés. Au IIe millénaire, les statues menhirs (Filitosa) rattachent la culture de l'île aux civilisations mégalithiques ; on les rencontre ailleurs, sur le pourtour méditerranéen et même atlantique. Les auteurs anciens dépeignent la Corse comme puissamment forestière. Plus qu'aujourd'hui ! De grands arbres, des chênes, du buis. Beaucoup de gibiers : cerfs, lapins, mouflons, poissons d'étang… et ruchers d'abeilles. Les sangliers paissent le gland sous les chênes verts. Les *Corsi* (ainsi dénomme-t-on les habitants) sont chasseurs éleveurs ; ils vivent de lait, de viande, de miel. Les contacts migratoires relèvent du cabotage, ou du folklore : certains Corses s'installent chez les Sardes ; une femme ligure, appelée Corsa, serait arrivée dans l'île avec un troupeau de bovins… Au VIe siècle avant notre ère, les Phocéens fondent la colonie grecque d'Aleria ; l'enclave hellénique vit des produits de son petit territoire suburbain et du commerce avec les indigènes. Aleria est l'un des points forts d'une série d'influences extérieures ; elles sont grecques, mais aussi étrusques, puniques, ibères, latines. Elles ne cessent de converger vers cette terre accueillante ; on la tient quelquefois pour xénophobe ; en réalité, elle s'est ouverte aux apports divers qui lui venaient des littoraux du continent. L'étranger, en Corse, fut à la fois *hospes* (hôte) et *hostis* (ennemi).

La conquête romaine aux IIIe et IIe siècles avant notre ère s'accompagna d'épisodes assez rudes. Les « résistants » corses et les prisonniers transportés à Rome se seraient comptés par milliers. Une indemnité de guerre, imposée à l'île, consistait en dizaines de tonnes de cire. La population qui, par la suite, bénéficicra de la paix romaine, serait passée de 30 000 ou 50 000 habitants, avant la conquête, à 100 000 environ (?), une fois implantés les administrateurs et colons venus de l'est. Chiffres hypothétiques.

Sous l'Empire romain, malgré quelques survivances d'un langage ibérique (notées par Sénèque), la Corse inaugure une romanisation en profondeur. Les séquelles s'en font sentir longtemps par le simple fait de l'acquis d'une langue insulaire (latine), aïeule de celle qu'on parlera de nos jours dans la péninsule. L'île fournit des mercenaires aux armées impériales. Elle exporte des vins, des coquillages, des poissons. La population se répartit en une douzaine de tribus et une trentaine de « cités » (autrement dit, territoires). Dans leur majorité, elles sont proches des côtes. Les premiers signes du christianisme apparaissent au IIIe siècle en Aleria : poisson sculpté dans la pierre, ancre cruciforme, sarcophage du Bon Pasteur. La Corse a même ses martyrs, plus ou moins folkloriques : sainte Julie, sainte Dévote, sainte Restitute.

Après l'apogée, ou prétendu tel, de l'Antiquité romaine, la Corse, à l'époque des invasions, vit le temps de la décadence : l'une des villes majeures, Aleria, s'éteint tout à fait, depuis le Ve siècle. Dans l'île, on cesse de frapper des monnaies : désurbanisation et dépeuplement s'expliquent sans doute par la rupture d'une partie des liaisons et des trafics avec les pays riverains de Méditerranée occidentale. La crise générale de l'économie maritime compte en cela autant et davantage que l'intrusion physique de quelques bandes de barbares (Vandales, Goths, etc.). Aux VIe et VIIe siècles, les « Romains » (d'Orient, cette fois), qu'illustrent les noms de Justinien et Bélisaire, récupèrent la Corse, rattachée en conséquence à la province byzantine d'Afrique, sans que reviennent pour autant les prospérités de jadis. L'avance de l'Islam, à partir des VIIe-VIIIe siècles, crée des situations d'insécurité sur le rivage, régulièrement visité par les corsaires musulmans ; ils en rapportent des esclaves ; ils y créent des points d'appui, des bases pour d'autres raids. Une légende épique célébrera, après coup, la geste partiellement imaginaire des Colonna, qui furent censés combattre à cette époque pour la défense des positions chrétiennes dans l'île. Les autochtones, désireux d'être protégés, vont-ils se jeter dans les bras de l'Empire franc ? En fait, celui-ci se borne, par le biais de la marche toscane et ligure, pépinière de grands seigneurs pour l'usage de l'île, à exercer une vague et lointaine souveraineté nominale. La vraie Dominante, en Corse, c'est la papauté, l'Église : gros patrimoines de saint Pierre ; monastères actifs et seigneuriaux ; semis paroissial des circonscriptions, appelées *pièves* : elles furent mises en place depuis les flux initiaux de christianisation au cours du Ier millénaire. Le souverain pontife délègue ses pouvoirs propres à l'évêché, puis archevêché, de Pise (fin du XIe siècle).

Urbaine et laïque, la communauté pisane domine la Corse, pour quelque temps. Celle-ci est donc rattachée à l'espace toscan : il offre un marché aux vins du Cap, tantôt bons, tantôt acides ou médiocres. Conformément aux règles d'un échange inégal, l'île vend des produits agricoles (céréales, bétail, vin). Elle acquiert sur les côtes d'Italie centrale les métaux et produits textiles souvent venus de loin, parfois de Flandre. Le satellite corse compense tant bien que mal l'endettement chronique vis-à-vis de la métropole pisane par des campagnes de piraterie maritime : elles rétablissent la « balance commerciale » du pays. Les dialectes d'origine latine, depuis longtemps implantés, subissent à leur tour l'impact d'une toscanisation, conditionnée par l'afflux incessant des marchands, migrants et prêtres venus s'installer dans le pays à titre provisoire ou définitif. Les « rattachements » extérieurs, qu'ils soient partiels ou complets, ont donc uni l'île au Vatican, à Pise et plus tard à Gênes ; ils caractérisent un espace entouré d'eau qui, au cours de sa longue histoire, n'a jamais connu l'indépendance. Ces attaches fournissent la chaîne événementielle des chroniques ; mais la trame essentielle, sur le plan interne, se ramène à l'action combinée des féodaux au sommet et des clans à la base.

Une nuée de seigneurs, « barons, gentilshommes et juges », comme dira plus tard Giovanni Della Grossa, s'est en effet abattue ou formée, sur la Corse, à partir de la décadence carolingienne. Il s'agit de « grands rapaces », d'origine indigène ou toscano-ligure. Sous les pans de la pyramide féodale, la réalité du système tient au morcellement, à la microbalkanisation de l'île. Des chefferies dangereusement rivales exercent les pouvoirs judiciaires et guerriers. La « justice » consiste à protéger effectivement, mais aussi à exploiter le petit monde des agriculteurs et des bergers. Les uns et les autres remboursent la garantie de sécurité (partielle) sous forme de prestations ; en d'autres termes, ils paient le prix de la semi-tranquillité ainsi obtenue par l'octroi d'un contre-don en nature ou d'une redevance établie en produits de la terre et en bétail, à l'intention des chefs. Hostiles aux tyrannies de ces castes féodales, des « officiels » se dressent de temps à autre, vite décorés du titre de comtes ; à la fin du Moyen Âge, on aura, dans le même style, des « caporaux » ; ils ne tardent pas, les uns comme les autres, à se comporter également en chefs *maffiosi*, prestataires de services et réquisitionneurs de redevances, à l'image des tyranneaux qu'ils prétendaient combattre. Tandis que l'archipel des pièves fait place au semis des villages, les hauteurs de l'île se hérissent de châteaux dans lesquels nichent, après l'an mil, les anciens et nouveaux barons, opposés les uns aux autres par d'inexpiables *vendette*, nées de l'envie jalouse et réciproque [1], ou *invidia*. La Corse ajoute ainsi au féodalisme classique, répandu dans toute l'Europe, une touche de rudesse méditerranéenne et clanique. Les grandes îles bordières de l'Italie (Corse, Sardaigne et Sicile) conserveront pour une longue période ces traditions parfois délictueuses. Les chefs et notables locaux sont incapables d'unité nationale ou tout simplement insulaire ; ils font donc appel aux puissances extérieures pour mieux défendre dans le pays les intérêts familiaux et collectifs en un cadre quotidien : ce cadre de vie, c'est la commune ou la piève, animée par les solidarités primitives du clan, elles-mêmes garanties par la coûteuse protection des seigneurs ou des maffieux, sans considération du bien public.

Les Pisans l'ont bien compris, qui se bornent, à l'instar de tant d'autres puissances coloniales (comme plus tard l'Angleterre aux Indes…), à surplomber la féodalité : ils plaquent leur domination postiche sur le réseau local des passions et des intérêts, sans modifier celui-ci. Les grosses seigneuries ecclésiastiques (épiscopales, monacales) sont tout au plus susceptibles d'adoucir les rigueurs du système, à moins qu'elles ne s'en rendent complices. Les cultivateurs et les pasteurs versent des redevances au seigneur, mais n'effectuent point de corvées : celles-ci restent une spécialité du Nord de la France ou du Nord de la Gaule. Le grand domaine carolingien, et pour cause, n'a jamais étendu son emprise ni ses méthodes jusqu'à l'île, pas plus du reste qu'il ne le fit en direction du Midi occitan. Les structures proprement corses assurent certains avantages aux populations, mais la pénible contrepartie, dès le XIIIe siècle, c'est l'endémicité des guerres civiles : elles contraignent de nombreuses personnes (sous l'effet aussi de la pression démographique) à s'expatrier vers Pise ou vers Livourne. On aboutit en fin de parcours au dépeuplement de certaines régions. À ce point de vue, la peste noire de 1348 (peut-être moins dévastatrice que sur le continent) n'arrange rien.

La domination de Pise laisse derrière elle, au XIVe siècle, une fois qu'elle a disparu, comme un long sillage de nostalgie qu'accompagnent les souvenirs d'un relatif bonheur. La mainmise pisane, à ses beaux moments, coïncidait avec l'apogée médiéval de l'économie méditerranéenne, européenne : le beau XIIe siècle ! Pise, c'était aussi l'esprit communal. Il se diffusait tant soit peu dans une île qu'un féodalisme clanique rendait capable, par contraste, d'en apprécier les bienfaits. Pise restera du reste présente en Corse pour une longue période encore, par ses marchands et par les filiales de l'hôpital de la Miséricorde, près de Bastia. Mais la fortune des armes, des marchés, des finances, dorénavant, vire vers Gênes : translation vers le nord.

Les conquêtes génoises s'effectuent par la méthode des petits paquets, successive et empirique : dès la première moitié du XIIe siècle, le port ligure reçoit du pape Innocent II le contrôle de trois évêchés corses, cependant que Pise persiste à détenir les trois autres. Entre 1195 et 1280, la nouvelle métropole installe des positions fortifiées à Bonifacio, puis à Calvi : l'église bonifacienne Sainte-Marie-Majeure, de facture génoise et d'architecture gothique, fait contraste avec la polychromie pisane des sanctuaires de style roman, caractéristiques de l'*imperium* antérieur.

Par la victoire de la Meloria en 1284, suivie un demi-siècle plus tard d'un arrangement global avec Pise, Gênes obtient le contrôle définitif de l'île. La nouvelle Dominante avait évincé au passage Sinucello de Cinarca, dit Giudice, qui, au cours de la seconde moitié du XIIIᵉ siècle, voulut tenter à l'échelle de la Corse une politique personnelle. Ce personnage jouait, au gré des circonstances, de l'appui ou de l'hostilité de Pise ou de Gênes, tantôt l'une, tantôt l'autre. La chute finale de Giudice symbolisait l'incapacité de l'île à tenir tête aux métropoles négociantes du liseré continental. L'avancée en territoire corse des succursales du monachisme génois complétait l'offensive militaire, politique, commerciale de la cité négociante. En développant Bonifacio (fin du XIIᵉ siècle), Gênes s'était assuré le contrôle du détroit qui séparait la Corse de la Sardaigne ; le contrôle, aussi, des trafics qui s'établissaient sur les deux rives dudit « canal ».

Plus d'un millier de colons implantaient ainsi, sur le mode volontariste, une présence génoise accrochée au promontoire bonifacien[2], petit rognon calcaire, évoquant les falaises du Kent, et qui monte la garde en direction du Sud, comme Douvres aux portes d'Albion. Le tout dominant le détroit maritime d'entre les deux grandes îles méditerranéennes. Le contact commercial est assuré, dans ces conditions, entre l'industrie génoise et les ressources agricoles du pays sarde, transitant sous le contrôle de ce « nid d'aigle » de la Corse du Sud. Les structures militaires sont corrélatives : la métropole génoise a conçu cette ville satellite et portuaire qu'est Bonifacio comme un camp romain d'arrière-saison, *castrum* quadrangulaire, solidement fortifié, abrité des corsaires adverses ; mais nid de pirates aussi, quand l'occasion s'en présente. La religion y trouve également son compte : la ville – de dimensions réduites malgré tout – n'a qu'une seule paroisse. Mais s'y dressent assez nombreuses les églises, les oratoires... et les couvents de moines mendiants parmi lesquels deux communautés franciscaines et, une, dominicaine ; ces trois monastères « mendicitaires » signalant l'identité urbaine (Jacques Le Goff), caractéristique du Beau Moyen Âge... et typique aussi des influences dominantes, émanées de la capitale ligure.

À partir de 1359, une révolte générale contre la pesante oppression qu'exercent les châteaux et châtelains aboutit à une « dédition » par laquelle les représentants des communes de Corse (dits de la *terre du commun*) se placent librement sous le patronage de l'État génois. L'emprise d'icelui se trouve par conséquent facilitée, voire renforcée. (Gênes a rempli constamment, toutes proportions gardées, un rôle d'autorité « capétienne » vis-à-vis de l'anarchie organisée des clans, qui de temps à autre régnait en Corse.)

Certaines différences apparaissent, du reste, parmi les systèmes insulaires : le cap Corse, à la pointe de l'économie locale, voit proliférer une société de vignerons, de petits fermiers, de cultivateurs, liés classiquement au marché maritime. Par contre, le sud de l'île, malgré les initiatives communales qui furent prises en 1359, demeure « terre des seigneurs », et non point, comme c'est le cas au nord et au centre, terre du commun. Hors de la zone seigneuriale, dite « au-delà des monts », le pays d'en deçà des monts (c'est justement la terre du commun) reste régi par les caporaux, en principe défenseurs de ce peuple qui s'est donné à Gênes en 1359. Les caporaux fonctionnent à la fois comme guerriers, défenseurs et juges. Ils sont salariés grâce aux postes administratifs et aux bénéfices ecclésiastiques que Gênes créa ou annexa. Ils arrondissent d'autre part leurs revenus par le contre-don, ou *accato*, qu'ils collectent, de gré ou de force, auprès des gens du commun qu'ils sont chargés de protéger. *Accato* ou racket ? Comme dit Francis Pomponi, les caporaux fonctionnent en officiers d'Ancien Régime, gagés par le pouvoir génois ; ils évoluent simultanément dans l'archaïsme d'un milieu social, qui demeure fondé sur les clans. De caporaux à petits despotes, il n'y a qu'un pas, vite franchi. La solution de rechange existe, mais ne vaut guère mieux : elle gît du côté de l'Aragon, qui, pendant la première moitié du XIVᵉ siècle, joue la terre des seigneurs contre la terre du commun.

Agent aragonais et féodal insulaire, Vincentello d'Istria réussit une carrière assez fulgurante en Corse durant le premier tiers du XVᵉ siècle ; elle le mène au titre de vice-roi ; capturé par Gênes, il est décapité en 1434, sur les marches de la Seigneurie.

La Corse représente pour la Ville une possession difficile, encombrante. La République, à diverses reprises, a donc cédé l'île aux organismes privés. Le premier essai eut lieu pendant le XIVᵉ siècle au profit d'une compagnie de capitalistes, intitulée la Maone. Plus durable devait être l'inféodation de la Corse à la banque Saint-Georges-de-Gênes (1453) : celle-ci procédant à des entreprises antiféodales et tâchant de couper les griffes aux caporaux les plus oppressifs.

Et de fait, à en croire les témoins de l'époque, bien que prépondérant en Corse dès le début du XVᵉ siècle, l'*Office de Saint-Georges*, propriétaire collectif et génois de l'île, respecte l'initiative des autochtones et sait ne pas les accabler d'impôts[3]. Andrea Doria, par la suite, entre 1528 et 1550, va imposer un gouvernement gênois stable, dont la Corse profitera effectivement pendant cette trentaine d'années « doriennes ». On ouvre des chemins, on construit des ponts, on édifie de petites forteresses et même une ceinture de tours littorales – chacune de la hauteur d'un escalier de 59 marches – pour faire échec aux débarquements des Islamo-Turcs. Ceux-ci, aux alentours de 1530, avaient enlevé en Corse plus de mille personnes destinées à diverses formes d'esclavage au Maghreb. C'est du reste cette néfaste activité ottomane qui incitait les Corses, entre autres motifs, à porter des armes en permanence : de telles habitudes, parfois dangereuses, persisteront jusque chez certains de leurs descendants actuels, avec les conséquences que l'on devine. Quant au danger turc, il connaîtra *in situ* l'une de ses extensions maximales lors du siège de Bonifacio en 1553 : il s'agira alors d'une très rude épreuve au cours de laquelle les citadins et citadines de cette ville devront subir les « derniers outrages » de la part du sieur Dragut, corsaire ottoman de la plus belle eau[4].

Au danger des armadas « mahométanes » et des corsaires de même farine, que tentaient de conjurer les tours égrenées tout au long de la ceinture côtière, à ce péril donc, s'ajoutaient la malaria et la peste, particulièrement rude à l'endroit des peuplements urbains de Bonifacio, encore eux, que l'épidémie de 1528 réduira au bas chiffre de 2 000 ou 2 500 habitants, effectif réduit qui ne variera plus guère au cours des décennies suivantes.

Malaria et peste cependant n'ont pas empêché la mise en place d'un « assez beau XVIᵉ siècle » selon l'amusante expression qu'emploie Michel Vergé-Franceschi. L'Office de Saint-Georges, en son gouvernement régional, faisait preuve d'une certaine indulgence, quant aux impôts qu'il avait la charge de percevoir. Il s'efforçait aussi, en bonne tradition génoise, de développer une colonisation de peuplement, installant de nombreuses familles dans le pays, parmi lesquelles les ancêtres des Bonaparte. Il semble qu'on soit en présence d'une raisonnable prospérité insulaire, à l'image, tout au plus atténuée, de ce qui se passe en Italie et en Provence, au temps de la Renaissance. Constructions de collèges, d'hospices, de citadelles, de remparts, de tours, d'églises, de chapelles, multiplication des œuvres d'art de toute espèce, depuis les sculptures jusqu'aux tabernacles en passant par les fonts baptismaux et les retables. En dépit de ces débauches d'art sacré, la culture intellectuelle marque le pas : l'analphabétisme corse est considérable, y compris parmi les prêtres, volontiers concubinaires.

L'aventure, renaissante elle aussi, de l'illustre Sampiero Corso, coïncide-t-elle avec la prise de conscience d'une identité corse, par rapport à l'« englobant » continental, proche ou lointain ? Ce serait beaucoup dire. L'île, au milieu du XVIe siècle, est encore plurielle, ou quadruple. Les feudataires génois dominent la polyculture, à dominance viticole, des petits fermiers du cap Corse. Les communautés « démocratiques » (ou pseudo-démocratiques) de la terre du commun, notamment au centre de l'île subissent le joug ambigu des caporaux. Le Sud demeure féodal. La thalassocratie génoise détient les points d'appui et les colonies de peuplement sur la côte, à Bastia, Calvi, Saint-Florent, Ajaccio, Bonifacio, Porto-Vecchio[5]. La Corse parle génois dans ces présides, les dialectes ailleurs ; on y écrit le toscan (lorsqu'on rédige). Trois langues donc, sans compter le latin. Qui peut fédérer tout cela ? Remarquable aventurier, *condottiere,* Sampiero Corso, né d'un milieu modeste, a guerroyé en Italie pour le compte des Médicis, puis des Français. Le cas échéant, il se donnerait au Turc ou au Diable. Il épouse, par hypogamie féminine, Vannina, fille de Francesco d'Ornano, née d'un grand lignage ; il l'assassinera, une fois doté par elle de l'honorabilité indispensable. Sampiero « roule » pour la France d'Henri II, qui, en 1553, les Turcs aidant, fait débarquer un corps expéditionnaire en Corse. Annexion initiale de l'île au royaume ? Ce serait beaucoup dire. Elle préluderait alors, avec deux siècles d'avance, aux définitives acquisitions de Choiseul (1768-1769). S'agissant du XVIe siècle, le premier rattachement aux territoires capétiens ne dure que sept années (1553-1559) ; il permet au roi Valois de roder sur place l'institution robine des intendants, pleine d'avenir, en la personne d'un certain Panisse, de Montpellier. Battue à Saint-Quentin, la France renonce ensuite, l'an 1559, par le traité de Cateau-Cambrésis, à la Corse et au Piémont, pour mieux se concentrer, au nord et à l'est, sur les récentes acquisitions de Metz et de Calais. L'émergence des princes protestants d'Allemagne offre en effet l'opportunité d'une tentante alliance pour les Français ; elle repousse au second plan le mirage italien, cher aux Valois du premier XVIe siècle. Sampiero, par la suite, est mollement soutenu par Catherine de Médicis. Il tente à nouveau sa chance dans l'île. En 1567, il y succombe de mort violente, par les soins des ennemis génois. De son vivant, il a manifesté à l'île de Corse, sa « patrie », une chaleureuse affection. Son fils Alphonse relève le nom maternel des D'Ornano et cherche refuge en France, où s'illustreront ses descendants. L'épopée (ou l'équipée ?) de Sampiero souligne aussi les talents des militaires et des mercenaires qui s'étaient rassemblés autour de lui. S'approfondit, d'autre part, la fosse de l'incompréhension ; elle sépare les Génois, revenus en force à partir de 1569, et certains personnages de l'île, passagèrement complices du grand royaume du Septentrion, dont se méfie désormais la métropole ligure, échaudée par la guerre coloniale. Sont-ce là les débuts, au gré de la Dominante, du problématique « racisme anticorse » ?

De 1569 à 1730, la Corse est génoise sur le mode institutionnel (qui, une fois de plus, du moins dans les débuts, ne fait qu'égratigner parfois la superficie du social). Les événements de la grande histoire n'atteignent pas ou n'atteignent plus l'île de plein fouet. (Notons quand même, en 1684, quelques incidents, dus à la marine louisquatorzienne, aux abords du cap Corse.) Sonne donc, loin des chroniques historisantes, l'heure braudélienne des structures, avec leur grandeur et leur misère. La Corse est soumise aux doges de Gênes, ainsi qu'aux conseils qui gouvernent la République. L'île forme bizarrement un royaume (sans roi), un *regno*. Elle est dirigée par le gouverneur qui réside à Bastia. Nommé pour deux ans, il exerce la justice pleine et entière. Il est recruté (ainsi que son entourage local d'officiers de finances et de magistrature) dans la noblesse génoise, excluant les Corses.

On passe de l'ère des « publicains » à celle des « proconsuls », car le temps de la banque Saint-Georges est fini. Désormais s'exerce un système d'administration directe, du fait des autorités de Gênes. Un conseil des Douze, néanmoins, flanque le gouvernement insulaire. Il est formé par les représentants, plus ou moins élus, des élites locales auxquels s'ajoutent six délégués des ex-féodaux de la partie sud de l'île, « au-delà des monts ». Les Génois s'arrangent pour limer becs et ongles à cette douzaine ou davantage de grands notables. Le pouvoir continental est relativement respecté dans les villes côtières, les unes, petites et fidèles comme Calvi et Bonifacio ; les autres, plus importantes et remuantes, plus contrôlées ou surveillées aussi, à l'exemple d'Ajaccio et surtout de Bastia, vraie capitale. Les mœurs des prêtres progressent sur la voie de la perfection tridentine ; ils renoncent au concubinage et au vagabondage qui caractérisaient jadis le clergé pittoresque de la Renaissance.

Les constructeurs d'édifices sacrés adoptent à partir des années 1610-1620 un style expressionniste et baroque qui s'inspire des modèles piémontais, lombards, génois : en termes de sensibilité artistique, l'île (ou ses zones les plus vivantes) bascule vers la culture typique de l'Italie du Nord-Ouest. Au cœur des cités, les petites écoles et les collèges des jésuites répandent les éléments d'une culture élémentaire ou savante. Quand celle-ci s'exprime par écrit, elle dédaigne le dialecte au profit des rédactions italiennes et de l'expression latine. Un protonationalisme littéraire exalte les prestiges particuliers de la Corse. Il s'empare des meilleurs esprits, qui ne font pas pour autant dans la xénophobie systématique ni antigénoise.

L'économie côtière est diversifiée : exportation d'huile de la Balagne, des blés du littoral, voire des châtaignes de la Castagniccia. Le tout en progrès jusque vers 1640. Les patrons de barques du cap Corse assurent le « suivi » des relations de négoce avec les côtes d'Italie septentrionale et centrale. Le Latium vend aux insulaires le blé de la Maremme en échange des vins du Cap. Les bergers transhumants de l'intérieur subissent à regret, non sans infliger certaines représailles, les stratégies de *containment* et d'enclosure (matérialisées par des murettes en pierre) que mènent contre eux les agriculteurs de la plaine littorale, eux-mêmes encouragés par les autorités génoises. Celles-ci proposent, dès le XVIIe siècle, une politique de subvention aux labours et aux plantations arboricoles : elle préfigure sans tapage les projets ultérieurs des physiocrates français. Les résultats ne sont pas toujours à la hauteur des mesures stimulantes que propose ainsi l'administration.

La féodalité connaît un recul. Elle est rongée, surtout dans le Sud, par les révoltes rurales au commencement du XVIIe siècle, et plus encore par l'absolutisme génois. Celui-ci adopte une tactique antiseigneuriale ; elle évoque, de la part d'une « simple » République, l'action des grandes monarchies d'Espagne, de France ou d'Autriche. Mais ce qui est gagné d'une main est perdu de l'autre. La modeste bourgeoisie marchande et juridique certes fleurit (plus ou moins) dans les villes insulaires ; la campagne, en revanche, est livrée aux entreprises souvent tyranniques et violentes des *principali*. Entourés d'hommes armés, ils forment une mafia oligarchique, qui se renforce grâce aux coalescences délinquantes des paysans propriétaires les plus aisés et des descendants des anciens caporaux. La violence rustique et même urbaine, pour toutes sortes de motifs, fait éruption. Elle est le fait d'hommes, sinon de femmes, qui ont pris l'habitude de résister à main armée aux incursions des Barbaresques ; celles-ci sont contenues tant bien que mal, il est vrai, par quelques dizaines de tours génoises éparpillées sur les côtes. Les dernières d'entre elles, les plus remarquables et vraiment efficaces, datent de 1619-1620 (A. M. Graziani). Quant à la « vendetta », elle correspond aux pratiques coutumières des bergers, dont les habitudes transhumantes sont entravées par les agriculteurs sédentaires. La vengeance intervient aussi chez les villageois, au nom d'un code archaïque de l'honneur et d'une pratique des armes à feu de toute espèce. Le pouvoir génois s'efforce en vain d'interdire celles-ci : elles font l'objet d'un trafic considérable, et donnent lieu à d'incessantes et bruyantes démonstrations.

À la fin du XVIIe siècle et dans les premières décennies du XVIIIe siècle, la mortalité par décès violent atteindrait soi-disant (chiffre exagéré, certes) 900 personnes par an, soit l'équivalent, année par année, des pertes françaises de 1914-1918, en pourcentage des populations concernées. Les villages conservent leurs institutions représentatives ; ils gardent le droit « démocratique » d'élire les podestats et autres membres des magistratures municipales ; mais, compte tenu des solidarités ou des voies de fait qui unissent et désunissent les clans locaux, il s'agit là tout simplement d'une démocratie, si c'en est une, tempérée par l'assassinat. Incapables, faute de forces policières suffisantes, de juguler le crime, les autorités génoises se bornent trop souvent à bannir les meurtriers vers l'intérieur de la Corse. Ils y forment autant de recrues pour le brigandage qui lui-même est à coût personnel très élevé. Exclus des fonctions publiques par la puissance colonisatrice, peu séduits par le climat d'insécurité qui règne dans leur patrie, beaucoup d'insulaires choisissent la voie de l'émigration, prolétarienne, militaire, intellectuelle, cléricale ou mercantile, selon les cas et les niveaux ; ils s'installent à Marseille, et surtout dans les villes italiennes : Naples, Gênes, Rome, Venise…

Il ne faut pas, sans doute, pousser le tableau trop au noir (on vit probablement bien tranquille dans nombre de petites cités du cap Corse et de la zone littorale). L'île, néanmoins, tend à devenir une poudrière. Que s'alourdisse la pression du fisc, que surviennent, en série, les crises de subsistance, comme il arrive vers 1729-1730, et c'est la révolte, la révolution même, contre ce qui passe, à tort ou à raison, pour la coûteuse omnipotence des Génois. L'action civilisatrice de Gênes, tout au long du siècle baroque, est indubitable, comme l'a montré la thèse de A.M. Graziani ; mais la grande ville s'affaiblit ; elle ne peut supprimer le particularisme de l'île, ni dompter l'originalité farouche des réseaux corses, assez différents des systèmes qu'on trouve en Ligurie ou en Toscane. Il n'en demeure pas moins que Gênes a fait ou fait faire un gros travail, répétons-le, dans sa colonie : plantations d'arbres (châtaigniers, agrumes, mûriers séricicoles, etc.), accès paysan à la propriété grâce au bail emphytéotique ; distribution de livres pour l'enseignement agricole – « importation » d'ouvriers de la terre, venus d'Italie –, « décollage » économique de la Balagne, de la Castaniccia, de la zone bastiaise. C'est fort positif, ce n'est point suffisant pour empêcher que souffle l'esprit de révolte. On a bien d'autres exemples, dans l'histoire, de cette insensibilité des peuples aux « bienfaits » que tente de leur distribuer le gouvernement central…

…Au début, la rébellion corse de 1729-1730 fait figure de jacquerie, ou de révolte populaire et antifiscale d'Ancien Régime. Nous en avons vu d'autres exemples en Bretagne, au Pays basque, dans

le Roussillon, etc. À la suite des mauvaises récoltes, divers contribuables contestent les impôts levés par Gênes, attaquent les villes
et domaines génois de la côte, tentent d'expulser hors de la Corse
les rares colons grecs, éternels boucs émissaires. On évoque à ce
propos un soulèvement des casquettes ou des barrettes contre les
perruques. Les croqueurs de châtaignes de l'intérieur s'en prennent
aux élites maritimes et littorales. Pourtant, assez vite, les notables,
ou *principali*, à leur tour « entrent dans la danse ». Songeons à la
Fronde commencée comme émeute de populace et poursuivie
ensuite en tant que révolte parlementaire, nobiliaire, princière. Et
même la Révolution française… Donc, des moines soutiennent les
révoltés. Des théologiens contestent le pouvoir génois au nom de
la théorie thomiste (ou fénelonienne) du Bien commun, à l'inverse
des dogmes absolutistes qu'avait développés un Bossuet. Les revendications s'élèvent au-dessus des demandes purement plébéiennes :
on souhaite la baisse de l'impôt monétaire et de la taxe sur le sel,
mais aussi l'officialisation du droit au port d'armes ; on voudrait
des titres de nobles ou de barons pour l'élite, et la non-discrimina-
tion vis-à-vis des Corses quant aux postes disponibles dans l'armée,
la justice, l'Église. Enfin, on demande la liberté du commerce
d'exportation pour les produits agricoles du pays, destinés au continent. Tout cela est loin d'être inadéquat. En riposte, un corps expéditionnaire autrichien débarque, qui vient au secours de ses alliés
génois (été 1731). Conséquence inattendue, ce détachement tudesque propage une influence modératrice. Elle dure peu. Après 1733,
la guérilla continue contre Gênes, d'autant plus aisément que, de la
part de cette ville, les soldats sont peu nombreux, et les collecteurs
d'impôts, détestés. Gênes, somme toute, est trop démunie pour
continuer à gouverner. Les lignes de force des clans déterminent
l'engagement dans la rébellion. Les leaders de la révolte se placent
sous l'égide de la Vierge *(Salve Regina)* et se distribuent les uns
aux autres des titres ronflants : Illustrissime, Excellence, Altesse
royale. En 1736 se produit l'épisode héroï-comique et semi-carna-
valesque du roi Théodore. Aventurier de petite noblesse germanique, ancien page de la Grosse Madame du Palais-Royal, Théodore
se lie aux milieux d'émigration à Livourne ; il débarque en Corse
et s'y fait proclamer roi, aimé des paysans. Il nomme à sa botte un

chancelier, un maréchal, un trésorier, selon l'habituelle hiérarchie des trois fonctions. Les subordonnés du nouveau monarque ne sont pas toujours à la hauteur du maître. Au bout de quelques mois, Théodore quitte la Corse et les drapeaux à tête de More depuis peu mis à la mode. Il laisse derrière lui quelques amis nostalgiques ; il tentera par la suite, en vain, de débarquer à nouveau dans son ancien « royaume ».

Du burlesque on passe au sérieux. Entre 1738 et 1741 se produit une première intervention française. En principe, elle vise à maintenir la légitimité génoise contre les rebelles ; en fait, elle prépare une mainmise. Dès 1735, le ministre français Chauvelin planifie tout : par un système de vente à réméré[6], l'île tombera dans les dépendances du royaume de Louis XV. La première intrusion est donc conduite par le général et futur maréchal Maillebois, membre de la famille des Colbertides. Militaire compétent, ce fils du grand financier Desmarets joue les administrateurs. Il fait preuve (lui aussi) de modération. Un second corps expéditionnaire français s'installe en Corse entre 1748 et 1752. Il est dirigé par le marquis de Cursay qui fonctionne comme intendant d'Ancien Régime ; Cursay encourage tant bien que mal l'économie et la culture ; il parvient à constituer sur la côte et même en montagne un « parti français » ; celui-ci se trouve en position de concurrence implicite vis-à-vis de la puissante faction antigénoise et bientôt paoliste : les ennemis de Gênes (et de la France) continuent à tenir de solides positions dans l'intérieur du pays, à défaut de dominer les villes côtières et les présides littoraux.

Pascal Paoli, à partir de 1755, donne à la « révolution » corse un profil définitif[7]. Le soulèvement serait de type provincial et mériterait à peine la qualification de « révolutionnaire », si justement le héros de la pièce, le Lycurgue de Corte, bref Paoli, ne lui conférait un lustre particulier. Descendant, par père et mère, de familles nobiliaires et « caporales », incarnant la Corse de l'intérieur, cette « Castagniccia » qui lui sera longtemps favorable, Paoli, jadis exilé de Corse et devenu sous-lieutenant napolitain, revient au pays en 1755 âgé d'une trentaine d'années. On demande un leader !

Notre homme se propose. On l'accepte volontiers, puisque aussi bien son lignage jouait déjà un rôle dans les débuts de la rébellion.

Le jeune dirigeant manie la synthèse ; il table, en bon Corse, sur les *principali* et sur une fédération, qui du reste est mal jointoyée, des clans de l'intérieur. (Il ne parvient point à s'emparer des présides génois de la côte, solidement tenus par la cité-État.) Il affronte la faction des Matra, moins antigénoise qu'il ne l'est ; ils s'opposent à lui comme la plaine orientale fait contraste avec la Castagniccia. Qui plus est, Paoli (là est l'autre secret de sa force) est un représentant de la culture des Lumières. Il a lu ou parcouru Plutarque, Dante, Montesquieu... Il organise (à sa dévotion) un régime qui dans le principe est représentatif ou prétendu tel. En fait, ce réseau est manipulé par lui-même et par les notables ; il n'est point régulièrement élu par les villages ou par les pièves. Mais que celui qui n'a jamais pêché lui jette la première pierre... Paoli fonde aussi à Corte une université qu'on a quelquefois dépeinte comme philosophique et scientifique. Elle s'avère surtout monacale et cléricale. Manipulant avec habileté l'opinion publique d'Occident, Paoli joue de l'Europe protestante (Angleterre, Hollande, Prusse), puis des sympathies philosophiques (Jean-Jacques Rousseau), enfin des amitiés italiennes ; il contrecarre ainsi les dominants ou concurrents extérieurs : Gênes, la France... Le chef insulaire est catholique, mais manifeste une certaine indépendance vis-à-vis du Saint-Siège ; il se veut somme toute « corsican », comme on dirait ailleurs gallican, sinon anglican. La teinture des Lumières s'harmonise, chez lui, avec la substance du fond clanique et clientéliste.

Si brillant soit-il, l'acteur ne peut modifier le rapport des forces : au terme de plusieurs expéditions, la France obtient de Gênes, lors du traité de Versailles (1768), que soit enfin conclu le fameux achat à réméré au nom duquel sont grassement payées, d'avance, la prise de gage française en Corse et la dépossession de Gênes ; les sommes d'argent seront versables par annuités, du Trésor monarchique à la cité ligure. Celle-ci, république urbaine d'ancien style, se reconnaît, au bout du compte, impuissante à dompter une population « coloniale » qui, normalement, aurait dû rester à sa botte. Faute de mieux, Gênes se décharge d'obligations de souveraineté que, depuis près de quatre décennies, elle ne remplissait qu'à demi ; la décharge s'opère au profit de l'État-nation tout proche, puissant, annexionniste et moderne : en 1768-1769, un corps expéditionnaire français, bien étoffé, finalement annule l'entreprise paoliste. Les troupes du chef corse sont défaites par les Français à Pontenuovo (1769). Le pays tombe dans l'orbite de la dynastie de Versailles. Paoli part en exil.

Il y avait du Bonaparte dans cet homme-là, mélange de Lumières, de clanisme et de stratégie, né trop tôt dans une île trop petite. Il avait détaché la Corse de Gênes et rompu les solidarités insulaires avec la péninsule ; il précipitait son pays, bon gré mal gré, dans les bras largement ouverts de la France. Passer d'italianité en francité, n'était-ce pas pour la Corse, de ce point de vue, devenir un peu moins elle-même ? Le procès en canonisation laïque de Pascal Paoli reste ouvert. En tout état de cause, l'allergie antigénoise était décisive ; les insulaires ne se voulaient pas forcément indépendantistes ; mais ils se seraient livrés à l'Espagne, à l'Empire ou même à l'Angleterre plutôt que de rester sous l'emprise (moins lourde, en fait, qu'ils ne croyaient ?) de la ci-devant Dominante.

À partir de 1768-1769 s'impose la présence française, d'abord répressive. (Elle l'est davantage, à coup sûr, qu'en pays lorrain, rattaché quelques années plus tôt.) Donc, en Corse, le nouveau pouvoir procède ou tente de procéder à une saisie générale des armes à feu. Donnée incroyable[8] et qu'il faudrait revoir de près, il y aurait eu dans l'île, à cette époque, 60 000 fusils (soit, en moyenne, nettement plus d'une arme à feu, voire deux, par foyer ; et pourtant, les familles corses étaient plutôt pauvres). En réalité, 12 000 armes seulement sont remises aux autorités, par exécution des ordres venus d'en haut. Simultanément, la nouvelle « métropole » mène d'assez nombreuses actions policières et militaires ; elles visent à éradiquer le banditisme ; elles tentent aussi de supprimer une vive et dure résistance locale qui fait échec aux pouvoirs venus du nord et du Continent. Les bergers ne sont pas seuls à prendre le maquis ! Le peuple de Bonifacio, de son côté, s'accroche au statut génois. Les commandants militaires, Marbeuf et Narbonne, avec des troupes nombreuses, « pacifient » ; ce qui leur vaudra de nos jours d'être honnis par une historiographie insulaire se voulant résolument critique. Sont brisés, momentanément, les sursauts du parti paoliste, manifestés en 1774 encore par un ultime complot (le Roussillon, on l'a vu, s'était, cent ans plus tôt, comporté de la même manière). Quant à la sécurité des personnes, le bilan français n'est pas négatif : le nombre des crimes semble avoir baissé (peut-être dès avant la conquête) certainement au cours des deux premières décennies d'icelle, quand on le compare avec les taux très élevés du XVIIIᵉ siècle initial.

Surimposées aux clans toujours efficaces, les structures administratives neuves, plaquées par le centralisme français, diffèrent assez peu de celles qui déjà flcurissent en d'autres régions périphériques. La Corse devient un pays d'états, à la différence du Roussillon, annexé au cours d'une phase beaucoup plus autoritaire ; les divers ordres de la société de l'île sont donc représentés dans une assemblée provinciale ; elle est sans grands pouvoirs, et sera réunie moins de dix fois en vingt ans ; elle pourra néanmoins exprimer des doléanccs (portées ensuite à Versailles). Comme en Bretagne, une commission permanente intermédiaire assure entre les sessions la continuité desdits « états » ; elle correspond à la vieille institution locale des anciens Douze Nobles ou « Nobles Douze ». Le tout est « coiffé » par un gouverneur et par un intendant venus du continent ; ils incarnent respectivement les pouvoirs militaires et civils, sous la lointaine égide, versaillaise ou parisienne, du secrétariat d'État à la Guerrc (très dépcnsicr, en Corse) et du contrôleur général des Finances.

Plus ouverts en cela que ne le fut l'ex-maître génois, les Français, volontiers « assimilationnistes », admettent divers membres de l'élite corse dans les institutions judiciaires, et notamment dans le haut tribunal nouvellement créé, dit du « Conseil supérieur » ; il fait fonction de parlement. Les distingués Autochtones qui sont intégrés de la sorte à cet aréopage y coudoient des personnages fraîchement débarqués de la métropole, parmi lesquels figurent quelques *carpet-baggers* dont la réputation laisse à désirer. Le « Conseil supérieur » rend des arrêts qui sont « conformes aux anciens statuts hérités de la période génoise » ; ces arrêts, par la suite, vont également digérer certains acquis de la législation française [9]. L'anoblissement (ou la reconnaissance de noblesse) est accordé à des milliers de personnes, alors que Gênes, sur ce point, s'était montrée fort pingre, en fait d'octroi de titres ou de sang bleu. Vieille parcimonie génoise, mal vue dans l'île. Opéré par les autorités françaises, le reclassement de certains lignages en direction de la gentilhommerie est d'autant mieux reçu que les frustrations antinobiliaires ne sont guère développées en Corse.

En 1789, il n'y aura pas localement de guerre aux châteaux ; à vrai dire, les châteaux à détruire ou à brûler sont peu nombreux. Vis-à-vis de l'Église, la stratégie française est *ipso facto* gallicane : les évêques continentaux, à côté de prélats restés corses, prennent le commandement d'un bas clergé qui continue à se recruter sur place. La stratégie « hexagonale », même catholique, n'est pas dénuée d'un certain anticléricalisme, conçu dans l'esprit des Lumières, et cher à l'administration importée de France : plusieurs fêtes chômées sont abolies ; on s'efforce de limiter le nombre des moines ; enfin, là comme ailleurs, on expulse les jésuites : la religion baroque des Corses, calquée sur celle d'Italie, en prend pour son grade. L'enseignement secondaire est affecté par cette expulsion des bons pères « ignaciens ». Ensuite, il reprendra quelque vigueur. Au vieux courant qui portait les jeunes insulaires de bonne famille vers les établissements éducatifs des pays toscans ou ligures se juxtapose désormais un flux d'élèves de plus en plus significatif : il se dirige vers la France ; les boursiers, souvent nobles, vont faire leurs études au nord du royaume ; le petit Napoléon Buonaparte n'en est qu'un exemple célèbre, *a posteriori*, parmi d'autres qui demeurent obscurs.

L'encadastrement de l'île, effectué pour la première fois grâce à la mise au point d'un « plan terrier », survivra jusqu'à nos jours, aux Archives, sous forme d'admirables rouleaux de cartes à petite échelle. Sur le moment, cette opération graphique suscite la rancœur de nombreux possesseurs terriens, habitués à d'anciens usages presque purement oraux et communautaires. Donc, on marque l'espace ; on le troue aussi : la France n'eût pas été elle-même, si elle n'avait poussé à la construction de routes, il est vrai stratégiques. Même Rome, en Corse, n'en avait guère bâti !... Créations inédites, elles sont utiles aux échanges, dans un pays qui n'était encore parcouru, en règle générale, que de simples sentiers. L'impôt, enfin, exigé par les nouveaux maîtres, demeure plus léger qu'en métropole : la taxe principale ne prélève qu'une livre tournois par habitant ; c'est peu. L'île, fort désargentée, se prête mieux à la perception de prélèvements en nature, dont il n'est plus guère question, par contre, dans les provinces déjà développées du Nord et même du Midi du royaume. Malgré tant d'archaïsmes, la Corse devenue « française » décolle démographiquement pour la première fois depuis des temps lointains : quelques incertitudes, qui donnent lieu à discussion entre historiens, ne peuvent masquer le fait que la population, bloquée depuis longtemps aux 120 000 âmes, passe enfin à 150 000 personnes au terme des premières décennies du rattachement (de 1770 à 1790). C'est le signe d'une bonne santé (relative) de l'économie insulaire. La paix française, si contestée soit-elle, ... ou si contestée « sera-t-elle », garantit un minimum de sécurité pour les personnes et certaines possibilités d'accroissements quantitatifs des productions agricoles, à défaut d'un perfectionnement technique de celles-ci. Comptent peu, en l'occurrence, les mesures physiocratiques, si bien intentionnées soient-elles, prises par l'intendance. Simplement, sous la poigne parfois lourde d'un pouvoir éclairé, les gens s'entre-tuent un peu moins que par le passé. Ainsi se libère une pacifique énergie pour piocher, pacager, produire, échanger, ne serait-ce qu'à la petite semaine. De quoi faire face aux besoins de subsistances accrus d'un peuplement dynamique dont l'essor est maintenant possible. La Corse a épousé son siècle, ces noces fussent-elles seulement morganatiques. Sur le tard, elle se met à l'heure des bonnes conjonctures de la démographie, qui depuis longtemps étaient attestées dans l'Europe continentale, au temps des Lumières.

Cette relative bonace ne signifie point que les cœurs soient définitivement gagnés : en fait, c'est pour plus tard ! La Révolution française, comme dans d'autres régions du « pourtour », effectuera une soudure morale et politique des pays corses à la toute récente mère patrie. Soudure encore fragile, certes, mais décelable. Dès 1789-1790 vont de l'avant les réformes issues d'initiatives parisiennes et nationales : départementalisation ; création de districts qui correspondent à nos actuels arrondissements ; transformation des ci-devant pièves en « cantons », ceux-ci à vrai dire changeant plus la paille des mots que le grain des choses. Dans l'île et surtout dans la diaspora corse, les têtes les plus solides, jadis, n'admettaient point l'intrusion française en leur pays natal ; elles se laissent maintenant séduire à l'idée que le royaume, d'oppressif qu'il semblait être, devient, pour finir, Révolution aidant, le propagateur des libertés sur le territoire d'une grande île. Parmi les nouveaux convertis va bientôt figurer le jeune Napoléon Bonaparte, jadis francophobe. Atténuant ses anciennes haines contre le royaume, il devient, dès 1789, l'un des chefs de la garde nationale d'Ajaccio. Paoli, à son tour, est attiré. Il retourne en 1790 dans le pays dont il fut leader spectaculaire. Il est reçu avec ferveur ; on le nomme commandant en chef de cette même garde nationale. Il manifeste pour quelque durée un loyalisme de qualité au gouvernement de Paris, et il en reçoit la direction effective des affaires dans le nouveau « département » de Corse.

Cette première intégration va branler bientôt. Les clans, toujours en place, inclinent, qui vers l'aristocratie, qui vers l'excès révolutionnaire. Les prêtres, malgré une obéissance de pure forme à la Constitution civile du clergé, s'effraient d'un processus laïcisant qui heurte de front le papisme des insulaires. Paoli lui-même, dans le fond, demeure homme du XVIII° siècle, partisan éventuel d'un despotisme éclairé, voire d'une monarchie clientéliste : il a vite fait de revenir à ses anciennes amours, qu'il accepte tout au plus de nuancer. En 1793, déjà stigmatisé par des conventionnels soupçonneux, il passe encore pour un girondin… de Méditerranée. Mais l'année suivante, il saute le pas : les Anglais, avec son accord, débarquent. Opération bienfaisante ? La Corse reçoit des Britanniques une Constitution fort libérale… que le vice-roi Elliot, fraîchement intronisé par le pouvoir londonien, s'empresse de ne pas mettre en œuvre. L'autoritarisme de ce personnage provoque un nouvel esprit de révolte, en provenance de populations derechef irréductibles ; elles sont traumatisées, en outre, par l'inévitable débâcle économique qu'engendre, depuis près d'une demi-décennie, le maelström révolutionnaire (du fait de la désorganisation des trafics maritimes, de la fermeture des débouchés, etc.). En 1795, Paoli, brouillé avec Elliot, part pour un nouvel exil vers l'Angleterre. Le vice-roi a pourtant eu le temps, pendant sa période proconsulaire, de diagnostiquer le tendre sentiment que portent à l'obtention des postes de fonctionnaires certains citoyens du « protectorat ». Lucide, il constate aussi que l'État, anglais ou français peu importe, est parfaitement incapable de salarier ainsi tout un peuple. Remarque prémonitoire ? Par ailleurs, seule parmi les minorités périphériques, la

Corse des années révolutionnaires, au moment crucial, a choisi radicalement (ou bien ses leaders ont choisi pour elle) de faire sécession d'avec la France. Épisode unique, à ne point négliger, dès lors qu'on voudra mesurer la « différence » insulaire par rapport au continent, lors des époques ultérieures.

Le retour en force de l'hexagone (à l'époque agrandi), après le bref intermède britannique, ouvre la période bonapartiste, puis napoléonienne en Corse. Dès 1796, les agents et les soldats du général reconquièrent l'île pour le compte du Directoire.

Le pays, sous le Consulat et l'Empire, connaît des périodes calmes, mais le couple soulèvement/répression n'est jamais loin, surtout dans les zones peu francisées, où la propension aux violences reste forte. Les petites insurrections ou rébellions, jamais massives, jamais non plus insignifiantes, flambent à propos de sujets divers ; elles opposent une partie des autochtones aux *desiderata* du pouvoir directorial, consulaire, impérial. Et, par exemple, on veut soutenir, contre les représentants de la Révolution, le culte catholique. Ainsi se déclenche en style de Vendée, sous le Directoire, le mouvement de la Crocetta. Plus tard, les refus sont agressifs à l'égard de la conscription, comme si souvent dans le grand Empire à l'heure de son déclin. Quelques coups de main sont également tentés contre les grands domaines, par des communautés ou des bergers. En sont victimes aussi les Grecs de Cargèse, cibles traditionnelles. À partir de 1803, le commandant militaire Morand, qui laissera derrière lui le rude souvenir de la « justice morandine », rétablit l'ordre à coups de colonnes mobiles, de tribunaux extraordinaires et de fusillades subséquentes. Il est mandaté, pour ce faire, par Napoléon, qui cependant s'inquiète, de temps à autre, des initiatives de son subordonné. Morand sera finalement limogé. En 1801, puis en 1811, une mesure d'exception (décret Miot, suivis du « décret impérial ») donne à la Corse un régime de taxes qui, par rapport aux départements continentaux, s'avère favorable : suppression du droit de timbre, de la patente, du monopole des tabacs ; exonérations variées. L'effet de ces privilèges sera durable ; ils survivront, pour une longue période, à la disparition du premier Empire.

Dans ce jeu des loyautés ou des inimitiés, certaines nuances régionales apparaissent. La faction napoléonienne est forte à Ajaccio, centre constamment favorisé par l'empereur et qui disposera toujours, en l'an 2000, d'un comité central bonapartiste, souvent bien inspiré. En revanche, elle est éventuellement contestée à Bastia. En 1814-1815, l'habituel jeu de bascule (l'île se ralliant successivement aux Bourbons, puis aux revenants des Cent Jours, puis derechef à Louis XVIII) démontre que le dictateur corse n'a pas su conquérir en bloc les sympathies de son peuple originel, irrité par la poigne impériale. Néanmoins, d'importantes fractions de l'opinion insulaire, à diverses reprises, restent sous le charme du grand empereur, compatriote au prodigieux destin. Dans tous les cas, Napoléon, par sa politique d'intégration musclée, amarre la Corse à l'ensemble français, avec plus de force que ne firent les précédents systèmes, tant d'Ancien Régime que de Révolution. (Celle-ci, néanmoins, ayant su politiser, sinon franciser, une partie des insulaires, au niveau surtout des élites.) En 1815, les alliés paraissent conscients de cet état de chose : comme pour le Roussillon et l'Alsace, ils acceptent sans se faire prier que soit maintenu l'amarrage de la Corse à l'Hexagone. Vue sous cet angle, l'œuvre royale, révolutionnaire et napoléonienne, engendre après coup une situation de non-retour (?).

En revanche, d'un point de vue strictement économique, la conjoncture demeurait médiocre jusqu'en 1815, en raison de la guerre, du blocus, du manque d'argent, des investissements peu à peu découragés. Le décollage démographique et surtout économique de l'île ne fait retour (progressivement) qu'à partir du « revenez-y » des Bourbons.

Avec la Restauration s'instaure pour la première fois dans l'île une vie politique « normale » au sens que nous donnons aujourd'hui à cet adjectif : élections ; mise en place d'un régime représentatif ; par quoi la Corse envoie des députés dans les Assemblées délibérantes et législatives de Paris. Non sans problèmes ! L'élite insulaire est relativement pauvre ; on doit donc abaisser localement le niveau des cens pour que se dégage un nombre suffisant d'électeurs et d'éligibles. Une fois ces manipulations réalisées, les préfets centralisateurs et les réseaux clientélistes n'ont plus qu'à faire sortir des urnes la votation recherchée. Sous Louis XVIII et Charles X, le clan Pozzo di Borgo, légitimiste, contrôle ainsi la députation. Sous la monarchie de Juillet, c'est au tour du clan rival, celui des Sebastiani, d'occuper, dans des circonstances analogues, le haut du pavé. Le maréchal-comte Horace Sebastiani et le général-vicomte Tiburce Sebastiani glissent de cette façon depuis leurs fidélités napoléoniennes de jadis jusqu'à l'orléanisme bien tempéré (avec une « traversée du désert » dans l'entre-deux [10], pendant toute une partie de la Restauration).

Sur un autre plan, les modernisations « louis-philippardes », elles aussi relatives et partielles, concernent l'économie : percements de routes ; agrandissement des ports ; mise en service des premières liaisons maritimes par bateaux à vapeur, à partir de 1830 ; grands travaux édilitaires (hôtel de ville, préfecture, théâtre à Ajaccio). Tout cela est bel et bon : mais le décor ainsi posé ne doit pas faire oublier les événements qui se produisent dans les coulisses, ou même, en toute impunité, sur le devant de la scène. Les comportements traditionnels n'ont point disparu ; la violence est toujours présente ! Certes, le nombre des homicides a diminué radicalement par rapport aux égorgements du premier XVIIIᵉ siècle. On en était alors, d'après ce qu'on prétend, à plusieurs centaines de meurtres par an pour 120 000 habitants (?). Était-ce le monde anomique et rude de Hobbes, avant l'émersion de l'État-gendarme ou du Leviathan ? Or on ne se situe plus, entre 1818 et 1852, qu'à une moyenne de 133 morts par an pour une population qui bientôt dépasse les 200 000 personnes. C'est inférieur, quoique massif encore. À ce compte, la France d'aujourd'hui compterait 33 000 morts violentes par an, taux qui serait considéré comme énorme, insupportable. Du moins le spectre de la guerre civile ou des insurrections locales, qui hantait la Corse depuis toujours, est-il écarté : la dernière rébellion de ce genre correspond en 1816, dans la région volatile du Fiumorbo, à un soulèvement des nostalgiques de l'Empire. Les autorités royales l'apaisent, grâce à des mesures amnistiantes.

Le tropisme italien, en revanche, pèse d'un poids symbolique autrement lourd, même si, *pour cette cause*, dans l'île, nul ne cherche à verser le sang. On ne pouvait que s'en féliciter. Des *carbonari*, des militants du Risorgimento passent un temps d'exil en Corse, ou même se recrutent parmi les intellectuels locaux : ceux-ci, *via* leur formation universitaire, leurs lectures, la langue qu'ils parlent, continuent de regarder vers l'est, plus qu'ils ne s'orientent vers le

nord. Comme l'écrit, sous Louis-Philippe, Tommaseo, réfugié politique installé dans l'île et qui profite de ce séjour (tel Grimm en
Alsace) pour découvrir sur place la culture populaire :

> Les Corses n'ont ni ne peuvent avoir de poésie ni de littérature qui
> ne soient italiennes. Le fondement et la matière de la poésie d'un
> peuple résident dans son histoire, dans ses traditions, dans ses cou-
> tumes, dans sa manière d'être et de sentir ; autant de choses qui
> différencient essentiellement l'homme corse du Continental français
> [...]. La langue corse est pleinement italienne, et même elle a été
> jusqu'à maintenant l'un des dialectes les moins impurs de l'Italie.
> [Texte passionnant, mais qui néglige peut-être le problème de la
> pluralité des dialectes insulaires ?]

De la poésie et de la littérature « ethniques » à la conscience
politique ou « risorgimentiste », il n'y a qu'un pas à franchir. De
nombreux Corses sont conscients des proximités péninsulaires,
même si, sur le plan légal, ils sont citoyens français dans un département pas comme les autres.

Après l'intermède de la IIe République, l'adhésion (ou l'adhé-
rence ?) à l'entité française progresse de façon assez considérable
sous le second Empire, bien que la masse du peuplement demeure
corsophone. Il va s'agir somme toute, comme en Roussillon et au
Pays basque, d'une « intégration dans la différence », ou d'une
« intégration qui respecte les différences ». On n'en est pas encore
aux phases d'assimilation menées sur *tous* les plans, y compris
linguistique ; comme ce sera le cas, par contre, au XXe siècle, du
fait des influences associées qu'exercent le service militaire, les
médias, l'école ; sans oublier la Première Guerre mondiale, vécue
dans les tranchées avec des soldats et officiers continentaux...

Le premier des Bonaparte, si grand soit-il, n'avait pas réalisé,
loin de là, l'unanimité parmi ses compatriotes. Son neveu, en revanche, fort de la légende napoléonienne qui s'était paradoxalement
développée entre les Cent Jours (1815) et le 2 décembre (1851),
sait donner de soi l'image qui s'impose. Il effectue des visites
officielles en Corse. Il fait préparer sur place, après sérieuse enquête,
divers projets de mise en valeur dont certains ne restent pas lettre

morte ; il satisfait les classes moyennes de l'île, celles des notables, avocats, juristes, par l'octroi de postes importants, jusqu'au gouvernement et dans les préfectures. Ainsi se confirme une tradition, déjà signalée ici, du fonctionnariat corse ; elle va perdurer jusqu'à nos septennats. En outre, la tant célébrée prospérité du second Empire, même si elle laisse subsister dans l'île un niveau de vie parfois bas et des poches de pauvreté choquantes, n'est pas un vain mot ; elle émerge dans le secteur des transports (développement des chemins de fer et de la navigation à vapeur) ; dans l'agriculture (la mise en valeur du sol par les propriétaires et les exploitants prend partiellement le pas sur les revendications traditionnelles de transhumance et de vaine pâture que formulent toujours les éleveurs). L'industrie bénéficie peu d'une telle croissance, malgré la surprenante présence de hauts fourneaux à Solenzara et à Toga. Ils n'y feront pas long feu. La criminalité, tout en restant spectaculaire, serait tombée, du fait d'une amélioration des mœurs, et de par les précautions d'une gendarmerie vigilante, à une quarantaine de meurtres par an au temps de Napoléon III.

Le conflit (désastreux) de 1870-1871 amorce, pour la Corse également, un virage difficile. Le bonapartisme était vigoureux dans l'île, sous l'égide de politiciens comme Gavini, Abbatucci, Casabianca. La conjoncture va bientôt imposer un ralliement à la République. Transition délicate : la gauche continentale cultive volontiers un état d'esprit anticorse ; elle tend à identifier l'île avec la dynastie déchue des Napoléonides. Naquet, paraît-il, aurait crié, à l'époque : « Mort aux Corses ». Clemenceau envisage même d'abandonner le département, quitte à ce que les Italiens le récupèrent. Néanmoins, la flexibilité existentielle des clans, épris de fidélité, sans doute, mais disposés de par leur nature à se donner au plus séduisant, permet de débloquer la situation. Cette métamorphose politique est symbolisée par l'étonnant personnage d'Emmanuel Arène : il incarne le ralliement de la majorité des élites locales, au bénéfice des républicains. La mutation amorcée de la sorte affirme encore plus énergiquement la nouvelle francité du pays, vouée par sa nouvelle « essence » à épouser les grands tournants de la politique continentale. Mi-Méridional, mi-Corse par ses origines lignagères, républicain opportuniste, en effet, et distributeur de petits emplois administratifs pour ses compatriotes, Arène (né en 1856) joue le jeu des clans : il rend des services ; en échange, il demande un soutien, notamment électoral. Il se meut sans effort parmi certains insulaires qui considèrent que le pouvoir ne fait pas de cadeaux, à moins qu'il n'en reçoive ; ou à moins qu'il ne soit contraint de les octroyer du fait de la pressante ou pesante poussée de quelque « piston » effectif.

La présence des clans s'avère sous-jacente à ces diverses pratiques. Elle est bien décrite en 1887 par le journaliste continental Paul Bourde [11], dans le *Temps :*

> La raison d'être du clan, écrit cet observateur, c'est le besoin qui domine les individus d'avoir des alliés pour se faire respecter et se défendre ; l'idée du devoir s'est formée en Corse sur ce besoin. Toutes les obligations morales ont pour but la force du clan ; ce qui est utile au clan est bon, ce qui lui est nuisible est mauvais. Inversement, ce qui est utile aux clans ennemis est mauvais, ce qui leur est nuisible est bon. Tels sont les principes imposés par l'instinct de conservation. Le point d'honneur, d'autant plus impérieux que les passions sont plus vives et les dangers quotidiens plus grands, exige le sacrifice absolu de la conscience universelle à l'intérêt de l'association. Les actes n'ont de signification que par rapport à cet intérêt. Hésiter à favoriser un membre du clan, si arbitraire que soit la faveur ; à secourir un membre du clan, quelque crime qu'il ait commis ; à frapper un ennemi du clan, si cruel que soit le coup, c'est trahir le clan, parce que c'est l'affaiblir ; c'est manquer à son devoir envers ceux avec qui l'on est engagé. Le cas se présente souvent en Corse, où il est malhonnête de ne pas faire ce qui est malhonnête dans les autres pays [...]. Conquérir la mairie ne signifie pas seulement qu'on ceindra l'écharpe tricolore à un coreligionnaire politique. C'est disposer des biens communaux [...]. C'est disposer de la répartition de l'impôt mobilier, être assuré de la bienveillance du garde champêtre dans la répression des délits ruraux ; c'est avoir le moyen de produire des certificats d'indigence pour échapper au paiement des amendes ; avoir le moyen d'obtenir des pièces probantes – vraies ou fausses – si l'on sollicite quelque chose du gouvernement. Emporter l'élection du conseiller général, c'est se créer un avocat auprès du budget départemental. Faire nommer un député, c'est ouvrir large cette source des faveurs vers laquelle la Corse tend ses lèvres. Tandis que, dans la vie

du village (si l'on a été battu), à toute heure, par de petits dénis de justice incessants, par les complaisances prodiguées aux adversaires, on sent la main de l'ennemi sur soi. Et c'est un double supplice particulièrement pénible à un Corse que d'être tourmenté par son ennemi et de ne pas pouvoir s'en venger.

L'homme politique travaille sur une « pâte » insulaire dont s'est modifiée la texture. Depuis la fin du XVIIIe, en un siècle, la Corse était passée de 150 000 puis 180 000 à 280 000 habitants. Cet essor démographique avait activé l'économie, comme on l'a vu précédemment à propos de la monarchie de Juillet et du second Empire. En 1951, après un demi-siècle de déclin, on serait retombé à 165 000 âmes environ, une fois corrigée l'inflation statistique due à des « recenseurs » qui, sans faiblir, englobaient dans la population de leur village l'effectif des émigrés au continent.

Au cours de la première phase, pendant le XIXe siècle, l'essor du peuplement produit l'expansion corrélative des emblavures. Celles-ci culminent, paraît-il, à 74 000 hectares en 1873. Sous l'influence de la compétition qu'exercent les farines et blés importés du continent, « les surfaces ensemencées, note Pomponi, seraient tombées ensuite à 35 000 hectares en 1885 et 14 000 vers 1900 ». On peut, à l'infini, discuter de la pertinence de ces chiffres, dans une région où les statistiques sont peu fiables. L'important, c'est que cette époque charnière inaugure le visage squelettique de la Corse actuelle : champs abandonnés, terrasses retournées à la friche. Quelle différence, par exemple, avec la Grèce actuelle, encore et toujours couverte d'oliveraies. Pour ne pas parler de la Tunisie... Les ex-insulaires ne s'en portent pas plus mal ; émigrés vers le continent, ils trouvent dans le secteur tertiaire des emplois point trop rémunérateurs, mais plus agréables que ceux qu'occupaient leurs ascendants au sein de l'agriculture du pays natal. « La terre est basse [12]. » Mais ce qui fait le bonheur *des* Corses, ou un certain bonheur, pour plusieurs d'entre eux, engendre par contre le destin malheureux ou apparemment négatif de *la* Corse. Les décadences agricoles concernent ainsi le châtaignier, sis pourtant au cœur de l'identité locale ; certains exploitants de cet arbre, dès avant 1914, préfèrent abattre le « capital » en question pour débiter les troncs en planches : la vente, assez rentable, de celles-ci sera par exemple utilisée pour subvenir aux études d'un enfant devenu lycéen. On ne saurait mieux illustrer le passage direct depuis le secteur primaire jusqu'au tertiaire. On saute à pieds joints, littéralement, par-dessus l'espace dit « secondaire », c'est-à-dire manufacturier.

La Corse ou plutôt les Corses ont donc transité vivement de la société traditionnelle à la société postindustrielle, celle des services ; ils évitent l'étape intermédiaire, si fréquente sur le continent, celle de l'usine. Peut-on raisonnablement leur en faire grief ? S'affaiblit de même l'oléiculture de Balagne (concurrencée par les planteurs tunisiens ou par les huileries marseillaises, et tombée assez bas dès 1910). La viticulture décline, sur le cap Corse, détruite par le phylloxéra ; elle ne retrouvera toute son ampleur (mais avec transfert géographique vers la plaine orientale) que beaucoup plus tard, grâce notamment à l'arrivée des Français d'Algérie, chrétiens, juifs ou agnostiques, pendant la seconde moitié du XXe siècle, eux-mêmes extraordinairement contestés par les habitants « de souche ». Les déplacements migratoires s'accordent avec ces mouvements de bascule. Il y a diminution de l'influx des prolétaires italiens, ou *lucchesi* (« lucquois »), jadis occupés au travail agricole, et qui s'intégraient vite à la population locale, en dépit de quelques dédains initiaux à leur endroit. Les départs s'accroissent en direction du fonctionnariat français, tant continental que colonial : la diaspora corse peuple les Bouches-du-Rhône, Paris… et l'empire colonial, à son apogée. Enfin, tout comme jadis les Bretons dans la marine, les insulaires jouent un rôle essentiel dans l'armée de terre, notamment au niveau des cadres, subalternes et autres. Le goût prononcé des Corses pour les armes à feu les qualifie, entre autres qualités plus importantes et plus attractives, pour ces fonctions majeures. Ils les exercent dans le secteur spécifiquement militaire, dans la gendarmerie, parmi les gardiens de prison, la police, etc. Sans la Corse, l'État français n'eût pas été tout à fait le même, tel qu'on l'a connu au XXe siècle en un déploiement de forces coactives.

L'émigration (contemporaine de phénomènes analogues en Sicile ou en Calabre) répond à un double défi : celui que lance la pauvreté locale ; et plus encore celui que propose, au-delà des mers, un niveau de vie continental perçu judicieusement comme positif par les intéressés, surtout quand ils sont jeunes, pleins de dynamisme et désireux d'améliorer leur sort. Les nombreux départs expriment en toute simplicité le souhait d'une promotion sociale. Ce vœu atteint maintes fois son but, mais au prix d'un déracinement : les descendants des émigrés corses occupent aujourd'hui, dans l'Hexagone, les couches moyennes ou supérieures de la société. Dans certains cas, néanmoins, les émigrants de première génération se sont « spécialisés » (faute de meilleurs débouchés ?) dans la délinquance ou le proxénétisme, parmi les quartiers chauds des grandes villes (Marseille).

L'expatriation est à la fois le meilleur et le pire des choix. Elle ouvre de nouvelles perspectives aux jeunes hommes (et femmes) mobiles. Ceux-là, et même celles-ci, vont occuper, dans la France (relativement) généreuse, une situation modeste, au début, mais souvent supérieure à celle dont « jouissaient » en un premier stade les Siciliens débarqués en Amérique du Nord, qui furent souvent chargés des plus basses besognes, manufacturières. (La postérité de ces nouveaux Américains rejoindra, elle aussi, quelques dizaines d'années plus tard, l'effectif des classes moyennes.) Néanmoins, le départ, enrichissant à terme pour ceux qui s'en vont, apparaît relativement dommageable, d'un point de vue comparatif, pour les obstinés qui demeurent au pays corse. La géographie insulaire, presque toute en montagnes, n'est pas faite pour retenir des peuplements qui, comme dans le reste de la France, tendent à quitter les régions haut perchées pour les zones fertiles, saines, populeuses, celles-ci étant peu répandues de toute manière en Corse, mais disponibles par contre en vastes bassins sur le continent. La Corse est un anticyclone démographique ; de toutes ses forces, elle projette vers le nord par-dessus la Méditerranée septentrionale une humanité mobile, ambitieuse. Les Corses ne reviennent au pays que pour la retraite, voire pour s'y faire construire des tombeaux cyclopéens parfois, qui marquent à jamais certains paysages escarpés. Une expression désobligeante accompagne le folklore anti-insulaire, malheureusement trop répandu dans l'Hexagone : « La Corse exporte des fonctionnaires et importe des retraités. » Sur place, cependant, un courant nouveau s'organise autour des revendications d'identité. Les syndicats d'initiative et l'Union des agriculteurs militent en ce sens. Dès 1900, l'idée d'un parti corse est lancé, en coïncidence, involontaire ou consciente, avec les phénomènes flamands, bretons... De 1896 à 1904, le concept d'une défense de la langue corse comme telle, à distinguer de l'italien et bien sûr du français, prend forme dans la presse et dans la vie associative. L'idée ou le mot d'autonomie circulent dès avant la Première Guerre mondiale en certains milieux ; un Santu Casanova vitupère la *matrigna* (la marâtre, autrement dit la France), qui ne distribue, nous dit-on, en aucun cas le « fabuleux trésor des mamelles pendantes ». Les vœux que formule Casanova en faveur d'une prise de conscience régionale s'enracinent dans la droite catholique : c'est un trait presque universel, parmi les mouvements régionalistes, avant comme après 1914-1918. Simultanément, les Corses (ou du moins les plus actifs d'entre eux) persistent à voter avec leurs pieds, bref, à déserter le pays natal. La divergence locale d'avec l'identité purement française n'est donc ni universelle ni univoque.

La guerre de 1914 provoque dans le peuplement insulaire plus de 10 000 morts. Elle accélère les processus émigratoires : beaucoup, parmi les combattants qui survivent, continuent leur carrière aux armées. Elle précède aussi une « entre-deux-guerres » au cours de laquelle le contraste gauche-droite cristallise derechef à partir des figures claniques. D'un côté se situent les partisans d'Adolphe Landry (qui fut, incidemment, le remarquable père de la science démographique française). De l'autre, ceux de François Piétri. Piétristes, à droite. Landristes, sur l'autre bord. Ceux-ci ne débordent guère, de toute façon, au-delà d'une gauche radicale. Les partis marxisants ou marxistes (SFIO ou PCF) n'obtiennent qu'un succès mitigé, même aux élections de 1936.

Tout cela correspond à la normalité d'une politique locale qui, de façon sincère et même flamboyante, arbore les « couleurs de la France ». Le phénomène minoritaire, cependant, n'est pas dénué d'importance. Il connote parfois l'irrédentisme, et même le fascisme à l'italienne. Le lieu géométrique de cette double dérive se situe quelquefois hors de Corse, à Livourne, et les archives italiennes auraient sans doute beaucoup à dire sur ce sujet, à partir de textes inédits. La militance autonomiste et mussolinienne (deux adjectifs qu'il convient de ne pas fusionner, même à l'époque) inspire, à l'époque, de bons ouvrages : elle motive, par exemple, la rédaction péninsulaire d'atlas linguistiques ou historiques du « département » ; les revendications du parti corse sont éventuellement exploitées par les « chemises noires », qui, Ciano en tête, exigent que la « Botte » s'agrège Tunisie, Corse et Savoie. Les propagandes profascistes existent. Par contrecoup, elles engendrent une réaction assez vive. Le « serment de Bastia » et la venue triomphale d'Édouard Daladier (peu avant la Seconde Guerre mondiale) constituent la réponse du berger à la bergère, du « taureau du Vaucluse » au cheval de Troie italien. Le patriotisme français de nombreux Corses contrecarre ainsi l'intrigue venue du Duce. Les grandes figures, chères aux citoyens du département, sont tirées à hue et à dia : les pro-Français exaltent Sampiero Corso et Napoléon. Les italophiles récupèrent Paoli, qui fut pourtant l'adversaire des Génois.

L'irrédentisme ainsi « propulsé » au-devant de la scène avait des racines presque séculaires, antérieures même à Santu Casanova, puisque, dès 1843, l'abbé Gioberti, dans sa « primauté morale et civile des Italiens » déniait à la Corse et même à Napoléon toute attache ou caractère authentiquement français[13]. Dans un livre passionnant, l'écrivain Gabriel Xavier Culioli, d'ordinaire très attaché à son île et à ses compatriotes en de nombreux ouvrages, s'est exprimé de façon parfois rude à propos de l'entre-deux-guerres en ce pays : analysant les livraisons successives du journal autonomiste *A Mouvra* (le mouflon), Culioli note[14] sans s'en indigner bien sûr le soutien apporté par cette feuille aux indépendantistes marocains et vietnamiens. En 1927, un Comité central des minorités nationales, dont font partie Alsaciens, Bretons, Flamands et Corses est fondé à Quimper. Les idiosyncrasies variées néanmoins demeurent contestables, et les dirigeants des diverses tendances intracorses se traitent aisément de « juif », mot vécu par certains, à l'époque, comme une insulte. En 1935, Santu Casanova, oublieux du brillant passé qu'il avait consacré à la cause et à la Corse « en soi » s'en va présenter ses hommages à Mussolini. Poussant les choses plus loin, Antoine Barzochi évoque élogieusement « l'indomptable énergie » d'Adolf Hitler (*A Mouvra*, 10 octobre 1938, d'après Culioli, *op. cit.*, p. 179 et 241). Il est facile aujourd'hui, à la lumière de l'histoire ultérieure, de ridiculiser ces prises de position. Constatons cependant, avec Culioli, qu'il y a bien, en 1939, un « naufrage » et même une catastrophe de ce qu'on appelait alors le « corsisme » : il fut d'abord procatalan, et devint ensuite au fur et à mesure des funestes années 1930, profranquiste parce que pro-Duce…

Au-delà de cette agitation superficielle et, pourquoi ne pas le dire, maladroite émerge, tout à fait positif, le phénomène de l'acculturation corse ; elle fut activée (de loin) par l'enseignement centraliste au nom duquel on éduqua les « natifs » selon les préceptes de Jules Ferry. Cette acculturation est génératrice d'intellectuels francophones qui réussissent sur le continent ; génératrice aussi de tentatives d'écriture pleinement « identitaires », par quoi les auteurs veulent revenir aux tonalités authentiques du langage local.

La Seconde Guerre, comme la Première, correspond aux temps forts d'une affirmation française [15]. La gauche giaccobiste et landriste se veut plutôt hostile à Vichy. La droite piétriste favorise davantage le Maréchal (mais sans que soit remise en question l'attache à l'Hexagone au profit d'une quelconque dérive mussolinienne, celle-ci n'étant le fait que d'une minorité de sympathisants).

Soulignons, afin d'éviter une vision trop provincialiste du Devenir insulaire en ces quelques années, que la Corse, jusqu'à sa libération lors de l'automne 1943 – et même ensuite ! –, est demeurée enjeu stratégique et diplomatique non négligeable. À la date du 4 octobre 1940, lors d'une rencontre au Brenner, entre Mussolini et Hitler [16], le Duce rappela au Führer ses revendications territoriales au détriment de la France, gelées depuis l'armistice de juin 1940. L'Italie fasciste voulait Nice, Tunis, Djibouti et bien sûr la Corse. *Corsica, a noi !* Par la suite, le 11 novembre 1942, en divers textes (proclamation au peuple français, lettre au maréchal Pétain), Hitler justifia l'occupation de la zone Sud du ci-devant Hexagone par la nécessité de « défendre » le littoral du Midi français et la Corse ! Du reste dès l'avant-veille (9 novembre 1942), le Führer avait précisé ses objectifs lors d'une conversation avec Ciano, ministre romain des Affaires étrangères. L'ex-caporal autrichien voulait l'occupation totale de la France, un débarquement en Corse, et une tête de pont en Tunisie. La Corse lui paraissait devoir offrir des protections, à l'encontre d'un envahissement des Alliés, depuis leurs nouvelles bases d'Afrique du Nord.

En septembre 1943, l'île ayant été effectivement occupée dans l'entre-temps par des soldats germaniques, ce furent des troupes nazies venues de Sicile (libérée), de Sardaigne *et de Corse* qui participèrent, avec des unités SS retirées du front russe, à la prise en main de l'Italie centrale par les séides du Führer. La libération de la Corse, à son tour, fit derechef de l'île un enjeu stratégique ou pour le moins tactique lors des rivalités entre les grands chefs des forces françaises libres. La Corse ayant été récupérée aux dépens de l'armée hitlérienne grâce à des éléments militaires que dirigeait le général Giraud, alliés aux résistants du cru, l'occasion fut ainsi donnée à de Gaulle non point de féliciter son concurrent Giraud, mais au contraire de lui donner politiquement le coup de grâce, pour le punir d'une initiative dont le « grand Charles » n'avait point eu le contrôle ! Elle risquait en effet de renforcer les giraudistes au détriment des gaullistes, dans le camp français hostile à Vichy !

L'autolibération de la Corse, avec le soutien des troupes françaises débarquées et avec l'aide paradoxale de l'armée italienne ex-fasciste, prend place en septembre-octobre 1943. Elle prélude aux immenses popularités de Charles de Gaulle. Celles-ci dureront pour le moins jusqu'aux belles saisons du premier septennat de la Ve République : l'an 1958, la Corse, dans des conditions peut-être discutables, forme marchepied pour le retour au pouvoir des amis du Général. En un cadre chronologique plus vaste, les Trente Glorieuses (1945-1975) sont contemporaines de modernisations décisives, qu'accompagnent les déchirements et les antagonismes. En témoigne, il faut y revenir, la chute spectaculaire des statistiques de l'assassinat : plusieurs centaines de meurtres par an (?) au début du XVIIIe siècle [17], une grosse centaine dans la première moitié du XIXe, une quarantaine sous la IIIe République, mais seulement quatre crimes annuels ayant entraîné mort d'homme pour les années 1960-1969. (Il est vrai que le tableau, par la suite, va tendre à s'assombrir de nouveau : l'ultramodernisation et la terrorisation se traduisent, après 1980, par la montée respective du gangstérisme, des hold-up… et des assassinats politiques.)

Le progrès corse est furieusement contradictoire ; il doit d'abord être jugé à l'aune de l'économie : décadence et grandeur. Le froment et les autres cultures vivrières achèvent de régresser, voire de disparaître. Il ne reste plus que 3 800 hectares de céréales en 1961 ; mais le vignoble, en plaine orientale, fécondée par les pieds-noirs, entre autres, à l'initiative de la SOMIVAC, progresse depuis 1957 à pas de géant. La récolte sera de 2 millions d'hectolitres de vin en 1971 contre 160 000 hectolitres seulement en 1959. Le tourisme est rendu possible, entre autres facteurs, par l'extirpation de la malaria grâce au DTT. Les Américains, à la Libération, répandirent généreusement cet insecticide sur les marécages de la côte. Il y a donc balnéarisation, ou semi-balnéarisation, des structures insulaires : ce processus eût été probablement total en notre temps, si de fortes réticences ne s'étaient affirmées chez certains Corses. Disons que l'attitude des insulaires à l'endroit de la mise en valeur, qu'elle soit viticole ou « plagiste », diffère du comportement des Majorquins que motive hautement l'esprit d'entreprise. « Le » Corse, s'il est permis d'émettre des généralités toujours hasardeuses, est tourné vers les activités de première fonction (service public, souveraineté, bonne marche ou parfois mauvaise de l'État, et jadis religion), ou de deuxième fonction (qui concerne en style paoliste ou napoléonien la chose militaire). *A contrario*, la troisième fonction (développement économique, orientation vers l'argent) fait l'objet souvent, sur place, de jugements dépréciatifs. Ce qui s'appellerait ailleurs développement ou croissance du pays sera simplement qualifié, chez certains intellectuels de Bastia ou d'Ajaccio, de « main basse sur l'île » ou de « bétonisation des plages ». D'où, du reste (ce qui n'est point négligeable), une certaine préservation des sites, notamment côtiers, dont on ne trouve plus l'équivalent sur la Costa Brava, polluée par les « développeurs » et les promoteurs. Que se pointent à l'horizon près d'une plage corse les projets d'un camp de milliers de nudistes germaniques, blonds (?) et roses, flanqué d'un quatre-étoiles et d'une piste à Boeing, la bombe a vite fait d'exploser qui détruit la conduite d'eau indispensable au complexe touristique et condamne à mort toute l'entreprise. Allez vous rhabiller ! Telle est du moins l'anecdote, révélatrice à défaut d'être exacte...

Malgré ces restrictions, parfois inattendues, il demeure qu'un mouvement à double pente, décroissante et croissante, s'est bel et bien produit : désintégration du secteur agricole ou traditionnel ; et, d'autre part, émergence de nouvelles activités, viticulture et principalement tourisme, si limité soit-il en certains cas. On retrouve cette tendance bifide avec une clarté pédagogique dans l'histoire de la démographie insulaire. Ne nous fions pas, bien sûr, aux recensements locaux : ceux-ci cultivent l'excès numérique par patriotisme de clocher et par intérêt communal : on « recensait » en Corse 100 000 âmes fictives en règle générale jusqu'aux dénombrements des années 1960 inclusivement. Les réalités sont néanmoins têtues ; l'émigration, souvent bienfaisante à ceux qui partent, demeure une plaie ouverte au flanc d'un petit peuple (50 000 départs de 1931 à 1938, 30 000 de 1946 à 1952 ; 205 000 départs au total de 1900 à 1972 ?). Et cependant... pour la première fois, dans le sens contraire, une immigration prend racine. L'Ancien Régime et les systèmes postrévolutionnaires des XIXe et XXe siècles avaient tenté vainement de faire venir des Lorrains, des Allemands, des Tchécoslovaques ou des Russes. Après la Seconde Guerre mondiale, on voit s'implanter des Italiens, toujours eux ; mais aussi des Français continentaux, de plus en plus ; des pieds-noirs, en butte à l'hostilité de certains Corses ; enfin des Maghrébins, désirés en tant que main-d'œuvre, et suscitant des méfiances, comme ailleurs en France, parce qu'allogènes. Dès les années 1960, le processus du déclin démographique est enrayé. L'effectif total des habitants inaugure une reprise sensible vers 1962-1968. En bénéficient principalement les villes de la côte (Bastia, Ajaccio, bien sûr) et parfois celles de l'intérieur (Corte). En sens contraire, la désertification des montagnes ci-devant « rurales », c'est-à-dire d'une grande partie du territoire, se poursuit « de plus belle » ; les villages de l'intérieur ne sont peuplés, trop souvent, que de vieillards et de retraités, flanqués de quelques jeunes, éventuellement désœuvrés. Au total, il y aurait aujourd'hui, chiffre peut-être (?) gonflé, 256 000 habitants dans l'île ; Quant à la *diaspora*, les chiffres les plus fantaisistes circulent, incluant parfois des descendants qui en fait ne se reconnaissent pas nécessairement comme corses. Acceptons donc avec l'excellente journaliste qu'est Irina de Chirikoff[18] de façon provisoire et sous bénéfice d'inventaire le nombre éventuellement « soufflé » de 100 000 Corses en Île-de-France et 250 000 en PACA (Provence-Côte d'Azur). On parle aussi de 600 000 Corses dans l'Hexagone... Quant au million et demi de Corses dans le monde, le superlatif extrême semble avoir été de mise en la matière. De toute manière – et sauf exceptions bien entendu multiples –, la diaspora semble

Du côté des 3 900 « vrais Corses »

L'Annuaire mondial des Corses, qui fut publié à l'occasion du bicentenaire de la naissance de Napoléon (1769-1969), demeure fidèle, de bout en bout, à la filiation impériale. Il s'ouvre par une photo de Son Altesse le prince Napoléon, et par des réclames pour le foulard bicentenaire. Une publicité pour des friandises (« Qui n'a subi l'obsession du nougat en traversant Montélimar ? ») indique aussi la possibilité qui s'offre au passant d'être hébergé dans cette ville au « Relais de l'Empereur ». Le concessionnaire Peugeot à son tour se place sous le signe de la « grande armée » automobile (laquelle évoque le siège des Automobiles Peugeot, sis avenue de la Grande-Armée, à Paris...). L'annuaire informe au passage sur la parution d'une histoire vraie (en est-il de fausses ?) de la bataille d'Austerlitz, avec illustrations en couleurs. À la page 426, apparaît l'éminent Jean Tulard, dirigeant l'édition des œuvres littéraires et des écrits militaires de l'empereur. Des spécialistes de soldats de plomb d'époque 1800-1815, ainsi que la batterie impériale d'une fanfare scolaire et municipale à Charenton-le-Pont, soit cinquante musiciens et tambours, font connaître leurs performances.
Vient enfin la galerie des « Corses d'honneur, napoléoniens et amis de la Corse » : parmi eux figurent des dramaturges, académiciens, historiens, écrivains, romanciers de langue verte, producteurs de télévision, chanteurs, comédiens, médecins, militaires, descendants des maréchaux d'Empire, hommes politiques et parlementaires, souvent gaulliens.

vouloir intervenir assez peu dans les affaires intérieures du pays natal. Sans doute estime-t-elle que le fait d'avoir émigré, parfois vers un destin meilleur, ne gratifie pas pour autant les émigrants de qualités particulières qui leur vaudraient de devenir donneurs d'avis quant au destin de l'île de beauté. Le maire actuel d'Issy-les-Moulineaux, M. Santini, insiste fortement sur ce point. Et pour compliquer encore le tableau, soulignons la « prégnance » de certaines personnes qui ont fait leur *alyah* et qui sont *revenues* au pays « non natal » : ainsi tel grand leader des nationalistes, est né, paraît-il, sur le Continent.

Sur ces bases contradictoires mais logiques (essor de la côte,

Du secteur bonapartiste, l'*Annuaire* transite volontiers jusqu'aux disciplines historiques, principalement insulaires, et souvent de bonne qualité (les autres branches du savoir ne sont guère représentées dans l'ouvrage). Tourisme promotionnel et américanisation montrent le bout de l'oreille : villas sur mesure au golfe d'Ajaccio, à deux heures de Paris ; *Rent-a-car* à Bastia... Les Corses de l'île et de la diaspora, mentionnés dans l'ouvrage (3 900 personnes répertoriées) appartiennent pour un tiers à la fonction publique et pour deux tiers au secteur privé. La proportion « publique » est forte, moins élevée toutefois qu'on ne l'imaginerait au seul vu des stéréotypes identifiant sottement l'insulaire (de Corse) au fonctionnaire (de l'Hexagone).

Qu'il s'agisse des 3 900 « vrais Corses », ou des 375 « Corses d'honneur » représentés au total et photographiés dans l'*Annuaire*, tous sont portraiturés au moyen d'une photo du visage, de face ou de profil. Trois exceptions pourtant : un présentateur de médias et un photographe sont respectivement flanqués, sur l'image, d'un chien et d'un rhinocéros ; quant à Gisèle Valentini, elle est photographiée de pied en cap, un genou à terre, en mini-bikini à fleurs : venue de Bastia, elle fut Miss Corse en 1966, et Miss France la même année. Elle résume assez bien, en son aimable personne, un recueil où la destinée de l'île ne se sépare point encore du devenir français. Autre temps, autres livres : en 1990, un ouvrage homologue serait de facture différente. La « corsitude », en vingt années, a changé de registre. Les 256 000 habitants de l'île (chiffre maximum ?) (parmi lesquels 35 000 à 40 000 Maghrébins, dont une forte minorité de Harkis) auraient bien du mal de nos jours à se reconnaître dans cet *Annuaire mondial* de leur pays. Et pourtant la Corse est toujours la Corse...

déclin du haut pays), quelques dates et quelques actions jalonnent, à partir de 1959, la remontée des sentiments particularistes : ils sont stimulés, plus que dans d'autres régions périphériques de la France, par l'isolationnisme insulaire, qui est *sui generis*. (Le cas irlandais fournirait-il un élément de comparaison ?) En 1959, la défense de l'unique chemin de fer de l'île, fermé parce que « non rentable », mobilise pour la première fois les passions oubliées ou longtemps contenues. En 1967, les frères Simeoni fondent l'Action régionaliste corse. En 1972-1973, une usine italienne, qui dépend de la Montedison, déverse, par navires interposés, les « boues rouges » au large du cap Corse : ce dépotoir maritime provoque de violentes protestations. Objectivement, elles récusent l'Italie… et aussi la France, à l'intention d'une corsitude pure et dure. En août 1975, pendant les manifestations d'Aleria contre la ferme d'un pied-noir, deux CRS sont tués.

Ainsi se développent sur la base du malaise corse les organisations nationalistes, minoritaires certes, mais auxquelles se rallient volontiers les portions extrêmes de la jeunesse, académique ou non. L'aile réformiste cristallise autour de l'ARC (Action régionaliste corse), devenue plus tard Union du peuple corse, animée par les frères Simeoni. On note, chez ceux-ci, « une perpétuelle hésitation entre la modération et le maximalisme ». Max Simeoni, en 1976, au congrès de l'UPC, ne présentait-il pas l'autonomie comme un prélude à l'indépendance ? L'aile maximaliste, qui manie la bombe, est constituée par le FLNC (Front de libération de la Corse) ; cet organisme est apparu en 1976. Dès 1964, les plasticages s'en prenaient aux fermes des gros agriculteurs, immigrés dans la plaine de l'Est, et originairement Français d'Algérie. Depuis 1976, le FLNC, clandestin mais actif demande « le droit à l'autodétermination des ci-devant départements corses ainsi que la confiscation des grandes propriétés et des trusts touristiques ». Organisateur de nuits bleues, il est parvenu, rien qu'en 1980, à signer plus de 400 attentats. Il s'est même doté, à certains moments, d'un paravent légal, le Mouvement corse pour l'autodétermination. Il a peint les murs au moyen du redoutable slogan IFF, les Français dehors *(I Francesi fora),* quelquefois métamorphosé en *Arabi fora* et même *I Pedi-negri fora [sic]* [19] ! Les attentats ont continué [20] après 1982…

*

Un haut responsable fut chargé (auprès de Mitterrand) de « suivre » les problèmes et dossiers de la violence politique extralégale, notamment terroriste : il a publié, à propos de ce thème très « chaud », une remarquable étude [21] : il n'est pas mauvais de s'arrêter quelques instants sur l'action, plus ou moins illégale en effet, qu'ont impulsée, avec l'énergie que l'on sait, les divers groupes d'ultra-autonomistes et d'indépendantistes corses pendant l'antépénultième présidence républicaine du siècle dernier (XXe s.). Rappelons que la IIIe et même la IVᵉ République avaient laissé prospérer le vieux système clanique, ce qui arrangeait pratiquement tout le monde, dans l'île et sur le continent. Avec la modernisation intervenue dans les zones méditerranéennes, comme ailleurs, au fil des Trente Glorieuses, le régime des clans n'était plus « tenable ». Il n'était plus adapté aux « Temps modernes ». On devait trouver autre chose, compte tenu des résurgences d'ethnicité qui se faisaient jour un peu partout. Parmi les solutions concevables aurait pu figurer… la démocratie, pure et simple, comme dans le Calvados et les Deux-Sèvres. C'était peut-être trop simple, en effet ; trop tôt, semble-t-il. C'était trop demander ? Quoi qu'il en soit, les nationalistes (locaux) se sont engouffrés, constate notre auteur, dans la brèche ainsi créée, dans le vide ou l'abîme politique qui s'ouvrait dorénavant sous les pas des « clanisticiens » traditionnels ou professionnels (de fort respectables hommes d'État, comme François Giacobbi et Jean-Paul de Rocca-Serra [22], ont du reste illuminé de leur talentueuse expérience ce coucher de soleil des anciennes structures de clans). Y a-t-il aujourd'hui un hyperclan ou superclan nationaliste, nébuleuse éclatée bien sûr ?

En cette conjoncture si particulière, le FLNC (Front de libération nationale de la Corse) a pris le relais du modérantisme autonomiste de l'ARC [23] des frères Simeoni. Ce Front nouvelle manière a su mobiliser une partie, fût-elle minoritaire, mais active, de la jeunesse corse, sur un programme de résurrection nationalitaire et linguistique – même si l'usage de la langue corse, en fait, tend à régresser. Le FLNC a influencé les médias par des mises en scène cagoulées, à l'ombre des nuits propices et des mitraillettes pointées vers les étoiles – mises en scène par petit écran interposé qui mettaient en rage les téléspectateurs continentaux (voire insulaires), accusant de complicité, laisser-aller ou lâcheté programmée, les autorités policières et gendarmiques, pas toujours d'accord entre elles, on l'a bien vu lors des incidents dont faillit être victime le commissaire Ange Mancini, en 1984, à l'occasion des obsèques d'Étienne Cardi. Pour en revenir aux télévisions et autres relais d'information, voire d'influence, disons que la Corse est en effet l'une des zones les plus médiatisées du monde, tant du fait de la presse écrite que des ondes hertziennes, TV ou radios, libres ou soi-disant étatiques. Et précisément le FLNC a su jouer, avec une maestria napoléonienne, et peut-être diabolique, des complicités, facilités ou même lâchetés du cru et d'ailleurs, sans que les directeurs des chaînes nationales, à Paris, y puissent ou veuillent changer quoi que ce soit. Quant au gouvernement socialiste (ou autre), il faisait l'effet d'un Gulliver empêtré face aux criblures d'attaques électroniques qui le lardaient de toutes parts depuis Corte, Ajaccio, Bastia… ou Cagliari[24] ; ce même gouvernement brandissait le poing gauche quand il fallait riposter de la main droite et inversement. Le FLNC, par ailleurs, a intimidé les juges, parfois sympathisants sinon complices quand ils étaient de naissance autochtone, mais surtout peu désireux de voir déposer sur le rebord de leur fenêtre le petit colis fatal qui quelques moments plus tard allait briser leurs vitres et peut-être blesser physiquement leur personne ou leur famille. N'est-ce pas le président Mitterrand qui vers 1981-1982 disait qu'en Corse la justice était au-dessous de tout ? Ce n'est plus le cas aujourd'hui, bien entendu…

Les militants frontistes, ceux du moins qui étaient davantage portés sur la chose intellectuelle, ont manipulé avec bonheur des thèmes idéologiques parfois déplacés, ou éculés, mais peu importe. Thèmes tels que l'anticolonialisme, qui avait déjà beaucoup servi dans les zones nord-africaines et autres, mais qui demeurait néanmoins inusable, pour les besoins de la cause. Et puis on tapait sur la grosse caisse des Droits de l'homme, invétérée portion de la Nouvelle Religion civique à usage mondial qu'a évoquée Régis Debray dans sa belle *Emprise* (Gallimard). Et l'on s'attardait plus spécifiquement dans ces conditions sur la défense des droits de la défense, à l'usage des militants incarcérés, même et surtout quand ceux-ci avaient fait parler la poudre plus souvent qu'à son tour. Beaucoup de fonctionnaires continentaux, face aux menaces, ont préféré quitter l'île (la corsisation des emplois ne pouvait qu'en prendre avantage). S'agissant du privé par ailleurs, on évoquera les malheurs, pas toujours mortels, d'un coiffeur, d'un médecin et plus récemment d'un agriculteur breton : il avait eu le tort de ne pas faire la distinction qui pourtant s'imposait d'elle-même entre l'insularité du pays « d'accueil » et la péninsularité de son Armorique natale.

Après l'expulsion par menaces de bombes, ou déflagrations effectives, d'un assez grand nombre de familles continentales, plus personne n'ose parler de nos jours du fameux racisme anticorse. S'il y a racisme, ce serait plutôt dans le sens inverse, à l'encontre des nombreux « Hexagonaux » que les Polyphèmes du FLNC ont su faire partir avec plus ou moins d'élégance, en leur faisant connaître la situation dangereuse où ils allaient se trouver, à supposer qu'ils s'incrustassent trop opiniâtrement dans l'île de Beauté. *I francesi fora* !

Pierre Pasquini, maire de l'Île-Rousse dont nous résumons ici les propos évoquait récemment à propos de ce slogan IFF quelques chiffres dont nous lui laissons la responsabilité, et quelques données. « Personne n'a rien dit, déclare-t-il, quand de nombreux pieds-noirs (ils étaient 18 000, installés en Corse, après leur départ d'Afrique du Nord) ont quitté la Corse ; et quand 79 enseignants, les uns après les autres, eux aussi, ont été contraints de quitter l'île. Je ne connais pas une seule amicale corse qui ait protesté. Toutes se sont dérobées en disant : nous ne faisons pas de politique [25]. »

Corollaire inévitable : pour parvenir à ses fins le FLNC a mis en œuvre l'artillerie des bombinettes et bombes tout court, sans parler des revolvers toujours prêts à des « dialogues » qui feraient plutôt l'effet de monologues (voir le « cas », majeur, de l'assassinat du préfet Claude Érignac, en 1998, meurtre perpétré, semble-t-il [?], par un personnage lié au terroir de Cargèse, une localité qui s'était distinguée au contraire lors des périodes précédentes, par de courageuses prises de position propacifistes). Au cours des années 1980-1990, on a eu en Corse jusqu'à 500, voire 800 attentats par an, ce qui ferait dans les 200 000 attentats annuels, quelques centaines par jour, à l'échelle de la France actuelle. On imagine la tête que feraient nos concitoyens… Il est vrai qu'on s'habitue à tout. Il est vrai aussi que le statisticien doit prendre garde au fait que les chiffres corses sont artificiellement (!) gonflés par l'occurrence de nuits bleues particulièrement festives qui font bondir les chiffres, telle que celle du 22 mai 1983, illuminée à elle seule par 54 attentats, aimablement dédiés au commissaire Broussard, chef de la brigade des « Incorruptibles » en ce temps-là.

Le FLNC lui-même très divisé (son Canal historique est tantôt plus dur, tantôt plus mou que le Canal habituel, c'est ce que la marquise de Rambouillet aurait appelé la carte du Tendre), le FLNC donc a réussi également, selon l'exemple de ce qui s'est fait en Irlande et au Pays basque, à se doter d'une façade légale, dont le nom a varié au gré des interdictions. Depuis 1983, il s'agissait du MCA (Mouvement corse pour l'autodétermination) créé à Bastia en octobre de l'année en question. Restent à trouver, pour ce *Janus bifrons*, légal-illégal, qu'est l'organisation indépendantiste, des sources d'argent frais permettant notamment de financer toutes sortes d'actions et parmi celles-ci les plasticages. Chacun d'entre eux, à l'époque du premier septennat de Mitterrand (j'ignore ce que sont devenus, depuis, les tarifs) pouvait rapporter de 3 000 à 5 000 francs au monsieur, généralement d'âge juvénile, qui posait les explosifs, au point qu'il y avait eu des abus et que des vengeances d'ordre privé se mêlaient parfois aux « légitimes » détonations de nature politique. Le Front dut y mettre bon ordre et codifier quelque peu la perception de l'impôt révolutionnaire. Ceci soit dit de notre part, bien entendu, sans contester en quoi que ce soit la pureté des intentions, souvent exaltantes et idéalistes, qui motivaient le jeune terroriste ayant touché (ou non) pour ce faire un tiers ou un demi-million d'anciens francs [26].

Sources d'argent, donc [27] : l'Europe, plutôt dindonnée dans l'affaire ; le budget national français, dont les prestations et subventions furent parfois soumises à une dîme clandestine mais généreusement calculée ; enfin les revenus du tourisme, et d'autres activités d'ordre économique, ponctionnées par le susdit impôt révolutionnaire. Les investissements dans l'agriculture, la culture, la formation professionnelle et le tourisme, encore lui, peuvent ainsi faire l'objet de dérivations financières très peu discrètes, et se transforment de ce fait en « fontaines de jouvence » ou en cornes d'abondance *cornucopiae* pour le Front en tant qu'organisation officieuse et violente. On a même cité le cas d'un archiviste local du ministère de la Culture qui archivait toute espèce de documents parmi lesquels des armes et des organigrammes de la « Résistance » ; ceux-ci devinrent par la suite, après saisie, une provende pour la police. Le Front apparaît ainsi comme l'un des acteurs, pas le seul certes, de la vie politique insulaire et même, jusqu'à un certain point, continentale. Je dis l'un des acteurs, car le Front se trouve en concurrence, sur la scène locale et régionale, avec le théâtre d'ombres des clans, lesquels subsistent et continuent leur jeu jusqu'à un certain point ; concurrence aussi avec quantité d'hommes et de femmes politiques honnêtes qui tentent de continuer leur travail du mieux ou du moins mal qu'ils peuvent. Compétition enfin avec la quotidienneté des électeurs et tout simplement des centaines de milliers d'habitants de l'île, et des millions de touristes estivaux pour lesquels la vie continue assez normale et souvent fort agréable en bien des cas, dans une Corse qui par elle-même a tout ou presque tout pour être heureuse, à commencer par le climat et les paysages. Bref la conjoncture ainsi évoquée ferait l'objet d'études passionnantes pour les sociologues et autres ethnologues, si d'assez nombreuses vies humaines n'étaient sacrifiées chaque année à ce « sport », et pas seulement celles de quelques truands notoires, Leccia et Contini, exécutés dans leur cellule de la prison-passoire d'Ajaccio par les soins de MM. Alessandri et Pantaloni, en juin 1984, comme suite à la malheureuse affaire de l'assassinat du militant Guy Orsini. C'est du reste à l'occasion de ce « coup de force réussi » de la prison d'Ajaccio qu'ont émergé brièvement, mais vivement, des leaders proches du FLNC, qui étaient jusqu'alors moins connus, tels que Léo Battesti et Jean-Baptiste Rotili Forcioli.

Le « casse » sanglant de la geôle ajaccienne donne à réfléchir quant à l'une des principales revendications des nationalistes, notamment celles de M. Talamoni[28], visant à l'installation des prisonniers politiques corses dans des maisons d'arrêt situées sur le territoire de l'île. Si Leccia et Contini n'avaient pas été « rapprochés » jusqu'en Ajaccio, s'ils avaient été emprisonnés à Fleury-Mérogis ou dans quelque autre enceinte continentale, peut-être verraient-ils encore, ces temps-ci, la lumière du jour...

Les auteurs de telles « actions violentes » entretiennent quelques liens, difficiles à identifier, mais fort vraisemblables, avec le « milieu ». Faute de parvenir à son but, défini comme l'indépendance de la Corse, le terrorisme a contribué pendant quelques années à casser la croissance de l'équipement touristique de l'île, lequel est parfois détruit par le plastic ou soumis à « l'impôt révolutionnaire ». Y aura-t-il, sous peu, un nouveau cycle d'expansion de l'économie corse ? Sa destinée pourrait en être brillante si des éléments perturbateurs, tels que ceux qui viennent d'être mentionnés, n'empêchaient derechef le décollage, du fait de la méfiance que ressentent, à la seule menace ou au bruit des explosifs, les investisseurs éventuels. Le 20 octobre 2000, encore, une voiture bourrée de 60 kilos d'explosifs était désamorcée, non pas en Corse il est vrai mais devant un commissariat de police de Marseille. Il s'agissait simplement, paraît-il, d'une menace tendant à faire pression sur Lionel Jospin pour qu'il se décide enfin à faire approuver son nouveau « statut »…

Ajoutons, sur un plan plus strictement politique ou de mentalité que chez les habitants de l'île il y a mixture de peur et de complicité, l'une et l'autre diffuses : les craintes, justifiées, des autochtones, face au chantage à la bombe damocléenne, toujours suspendue sur leurs têtes, s'ils ne marchent pas droit, se mêlent, chez les mêmes personnes bien souvent, à un irrépressible sentiment de solidarité ethnique. On buterait sur l'Homologue, sinon l'Analogue de ces attitudes « duales » et pourtant unifiées, si l'on voulait bien considérer les réactions qui furent celles de diverses populations européennes, allemandes, russes, etc., infiniment plus vastes que ne sont les peuplements corses ou basques, face aux mouvements totalitaires des années 1930. Peur et complicité, crainte et solidarité, les maîtres mots se trouvaient déjà présents, mais ce qui était national ou même dangereusement mondial devient aujourd'hui, et nul ne s'en plaindra, simplement régional ou local. Ce n'est pas tout à fait la tragédie. C'est encore un drame, et c'est déjà trop… On l'a bien vu lors de l'assassinat, tragique pour le coup, de Jean-Michel Rossi en août 2000, à l'Île-Rousse. On constate à ce propos l'énormité, on n'ose pas dire le luxe des moyens employés : une demi-dizaine d'hommes, non masqués (mais peut-être portant perruques, lunettes noire et fausses moustaches). Un authentique peloton d'exécution, en somme. Un armement quasi lourd, un véritable arsenal. La victime, non seulement mitraillée, ce qui serait « normal » (!), mais achevée de plusieurs balles dans la tête, comme pour donner une leçon sous forme d'un « coup de grâce ». Le garde du corps de J.-M. Rossi, tué, également. Les « gorilles » meurent aussi, hélas ! Bien sûr, politique ou non, ce n'est jamais qu'un crime crapuleux, comme il y en a tant sur le Continent, et qui provient peut-être « tout bêtement » de personnages du Milieu liés à des groupuscules nationalistes, et offensés par certaines révélations d'un livre récent de Rossi, décidés donc à faire un exemple, en attendant d'être à leur tour l'objet de représailles. Mais ce qu'on ne mesure peut-être pas toujours suffisamment y compris dans les milieux nationalistes-extrémistes, c'est l'effet d'image désastreux que cela produit sur des artisans picards ou des cultivateurs bas-normands qui n'ont pas toujours l'occasion, eux, par ailleurs, d'apprécier l'incontestable douceur de vivre dont bénéficient indépendamment d'un tel épisode, les vrais amoureux de la Corse, même en de telles circonstances – ces amoureux pouvant être nés insulaires, ou touristes d'une saison ; patriotes français (il y en a encore quelques-uns, mais oui) ou autonomistes déterminés. Et que dire, dans le registre des assassinats récents, de cet Insulaire qui fut successivement agenouillé, ligoté ou « saucissonné » puis exécuté froidement. N'y a-t-il pas là comme un sujet de méditation, pour les bons catholiques de l'ACAT (Association des chrétiens pour l'abolition de la torture)… Au fil d'un destin qui n'est pas que de bonheur et d'harmonie, on se détournera, pour un instant, des violences, trop souvent dirigées si l'on peut dire contre elles-mêmes (les terroristes s'exterminent entre eux, comme à petit feu), et l'on retiendra pour presque finir, dans un tout autre registre, comme l'un des événements centraux de la vie culturelle corse, l'ouverture en 1990 du musée Fesch d'Ajaccio, après plus de cent années de gestion chaotique des collections du cardinal Fesch, ancien militaire d'intendance de l'armée française, et proche parent de la famille Bonaparte (« L'empereur est fou à lier », avait-il dit de Napoléon, alors que les fortunes du grand Empire commençaient à basculer vers le désastre). Ce musée d'Ajaccio constitue, ainsi, hors de l'espace italien, depuis la fin du XXᵉ siècle, l'une des plus belles collections de peinture péninsulaire, actuellement disponible. Parmi celles-ci, on retiendra à titre d'exemple, parmi les « petits formats » du peintre franco-romain Subleyras, l'admirable *Job*, type même du vieillard opprimé, foudroyé par un Destin contraire.

*

Le troisième millénaire, ou plus modestement le XXIᵉ siècle, va-t-il changer les règle du jeu ? En fait, la question corse reste dominée depuis l'an 2000 par le plan Jospin prévoyant un nouveau statut pour l'île, règlement plus autonomisant encore que les deux précédents (Mitterrand et Joxe) et pouvant aboutir un jour, l'excellent José Rossi aidant, à l'indépendance de l'île. Le même José Rossi souhaite que ce statut corse soit étendu à toutes les régions françaises[29]. Or nombre d'entre elles ne le demandent pas ! Pourquoi le leur imposer ?

Lionel Jospin dans cette affaire a procédé contre l'opinion et le sentiment de la très grande majorité de ses ministres et pas seulement de Jean-Pierre Chevènement ; à l'encontre aussi de ses prises de position antérieures, beaucoup plus réservées lors de l'automne 1999. Le Premier ministre français de l'année 2000 est-il mû, en la circonstance, par de lointaines motivations idéologiques de type post-soixante-huitard ? On ne peut totalement exclure, en effet, outre les ambitions présidentielles, qui sont si souvent sous-jacentes, une interprétation de ce genre. Après tout, le droit des peuples à disposer d'eux-mêmes est l'une des vieilles tartes à la crème de la pensée d'ultragauche, rémanente le cas échéant même chez un politicien assagi. Mais ce droit des peuples, est-il raisonnable qu'on puisse vouloir l'appliquer à des populations corses d'appartenance française, et qui dans leur grande majorité (environ 80 %) ne désirent point une telle « application » ?

*

Simultanément historien et homme de mon époque, citoyen du monde comme de l'Europe, et Français, je me dois de porter sur la Corse un jugement double : passé, présent ; ou plutôt jugement de fait, et jugement de valeur.

Lionel Jospin, les yeux rivés sur l'élection présidentielle, celle-ci venant en surcroît de l'idéologie, espère dorénavant se tailler une destinée élyséenne sur le cadavre du centralisme. L'actuel chef de l'État, pour sa part, garde les yeux rivés sur la ligne bleue des sondages, et conserve, à ce jour (septembre 2000), un silence prudent, choquant même, à peine irisé par des appels en sourdine à l'unité de la République. Même le mot de nation, que Jospin utilise encore de temps à autre, n'est plus prononcé par l'hôte de l'Élysée[30].

Jacques Chirac a quand même parlé de « réformes » qui restent à faire (?) dans l'île de beauté. Or, nous le disions à l'instant, il y a déjà eu deux statuts (Mitterrand puis Joxe, en attendant le troisième : Jospin) ! La gauche les promulgue ; et la droite, dinosaure crevé au fil de l'eau, les accepte ou les acceptera lors d'une phase ultérieure de cohabitation.

Le problème n'est pas de réformer mais d'appliquer les deux premiers statuts, de maintenir ce qui peut l'être de l'ordre républicain, de donner enfin la parole au peuple corse, aux majorités authentiques, et non pas aux poseurs de bombes ; ceux-ci entretiennent comme on sait une omerta complice et se rient de l'hostilité effective mais silencieuse, profrançaise en fait, que leur voue une majorité d'insulaires.

Faut-il rappeler que la Corse n'est pas l'Algérie, ni démographiquement, ni bien sûr culturellement ? Que c'est une région française avec des particularités propres ? Que les vraies langues de culture de l'île ne sont pas les divers dialectes si respectables soient-ils, certes fédérés en une langue artificielle qui se veut paninsulaire, mais bel et bien, comme le rappelait encore il y a peu Angelo Rinaldi, le plus grand écrivain corse actuel, les deux langages de la tradition culturelle majeure de cette région : à savoir l'italien et le français. Rappeler aussi que divers développements fâcheux, explosifs, peuvent être traités avec le *benign neglect* (bénignité vigilante, dirons-nous), chère aux Anglo-Saxons ? Sans qu'il soit nécessaire, aux fins de se fabriquer une image pré-élyséenne et pacificatrice, de créer des situations de non-retour, pré-indépendantistes, néfastes pour tous, continentaux comme insulaires ; elles ne seront bénéfiques que pour une collectivité de trublions meurtriers qui n'hésitent point à brandir les pistolets-mitrailleurs.

Le ferme comportement du gouvernement espagnol de José-Maria Aznar face à une situation basque infiniment plus grave pourrait servir d'exemple à nos dirigeants. Les Basques d'Ibérie tuent les autres, mais des Corses se tuent entre eux. Le « mouvement » corse, en sa version extrémiste voire terroriste, est typiquement une opération « völkisch » (*I Francesi fora*, les Français dehors). Opération purement ethnique, presque totalement fermée sur soi, sans caractères « progressistes » – si l'on me permet de reprendre ce terme à bon escient –, si ce n'est une aspiration légitime au décentralisme lequel, dans les faits, est déjà largement mis en place..

Et pourtant, l'indépendance de la Corse est peut-être inscrite dans les astres, à l'heure où la coalition nationaliste *Unita*, proche notamment de Jean-Guy Talamoni, envisage d'amener les différents mouvements qui la composent à former un parti unique [31]. Pressions internes dans l'île même, fussent-elles minoritaires, mais activistes ; laisser-aller de la classe politique continentale, et lassitude de l'opinion française. Raymond Aron disait de l'indépendance de l'Algérie qu'elle était simultanément absurde et nécessaire. Celle de la Corse reste également absurde ; mais, qui sait, inévitable ou fatale [32]... ? Admettons simplement, au cas où serait adopté le projet Jospin, qu'il conviendrait de l'appliquer au mieux ou au moins mal des intérêts de l'île et du continent, subsumés par ces dénominateurs communs que sont la France et l'Europe. Il faudra faire bonne mine à mauvais jeu... C'est du reste la solution qu'adoptent explicitement des hommes politiques semble-t-il fort modérés, comme Camille de Rocca-Serra et Jean Baggioni, respectivement président du groupe RPR, et président de l'exécutif à l'Assemblée de Corse, en novembre 1999 [33]. Ajoutons que, pendant ce temps, la vie persévère dans l'île, simple et paisible : le 27 novembre 2000, Jean-François Luciani, l'un des « piliers » du soutien nationaliste aux discussions avec le gouvernement Jospin, a été arrêté et écroué pour « co-action » quant au double attentat contre les locaux de la DDE et de l'URSSAF, en Ajaccio, le 25 novembre 1999. Deux autres cadres de l'organisation *Corsica viva*, dont M. Luciani était l'un des principaux responsables, MM. Fieschi et Orlandetti ont été écroués s'agissant du même dossier, pour « complicité d'attentat » (*Le Monde*, 29 novembre 2000).

Le feuilleton continue. *E la nave va.* Sur la dunette, et le gaillard d'avant, les chefs des clans et des réseaux palabrent. Le préfet-capitaine, casquette vissée sur le crâne, tente, en vain, de contrôler la manœuvre. Les passagers ronchonnent ou se taisent. Dans la soute, à proximité des chaudières, les artificiers, qui surenchérissent, font exploser leurs gros pétards de temps à autre, au risque d'endommager la cambuse. Les vieilles habitudes ont du mal à se perdre. Le navire court sur son erre. Le continent est isolé. La mer est un long fleuve tranquille... Faut-il larguer les amarres ?

8

L'aire franco-provençale : la Savoie

L'aire franco-provençale est assez peu connue par comparaison avec l'aire d'oïl, celle-ci génitrice d'une langue, le français, à diffusion longtemps européenne voire mondiale ; par comparaison aussi avec l'aire occitane ou provençale qui doit, entre autres motifs, sa célébrité à Frédéric Mistral, l'indépassable auteur de *Mireille*. Ici entre Lons-le-Saunier (Franche-Comté) et le sud de la zone grenobloise, entre Sion (Suisse romande) et Saint-Étienne (Forez), nul grand écrivain « dialectal » n'est disponible dans le passé, qui puisse fonctionner encore à notre époque en tant qu'« étendard », fût-il un peu fané, d'une belle entité linguistique, tombée de nos jours en perdition. Le savoyard Joseph de Maistre et le dauphinois Stendhal, pour ne pas parler du prince des pornographes Nicolas Chorier, grand historien dauphinois par ailleurs, écrivaient en français, voire en latin (dans le cas de Chorier). Et cela même si Stendhal, dans *La Vie de Henry Brulard*, parle éventuellement de sa *Tatan*, mot franco-provençal, équivalent de la *Tata* d'oc et de la *Tante* des francophones.

Qu'est-ce donc que l'aire franco-provençale ? Elle a un vague rapport avec l'actuelle région officielle et administrative, appelée Rhône-Alpes : à ceci près que Rhône-Alpes déborde largement (vers le sud) le franco-provençal, puisque incluant, au Midi, la plus grande partie de l'Ardèche, de la Drôme et l'extrême sud de l'Isère, qui sont les unes et les autres à des degrés divers en terre d'oc proprement dite. En sens inverse, le franco-provençal dépasse de beaucoup Rhône-Alpes vers le nord, puisque s'étendant, toujours en géographie départementale, sur le sud du Doubs, la presque totalité du Jura (sauf la pointe nord de ce département), et le sud-est largement taillé de Saône-et-Loire. En outre le franco-provençal va au-delà des frontières françaises : il inclut, en Suisse romande, les cantons de Vaud, de Genève, de Fribourg et du Valais [1] ; et, en Italie, le Val d'Aoste. Avec Henriette Walter et André Martinet, disons, pour simplifier les choses « que le franco-provençal est une langue d'oc influencée par les parlers du Nord », autrement dit par les langages d'oïl ; oc (oui) y est devenu wa. Et ainsi de suite… Incontestablement, les Franco-Provençaux, s'il est permis de les appeler de la sorte, constituent l'une des minorités linguistiques de France, même s'il ne s'agit que d'une minorité en soi, non point « pour soi » étant donné que « la spécificité de ce domaine » n'a été reconnue qu'il y a un peu plus d'un siècle.

Dans ces conditions, comment réfléchir, historiquement parlant, sur cette vaste zone, initialement non francophone ; et, à la limite, comment choisir en son « sein » une région plus carrément typique ? Les destinées infrarégionales, dans l'ensemble franco-provençal, sont en effet simultanément glorieuses et divergentes : Genève indiscutablement franco-provençale, à tout le moins dans ses racines, est matricielle du calvinisme. Neuchâtel, en Suisse romande elle aussi, alias en Romandia, conserve bien des titres à notre gratitude, quant à la diffusion d'un certain encyclopédisme, pendant les dernières décennies du XVIIIᵉ siècle. À Saint-Étienne, on extrayait dès le Moyen Âge le charbon de terre, bon premier parmi d'autres houillères françaises encore à venir, celles du Nord et celles de Lorraine. Inutile d'insister sur le rôle de Lyon, « phare » de la culture typographique, du grand commerce, de la soierie… Ces divers centres sont tombés, à des dates diverses, dans l'escarcelle française ou helvétique, selon le cas ; ils y ont vécu chacun une destinée spécifique (selon la vocation de telle grande ville ou petite région). « L'aire » individualisée par excellence demeure en fin de compte la Savoie ; elle eut longtemps existence politique indépendante, sous l'égide de ses ducs, portiers des Alpes ; elle bénéficie aujourd'hui, si l'on peut dire, de la présence d'un mouvement autonomiste qui se veut « savoisien » et qui justifie donc a posteriori la place privilégiée que nous donnons à ces territoires savoyards dans l'ensemble franco-provençal.

Parmi « nos » provinces périphériques (on ne sait plus, scrupule ridicule, si l'on a encore le droit d'employer le possessif), la Savoie est l'une des mieux loties quant à l'exacte chronologie de son continuum préhistorique, s'agissant plus précisément d'une périodisation néolithique ; cette époque, qu'on appelait autrefois de la « pierre polie », voit s'implanter en effet les bases de l'actuel peuplement savoyard, pour autant que celui-ci restera, pendant longtemps, indigène et rural tout à la fois. Grâce à la série sédimentaire et stratigraphique de Saint-Thibaud de Couz, dans l'actuel département de la Savoie, une mise en perspective complète des âges locaux du Néolithique, du Bronze et du Fer, devient possible, étant admis que tout ou presque, en fait de productions animales et végétales, vient originellement, par relais successifs, du Moyen-Orient. Disons que l'élevage de la chèvre et du mouton apparaît en milieu savoyard, vers 5200 avant Jésus-Christ. Autour de 4200, la céramique et le cochon, « le pot et le porc », viennent compléter ce premier « vocabulaire » technique et zoologique. Vers 3800, les « Naturels » sont munis de lampes en bois de cerf. Vers 3700-3500, les céréales ! Vers 2800, l'orge, le blé et les cabanes en bois rectangulaires deviennent usuelles. Les prairies, autour de 2300, s'avèrent fortement broutées : stabulation libre, déjà. Vers 2200, surgissent les objets en bronze. Le dernier millénaire coïncide, bien sûr, avec l'âge du fer. Quant à l'installation locale des Gaulois, elle s'effectue à partir du IVe siècle avant Jésus-Christ.

Les Gaulois, c'est-à-dire (entre 120 et 50 avant notre ère) les *Allobroges*, tribu celtique d'habitants des huttes et des cabanes, superposés en tant que Dominants aux vieilles populations indigènes, et occupant le plateau savoyard, tout en laissant, à leur Est, d'autres clans gaulois : je pense aux *Centrones* de la Tarentaise et aux *Medulli* de la Maurienne. Les Allobroges furent effacés ou plus exactement latinisés par la conquête romaine, qui réduisit ces fiers guerriers, si l'on en croit Strabon, à l'état d'agriculteurs. Ils survivront pourtant dix-huit cents années plus tard dans le cadre d'une sémantique franco-révolutionnaire (1792) ; et puis dans le folklore journalistique du XXe siècle, incluant toute une série de grands ou petits hebdomadaires nés de la Résistance et du communisme (exemple : les *Allobroges savoyards*) avec en plus des bulletins d'apiculture (*Le Rucher des Allobroges*) ou encore, dans la note tragique, dès 1918, le bulletin des Mutilés savoisiens de la guerre, autrement dit la *Voix des Allobroges*. Un hymne d'origine régionale *Allobroges vaillants* sera même popularisé par des chorales peuplées d'ignorantins sous la forme d'un hymne résistentialiste aux allures involontaires d'appel téléphonique : *Allo ! Broges vaillants !* Les Broges contre les Boches... Il suffisait d'y penser. Notre Savoie historique, latinisante et donc (plus tard) franco-provençale commence-t-elle dès le temps de l'empereur Auguste ? Ce personnage ayant posté ses préfets à la tête de deux circonscriptions, indubitablement savoyardes, celle des Alpes Grées (Chamonix, Beaufortin, Tarentaise) et celle des Alpes cottiennes (Val de Suse, Maurienne...). La prospérité savoisienne aurait connu, ce qui n'étonnera personne, un apogée pendant le IIe siècle, à l'époque des Antonins : en cette période, et ultérieurement, la romanité met en place ou simplement développe un semis de villes dont aucune, il est vrai, n'a beaucoup de prestance, sinon locale. Citons parmi elles Aime, « capitale » des Alpes Grées, dotée d'un siège de procurateur impérial, d'un marché, d'une basilique qui fut impériale elle aussi avant de devenir paléo-chrétienne. Et puis Seyssel sur le Rhône : cette ville fonctionnait déjà, comme elle fera encore pendant le XVIe siècle, au titre d'une rupture de charge, et d'un transfert des marchandises ; celles-ci quittant les charrettes ou le transport à dos de mule, pour être expédiées en péniches vers Lyon, Vienne ou Arles. Le caractère brutal et parfois désordonné des grands fleuves, qu'il s'agisse du Rhône ou de l'Isère, n'empêche pas que s'activent, aux fins commerciales, les corporations des Nautes[2], à Lyon bien sûr, mais aussi à Genève, Lausanne, et à Voludnia sur l'Isère. Tant qu'à parler de ces questions « aquatiques », on notera que l'eau de ces régions, en effet, ne contient même pas les doses iodées, infinitésimales, qui eussent été nécessaires à ceux qui la consommaient alors... Le goitre qui résulte de ces « manques » et qui sera encore très présent au XVIIIe siècle sur les gosiers de certains habitants était déjà signalé comme tel en Savoie ou pour le moins en Maurienne, dès l'époque de l'architecte Vitruve, écrivant peu avant notre ère. Quant à la spiritualité régionale, ou ce qui en tenait lieu, on est assez bien informé avant l'émergence du christianisme, sur la religion (païenne) des Allobroges, à Vienne certes, mais aussi dans l'actuelle Savoie au sens plus restreint de ce terme, à Chambéry, Annecy, Annemasse, La Rochette, etc. : le panthéon régional, comme en Auvergne, est en effet dominé par Mercure, détenteur d'une souveraineté céleste... et terrestre. Ses effigies nord-alpines font penser à l'auvergnate statue mercurienne qui, hors Savoie, coiffait jadis le Puy-de-Dôme. Chevauchant un bélier, ou coiffé d'un pétase celtique et polytechnicien, le Mercure latino-allobroge est polyvalent. Il protège les voyageurs et les marchands ; il garantit l'abondance et les prospérités terriennes. Tutélaire des cités, il règne aussi sur les sommets. Il s'intéresse aux simples citoyens, fussent-ils de niveau modeste, voire servile. Sa « mainbournie » s'étend sur les vivants et les morts. On ne peut s'empêcher de le trouver sympathique. C'est un guide, en même temps qu'un bon camarade. Une carence quand même : les dames semblent le laisser froid[3].

La crise du Bas-Empire, liée aux premières invasions, voit s'affirmer par contrecoup, tant bien que mal, la prépondérance de villes fortifiées de bric et de broc, telles que Genève et Grenoble ; celle-ci, de *Cularo* qu'elle était, devenant Gratianopolis (Grenoble), la cité de Gratien, empereur du IVe siècle de notre ère. Le christianisme va se diffuser à partir de Vienne (cité aujourd'hui dauphinoise, en principe), cependant que Genève et Grenoble, fidèles à elles-mêmes deviennent *ipso facto* capitales d'évêchés vers la fin de ce IVe siècle. La Savoie proprement dite, qui n'existait jusqu'alors « qu'en-soi » accède enfin, lors de cette même époque, à la dignité du Pour-soi : vers 390 en effet, l'historien Ammien Marcellin note que le Rhône, débouchant furieux dans le lac Léman, cherche ensuite une issue, d'une eau plus nonchalante ; puis (*via* Genève), sans diminuer de volume, « il passe à travers la Savoie et les Séquanes (*per Sabaudiam et Sequanos*). Enfin s'étant beaucoup avancé, il longe le territoire viennois du côté gauche, et celui du Lyonnais, sur sa rive droite... ». Première mention de la région comme telle, modeste gloire de la nomenclature onomastique...

Mais la nomination ou plutôt la dénomination n'est pas tout. Car les périodes ultérieures, à partir de la deuxième moitié du Ve siècle, sont encore moins brillantes. Invasions bien sûr, ou prolongements d'invasions. Enracinement d'une « immigration » barbare, terriblement barbare pour le coup, venue des forêts de Germanie. L'économie régionale dont l'échine est brisée se traîne et le reste suit, cahincaha. Dans ce contexte, l'installation des Burgondes, autour de 452, est un événement considérable. Les anthropologues physiques, en

223

tout cas, sont frappés, squelettes et crânes en main, par la puissance de l'appareil masticatoire des personnages de cette peuplade burgonde, dont les origines lointaines se situent quelque part entre l'île de Bornholm en Baltique et, d'autre part, les plaines qu'arrosent l'Oder et la Vistule, au temps où l'actuelle Pologne était à moitié allemande. En Savoie, Franche-Comté et Bourgogne (le nom de cette province, à lui seul, est significatif), les Burgondes vont bientôt se latiniser rapidement. Les grandes fermes typiques de cette peuplade, campée une bonne fois pour toutes dans la ci-devant Gaule, sont structurées autour d'une cour centrale ; elles comportent aussi, quand le maître des lieux préside aux destinées d'un lignage royal, une salle de festins, théâtre de banquets et de beuveries dans le genre des Niebelungen et de Beowulf. Les plaques de ceinturon chères aux guerriers burgondes marient les traditions tribales de ce peuple avec une iconographie à caractères orientaux ou catholiques. Les monastères chrétiens, parmi lesquels celui de la Novalaise, préservent tant bien que mal des milliers de manuscrits, cependant qu'au fil des vallées alpestres l'influence des saints – bretons, normands, irlandais (saint Colomban) – s'inscrit dans les toponymes des chapelles. L'apparition du second royaume de Bourgogne à partir de 888, en la personne de Rodolphe Ier, fondateur de la courte dynastie rodolphienne, fournit un repère chronologique commode ; c'est comme une borne temporelle à laquelle on attache momentanément le char de l'État, ou le peu qu'il en reste. Bien peu en effet, si l'on en croit le chroniqueur Thietmar de Mersebourg, décrivant les « pouvoirs » du monarque bourguignon de l'époque, dont les territoires dépendaient à l'échelon supérieur, *pro forma*, du Saint Empire romain germanique : « Il n'y a pas d'autre roi qui gouverne ainsi ; il ne possède, écrit Thietmar, que le titre et la couronne et il donne les évêchés à ceux qui sont choisis par les grands. Ce qu'il possède pour son usage propre est peu de chose ; il vit aux dépens des évêques et ne peut défendre ceux qui, autour de lui, sont opprimés de quelque manière. Aussi ceux-ci, mettant leurs mains dans celles des grands, les servent comme si ces grands étaient leurs rois, et jouissent ainsi de quelque repos. » Appréciation négative du chroniqueur ! On ne peut néanmoins accepter celle-ci au pied de la lettre. Il semble bien qu'existe en effet un noyau dur, « Rhône-Alpes » justement, incluant l'actuelle Savoie et la

Suisse romande, sur les bords des lacs d'Annecy, du Bourget, Léman, où la souveraineté des rois bourguignons, quelque peu lacustre en l'occurrence, s'exerce avec plus de force et de continuité qu'ailleurs. Les rodolphiens n'ont donc pas jeté le manche royal après la cognée monarchique, même quand le multipartisme féodal, de toutes parts, tentait de les étouffer. Du côté urbain, cependant, ça ne va pas bien fort. La plus grande ville du cru, qui sera de nos jours helvétique, il s'agit de Genève, ne comptait jusqu'à la fin de l'époque rodolphienne (premier tiers du XIe siècle) que 1 200 à 1 300 habitants ! Le lac Léman ne risquait pas d'être pollué par l'excès des activités citadines.

Quoi qu'il en soit, de la fin du IXe siècle à la fin du Xe, les Sarrasins, venus de leur base maritime de la Garde-Freinet, multiplient les ravages. Délinquance de pillards dans l'espace alpin... Leur expulsion définitive à partir de 983 donne le signal *a contrario*, d'une expansion économique qui introduira, sous peu, aux fastes du Beau Moyen Âge.

C'est dans ce contexte qu'apparaît le premier personnage plus ou moins bien connu, dit des Blanches-Mains, de ce qui va devenir la maison ducale de Savoie destinée à se « poursuivre » jusqu'au XXe siècle en tant que royauté d'Italie : l'ancienneté d'icelle ne le cède en rien, ou si peu, à celle des Capétiens, quand on envisage la ligne masculine. Humbert aux blanches mains est né vers 980. Il est grand propriétaire, et ferme soutien du pouvoir impérial, qui lui-même, en la personne de l'empereur Conrad II, est source et fontaine de légitimité. Avec le comte Amédée III (1103-1148), descendant de l'homme aux mains blanches, une première alliance matrimoniale est nouée en direction du royaume français, puisque la sœur d'Amédée épouse le monarque capétien Louis VI. La Savoie d'alors disposait déjà d'une solide base économique et démographique : la conquête des hauts terroirs montagneux, fussent-ils de fertile vallée perchée, était déjà en cours, depuis longtemps ; le prieuré de Chamonix, à plus de mille mètres d'altitude, était créé dès 1090. Participant à la Croisade, doué de plus de bravoure que de cervelle, Amédée III, revenant de cette expédition, meurt dans l'île de Chypre en 1149. Quoique disposant déjà d'une solide base de pouvoir intra-et même extra-alpine, ce personnage ne portait encore officiellement que le titre de « comte de Maurienne ».

Dès le règne d'Humbert III († 1139), fils et successeur du précédent, et intronisé peu avant la mort du père, le rôle « savoyard-comtal » auquel nous fîmes précédemment allusion, de portier des Alpes, apparaît clairement. Un portier qui ne sera quelquefois, dans la suite des temps, qu'un simple concierge, congédié sans tambour ni trompette par Henri IV, Louis XIV ou la Révolution française en attendant de l'être d'une manière définitive par la majorité référendaire du peuple italien, en 1946. Mais n'anticipons pas ! Et insistons plutôt sur les capacités de verrouillage dont dispose quand même le contrôleur, très ducal, de la « porte » alpine en question. Dès l'époque de la dynastie féodale, l'Anonyme de Lyon souligne ces possibilités verrouilleuses, qui s'offrent aux Humbert et autres Amédée : « personne ne peut avoir accès à l'Italie sans passer par leur terre », écrit cet auteur, et Frédéric Barberousse en saura quelque chose, lui qui devra payer le prix fort pour obtenir des « Blanches-Mains » le droit de traverser les cols et montagnes de la principauté alpine.

La sémantique de telles principautés et bientôt princeries à part entière va, du reste, se faire plus précise. Le titre de comte de Savoie, décerné aux titulaires successifs de la tige régnante, émerge dès le XIIIᵉ siècle, en l'honneur de ces hauts personnages qu'on n'appelait jusqu'alors que comtes de Maurienne. Vers la fin du XIIᵉ siècle, les susdits comtes prennent « l'habitude » d'être inhumés à l'abbaye de Hautecombe, comme les rois de France à Saint-Denis. Politique et religion se donnent la main ! L'économie, pour sa part, n'est pas en reste : l'expansion des abbayes joue en effet un rôle essentiel quant à la longue croissance, multiséculaire, qui fait suite à l'expulsion des Sarrasins en 983. Les moines cluniens sont au Bourget-du-Lac ; les cisterciens près de Thonon et d'Annecy ; les chartreux enfin ferment la marche au XIIᵉ siècle en Chablais et dans les Bauges, après bien d'autres implantations monacales.

À l'époque d'Amédée IV (1233-1253), le rôle international de l'État savoyard tend à s'affirmer, même s'il n'atteint pas aux vastes dimensions des grands royaumes de l'époque (France, Angleterre…)[4].

L'historiographie classique de la Savoie n'insiste qu'assez peu sur les désastres locaux, dus à la peste noire, et sur les épisodes épidémiques qui l'ont suivie. À tout le moins, la Savoie n'était-elle point située dans le tourbillon et la fureur du « vortex » des guerres de Cent Ans. Une espèce d'apogée, pour le moins symbolique, du pays, semble se faire jour dans la droite ligne de l'effort séculaire de la dynastie, quand Amédée VIII, fils du « comte rouge » et souverain savoyard de 1398 à 1434, est d'abord fait duc (en 1416)... puis devenu pape sous le nom de Felix V, le voilà qui exerce tant bien que mal la souveraineté pontificale à partir de 1439, jusqu'à son abdication (1449) et jusqu'à sa réduction au titre de cardinal évêque de Sabine. Les réalisations religieuses de ce pape Felix V ne sont certainement pas à la hauteur des accomplissements politico-stratégiques qui furent précédemment les siens dans le cadre strict de sa principauté alpine : il occupe néanmoins dans l'histoire compliquée de l'Église universelle aux surlendemains du Grand Schisme une « niche » qui n'est pas négligeable.

La Savoie d'Amédée VIII-Felix V a en effet l'immense « mérite » (?) d'être à l'origine, ou d'être l'une des origines importantes de la grande vague des procès de sorcellerie qui culminera ensuite, vers la fin du XVIᵉ siècle. Suivons, à propos de ce cas savoyard, les analyses de Robert Muchembled, l'un de nos meilleurs « diabologistes » actuels. À l'en croire, le thème et le mot même du *sabbat* démoniaque, lié à la présence d'hérétiques vaudois, apparaît d'abord aux Pays-Bas vers 1420-1430. Mais la suite de l'histoire nous transporte bel et bien plus au sud : en Savoie précisément, qui nous concerne ici ; et puis dans des zones notamment circonvoisines, elles aussi franco-provençales : Dauphiné, pays de Lausanne (et région de Berne, dans l'aire alémanique). Il s'agissait toujours de persécuter les Vaudois ou soi-disant tels, qui se trouvaient être en résidence alpine, ou proches des Alpes. On calomniait ces braves gens sur le mode antisémite en les présentant comme les fidèles d'une espèce de « synagogue pute ». Ils rendaient hommage au diable, lequel leur apparaissait, disait-on, sous la forme d'un chat noir dont ils embrassaient le derrière. Ils mangeaient des cadavres d'enfants tués ou exhumés par leurs soins. Ils s'accouplaient au hasard pendant leurs réunions, toujours sur l'ordre du Malin. Divers traités de démonologie, écrits entre 1430 et 1437, s'adressaient spécialement aux faits de ce genre survenues dans l'aire helvético-delphino-savoyarde [5] ; ces ouvrages brassaient de telles données, en les recomposant d'une façon systématique ; ils accusaient en outre les participants aux sabbats de déclencher des orages de grêle à l'encontre des récoltes de céréales. Dès 1431, le concile de Bâle, destiné à durer, donnait un arrière-plan idéologique et dogmatique, « une toile de fond », à ces débats divers. Cette auguste Assemblée, par ailleurs, intéressait de très près la Savoie pour cause d'élections papales et elle impliquait toute une réflexion sur la supériorité du concile par rapport au souverain pontife. La peur vis-à-vis des hérésies, une fois de plus, était partout présente en de telles affaires et il s'avérait facile de la faire dériver, en vertu d'une mutation intellectuelle quelque peu feutrée, « vers la constitution d'un arché-type imaginaire obsessionnel[6] : la sorcière démoniaque ». En cet état de chose, la susdite et bizarre élection, en 1439, du duc de Savoie Amédée VIII aux fonctions de pape (ou d'antipape) sous le nom de Felix V, fut à l'origine, *volens nolens*, d'une aggravation de ces mythes mortifères. Le secrétaire du Pontife, Martin Le Franc, donna en effet, premier en date, une description précise du thème qui allait devenir universel de la « sorcière à balai » se rendant au sabbat, le tout en quelques vers de mirliton :

> Sur un bâtonnet s'en allaient
> Pour voir la synagogue pute
> Dix mille vieilles en une troupe
> En forme de chat ou de bouc
> Voyaient le diable proprement ;
> Elles lui baisaient franchement
> Le cul en signe d'obédience.

Le stéréotype, comme on voit, commençait à prendre corps. Amé-dée-Felix V dont la légitimité papale était plus que douteuse avait-il été dans cette affaire le centre ou si l'on veut le prétexte, voire le ressort d'une offensive antihérétique, *alias* antisorcellerie, deux « antis » pour le coup synonymes ou très apparentés, destinée à renforcer la position de ce souverain pontife, assez branlante ? Comme l'écrit *grosso modo* en termes savants et convaincants Robert Muchembled « l'essentiel résidait probablement dans les tensions internes propres à une Église catholique en crise jusqu'en 1449 (double date de crépuscule du concile de Bâle, et d'éviction

228

du savoyard Felix V, quittant lui-même le trône de Saint-Pierre). La cristallisation sur un ennemi symbolique – la sorcellerie liée à l'hérésie – servait peut-être à la fois « à désamorcer la susdite conflictualité interne intra-ecclésiale », comme à exprimer le bien-fondé et l'orthodoxie des groupes de pression concernés, « en particulier des ecclésiastiques entourant Felix V, pape pour les uns, antipape pour les autres ». L'histoire conjuguée de l'Église en général et de l'État savoyard en particulier réfère ainsi « à une coïncidence troublante entre le climat religieux et politique » dans cette partie franco-provençale de l'Europe pendant le deuxième quart du XVe siècle, aboutissant de la sorte à l'invention d'un nouveau type de sorcellerie démoniaque. L'adoption du modèle neuf ne se fit pourtant pas rapidement hors de l'espace romanophone fidèle au pape Felix V, cet espace coïncidant en effet avec le Dauphiné, la Savoie et l'actuelle Suisse romande. Une hypothèse plausible tient peut-être à la relation entre le modèle ainsi défini et Amédée-Felix lui-même, lequel ne se dessaisit réellement de ses fonctions pontificales et de l'anneau de saint Pierre qu'en 1449, deux ans avant sa mort. Le mythe de la sorcellerie satanique aurait-il surtout pris son essor après 1450 parce qu'il se serait alors libéré d'une telle connotation particulière et individualisée, disons « felixéenne » ? En tout cas la prégnance de ce mythe, par la suite émancipé progressivement de sa base régionale et ducale-papale, va s'affirmer désormais dans la littérature spécialisée, dans l'art… et dans quantité de procès ! Si l'on nous permet de reprendre à notre compte l'intelligente analyse de Muchembled, le fait est que l'effacement de Felix-Amédée à partir de 1449 a mis ces mythes sabbatiques et confabulateurs en mesure de se détacher du support localisé (de Savoie… et du Saint-Père) qui fut d'abord le leur. Les confabulations relatives aux assemblées de sorcières, dansant la gigue autour d'un diable anal et quadrupède, prirent alors un essor incroyable, et quasiment ontologique, véhiculées notamment par le nouveau média de l'imprimerie mis au point lui aussi lors du second tiers du XVe siècle… Le sabbat dès lors allait connaître prodigieuse fortune y compris picturale et littéraire, en même temps que prenaient leur envol tous les *paraphernalia* dont il s'environnait dans l'imagerie tant populaire que judiciaire, dorénavant constituée, mise en branle… Nous nous sommes attardé un peu longuement sur ces problèmes sorcellaires car c'est à travers eux (et à travers bien d'autres phénomènes, certes) que le devenir savoyard atteint au contact direct avec l'histoire la plus universelle de l'Europe, celle qui concerne les représentations démoniaques, fussent-elles pour le coup fantasmatiques. Il nous appartient cependant de revenir ici pour quelques instants à Felix V, et cette fois en vertu de considérations plus prosaïques. La vie et les règnes successifs de ce « pape-duc » (mort à Genève en 1451) coïncident de façon approximative en effet avec les dernières décennies européennes-occidentales du « siècle de l'homme rare », consécutif au cycle des pestes, lui-même inauguré en 1348. Ce « siècle » s'est progressivement caractérisé par un certain bien-être paysan, les exploitants agricoles bénéficiant en principe, pour chacun d'entre eux, d'un lot de terres fertiles *a priori* plus étendu, par le seul fait du desserrement démographique, et cela même si subsiste une certaine dose de servage. Aux environs de Thonon, par exemple, un « serf » laisse en héritage un mobilier « conséquent », une belle vaisselle d'étain et cinquante-deux pièces de bœuf marinant dans la saumure : ce « serf » n'est pas trop à plaindre. Cela dit, le courant populationniste revient en force, en Savoie comme ailleurs, avec un essor démographique bien caractérisé de 1481 à 1528, essor qui persiste au moins jusque 1561, tant dans les campagnes (augmentation des peuplements de l'ordre de 50 % entre la seconde moitié du XVe siècle et la décennie 1560) que dans les villes (plus que doublement de la population d'Annecy, au cours de ce même intervalle chronologique). L'expansion du nombre des hommes, il est vrai, n'a pas que d'heureuses conséquences ; elle entraîne avec elle un certain essor économique, celui de la Renaissance précisément, impliquant un développement des consommations ostentatoires (châteaux, tapisseries, festins, etc.) au niveau des élites ; mais elle s'accompagne par ailleurs d'une baisse du niveau de vie pour une partie au moins du peuplement, la plus pauvre et devenue trop nombreuse (c'est la « problématique » de Malthus…).

Et de même la révolution protestante, parfaitement légitime « en soi », va impliquer pour l'État savoyard quelques « retombées » désagréables. Dans la mesure où le souverain de Savoie et ses sujets *volentes nolentes* tendent (fortement) à rester catholiques, la révolte

« hérétique » initiée plus au nord par Luther et Zwingli, et relayée ultérieurement du fait de Calvin, détache Genève de la Savoie ; cette ville frontalière du Léman dont le destin voulait ainsi qu'elle fût coupée de ses bases savoyardes s'était préalablement liée, de toute manière, et comme par compensation, dès 1526, à un système de « combourgeoisie » en association avec Berne et Fribourg, réseau déjà prohelvétique. Dans le détail, disons que de 1513 à 1522, Genève s'était mis en tête de divorcer d'avec son évêque et d'avec les ducs de Savoie. Puis, à partir de 1532, les prédications de Guillaume Farel et les pesantes tutelles de Berne, alliée nécessaire, avaient métamorphosé l'émancipation politique en rupture de religion. À partir des années 1535-1536, la messe ayant été « enfin » supprimée, les Genevois ou ceux qui parlent en leur nom décident de vivre « sous la loi de l'Évangile », en sa modalité protestante, elle-même traduite et importée de la Réforme bernoise. Adieu la Savoie. Celle-ci, à vrai dire, connaît simultanément un précoce épisode d'annexion française, annonciateur de rattachements à venir, et qui seront beaucoup plus tardifs.

Le duché de Savoie fut en effet annexé brutalement au royaume de France en 1536, par François Ier. La mort, en 1535, de Francesco Sforza, détenteur de territoires milanais que convoitait le roi de France, incitait celui-ci à traverser les Alpes pour s'emparer, effectivement, de Milan et cela en passant sur le ventre, par « nécessité géographique », du souverain légitime de l'État nord-alpin, Charles III de Savoie. D'où l'annexion de cet État savoyard, réalisée en quelque sorte par une « prise en passant », comme on dit aux échecs. La mainmise des Valois sur l'État nord-alpin durera jusqu'en 1559. Au surplus, la présence française, affirmée de la sorte pendant près d'un quart de siècle ne fait pas que des malheureux : les agents royaux, tant de François Ier que d'Henri II, ont su en effet se concilier la population locale en lui conservant ses vieilles institutions représentatives (l'Assemblée régionale des trois états) ; en la dotant aussi d'un parlement « à la Parisienne » implanté à Chambéry... et dévoué aux autorités venues de Seine et de Loire. Un parlement qui ne brimait guère que l'infime poignée des protestants du cru. De quoi combler de joie le clergé catholique, omnipotent dans les montagnes savoyardes, et enclin d'autant plus à collaborer avec la France occupante. Une « collaboration » que, du reste, il ne faut nullement peindre en rose. Les autorités françaises persécutent, disions-nous, les huguenots savoyards (même si par ailleurs elles sont alliées, à niveau supérieur, avec les princes protestants d'Allemagne ; telles sont les exigences de la Realpolitik d'Henri II). Et puis, à d'autres égards, la misère du petit peuple continue à se faire sentir. Nous avons déjà signalé l'acuité de celle-ci comme conséquence d'un essor démographique parfois déraisonnable ; le fait est qu'en l'époque « française » du milieu du siècle, dans bien des micro-exploitations agricoles de Savoie, il n'y avait même pas une vache disponible. Nombreux étaient les émigrants d'origine rurale, prolétarisés à l'extrême, qui prenaient le chemin des villes, en particulier celui de Lyon, à l'est de l'ancienne frontière franco-savoyarde, momentanément abolie.

La présence française en Savoie va cependant disparaître d'un coup sec en 1559. Allié de la maison d'Autriche, Emmanuel-Philibert, héritier légitime du malheureux Charles III, conduit les troupes impériales à la victoire, en 1557 à Saint-Quentin. Emmanuel-Philibert récupère ainsi, aux dépens de la France vaincue, son duché de Savoie lors du traité de Cateau-Cambrésis en 1559. L'épisode français, si transitoire qu'il ait pu être, n'est pourtant pas dénué d'intérêt dans la mesure où il préfigure d'autres « francisations », notamment au temps des rois Bourbons, de la Révolution française et, définitivement, à l'époque de Napoléon III. Il y a bien, qu'on le regrette ou non, une vocation française de ce pays ; fût-elle, dans les débuts, de l'ordre du mariage forcé, à partir du second tiers du XVIe siècle.

Le successeur d'Emmanuel-Philibert n'est autre que Charles-Emmanuel Ier dont le long règne (1580-1630) est marqué de façon classique et des plus dures par diverses pestes, notamment à partir de 1587 ; par des accidents climatiques (poussée glaciaire en zone alpine, symptomatique de « froidure » éventuellement défavorable aux récoltes[7]). Rude « marquage » aussi du fait des guerres vis-à-vis desquelles la responsabilité gouvernementale est engagée plus directement : et d'abord, à partir de 1588, guerres contre les Français, au nombre desquels figurent les Dauphinois du redoutable Lesdiguières, leader essentiel d'une partie du protestantisme méridional ; en outre, guerres contre les Bernois et Genevois, considérés eux aussi comme « huguenots ». Aussi bien quand le jeune Thomas Platter (fils du célèbre typographe et professeur bâlois) traverse la Savoie en 1595, les réalités locales, « à vue de nez », lui paraissent assez déplaisantes, voire catastrophiques : auberges piteuses, nourriture lamentable ; pays sinistre, sinistré ; villages ruinés, soldats espagnols délinquants, toujours en maraude ; navigation rhodanienne malaisée (on s'en serait douté) ; sentinelles des châteaux (lesquels sont des points de passage obligés) discourtoises et grossières, pénibles formalités de passeports, avec pourboires obligatoires à l'intention des douaniers... On n'en finirait pas. Ce sont bien sûr les guerres de Charles-Emmanuel Ier qu'il faut mettre en cause, sur un territoire savoyard qui, par moments, fait figure de petit homme malade de l'Occident. La Savoie officielle, hispanophile, ultracatholique sur le modèle madrilène, même si elle n'atteint pas tout à fait aux rigueurs d'icelui, est coincée entre la France d'Henri IV à tendance « politique » (catholique modérée), le Dauphiné huguenotisant de Lesdiguières et puis la Suisse et Genève qui ne sont pas toujours, elles non plus, des voisins commodes. Ajoutons que cette vision péjorative de la Savoie peut émaner aussi, chez le protestant Platter, d'une certaine « animadversion » de sa part à l'égard de ce duché, pour les raisons quelque peu subjectives de religion et d'inimitié qui viennent d'être dites.

La tournée française, initialement savoyarde, de Thomas Platter se termine en 1600. L'année suivante (1601) sera la plus glaciale qu'on ait vécue en ces régions aux quatre saisons, pendant les quatre derniers siècles, depuis 1600 jusque l'an 2000. Constatation climatologique qui s'accorde bien avec la permanente crue glaciaire de 1600-1610 dans la vallée de Chamonix[8] ; avec le surplomb des « grands et horribles glaciers » à quelques dizaines de mètres de certains villages ou hameaux (Argentière, Les Bois, dans la chamoniarde vallée). Proximité dangereuse ! Mais à vrai dire, en cette même année 1601, Charles-Emmanuel a d'autres épreuves à subir. Henri IV, en paix avec l'Espagne, peut désormais « dérober » au Savoyard (sous prétexte d'obscures intrigues du côté de Saluces) la Bresse, le Bugey, le Valromey et le pays de Gex. Et puis c'est la renonciation définitive du malheureux duc à la possession de Genève, après « l'escalade » manquée de 1602 sur les remparts de cette ville. Encore un coin de francophonie ou plus exactement de romanophonie qui échappe à l'État alpin. L'amitié espagnole, vieux souvenir du temps de la Ligue, refait surface en Savoie au temps de Richelieu : elle ne porte pas bonheur à la dynastie ducale, en butte à l'antihabsbourgisme obsessionnel du cardinal-ministre français. Au printemps de 1630, les armées de Louis XIII occupent la Savoie. Pendant l'été, Charles-Emmanuel meurt, et son fils Victor-Amédée Ier doit céder Pignerol au Bourbon. Le « dépeçage » continuerait-il ? Un nouveau cycle d'occupation étrangère (française, toujours) va s'étendre, bien plus tard, à huit décennies de distance, sur les débuts du XVIIIe siècle (1703-1713). La présence d'une princesse de naissance savoyarde à la cour de Versailles ne change pas grand-chose à cette situation malheureuse : cette grande dame, duchesse de Bourgogne, petite-bru de Louis XIV et mère du futur Louis XV, ne paraît pas avoir versé beaucoup de larmes sur les destinées parfois tragiques de son pays d'origine. Saint-Simon note effectivement que cette charmante personne avait le cœur sec quoique multiple, et qu'elle n'aimait pas grand monde.

Le « beau XVIIIe » siècle, celui des Lumières et de la croissance économique (après 1713-1715), s'avère moins traumatisant, quant aux aventures militaires. Fort de sa politique de bascule, typique de l'État nord-alpin, Charles-Emmanuel III, quand s'annonce le conflit de succession d'Autriche, décide de soutenir l'impératrice Marie-Thérèse, contre l'Espagne et son roi Bourbon. Ce choix stratégique vaut au souverain savoyard une guerre dure et l'occupation de ses provinces occidentales (départements actuels de la Savoie et de la Haute-Savoie) par une armée espagnole puissamment spoliatrice. Occupation pénible et ruineuse, si l'on en croit Henri Menabrea[9]. En 1747, l'intervention française, antisavoyarde elle aussi, n'aboutit qu'à de rudes combats en haute montagne sur la crête de l'Assiette (19 juillet 1742). Au terme d'une folle offensive. 6 000 morts français restent sur le terrain parmi lesquels le chevalier de Belle-Isle, frère cadet du maréchal qui porte aussi ce nom. Les « Sardes » (le duc Charles-Emmanuel est également roi de Sardaigne, dénomination qu'il avait héritée de son père Victor-Emmanuel, premier détenteur du titre), les Sardes donc n'ont en cette Assiette, « que » 219 morts. L'avantage sur la ligne de crête était donc resté à la défensive telle que pratiquée par des montagnards aguerris. La paix d'Aix-la-Chapelle (1748) ne se traduit pour Charles-Emmanuel III que par l'octroi d'un médiocre pourboire : le roi-duc récupère Nice et la Savoie (qu'il détenait déjà préalablement au conflit) et il conserve les nouveaux territoires « donnés par Marie-Thérèse sur le Tessin en paiement de son alliance ». Que d'efforts dépensés pour bien peu de chose. Mais la paix d'Aix-la-Chapelle a surtout le mérite d'inaugurer une longue période de paix... en effet ! Tranquillité et prospérité (relative, partielle, bien sûr). Elles renouent avec les belles années déjà vécues par le duché de 1713 à 1741.

Doit-on penser aussi que l'époque des Lumières correspond à un certain « climax » de l'aristocratie régionale, de cette noblesse savoyarde qu'a décrite admirablement Jean Nicolas. Beau portrait-prétexte à vrai dire, puisque le savant historien d'origine ardéchoise qu'est Nicolas, grand dénicheur d'archives et défricheur de chartriers devant l'Éternel, s'est intéressé en fait à l'ensemble des groupes sociaux de la vaste province entre France et Piémont. La susdite noblesse, classe militaire par excellence et de type quelque peu prussien à cet égard, se situait dans l'obédience de souverains locaux qui ne la ménageaient pas. Elle était flanquée du côté de la roture par une classe moyenne d'avocats, de notaires... Inutile de chercher entre Chambéry et Annecy la fameuse bourgeoisie « capitaliste industrielle », chère à nos manuels historiques, avec ses fumantes cheminées d'usine. Au dernier siècle de l'Ancien Régime, on ne trouverait celle-ci que beaucoup plus au nord, à Manchester ou en Belgique, pas tellement ou point du tout à Évian ni à Bourg-Saint-Maurice. En Savoie, au temps de Charles-Emmanuel III et de son successeur Victor-Amédée III, ce sont d'abord et avant tout les juristes qui tiennent le haut du pavé parmi les classes bourgeoises. En comparaison, les médecins eux-mêmes ne sont guère nombreux : la grande et longue vallée de Maurienne, en 1728, ne compte parmi ses habitants nul docteur en médecine ! Les paysans de ce « Val » se soignent comme ils peuvent, quoique pas nécessairement ou pas uniquement avec de la corne de cerf ou des crottes de bique. Disons qu'à défaut de véritables médecins, régulièrement estampillés par la Faculté, les collectivités rurales ont recours aux empiriques, rebouteux, charlatans ou cueilleuses d'herbes thérapeutiques : inoffensifs, ils ne sont pas nécessairement inefficaces.

La paysannerie garde, on s'en serait douté, les pieds sur terre, collés au lopin familial. Elle tient 50 % du sol cultivable en Savoie, contre 20 % aux nobles, 23 % à la bourgeoisie et un petit 5 % seulement au clergé, ce parent pauvre de l'élite régionale. Et pourtant on est au pays de saint François de Sales (mort en 1622), en une région qui avait su victorieusement résister à la huguenoterie. La relative « pauvreté » de l'Église locale serait-elle en réalité l'une des causes de sa popularité parmi les habitants et donc de sa solide résistance au calvinisme ? Quoi qu'il en soit, les villageois de ce pays bénéficient du précieux soutien que leur consent l'État savoyard, régi par les ducs successifs (qui sont aussi, nous le notions à l'instant, « rois de Sardaigne »). Ceux-ci travaillent efficacement, mieux encore que ne font les rois de France, à rogner les griffes de la noblesse, tenue pour exploiteuse du paysan... et donc préjudiciable aux fiscalités ducales. On est en présence pour le coup d'un gouvernement de type semi-paternaliste très différent en cela des Dominants britanniques, tant roi que parlement. Ces deux-là « laissent faire », eux, outre-Manche, de 1660 au premier XIXᵉ siècle, les initiatives nobiliaires, paradoxalement procapitalistes et rassembleuses de terre, à l'encontre des petits agriculteurs, en faveur des gros *farmers*.

La société savoyarde, envisagée d'un coup d'œil, apparaît comme pyramidale (configurée par la distance sociale), tout comme les Alpes tant régionales que frontalières le sont par la dénivellation d'altitude. Les consommations spécifiques de chaque groupe étalonnent la différenciation entre les strates, d'en haut et d'en bas : le peuple, quelque peu privé de viande, se bourre de gros pain noir (1,2 à 2 kilos par jour). Le noble du XVIIIᵉ siècle, par contre, expérimente déjà les boissons de luxe, café, thé, chocolat, inconnus de la plupart des roturiers, à moins que ceux-ci ne soient de niveau véritablement élitiste. La noblesse se situe ainsi à l'avant-garde de la société de consommation, au temps des Lumières. Faut-il vraiment penser, dans ces conditions, que ce même groupe social, certes privilégié, se « positionne », par antiphrase, à l'arrière-garde de la clairvoyance politique en ces mêmes époques, bref qu'elle ne se compose que d'une bande de vieux ou jeunes réactionnaires ? L'évidence existante, en Savoie comme ailleurs, tend à infirmer une telle idée : les travaux de Guy Chaussinand-Nogaret ainsi que de François Furet ont bien montré qu'en politique comme ailleurs, et cela vaut aussi pour l'aristocratie savoyarde, il y a bel et bien un avant-gardisme nobiliaire et plus largement « élitaire ».

En tout état de cause, les normes familiales charpentent fortement la société savoyarde ; le droit d'aînesse (ou pour le moins, de mono-géniture) inspiré, selon le cas, du droit des gentilshommes ou de celui des Romains, se manifeste partout, même chez les bourgeois. L'enfant devenu grand, pour se faire émanciper par son père, se met à genoux devant lui. Les filles nobles, il est vrai, en sont parfois réduites à n'apprendre que le solfège et leur orthographe demeure déplorable. Mais les garçons de sang bleu, en revanche, vont parfaire leur éducation secondaire, voire supérieure, à Paris ; ils en revien-nent idéologiquement déniaisés, dessalés, mûrs pour s'engager dans les débuts d'une réforme politique, voire d'une révolution, quitte à délaisser celle-ci, ou à se retourner contre elle, une fois lancée. Cela dit, les valeurs de la gentilhommerie, spécialement celles de l'hon-neur, si archaïques qu'elles puissent paraître après ce qui vient d'être dit, sont répandues dans tous les milieux, roture comprise : le moin-dre lignage, même dépourvu de toute connexion avec le « second ordre [10] », possède volontiers son blason, qui parfois n'est autre qu'une espèce de *logo* commercial comme on dirait aujourd'hui : tel charcutier porte en armoiries un porc de sable sur fond d'azur.

Archaïsme aussi de certaines techniques locales : les paysans persistent à charrier le foin sur leur dos, dans des *filasses* ou *trous-ses*, filets de plusieurs mètres cubes de capacité dont on pouvait voir encore, il y a peu, quelques exemplaires attachés sur le dos de vigoureux vieillards. *Filoches* dont on voit déjà les modèles dans l'iconographie nilotique du monde rural, telle que représentée sur les papyrus pharaoniques conservés dans les pyramides égyptiennes et autres hypogées... Ces mêmes paysans savoyards (et dauphinois, guère différents les uns des autres) nourrissaient leur bétail avec des bouquets de feuilles d'arbres ou *liasses*. On enfoncera une porte ouverte en disant que la richesse manque en de nombreuses familles, rurales et autres, qui sont aussi éventuellement des familles nombreu-ses, à niveau populaire. Et cela même si la croissance du XVIIIᵉ siècle fut, – malgré tout ! – distributrice de richesse, à tout le moins de non-pauvreté. Jean et Renée Nicolas considèrent qu'une famille sur seize dans ces pays, accédait à l'aisance. Les quinze autres essayaient, sans toujours y parvenir, de ne pas sombrer dans la misère. Il est vrai qu'ailleurs, dans sa grosse thèse, Jean Nicolas pose en principe que les pauvres, dans sa grande province, ne sont pas tellement nombreux, ne comptant que pour 5 % de la population dans les villes et 13 % dans les campagnes. Concluons en coupant l'omelette aux deux bouts, que 80 % de la population « s'en sort » tant bien que mal, dans les conditions, déjà améliorées, du XVIIIe siècle, par rapport à un XVIIe siècle souffreteux...

...Constatons en tout cas, sans noircir le tableau à l'excès, qu'une certaine saleté règne en maîtresse ; les villes sont pleines de porcs : 360 cochons, rien qu'à Chambéry, qu'on élève dans des *cabouins*, espèces de petits cabanons (c'est le *cabano* ou *cabuno* provençal [11]). S'agissant des maisons, les vitres sont en papier huilé, le brasero tient lieu de cheminée. Quelques améliorations quand même : les poêles en fonte, les horloges, les gilets de flanelle et les caleçons font une apparition bien timide encore dans les chambres ou sur les derrières. Les maisons, surtout dans le nord de la Savoie, sont en bois et brûlent comme des allumettes. Un coup de fléau à battre les blés donné par mégarde sur une lampe et la voilà renversée, qui met le feu à la grange entière.

Les bienfaits de la société de consommation restent donc limités, malgré quelque progrès, à vrai dire peu visible encore, répétons-le, quant au service de santé : un médecin pour 20 000 habitants vers 1750. Il faudrait imaginer l'une de nos villes moyennes (20 000 âmes en effet) avec un seul médecin, autour de l'an 2000... À défaut d'avantages substantiels en ces divers domaines, la Savoie de Victor-Amédée III (régnant à partir de 1773) connaît-elle les joies (?) d'une timide « libération sexuelle » ? Quelques fugues, des mariages clandestins, des conceptions prénuptiales (naissances avant huit mois de mariage) un peu plus nombreuses que par le passé n'entament que faiblement le bloc à la fois rassurant et sévère des rigidités morales de l'époque. Le refoulement sexuel serait-il corélatif d'une certaine robustesse du social, en cette province ?

L'être-ensemble familial et villageois se concrétise, entre autres, grâce aux veillées d'hiver pour casser les noix, dans la chaleur animale que diffuse l'étable ou l'écurie. La taverne est un espace masculin où circulent les réseaux de la contrebande, du jeu, de la délinquance et de la prostitution. Parmi les brocs de vin et la fumée des pipes, un essor de la sociabilité cabaretière se manifeste au XVIIIᵉ siècle, et il contribue à fomenter les contestations : elles dressent, entre autres entités, les communautés paysannes contre les seigneurs et notables. Dans les municipalités, le greffier qui sait écrire affirme de plus en plus la dictature d'un secrétariat (Trotski dira un jour : il y a trois stades dans l'histoire de l'humanité, le matriarcat, le patriarcat, le secrétariat). Ces municipalités défendent les terrains communaux contre l'empiétement des grands domaines et des monastères. Un front commun se réalise de la sorte : il relie de haut en bas le secrétariat de mairie, représentant le groupe instruit du village, et d'autre part les femmes, fussent-elles illettrées, ce qui est souvent le cas, désireuses de défendre la terre communale en faveur du pâturage réservé normalement à leurs vaches. De curieux personnages, qui sont les fortes têtes de la paroisse, sont qualifiés dès 1730 de « *républicains* ». Esprits modernes, quoique souvent insupportables, ils luttent contre *l'autre* modernisation, celle qui affecte les grandes seigneuries. C'est le combat des Modernes contre les Modernes ! Ces seigneuries deviennent en effet championnes de l'écrit semi-bureaucratique et donc de plus en plus irritantes pour les paysans qu'elles tracassent à coup de paperasses, en lieu et place des bons vieux rapports verbaux et oraux du temps passé qui liaient le seigneur à « ses » paysans ou bien les dressaient contre lui, mais sans conséquences excessivement graves. Ajoutons que cette modernisation du grand domaine aristocratique ne se fait pas seulement sur le papier, c'est le cas de le dire. Bornons-nous, dans le cas présent, à l'élevage en montagne, entre 1 500 mètres et 2 500 mètres d'altitude : les nobles et les ordres religieux possédaient là de grands alpages. Ils les louaient à des *fermiers* d'estive, par ailleurs gros détenteurs d'herbages dans le bas pays. Tout cela s'articulait sur des spéculations fort « expansives » au XVIIIᵉ siècle : productions fromagères de tommes et de gruyère largement commercialisées, y compris au-delà des limites régionales ; et puis migrations à quatre pattes des bovins, mulets et ovins venus de

Maurienne, Tarentaise, Haut-Faucigny, Haut-Chablais, ces troupeaux prenant ensuite le chemin du Dauphiné, « ou fournissant aux ventes de la grande foire annuelle de Suse, sur le versant piémontais du Cenis [12] ». Ainsi le couple que forment le grand propriétaire aristocratique et le gros fermier roturier, tellement essentiel et « progressiste » dans l'économie anglaise ou francilienne, s'avère-t-il opérationnel en Savoie également, avec des formes qui certes sont pleinement originales en comparaison de ce qui se passe, du même point de vue, dans les grandes plaines septentrionales, au sud et au nord de la Manche.

Néanmoins, nous avons déjà noté que le paternalisme étatique cher au gouvernement savoyard paraît bel et bien absent de la Grande-Bretagne du temps des Lumières, celle-ci très éloignée, il est vrai, de l'objet ou du sujet du présent livre.

Double modernisation, à tout prendre : elle affecte contradictoirement la société paysanne et la dominance seigneuriale. Mais en ce qui concerne le problème cynégétique, on est saisi d'embarras : où sont les modernes ? Le fait est que les émeutes pour une libre disposition de la chasse et de la pêche en Savoie mobilisent les ruraux riches (et moins riches), ainsi que maint curé, contre les seigneurs, monopolistes du fusil de chasse. On exige ainsi, contestation anti-écologique pour le coup, la démocratisation du droit d'exterminer les faunes tant de poil que de plume. Les derniers ours savoyards tomberont de la sorte victimes de la généralisation révolutionnaire ou contemporanéiste du droit de chasse, après 1790 ou 1800… Les nobles titulaires d'un permis de chasse aux effets de massacre limité étaient-ils meilleurs « écolos » que ne seront les paysans, volontiers massacreurs du gibier en masse, le plus démocratiquement du monde. Et ne parlons pas, autre casse-tête, du gros dossier des loups qui, de nos jours, reviennent en force, sinon dans la réalité des montagnes, à coup sûr dans les discussions médiatiques, tant savoyardes que dauphinoises.

La chasse n'est pas l'unique enjeu de la contestation sociale [13]. Les luttes de classe existent, la chose va de soi, à l'encontre notamment des privilégiés : un gros siècle avant la Révolution française, déjà, des paysans, de moins en moins isolés, attaquaient en Savoie (comme en Dauphiné) l'exemption fiscale dont jouissait la noblesse.

Ils brûlaient les registres des droits seigneuriaux ; ils s'en prenaient également aux riches ruraux qui accaparaient la terre communale, laquelle avait donné jusqu'alors pâture gratuite aux chèvres ou aux vaches efflanquées, possédées par les pauvres. Ces querelles entre groupes sociaux vont être compliquées par l'intervention de l'État savoyard, l'un des plus éclairés d'Europe, à l'époque, et qui l'est nettement plus que la monarchie française des Lumières, pourtant pas tellement passéiste, elle non plus. À partir de 1728, Victor-Amédée II (roi depuis 1713) et ensuite Charles-Emmanuel III font faire un cadastre général des terres (la France n'effectuera cette besogne cadastrale qu'à partir de Napoléon Ier, puis de Louis XVIII). But de cette opération « victor-amédéenne » : asseoir les charges d'impôts sur une base équitable qui remplacera l'injuste « pifomètre fiscal » du siècle précédent ; définir les terres *vraiment* nobles, ce qui revient à assujettir à la taille beaucoup de champs roturiers, possédés par des gentilshommes : autrement dit limitation *de facto* des privilèges nobiliaires en matière d'impôt. Cette initiative capitale de la monarchie sarde sera complétée, de 1762 à 1771, par des édits de suppression du servage et de forte limitation des droits seigneuriaux, édits dont bénéficieront, moyennant rachat certes, plus des deux tiers des communautés villageoises, avant même que ne pénètrent au cœur des Alpes les « bienfaits sociaux » parfois brutaux ou mitigés de la Révolution française.

Deux mots sur l'Église maintenant, ou plutôt sur l'église, je veux dire le sanctuaire paroissial de base, « l'église de campagne », comme nous dirions aujourd'hui ; elle demeure l'un des lieux, « privilégiés », où se rassemble, curé en tête, la communauté villageoise, éventuellement motivée, avec ou sans l'aveu du prêtre, par les luttes tous azimuts qu'elle envisage contre les privilèges et personnages qui lui déplaisent. On peut donc mener, dans l'enceinte de cet emplacement sacré, une guérilla de type « clochemerlesque » contre le banc seigneurial et contre les armoiries des châtelains, dont les figurines vont jusqu'à faire tonner de rage tel prédicateur en sa chaire. Certains paysans, lors de scènes assez odieuses, ont l'audace de déterrer des cadavres d'enfants de bourgeois, enterrés indûment sous le pavé de l'église. Décidément, fût-ce au travers de conflits fort variés, le sanctuaire est effectivement l'espace commun par excellence, et plus encore quand il s'agit de la perfection artistique : de pauvres gens, dont la demeure familiale est fort négligée, se saignent aux quatre veines pour surmonter d'un bulbe baroque le clocher de leur paroisse. Un retable, après tout, vaut le considérable prix d'un alpage et justement ces églises savoyardes sont ornées, à mainte reprise, de merveilleux retables rococo. Le néobaroque en toute sa beauté ! Style Louis XV à l'usage du peuple chrétien... Dorures et compagnie...

Les performances artistiques sont épiphénomènes, éblouissants il est vrai. La lame de fond, dans les masses savoyardes, c'est celle qui soulève la démographie régionale. Les 300 000 habitants de 1700 (dans le cadre à venir des deux départements de notre République contemporaine) deviennent 400 000 en 1789. Quantité... qualité : le bien-être, l'hygiène et la culture se développent dans la classe moyenne ; elle voit s'accroître le luxe de ses meubles, les performances de ses gastronomes et le nombre de ses bidets. L'alphabétisation montante, le léger relâchement des mœurs, l'influence grandissante de la franc-maçonnerie préparent la Savoie aux destins nouveaux qui lui réserveront de 1789 à 1815, non sans retours de flamme, la Révolution française, et l'annexion semblablement française, ne serait-elle que temporaire ; celle-ci, du reste, engagée depuis longtemps, quoique sur un terrain strictement linguistique. Au niveau des élites, notamment nobiliaires, le français était en effet langue de culture dès l'âge des Lumières, et même bien avant ; faut-il rappeler que saint François de Sales, le personnage le plus considérable qu'ait produit l'Église catholique en ces montagnes, écrivait et publiait en français, pour l'usage particulier des ouailles autochtones, à tout le moins cultivées.

*

La Révolution française est capitale en Savoie, quant à notre sujet : elle y promulgue un premier rattachement à la « grande Nation », avec les conséquences positives, mais aussi contestables, qu'un tel événement peut entraîner. Les nouvelles de Paris (et d'ailleurs) dès 1789, *a fortiori* au cours de l'année 1790, se répandent en ces montagnes avec vélocité. Les migrants temporaires, grands et petits, adultes et enfants qui se rendaient dans la capitale française pour y frotter les parquets ou selon un stéréotype contesté pour ramoner les cheminées, ou pour exhiber des marmottes, perdent leur revenu et les raisons de leur voyage vers le nord, par suite de la crise économique qu'induisent dans l'Hexagone les soubresauts de l'énorme « tsunami » révolutionnaire. Quant aux émigrés gentilhommesques qui délaissent le « royaume des Capet », comme on dira bientôt, dès les lendemains de la prise de la Bastille, ils font beaucoup parler d'eux, et pas toujours en bien, entre Chambéry et Annecy, avec leurs cocardes blanches et leurs cannes armées. Environnés de villes françaises ou en tout cas francophones, telles que Lyon, Genève et Grenoble, les Savoyards, ou pour le moins leurs élites, sont parfaitement informés des grands événements qui se déroulent en Île-de-France. Et sans qu'il faille tomber dans les interprétations paranoïaques de l'abbé Barruel, la franc-maçonnerie semble avoir joué un rôle, localement, dans la propagation des thèmes révolutionnaires. Bien sûr, il ne faut pas dire que *les* paysans en général, *la* bourgeoisie en son ensemble militent à fond pour une transformation profonde de leur société savoyarde, comme ferait un écho répercutant l'énorme vacarme venu du grand État voisin ; mais il est hors de doute que *des* paysans assemblés dans leur communauté, et *des* bourgeois nombreux sont favorables ou sympathisants à de tels développements quasi révolutionnaires ou protorévolutionnaires. Et même dans la robe, proche de la noblesse, ou participante d'icelle, un Caffe, un Cirta poussent volontiers à la roue de la Révolution, compte tenu du fait qu'ils sont néanmoins minoritaires dans leur ordre, lui-même devenu énergiquement contre-révolutionnaire depuis le retournement des élites bourgeoises « progressistes » contre les parlements considérés dorénavant comme réactionnaires et nobiliaires ou pronobiliaires ; retournement intervenu en France pendant l'hiver de 1788-1789. Les révoltes paysannes, et plus généralement populaires, sans avoir toujours l'importance de celles qui se déroulent dans le Dauphiné voisin, se développent elles aussi, contagion franco-savoyarde, sur le thème général dîme-pain-sel, autrement dit refus çà et là des dîmes et des droits seigneuriaux (les *servis*, comme on les appelle) ; opposition à l'impôt du sel ; et enfin émeutes de subsistances, comme à Montmélian au printemps de 1790 : il n'y a là rien que d'usuel, au gré d'un historien français. Face au désordre et aux remous, les dragons du régiment d'Aoste et autres militaires, encore et toujours, durant le printemps 1790, se bagarrent tant bien que mal contre la population, ou contre certains éléments d'icelle, afin d'obtenir le maintien de la légalité d'Ancien Régime et de son fonctionnement quotidien.

*

Dans ces conditions, l'arrivée des Français, en septembre 1792, s'opère sans difficultés. Elle introduit à une périodisation tissée de huit phases ou du moins « colorations » plus ou moins successives, et parfois moins que plus, mais quasiment canoniques : *invasion*, *occupation*, *collaboration* des uns, *résistance* des autres, *terreur* (pas seulement symbolique), *émigration*, *libération*, *épuration*. L'ordre des facteurs peut varier, mais la typologie des moments plus ou moins successifs est en tout présente, comme dans l'analyse des segments du conte populaire russe, telle que l'a conçue Vladimir Propp. Il ne peut être question ici que d'une brève évocation de ces phases, dans leur modalité savoyarde des années 1792-1815, compte tenu des limites qui sont celles du présent ouvrage. Pour une étude plus détaillée, on renverra aux beaux travaux de Jean Nicolas[14]. Ajoutons qu'une telle évocation est d'autant plus indiquée qu'elle a l'avantage de ne se charger en rien du terrifiant contenu idéologique qui affecte toutes les réflexions sur les « phases » du même genre, périodisantes elles aussi, relatives à la Seconde Guerre mondiale, quant à l'occupation, la collaboration, etc. Et donc en cette Savoie de la fin du XVIIIᵉ siècle, vient *l'invasion* d'abord, suivie d'une *occupation*, incontestablement militaire. L'une et l'autre, initialement, sont à mettre au crédit du général Anne Pierre de Montesquiou, lequel commande en septembre 1792 les troupes françaises entrées dans le duché. Montesquiou, noble libéral, fait afficher à Chambéry une proclamation « Liberté, vivre libre ou mourir... », mais il ne tardera point à être destitué par la Convention, dès novembre. Décrété d'accusation, il se retirera en Suisse. Son destin est à lui seul significatif de l'ambiguïté des annexions révolutionnaires en Savoie, accomplies au nom de la liberté, quitte à ce que peu après elles se retournent contre celle-ci.

La totale et brusque défaite de l'armée piémontaise face aux Français lors de l'automne 1792 produit un effet de sidération, usuel en ce genre de conjoncture « *occupante* ». L'Ancien Régime est abattu sans difficultés majeures, et peu de gens s'en plaignent, du moins dans les débuts ; il y a destruction du régime féodal, aliénation des biens du clergé, etc. Une Assemblée nationale « collaborante » (octobre 1792), dite des Allobroges, promulgue à ce propos les mesures idoines, agrémentées d'une incorporation savoyarde à la France. Annexion pure et simple. La roture, tant paysanne que bourgeoise et « avocassière », soutient ces décisions, majoritairement et même à vue d'espace public, « unanimement ». Quelques personnages sénatoriaux et nobiliaires, de tendance libérale (Marin, Caroli, Viry), prennent eux aussi le train en marche, quitte à laisser sur le quai la plus grande partie des familles nobles, vouées à la contre-révolution ou à *l'émigration* ; puisque aussi bien on n'est déjà plus au temps où, comme en France en 1789, un processus révolutionnaire encore modéré pouvait faire derrière soi l'union des élites, avec forte participation d'un gros contingent de l'aristocratie, et cela malgré les retournements parlementaires de 1788-1789. En Savoie néanmoins, dès l'année qui suit *l'invasion*, une certaine dose de *résistance* ne va pas tarder à se faire sentir à l'encontre d'innovations vite détestées, voire détestables. Elles sont d'ordre économique, religieux, militaire. Il s'agit, en d'autres termes, de l'assignat, ayant perdu, dès 1793, plus de la moitié de sa valeur initiale, et transformé littéralement en monnaie de singe, aux années 1794-1795 [15]. Mal vue aussi est l'application locale *post festum* de la Constitution civile du clergé, avec mise en place des « mauvais prêtres », jureurs, ex-jansénistes, etc. Vient enfin, et peut-être surtout, le recrutement forcé de nombreux jeunes gens, aux fins d'incorporation dans l'armée, pour la guerre contre l'Europe conservatrice (février-avril 1793). De quoi susciter, çà et là, pour reprendre une expression chère à d'éminents chercheurs comme MM. Desgranges, Rousso, Peschanski, certaines attitudes de « résistantialisme ». On peut distinguer en la circonstance, à l'image de la typologie des historiens allemands sur ce même sujet, le *Wider-*

stand, résistance au sens classique du terme, et la *Resistenz*, espèce de résistance passive, tantôt obscure et tantôt déclarée, maintes fois tout juste symbolique et se traduisant de temps à autre, en toute simplicité, par des interjections ou actes de désaccord, éventuellement minuscules, on pourrait dire en français résistance (*Widerstand*) et résistence (*Resistenz*). Au titre de la résistance proprement dite, on citera, exemple entre dix, les émeutes des hautes vallées savoyardes, en mai 1793, contre la levée des « volontaires », mobilisés malgré eux pour se battre aux côtés des Français, dans la guerre en cours. En ce qui concerne maintenant la simple et modeste *résistence*, elle s'en prend, avec plus ou moins de vivacité, aux symboles : bonnets phrygiens contestés, arbres de la « liberté » abattus ou brûlés... À Annecy, la femme d'un boulanger, à l'encontre d'une perquisition, se met à insulter la « liberté » (décembre 1793). Elle fera vingt jours de prison. Petites actions qui relèvent en effet de l'histoire « résistencielle » sur le mode du quotidien[16].

Faible ou forte, la *résistence* appelle une répression qui peut même se déclencher spontanément, autodéterminée, sans motif précis. Répression, autrement dit, dans plus d'un cas, *terreur* : en Savoie, celle-ci existe aussi, quoique à un moindre degré qu'en d'autres régions françaises. Rien à voir avec les bains de sang de Lyon, Vendée, Paris. Le nombre des morts contre-révolutionnaires ou prétendus tels, victimes savoyardes des avatars locaux de l'épisode robespierriste, est limité. Jean Nicolas note quatre fusillés à Annecy, un à Thonon. À ce « décompte », il faudrait ajouter les Trépassés qui de leur vivant furent hostiles au Nouveau Régime, laissés sur le terrain ou exécutés lors des émeutes d'Annecy et de Thônes, en mai 1793 : entre 50 et 100 cadavres[17] ; ainsi que les combattants (des paysans, en particulier) capturés les armes à la main et exécutés après avoir lutté aux côtés d'une armée piémontaise, mise en déroute en septembre 1793 lors d'une tentative de reconquête des pays savoyards. Peut-être une centaine de morts ? Et puis les arrestations, très nombreuses, et effectivement *terrorisantes* : à Annecy, du 1er avril 1793 à juillet 1794, on dénombre 750 incarcérations, aboutissant à 19 347 journées de prison. Au 18 avril 1794, plus de 300 suspects ou « criminels » sont sous les verrous dans cette ville ; parmi lesquels seulement 82 nobles (dont

54 femmes). On voit que la roture savoyarde est elle aussi un large « bassin » de recrutement, sinon pour la contre-révolution effective, du moins pour la « mise en geôle » des personnes qui sont soupçonnées (à tort ou à raison) de sentiments hostiles à l'entreprise « régénératrice » de 1793. Cela dit, la noblesse est toujours considérée comme « suspecte numéro un ». En Savoie, le conventionnel en mission Albitte fait arrêter tous les nobles âgés de 18 à 70 ans, hommes et femmes ! Les autorités des districts prennent en charge l'entretien et l'éducation des enfants, confiés à des nourrices ou à de bons patriotes [18] ! Cela dit, ces emprisonnements n'ont que peu de résultats sanguinaires sous forme de rares exécutions capitales, grosse différence d'avec Paris et Nantes. La « vraie » Terreur, en Savoie, est tournée davantage contre les âmes, plutôt que destructrice des corps qu'on évite de « couper en deux [19] ». Elle connote pour l'essentiel une déchristianisation violente pendant l'hiver 1793-1794 : clochers abattus ; merveilleux « ciboires, calices, patères, ostensoirs », réquisitionnés, confisqués, fondus...

Le stade ultime des divers processus évoqués ici, à partir du moment initial de l'*invasion* alias *occupation*, c'est la *libération*. Ce terme, sous notre plume, n'a évidemment qu'un sens technique. Il signifie simplement qu'un État de dimensions moyennes (la Savoie) est dorénavant débarrassé – en ce cas *manu militari* – de la présence des troupes *occupantes* et parfois opprimantes qu'avait expédiées contre lui un grand État (la France) aux fins de conquête, celle-ci étant bien sûr révolutionnaire et progressiste, ce qui ne manque pas de changer bien des perspectives... L'emploi, par nos soins, du mot « libération » n'implique pas que nous passions sous silence les conséquences effectivement libératrices qu'a eues en sens contraire l'invasion française des « missionnaires armés » de 1792, démolisseurs d'un système féodal souvent injuste et rétrograde. Néanmoins et indépendamment de cette remarque, il y aura bel et bien, en 1814-1815, « libération » de la Savoie, autrement dit retour à l'ancienne indépendance de ce pays, dans le cadre de la monarchie sarde. Cette « libération » (fort tardive comme on peut le constater) sera le fait des armées autrichiennes qui restituent ainsi trône et couronne à la très ancienne dynastie des « Blanches-Mains » en la personne de Victor-Emmanuel Ier et de ses successeurs immédiats, Charles-Félix et Charles-Albert. Ce « retour » dynastique est aussi une résurgence de légitimité ; elle est soutenue dans l'ensemble, pour autant qu'on puisse en juger, par les masses rurales, alors majoritaires ; on les a consultées à ce sujet au moyen d'un plébiscite qui était loin d'être entièrement truqué[20].

La « *libération* » ainsi enregistrée ne fut point accompagnée localement d'une guerre civile, ni suivie d'une *épuration*. La Savoie, lors de la chute définitive de Napoléon, n'a pas connu la Terreur blanche qu'on expérimente à la même époque dans le royaume français, notamment à Nîmes, à Toulouse et à Uzès en 1815. Les dynasties bourgeoises de Savoie consacrées par le Premier Empire, ainsi celles des Ruphy et des Collomb à Annecy, ne vont pas souffrir de la chute de l'Aigle. Et de même le marquis de Saint-Marsan, ambassadeur de Napoléon à Berlin entre 1809 et 1813, devient, sans difficultés particulières, représentant de Victor-Emmanuel Ier au congrès de Vienne[21].

On ne refait pas l'histoire, mais il semble bien qu'une grosse vingtaine d'années plus tôt, en août 1793, les choses auraient pu évoluer de manière plus tragique. Au cœur de l'été, les troupes piémontaises avaient lancé une entreprise de « libération » de la Savoie, précédemment conquise par les Français au cours de l'année antérieure. L'armée sarde, ainsi lancée, obtient d'abord quelques succès grâce à une triple pénétration, par Chamonix, la Tarentaise et la Maurienne. Mais dès le mois d'octobre suivant, les « libérateurs » (!) sont ramenés à leur point de départ, c'est pour eux l'échec. Dans l'intervalle, ils ont cependant provoqué *volentes nolentes* de la part d'une portion du peuplement autochtone qui leur était acquise, quelques tentatives d'*épuration* sauvage contre des jacobins notoires, et contre des notables accusés de complicité ou, dirions-nous, de *collaboration* avec la France. On trouve parmi ceux-ci des ecclésiastiques jureurs : un vicaire épiscopal, un évêque constitutionnel, des prêtres constitutionnels eux aussi. Preuve, une fois de plus, de la centralité des questions d'Église en cette affaire. Mais les procédures de lynchage ou de chasse à l'homme, quoique tout à fait réelles, n'allèrent pas jusqu'au meurtre ; la victoire des soldats républicains venus de l'ouest, commandés par Kellermann, mit fin dès l'automne au climat épuratoire. Le pendule revenait dans le sens inverse. Le tribunal d'exception[22], que les revanchards d'Ancien Régime avaient installé à Moutiers vers la fin de l'été, en 1793, pour épurer et punir les révolutionnaires du cru, devenait caduc, du fait de la revanche jacobine de septembre-octobre 1793, et cela avant même qu'il ait pu réellement fonctionner.

Nous avons gardé pour la fin de ce paragraphe, en quelque sorte pour la bonne bouche, les problèmes de l'*émigration*, en tant que conséquence inévitable du processus d'invasion-occupation-subversion ; processus venu tout à la fois de l'extérieur (de la France révolutionnaire) et de l'intérieur – autrement dit d'un soulèvement connexe, et quasi géologique, de certaines couches de la population bourgeoise, roturière et paysanne des pays de Savoie, en prolongement de ce qu'on peut bien appeler « l'agression » française de 1792, effectuée il est vrai aux fins plus ou moins sincères d'émancipation des Savoyards eux-mêmes. *L'émigration* consécutive fut le fait d'individus en provenance de toutes les classes sociales et plus particulièrement de la noblesse, et cela en vertu d'un comportement d'exode nobiliaire qui bien sûr était parfaitement prévisible et somme toute fort banal en cette époque troublée. Sur 1 800 émigrés savoyards figurant parmi les listes qu'avaient dressées leurs adversaires entre 1794 et 1799, 407 étaient nobles et beaucoup revinrent au pays « sans enthousiasme[23] » après l'amnistie de floréal an X. Leurs biens, dans l'intervalle, avaient été confisqués et transformés en biens nationaux de seconde origine, vendus pour une grande partie d'entre eux à de nouveaux acquéreurs, généralement d'origine bourgeoise ou paysanne. Le changement de propriété, ou de propriétaires, qui s'opéra de la sorte a dû concerner, au grand maximum, environ 7 % du sol approprié dans la région. Ce n'est pas énorme, ce n'est pas non plus négligeable.

Reste pourtant à faire un sort à celui qu'on n'ose pas appeler « l'émigré d'honneur », Joseph de Maistre, l'un des plus illustres, en tout cas, parmi ceux qui emportèrent ainsi la patrie alpine à la semelle de leurs souliers. Le plus curieux de l'affaire, c'est que Maistre lui-même ne se considérait point comme un émigré en soi, ni pour soi. Certes, il avait fui la Savoie en 1792, mais c'était avant tout, à l'en croire, pour rester au service de son roi légitime, Victor-Amédée III, dans la bonne ville de Turin ; et puis, de là, il

249

était parti à Lausanne où il devenait « correspondant » de ce même Victor-Amédée, qui le nommera, lors d'une phase ultérieure, ambassadeur en Russie. Ces longs séjours à « l'étranger », par rapport au provincialisme savoyard, font bien de Maistre « un émigré de l'extérieur », si l'on nous permet cette redondance, et cela quelle que puisse être l'autodéfinition existentielle qu'il a cru devoir donner de lui-même, et qui, elle, ne se voulait point d'émigration. On soulignera à ce propos que les œuvres essentielles de Maistre furent en fait conçues à l'étranger, hors des frontières « sabaudiennes ». Elles furent aussi, la chose va de soi, méditées et rédigées en français, c'est-à-dire dans la langue des élites savoyardes, destinée dans le long terme à supplanter les dialectes locaux, franco-provençaux, fussent-ils voués encore, pour le XIXᵉ et début du XXᵉ siècle, à une survie de quelque durée, longtemps solide, puis de plus en plus végétative. La pensée maistrienne, contre-révolutionnaire, se présente d'abord comme un refus de toute philosophie ou politologie du Contrat. Refus anti-Hobbes, anti-Rousseau, et dont on trouvera l'équivalent, de nos jours, en toute énergie, dans les conceptions d'un Raymond Polin, explicitement « contractophobes » elles aussi. Au gré de Maistre et pour en rester à cet auteur, une société bien faite ne saurait s'appuyer sur des conventions volontaires, librement conclues entre les hommes. Sur cette base, on ne pourrait obtenir qu'un « montage » tout extérieur, sans rien d'organique ; ce serait un montage à la Vaucanson[24], un médiocre ordinateur, dirions-nous. En réalité, une société bien faite doit avoir une base religieuse, traditionnelle, coutumière, cimentée par les siècles, involontaire à coup sûr ou, au minimum « non volontariste ». Or, la Révolution française, elle, avait voulu reconstruire l'univers social sur la table rase. Elle agissait à l'instar d'une certaine marquise de Merteuil, dans les *Liaisons dangereuses*, évoquant sa propre personne : « Mes principes sont le fruit de mes profondes réflexions. *Je les ai créés et je puis dire que je suis mon ouvrage*[25]. » La marquise était, de ce fait et pour toutes sortes d'autres motifs, un personnage quelque peu démoniaque. La Révolution française, au gré de Maistre, ne pouvait être, elle aussi, que satanique. La souveraineté du peuple, dans ces conditions, est inévitablement matricielle d'une tyrannie, d'un despotisme. La croyance au progrès, si répandue dans les milieux révolutionnaires au temps de Condorcet, n'est qu'une sottise, selon Maistre. La religion catholique, par contre, se situe au cœur du seul système légitime : le pape, en conséquence, doit jouer, au plan spirituel, un rôle comparable à celui que le pouvoir temporel assigne au roi, piémontais ou « bourbonique », peu importe. Toute attaque contre le souverain pontife, dans ce contexte, qu'elle soit d'origine gallicane ou protestante, doit être rejetée *a priori*, en tant qu'elle procède, au fond des fonds, d'un matérialisme destructeur et perfide. La théorie maistrienne la plus étrange et peut-être la plus profonde concerne les grands massacres opérés par la Révolution : ils s'en sont pris bien souvent à des personnes innocentes, voire excellentes, si l'on en croit le philosophe ci-devant alpin : nonnes, prêtres, grandes dames pieuses, bourgeoises, aristocrates distingués, ainsi menés de vie à trépas, sur l'échafaud de la guillotine. Ces meurtres, d'après une lettre de Maistre à la marquise Costa (1794), sont l'équivalent des sacrifices qu'opéraient les Hébreux ou les Romains. Lesquels ne sacrifiaient[26] point, comme on aurait pu l'imaginer, des animaux dangereux, carnassiers, tels que vipères, loups ou vautours. Mais bien plutôt des bêtes sympathiques, amies de l'homme, veaux, vaches, bœufs, cochons, chèvres, agneaux. Est-ce une façon de dire, si l'on suit les vues de notre auteur, que le massacre perpétré par les jacobins est une offrande en fin de compte agréable à Dieu (ou aux dieux) destinée à expier les fautes d'une Humanité devenue rebelle au souverain Bien ; cette expiation s'effectuant à son tour aux dépens de victimes sacrificielles innocentes, dans une odeur de sang qui monte, sur le mode exquis, jusqu'aux narines frémissantes de la Divinité, et cela en compensation (imprévue) des crimes commis par les Robespierre et autres Fouquier-Tinville. On retrouve là, chère aux penseurs aristocratiques[27], l'idée du renoncement, de la privation, du refus de soi, pouvant aller, en l'occurrence, jusqu'au sacrifice suprême entre les mains criminelles de l'ennemi de classe[28] ou de l'ennemi de l'ordre.

Nul ne pourra contester en tout cas que Maistre a bien ressenti, par son expérience propre et dans ses vues théoriques, le formidable fossé qu'a creusé la Révolution française, d'ampleur européenne, entre l'Ancien Régime chrétien, monarchiste, « gentilhommesque », et le siècle à venir, égalitaire et démocratique. Comme le dit cet auteur : la Révolution française n'est pas un événement, c'est une époque.

La Savoie des années 1792-1815, avec sa remarquable séquence d'épisodes allant de l'invasion-émancipation à l'expulsion des envahisseurs, au travers de phases tant résistantielles qu'émigratoires, fonctionne ainsi comme une espèce de métaphore de l'Occident (et même plus étendue que l'Occident), lequel connaîtra à une échelle infiniment plus vaste, au XXe siècle, des épreuves similaires, mais plus tragiques, plus passionnelles encore. La Savoie, sur laquelle on peut aussi travailler à froid, sans déclencher en rien les tempêtes idéologiques qu'inévitablement déchaîne une recherche homologue quant au XXe siècle, la Savoie est comme un modèle réduit, un laboratoire, qui lui-même est coutumier, incidemment, de ce genre d'expériences « occupantes », puisque ce même pays les avait déjà connues à plusieurs reprises aux XVIe et XVIIIe siècles. À ce titre, il était bon, et même recommandé de s'arrêter ici sur son cas, en quelques lignes ou en quelques pages. Grâce soient rendues à Jean Nicolas qui a défriché pour nous, par avance, ce territoire historiographique, terriblement accidenté, escarpé, par définition montagneux...

*

La Savoie a donné Maistre ; l'Aveyron, Bonald ; la Bretagne, Chateaubriand. C'est en province périphérique, linguistiquement périphérique, qu'on trouve ainsi les juges les plus sévères, les plus rigoureux à l'encontre d'une Révolution française qui fut très parisienne, elle, et fort centraliste en son principe. Après 1815 néanmoins, l'entité savoyarde rentre pour quelque temps dans sa coquille, ou disons qu'elle traverse pendant plusieurs décennies une phase d'involution intellectuelle et sociopolitique. Par-delà divers avatars, dus aux soubresauts des années 1814-1815 (défaites napoléoniennes en France, Cent Jours, Waterloo), la Savoie, en effet, est revenue finalement tout entière dans le giron de la monarchie sarde et piémontaise ; cette réintégration fut approuvée par plébiscite, celui-ci exprimant assez bien, malgré quelques « imperfections », les vœux du peuple rural, épris de stabilité, de « repos » comme on disait alors ; en outre, quelques rectifications de frontières furent opérées en cette occasion au bénéfice du canton de Genève, dont le territoire, allongé de ce fait, va prendre la forme d'une « hernie enclavée dans la France continentale ». Ce retour à l'envoyeur, de la nouvelle capitale à l'ancienne, de Paris à Turin, va pourtant correspondre, en termes gouvernementaux, à une réaction sur toute la ligne, matérialisée notamment par l'imposition d'une censure des plus tatillonnes. Il est vrai que, vu sous cet angle, le précédent pouvoir, impérial et français, avait donné l'exemple. Vis-à-vis de l'économie restée traditionnelle, les débuts du « nouveau » régime (restauré) sont quelque peu mitigés : une grande industrie cotonnière se fait jour, certes, basée sur Annecy et autres lieux ; mais la formidable explosion du volcan de Tambora en Indonésie, à l'automne de 1815, crée une sorte d'hiver nucléaire (voile de poussières sur la planète) en 1816, qui compromet les récoltes de blé pendant tout l'été très froid et humide de cette année pourrie. D'où disette, non plus famine certes (l'époque en est révolue) ; disette spécialement sensible en Savoie, où l'agriculture de montagne est plus sensible que celle des plaines à ce genre d'épisode ultrafroid et ultrahumide. Cette semi-crise de subsistances assombrit une grosse partie de l'année 1817, au moins jusqu'à la moisson estivale qui sera tardive de toute manière sur les hautes pentes dont l'agriculture est marginale. Le redémarrage de l'économie de la région, après les folies napoléoniennes dont la Savoie fut longuement quoique plus ou moins passivement partie prenante [29], s'en trouve retardé d'autant, et très exactement d'un couple d'années. Le pouvoir politique... et religieux n'est pas tellement mieux loti : les trois rois successifs, Victor-Emmanuel Ier, Charles-Félix et Charles-Albert Ier, sont des conservateurs peu éclairés [30] ; parfois brutaux, dans le cas de Charles-Albert. Les prêtres, eux, sont bien formés, en fait de théologie ; mais faut-il dire trop influents... en tout cas très nombreux ; on devrait imaginer dans la France actuelle 180 000 ecclésiastiques, non compris les moines et les nonnes pour se faire une idée de l'énorme importance démographique (en 1847) de ce que les anticléricaux appelaient dédaigneusement la prêtraille. La noblesse régionale, généralement francophone, a repris au moins une partie de ses pouvoirs prérévolutionnaires ; pour obtenir une idée « comparative » de la Savoie en ce temps, il faudrait là aussi faire un effort d'imagination et se représenter une France où Charles X, en un peu moins sot quand même, serait demeuré au pouvoir jusqu'en 1848. Encore Charles X était-il soumis, bon gré mal gré, à un certain contrôle parlementaire qui finalement est venu à bout de sa personne en 1830. Mais en Piémont-Savoie, il n'y a point de parlement (du moins jusqu'à la promulgation du *Statuto* de 1848). On demeure encore et toujours, à Chambéry comme à Turin, pendant le presque quart de siècle postnapoléonien, en un système de monarchie absolue : curieux mélange de structures à la française d'avant 1789 et d'autoritarisme administratif dont l'origine est « consulaire », c'est-à-dire... bonapartiste. L'absence d'un contrepoids législatif qui serait issu d'élections, fussent-elles censitaires, se fait donc cruellement sentir, ce qui n'est point le cas dans la France voisine, celle-ci faisant l'apprentissage de la vie parlementaire à relativement forte dose dès 1815-1816 et jusqu'en 1848. *A fortiori* au cours des périodes ultérieures.

On peut déplorer à divers points de vue le côté pesant, autoritaire des institutions consulaires et napoléoniennes restées en place en Savoie après la chute de l'Empereur. Elles demeurent néanmoins le gage d'un certain acquis modernisé-modernisateur qui fait le jeu des bourgeois du cru. Les carrières du fonctionnariat ne sont certainement pas pour leur déplaire. La bourgeoisie régionale, peuplée de juristes, de notaires et de fils de cultivateurs enrichis, a certes quelque chose d'un peu archaïque. Peu portée sur le capitalisme industriel, elle ressemblerait plutôt à celle, juridique en diable, que décrit Lucien Febvre [31] dans la Franche-Comté... du XVIᵉ siècle, au fil d'une grosse thèse anticipatrice. Ce traditionalisme relatif d'une classe sociale n'empêche pas, au sein de celle-ci, le maintien d'idées manifestement héritées de la Révolution : bien des bourgeois, au coin de leur feu, continuent à manger discrètement du curé ; on a la modernité qu'on peut. Les paysans, pour leur part, se multiplient placides « à l'ombre des églises en fleur » (natalité encore très haute à 38 pour mille). Ils restent même affectés pour quelques-uns d'entre eux, par les stigmates ou séquelles d'un sous-développement physique voire mental (goitre, crétinisme) qui n'est pas encore exorcisé. Constatation purement physiologique, reposant sur des faits essentiellement économiques, et nullement raciaux, de pauvreté persistante : ils incitent l'historien à la compassion, et à la sympathie pour les victimes, nullement au mépris, comme l'imagine à tort M. de Pingon.

*

La Révolution de 1848 (amorcée en Savoie par certaines réformes dès 1847) va changer bien des choses. Charles-Albert Ier se trouve confronté dès 1847 à une semi-crise (locale) des subsistances qui s'avère en même temps assez générale en Europe. Il est déstabilisé par l'agitation plus ou moins révolutionnaire tant française qu'italienne (à Naples, à Rome aussi où le jeune Pie IX est – pas pour bien longtemps ! – ouvert aux réformes). Charles-Albert se résout donc à des concessions importantes, que concrétise le Statut ou *Statuto* de mars 1848 : régime semi-parlementaire, organisation d'élections législatives, au suffrage certes censitaire ; relative liberté de presse et de réunion. La guerre déclarée aux Autrichiens (mars 1848) accusés d'opprimer l'Italie prend effectivement des allures de croisade nationale italienne, mais elle tourne au désastre, ponctuée par une série de défaites piémontaises, ce qui n'arrange rien. La canularesque invasion des « Voraces », contestataires français et savoyards appartenant à la gauche, venus de Lyon, et qui s'emparent momentanément de Chambéry, va finir en tragédie : pogroms « anti-Voraces », chasse à l'homme. Les envahisseurs sont massacrés par les paysans de la région chambérienne. Ce carnage est fâcheusement pédagogique : il bloque, sur le mode provisoire, les transformations politiques nées du printemps des peuples, et qui devraient aller dans le sens du « progrès ». On ne peut faire fi du conservatisme des masses catholiques, fidèles à leurs prêtres, méfiantes face aux intrus « trop » libéraux, radicaux ou républicains, venus de la France et des grandes villes. C'est précisément ce conservatisme religieux qui, par un retournement paradoxal, fera le jeu de la France du Second Empire dans la même aire alpine, une dizaine d'ans plus tard.

Les années 1849-1859, entre révolution et rattachement, donnent lieu dans le cadre de la monarchie alpine à une mésentente qui va bientôt tourner au divorce car :

1. Les Savoyards « dominés » sont frustrés, à bien des points de vue, par rapport aux Piémontais, « dominants ». Ceux-ci, plus que jamais, font figure de force dirigeante dans l'attelage dissymétrique unissant le poney au cheval, le duché au royaume piémontais, Chambéry à Turin.

2. Frustration quant au catholicisme, ensuite : Cavour, ministre génial de Victor-Emmanuel II (la politique cavourienne d'unité de l'Italie ne sèmera point, à long terme, les dents du dragon, différente en cela des sanglantes stratégies bismarckiennes, si brillantes soient-elles), Cavour donc mène une politique anticléricale et laïcisante, à mi-chemin de Choiseul... et du petit père Combes. Cet activisme gouvernemental (turinois) est jugé malséant par les masses catholiques (savoyardes)... ou par les leaders de toute espèce qui s'expriment en leur nom.

3. Il y a frustration aussi vis-à-vis de « l'italianisme ». Les Savoyards sont beaucoup moins motivés que leurs « frères de l'est », transalpins, pour participer à l'aventure, certes féconde, de l'unité péninsulaire.

4. La grande politique extérieure de Cavour (participation du Piémont à la guerre de Crimée contre les Russes, en vue de se concilier l'alliance franco-anglaise) laisse les Savoyards de marbre, en l'année 1855.

5. Le Piémont des années 1850 est en plein décollage économique ; en coïncidence avec ce qu'on appelle dans la France voisine la prospérité du Second Empire. Plus généralement, ce dynamisme qui affecte l'économie du monde à titre global... et du Piémont en particulier semble lié entre autres causes à la découverte et à la « mise en perce » des mines d'or en Californie. De quoi faire ressortir d'autant plus l'archaïsme rémanent de l'économie savoyarde en ce temps-là. Une économie qui tirera profit par contre, dans la longue durée, du mariage avec la France, tel qu'il sera conclu en 1860.

6. Enfin, *last but not least*, autres motifs de « divortialité » sans doute peu glorieux, mais incontestables, l'administration centrale à Turin est de moins en moins accessible aux jeunes gens pourtant avides de fonctions publiques, qui sont issus des élites savoyardes. La bureaucratie turinoise – néanmoins « ouverte » (en théorie) –

s'italianise toujours davantage. D'où « la rogne, la hargne et la grogne » des frères savoyards pas encore séparés mais déjà séparables, originaires des zones occidentales « inframontaines », dépendantes encore, pour peu de temps, du royaume sarde.

Dans ce contexte quelque peu répulsif, « les Alpes s'élèvent et le Jura s'abaisse ». Les tendances « rattachistes » favorables à une union des plus étroites avec le grand pays français voisin se font jour sans trop de discrétion à Chambéry, Annecy *et passim*. Objets ou sujettes de l'intrigue, quelques dames sont impliquées dans l'affaire. Napoléon III noue une liaison de brève durée avec la Castiglione, redoutable égérie piémontaise, fort mal vue de l'impératrice. Cherchez la femme ? Le fait est qu'un mariage, qui devrait relier fortement Paris à Turin (avec « prise en passant » de Chambéry comme au jeu d'échecs, une fois de plus) est prévu entre le bedonnant prince Plon-Plon (Jérôme-Napoléon) et la pieuse princesse Clotilde de Savoie, qui n'est guère alléchée par ce volumineux prétendant, des plus fornicateurs, et « prince » de seconde garniture. Mais la Raison d'État a de ces exigences. L'accord à conclure entre Piémont et France, qui sera matriciel de l'unité italienne, passera d'ici à quelques années par une *ratification* du transfert de la Savoie au bénéfice de l'empire des Bonaparte. Et du coup, ce glissement vers l'ouest vaudra *gratification*, notamment symbolique et conjugale, à l'endroit du souverain napoléonien des Tuileries, de sa famille et de ses sujets « hexagonaux » qui furent tellement utiles en effet à la politique unificatrice de Cavour et dont va vibrer d'autant la fibre patriotique, expansionniste.

1859-1860 : le processus d'annexion [32] de la Savoie se met en branle, puis s'accomplit. Et d'abord, dès le point de départ, à l'extérieur immédiat ou lointain du « pays » mis en cause, le rideau se lève sur un certain nombre de joueurs ou d'« acteurs » internationaux dont l'activité, à vrai dire, ne datait pas d'hier. Parmi eux, figurent deux grands États : la France et accessoirement, parce que trop éloignée, l'Angleterre. Viennent ensuite des puissances moyennes, quoique nullement négligeables : la Suisse, et bien sûr, au premier chef, le Piémont ; il reste possesseur, jusqu'en 1860, de l'entité savoyarde. Elle lui fait problème. Le gouvernement de Turin a la chance d'être dirigé par un homme d'État du plus haut niveau,

Cavour, un personnage dont on ne retrouvera en Italie l'équivalent, à niveau européen cette fois, qu'au temps de Crispi, Giolitti, Gasperi. Le comte Cavour, à l'apogée de sa carrière, effectue un parcours en dents de scie. Premier ministre du roi « sarde » depuis 1852, son but, progressivement défini, reste l'unité italienne, partielle ou totale ; elle implique pour se réaliser l'ablation du pays savoyard qu'il conviendra de céder à la France, dont on obtiendra ainsi le soutien. La coûteuse victoire franco-piémontaise de Solferino (juin 1859), assaisonnée incidemment de viols et d'une forte mortalité militaire, représente un premier pas dans la « bonne » direction. Mais Napoléon III met fin à cette guerre, si « bien partie » qu'elle soit contre l'Autriche, car les décès au combat, très nombreux, répétons-le, et la menace prussienne, sur le Rhin, semblent dicter à l'empereur sensible un devoir de prudence. La Savoie, en tout ceci, semble oubliée. Elle reste contrôlée par les autorités turinoises. Déçu, Cavour démissionne (juillet 1859) ; il entreprend une brève « traversée du désert ». Et puis, revenu au pouvoir en janvier 1860, Cavour, une fois de plus, se dévoue tout entier à ses grands desseins dans la péninsule ; il récupère, pratiquement, la solidarité militante de Napoléon III. La Savoie est détachée du Piémont, en vue d'une intégration à la France (mars 1860). Un plébiscite a lieu le mois suivant, confirmant l'annexion ; il s'effectue dans les conditions de la « démocratie » de ce temps-là qui ne sont pas exactement les nôtres ; mais on ne peut parler d'un truquage, et les désirs de la population savoyarde, ou de sa majorité plus que suffisante, vont bien dans le sens d'un rapprochement intime avec l'ouest. Le grand ministre italien (il a « débordé » de beaucoup son identité piémontaise) meurt en juin 1861, ayant déjà poussé son avantage jusqu'aux États du pape et au royaume de Naples. Dès mars 1861, Victor-Emmanuel II était proclamé roi d'Italie. Pour conquérir la « Botte », on avait bradé, côté nord, Annecy et Chambéry qui s'étaient laissé faire une douce violence, ou plutôt non-violence. L'évidente francité des élites savoyardes avait facilité les choses. Le clergé catholique de ce qui allait devenir une nouvelle province française avait pour Napoléon III les yeux de Chimène, tant la politique du Second Empire était encore axée sur une solidarité sans faille avec l'Église de France, et d'ailleurs. Les curés de Savoie n'eurent donc point trop de peine à faire basculer leurs ouailles dans le sens de l'adhésion française. Les Helvètes, qui souhaitaient se découper un « secteur » (territorial) dans les zones septentrionales de la Savoie, durent déchanter (en dépit de certains appuis qu'ils trouvaient en ces régions) car dans sa masse, la population savoyarde, à commencer par ses classes dirigeantes, souhaitait que fût maintenue l'unité géographique du ci-devant duché. Ainsi tout conspirait en faveur de l'« hexagone », qui « s'étoffait » de la sorte sur son flanc centre-est et sud-est. Les consciences ecclésiale et provinciale se donnaient la main. Un certain désenchantement suivra, néanmoins, au cours de la décennie suivante (voir *infra*). Cela dit, l'arrimage franco-savoyard était bel et bien réalisé. Il se fit même sur le mode préfectoral, voir bipréfectoral et dédoublé, pour des raisons qui ne tenaient pas seulement à l'indéracinable centralisme (« diviser pour régner ») du gouvernement de Paris. Les rivalités locales entre Annecy et Chambéry étaient telles que la première de ces villes ne voulait point être sacrifiée à la seconde qui pourtant depuis belle lurette faisait fonction de capitale régionale, damant le pion aux autres cités de la région. On créa donc deux départements, Savoie et Haute-Savoie, dont les préfets résidaient respectivement à Chambéry et à Annecy. Notons, pour terminer sur cette phase essentielle, que l'Angleterre, quoique assez mécontente d'un tel agrandissement de ses voisins français, ne fit pas grand-chose pour empêcher l'annexion. La Savoie était loin du Kent, le lac Léman n'était pas le Channel. Évian et Thonon n'étaient point des pistolets braqués au cœur de l'Angleterre, comme le fut Anvers en 1830, quand la France dut renoncer sous la pression de Londres aux espoirs rattachistes d'un certain nombre de Belges trop gallophiles au gré des Britanniques.

*

L'annexion, dans les débuts, c'est disions-nous l'euphorie (quelquefois passagère). Et, de fait, comme il arrive maintes fois dans ce genre de conjoncture, le temps de la désillusion commence. La lune de miel se termine. L'union nuptiale, avec amour certes, passe, comme dirait Freud, de sa phase lyrique (le court terme) à sa phase épique (la longue durée, inévitablement traversée de conflits). En termes moins galants, disons que la désillusion n'est pas simplement l'inévitable conséquence des mouvements pendulaires de l'opinion publique. La déception (mais ce n'est pas vraiment une « gueule de bois ») répond à des motifs précis : en 1860, le Second Empire, lors de son apogée, pratiquait l'union sacrée avec l'Église catholique. Or, les sinuosités de la diplomatie française, par la suite, obligent Napoléon III vieillissant à soutenir, ou du moins à ne pas combattre ouvertement l'impérialisme piémontais (antiromain) dans l'Italie centrale et pontificale ; un tel appui est affectivement à l'origine de considérables déceptions parmi les catholiques savoyards.

Après la guerre perdue de 1870, où les soldats de l'ex-duché maintenant annexé se sont, comme on dit, comportés de très honorable façon dans l'armée française, face aux Prussiens, après cette guerre, donc, l'annexion va retrouver pour ainsi dire un second souffle. On assiste, en effet, dans les deux départements à une implantation tant soit peu inattendue des militants républicains, et même, quelques années plus tard, lors des élections législatives de 1876, on est confronté à un véritable triomphe de ce même parti républicain. Le « rattachisme » s'en trouve comme ratifié une deuxième fois ; mais en l'occurrence, cette ratification *bis*, toute informelle et *de facto* qu'elle soit, s'opère à gauche, ou disons, à tout le moins, au centre gauche ; et non plus comme c'était le cas en 1860, sous l'égide préférentielle de l'Église catholique locale, inféodée en ce temps-là à Napoléon III, comme aux idées ultraconservatrices du pape Pie IX. Que s'est-il donc passé après la guerre de « soixante-dix » ? Pourquoi cette « républicanisation » d'une province que rien *a priori* ne prédestinait à une évolution, disons le mot, aussi radicale (« radicale » au sens anglo-saxon ou germanique de ce terme, impliquant l'idée d'une rupture profonde et caractéristique, en direction du « sinistrisme » républicain). Le « changement d'optique », en Savoie, s'est avéré d'autant plus remarquable que la républicanisation, la gauchisation des votes va durer pour le moins jusqu'en 1920, date à partir de laquelle la droite régionale retrouvera une certaine vigueur, tant à Chambéry qu'à Albertville. Bien sûr, nous disposons, à ce propos, d'explications classiques valables pour bien d'autres régions provinciales, *a fortiori* parisiennes, de la France d'autrefois. Au fil des années 1870, la République des ducs se dévitalise en toute célérité au point de devenir peu après une République des Jules. La fin des notables, dès 1875-1880, sonne le glas des anciennes élites aristocratiques (pas spécialement ducales en Savoie où elles sont tout simplement nobiliaires). Les nouvelles couches sociales, génialement saluées par Gambetta, médecins, notaires, avocats surtout, ont désormais leur mot à dire. Et puis le développement des chemins de fer et du tourisme, les débuts de la « houille blanche » et la scolarisation généralisée par le biais de l'école publique à la Jules Ferry seront vécus, au gré d'une majorité savoyarde, comme autant de bienfaits du régime existant, en d'autres termes de la IIIᵉ République : les deux départements nord-alpins, à la veille de la Première Guerre mondiale, compteront dorénavant moins de 1 % d'illettrés, de quoi faire rêver nos pédagogues de l'an 2000. Cette performance qui semble *a priori* étonnante est évidemment comparable à bien d'autres accomplissements analogues dans le restant de l'hexagone, et elle est mise à l'actif des institutions républicaines (et cela, même si l'enseignement privé, catholique, notamment au niveau du secondaire, a pu jouer pour sa part un rôle qui n'était point négligeable quant à l'acculturation des élites et même des masses).

Cela dit, une portion du mystère demeure. Pourquoi la brusque mutation des années 1870, concrétisée dès 1876 par le basculement savoyard et prorépublicain dont il vient d'être question ? Suggérons une hypothèse dont les historiens régionaux diront si elle a, ou non, quelque valeur : être de droite en France, être monarchiste (autre manière, équivalente, de proclamer cette même identité droitière), c'était se vouloir fidèle, à la fin des fins, au comte de Chambord, seul prétendant royal resté en lice au cours de ces premières années du septennat de Mac-Mahon. Or le comte de Chambord, en fait, n'avait pas inventé la poudre. Il était médiocre leader, par ailleurs, d'une certaine droite française, coutumière de la scissiparité interne et donc de la self-destruction, de l'autosépulture, de l'auto-immolation, ou auto-incinération, comme on voudra l'appeler – éternelle veuve de Bénarès, cette droite française !... Le comte de Chambord donc a découragé en France, hors Savoie, ses propres partisans par l'active politique de division des droites qu'il entretenait en effet comme à petit feu ; et plus particulièrement par son refus obstiné d'accepter le drapeau tricolore ; par son attachement déraisonnable au drapeau blanc à la vue duquel et à l'encontre duquel « les fusils auraient pourtant tiré d'eux-mêmes [33] ».

Mais ce qui était vrai, à ce point de vue, dans la France de « l'intérieur » ne l'était-il pas plus encore en Savoie ? Les loyautés monarchistes dans l'ex-duché n'avaient pas de raison particulière d'aller à la branche des Bourbons. Elles étaient attachées, si tant est qu'elles existassent encore, à la Maison de Savoie. L'annexion de 1860, de ce seul fait, les avait fortement ébréchées, en les reportant momentanément sur Napoléon III et sur la (fort peu légitime) dynastie des Bonaparte. Elles n'avaient donc aucune motivation bien dirimante qui les fît adhérer de tout cœur à la cause du comte de Chambord, lui-même tout à fait étranger, et pour cause, aux traditions savoyardes. L'adhésion au prétendant bourbonien ne pouvait se parer de justifications régionales alpines (et encore !) que par de plates considérations de politique politicienne du moment présent, bien fragiles en tout état de cause, si authentiquement monarchistes qu'elles pussent être en effet. L'ineptie chambordienne allait s'avérer, en cet environnement défavorable, d'autant plus suicidaire, dès lors qu'on se plaçait effectivement dans un contexte proprement savoyard. Le manque d'enracinement local doublait donc *in situ* l'inadéquation politique : Chambéry ne pouvait pas faire bon ménage avec Chambord. Qui plus est, les ci-devant procavouriens, anticléricaux, nombreux en Savoie, et n'ayant plus rien à faire du côté de l'Italie, basculaient massivement en faveur de la République… française, car anticléricale elle aussi…

Ainsi s'ouvraient de larges avenues pour l'irruption républicaine, devenue dorénavant irrésistible en milieu savoyard, dès l'année 1876. Les hommes politiques de la gauche allaient pouvoir, en de telles conditions, s'implanter durablement et se tailler de larges provendes au sein de l'électorat régional : soit qu'ils fussent horsains, comme Théodore Reinach ; soit qu'ils dégageassent un authentique parfum de terroir, comme c'était le cas pour le prodigieusement dénommé César-Constantin Empereur, indiscutable député… républicain de la Tarentaise ; soit enfin, que tel ou tel de ces hommes de gauche du cru parvinssent à se situer à l'origine de grandes dynasties typiques de la « Troisième », comme les Chautemps, issus d'une famille paysanne de Valleiry [34] ; et matriciels aussi, ces Chautemps de toute une pléiade d'hommes politiques régionaux, tels qu'Émile et Félix Chautemps ; géniteurs aussi d'hommes d'État tout à fait nationaux, et progressivement « désavoyardisés », comme sera en effet Camille Chautemps, lequel finira maire de Tours, et qui plus est, ministre et président du Conseil à répétition. Camille Chautemps sera somme toute l'un des hommes politiques les plus connus de la République quelque peu crépusculaire des années 1930.

*

Venons-en, justement, à ce parfois difficile entre-deux-guerres des décennies 1920-1930, et, en guise de bref avant-propos, à la Première Guerre mondiale « en personne »… Elle a fait disparaître 3,5 % de la population des deux départements (Haute-Savoie et Savoie tout court), à raison de 18 000 morts militaires. Les villages de haute montagne furent particulièrement décimés. Par ailleurs, l'industrie aux fins militaires (canons, explosifs, appareils de précision) et l'industrie tout court se développent fort au cours des quatre ou cinq années fatales (1914-1918), à Chedde, Ugine, Annecy, etc. (tout comme ailleurs à Toulouse) ; puisque aussi bien la Savoie semblait devoir être et fut réellement épargnée par l'invasion allemande.

*

Entre 1919 et 1939, la vie politique savoyarde n'a plus le côté dramatique ou pour le moins dramaturgique qu'on lui avait connu lors des années de conversion républicaine de la décennie 1870, et spécialement en 1876. Dans ces conditions, les mouvements de « balançoire » de l'alternance politicienne reproduisent à peu de chose près ceux de la vie nationale. La Savoie vote pour le « Bloc national » de la Chambre bleu horizon en 1919. Puis le pendule s'élance à nouveau vers le sinistrisme et c'est désormais la victoire, tant régionale que nationale, du Cartel des gauches de 1924. L'industrialisation implique aussi certaines conséquences « législatives » : un socialiste, maire d'Ugine, entre à son tour en la Chambre des députés quelques années après ces élections « cartellistes ». En

1936, lors des triomphes du Front populaire, la Savoie chambérienne est à gauche, mais la Haute-Savoie, plus que jamais, vire à droite. Des noms nouveaux apparaissent qui, dynastiques ou non, domineront également l'après-guerre : les Cot, de Menthon... Du côté de l'Église, l'évêque d'Annecy, nobiliaire et breton, est d'Action française, mais son clergé se veut démocrate chrétien. Tout est dans l'ordre et l'on peut faire ainsi « barrage au marxisme ».

Quant aux infrastructures, disons que la démographie reste « flaccide ». Malgré une légère reprise ou remontée, la population régionale tourne toujours autour de 500 000 habitants, légèrement au-dessus des chiffres de 1861. Un fait nouveau, cependant : les flux migratoires s'inversent. La Savoie était pays d'exode. Elle devient région d'accueil, du fait des activités très diverses qui s'y développent : houille blanche toujours ; métallurgie du décolletage (écrous et boulons en tout genre, etc.) ; et puis lait condensé, gruyère... et sports des neiges ! Ainsi peut s'accroître tout à loisir, ou plutôt tout à travail, un groupe social très dynamique de paysans-ouvriers, eux-mêmes coiffés d'une double casquette ; ils sont en effet travailleurs d'usine et agriculteurs-éleveurs à leurs moments perdus. En toutes ces branches de l'arbre des travaux savoyards, on sent comme un frémissement annonciateur de ce qui deviendra le puissant essor de l'économie régionale lors de la seconde moitié du XXᵉ siècle, à l'opposé des thèses rétrospectivement catastrophiques voire misérabilistes auxquelles s'adonne volontiers la pensée « savoisienne-ligueuse » d'aujourd'hui.

Est-ce le moment d'évoquer un problème très spécifique, et propre au département de la Haute-Savoie ? Il ne s'agit rien moins que de la « zone ». Elle fut découpée par le Second Empire, en 1860, corrélative de l'annexion, pour satisfaire les peuplements locaux – septentrionaux –, désireux de préserver leur bon commerce avec Genève et Lausanne, avec la Suisse romande, avec la Suisse tout court et, par l'intermédiaire de celle-ci, avec les pays allemands. Elle incluait (outre quelques petites zones plus anciennes datées de 1815-1829 [35]) une série de localités importantes, parmi lesquelles Évian et Thonon, bien sûr ; mais aussi Bonneville, Sallanches, Chamonix... et bien d'autres. Elle visait à éviter un partage prohelvétique de la Savoie, honni des populations, tout en ménageant, y compris au sud de la frontière franco-suisse, une certaine helvétitude sentimentale des Hauts-Savoyards dès lors qu'ils se rendaient dans la portion nordiste de leur département, limitrophe des rives du Léman. Et de fait, la *zone* devint, pour ses habitants, une aire de prospérité, vendant aux Genevois et autres Suisses romands beaucoup plus qu'elle ne leur achetait ; exportant vins, bois, céréales… cependant qu'elle importait à bon compte le sucre, le café, les allumettes et *tutti quanti*. Et puis les années passèrent : au terme de toute une série de mesures et de procédures conflictuelles entre Suisse et France, la zone fut pratiquement abolie après la Première Guerre, l'épisode final de cette élimination se situe en 1932. Cette destruction zonale, qui du reste n'était pas complète, fut sans doute une erreur de la part de la République française. Erreur soulignée de nos jours par les militants de la Ligue savoisienne. L'autocritique historienne, à ce propos, est donc légitime. Mais elle correspond surtout à une nostalgie, si parfaitement fondée que soit celle-ci. Car depuis la dernière génération du siècle dernier, les Savoyards ont bénéficié d'ores et déjà de tous les avantages (même nuancés d'inconvénients mineurs) des institutions européennes, libre-échange inclus. C'est bien plutôt la Suisse, elle, qui demeure hésitante, au seuil d'un progrès nécessaire, acquis depuis longtemps par la province-sœur au sud de l'Helvétie ; les Suisses, plus timorés en cela que les Savoyards, craignent en effet de franchir les ultimes étapes d'une intégration totale au vieux continent, lui-même en voie d'unification progressive. Et c'est cette intégration même, au rebours du schéma usuel, qui ferait de la Confédération helvétique une *zone* d'un nouveau genre, et plus prospère encore qu'elle ne l'est aujourd'hui, en dépit de la disparition, qui deviendrait alors presque inévitable, des merveilleux douaniers à képi, lesquels donnent un pittoresque certain aux frontières confédérales.

*

La Seconde Guerre mondiale est marquée en Savoie par les combats défensifs menés contre les Allemands en juin 1940, évitant ainsi, dans l'immédiat, la prise et l'occupation de Chambéry. Les Italiens plus encore sont contenus, faut-il dire victorieusement, lors de leurs attaques, partiellement avortées, en direction de la Tarentaise et de la Maurienne. L'ex-duché se veut, sauf larges exceptions bien entendu, plutôt pétainiste en 1940, voire 1941 ; et puis, plus « résistantialiste » à partir de cette seconde année. Jusqu'ici, rien que de classique. L'occupation italienne, spécialement sensible à partir de novembre 1942, se montre relativement bénigne (ce qui ne justifie point, cependant, l'indulgence excessive dont elle fait l'objet de temps à autre, dans les travaux historiographiques effectués *a posteriori*). Il demeure exact néanmoins qu'on avait toute raison, *post factum*, de la considérer avec nostalgie, dès lors que va se mettre en place l'occupation nazie, au-delà de l'été 1943, infiniment plus dure. Car les *bersaglieri* n'étaient point des SS... Le culmen de la Résistance française est donc atteint une première fois en Savoie, avant les débarquements de Normandie et de Provence qui changeront complètement les données du problème.

Ce « culmen » a pris place lors des premiers mois de 1944 avec l'instauration du maquis du plateau des Glières..., suivie à bref délai de son anéantissement. Ce « Capitole » (?) était donc tout proche de la roche Tarpéienne. Il n'en reste pas moins que les Glières furent pendant quelques semaines « les premières parcelles libérées du territoire national – continental ». Libérées... mais pour bien peu de temps, et à prix trop élevé. Un malentendu radiophonique de Maurice Schumann, en tant que porte-parole de la France libre, à l'heure des parachutages... fut peut-être l'une des causes de cette sélection d'un emplacement géographique trop isolé (les Glières) qui allait devenir pour les Allemands une cible facile, laissant sur le terrain cent cinquante morts du côté français.

En août 1944, par contre, la Résistance régionale, dorénavant épaulée, encouragée, stimulée par les progrès des armées alliées venues du sud, procède à la libération quasi complète du département de la Haute-Savoie, grandes villes incluses. Le bilan des pertes humaines là encore est lourd, tel qu'on peut l'établir, il est vrai sur le total des années successives d'occupation, elles-mêmes suivies par l'éviction de l'ennemi : la Maurienne a été ravagée ; plusieurs milliers de Savoyards se sont répartis en victimes militaires et civiles ; fusillés, déportés non revenus des camps, etc. Chez les « gens d'en face », « collaborateurs » ou considérés comme tels à tort ou à raison, on dénombre 134 exécutions capitales effectuées à la suite de jugements « réguliers » ; et, en outre, de nombreuses exécutions sommaires. Faut-il mettre celles-ci, comme le font la plupart des historiens, sur le compte des « profits et pertes » d'une inévitable guerre civile ; ou bien devons-nous penser, avec l'historien Stéphane Courtois, qu'il s'agit *aussi* des règlements de compte occasionnés par la marche au pouvoir du Parti communiste français (fût-elle utopique à moyen terme), ce parti étant désireux de liquider ou pour le moins d'intimider les éléments bourgeois, et autres, qui pouvaient faire obstacle à sa progression politique et psychologique ? On comprendra que sur ce terrain fort délicat, c'est le moins qu'on puisse dire, il soit difficile à un historien « horsain » de prendre parti. Je me suis donc borné, ici même, à présenter les diverses thèses en présence, offertes à la méditation des uns et des autres, en une époque (actuelle) où les passions diverses, comme il est normal, se sont considérablement refroidies au cœur de l'Europe confédérée, sinon fédérale.

*

La seconde moitié du XXᵉ siècle introduit la Savoie, comme le reste du Vieux Continent, d'abord occidental, puis de nos jours central, voire oriental, à ce qu'on pourrait appeler le bonheur européen, tout relatif qu'il puisse être. La disparition du nazisme, puis, à partir de la mort de Staline (1953), l'extinction progressive du bolchevisme de choc, ont exorcisé de toutes parts les démons du totalitarisme ; l'une et l'autre ont conduit à une période de paix sans précédent dont l'ex-duché, en même temps que toute la région Rhône-Alpes, a pris largement sa part. Il y eut, au premier chef, augmentation assez extraordinaire de la population : on passe du demi-million d'âmes, resté coutumier en Savoie de 1860 à 1950, au quasi-million (fin du XXᵉ siècle). Accroissement comparable, en plus substantiel encore, à celui qu'ont connu la France entre les mêmes dates (de 40 à 60 millions d'habitants) et aussi la Suisse. Par ailleurs la « droitisation » progressive de la vie politique persiste, dans les deux départements, à faire sentir ses effets, fâcheux au gré de certains, et bénéfiques aux yeux d'autres personnes : tout dépend bien sûr des opinions politiques d'un chacun. Quoi qu'il en soit, cette droitisation, qu'elle soit démocrate-chrétienne ou gaullienne, ou postgaullienne, n'a pas d'importance essentielle ni n'engage en profondeur le destin de la province, puisque les idées politiques se sont beaucoup rapprochées, par rapport à l'autre camp, sinistriste en ce qui le concerne. Pour reprendre un mot fameux, à la Corneille, et peut-être quelque peu exagéré : « Droite n'est plus dans Droite, elle est toute en la Gauche. » Autre façon de dire que le cléricalisme et même tout simplement le catholicisme sont bien loin, dorénavant, de faire les beaux jours de la droite savoyarde, si dynamique soit-elle : un jeune politicien « modéré » de cette région me disait qu'il avait sur les clergés locaux le point de vue du mécanicien : « On me demande en tant qu'élu de faire réparer les radiateurs de l'église ou le chauffage centrale du presbytère. Je m'exécute, un point c'est tout. Ce sont des problèmes de tuyauterie. Pour le reste, je n'ai guère de rapports idéologiques ou politiques avec le prêtre, le chanoine, l'évêque. » Exagération ? Distanciation excessive de la part d'un édile conservateur, certes de fort calibre ? Peut-être. Elle demeure néanmoins symptomatique.

Au catalogue des déclins et dans un ordre d'idées totalement différent, on inscrira aussi les destinées de ce qui fut l'un des grands personnages de l'histoire savoyarde d'hier ou d'avant-hier ; je veux parler du mythe et des réalités de la « houille blanche » : le temps n'est plus où, comme dans la première décennie d'après-guerre (1954), on pouvait se permettre de noyer un village entier et même une bourgade (Tignes, en l'occurrence) dans un lac de barrage ; et cela pour que d'heureux citoyens, en diverses régions, puissent actionner leur rasoir électrique ou, ultérieurement, leur four à micro-ondes. En tout état de cause, la nationalisation générale, post-1945, du réseau électrifié, au titre de l'Électricité de France, a diminué (par le biais d'une péréquation nationale des prix) l'avantage que les Savoyards tiraient, pour eux-mêmes, de la présence *in situ* de nombreuses centrales produisant du « courant ». Et puis les lacs de barrage artificiels, comme du reste le nucléaire, n'ont pas ou n'ont plus la cote auprès des écologistes, qui, à beaucoup d'égards, donnent le ton.

L'avenir est aux Verts ? Peut-être bien. Mais la neige, elle, en sa blancheur virginale, persiste à faire les beaux jours des deux départements, dans la Haute-Savoie en particulier. Elle a créé, avant et plus encore depuis le second conflit mondial, un puissant tourisme d'hiver ; il complète la mode touristique de l'été, enracinée de longue date. Les entreprises savoyardes qui travaillent dans ce secteur bénéficient, en cette conjoncture, des commodités de la double saison, froide et chaude. La morte saison… est presque morte. D'une façon générale, le chômage, certes répandu, demeure moins mordant, quant aux pourcentages de population active, que ce n'est le cas dans le reste de la France. Il est moins massif aussi que dans le Midi méditerranéen, zone où le soleil, en toute période de l'année, convoque les « demandeurs d'emploi », même et surtout quand ceux-ci n'exercent pas cette « demande » avec toute l'énergie nécessaire.

En Savoie, le nombre des lits d'hébergement touristique (plus d'un million) dépasse, en l'an 2000, celui des simples habitants du pays, qu'ils soient autochtones de longue date, ou immigrés récents. Les grandes réalisations savoyardes à rayonnement régional ou suprarégional, d'après-guerre ou d'avant-2000, s'appellent ainsi Plan neige, jeux Olympiques d'hiver, Reblochon et Beaufort (en dépit… ou à cause de l'abandon d'une grande partie de l'agriculture de montagne). Et puis Ugine, Bolloré, BSN-Évian, Carrefour (la grande distribution), Parc naturel de la Vanoise, université d'Annecy et de Chambéry (plus de 13 000 étudiants) et, enfin, tunnel du Mont-Blanc… jusqu'à une catastrophe récente, laquelle conduit, par contrecoup, à un regrettable engorgement de la vallée de Chamonix, étouffée par le camionnage.

Désastre déplorable, en effet, ce grand feu souterrain, et malheur polysémique : comme en Suisse, comme en Autriche, l'excès du trafic de traversée des Alpes engendre des réactions bien compréhensibles, à base de mécontentement de la part des personnes résidentes dont peu importent les origines. C'est l'une des composantes du « mal-vivre », certes minoritaire, qui a conduit, dans la région mise en cause, au développement d'une Ligue savoisienne, très net au cours des dernières années de l'ultime décennie du siècle. Faut-il rappeler que dans des pays voisins ou proches, en proie eux aussi à l'expansion économique, sont nées, de même, en l'arc alpin ou aux alentours d'icelui, la ligue nord-italienne préconisant l'indépendance ou l'autonomie de la « Padanie », et l'UDC helvétique de

Christoph Blocher ; on n'oubliera pas non plus le FPO autrichien de Jorg Haider, un Haider qui, à la juste indignation de notre Premier ministre, a osé traiter le chef de l'État français de « Napoléon de poche ». Mais il est vrai que Patrick Abeille, leader savoisien assez populaire dans les vallées septentrionales de l'ancien duché, s'est bien gardé de tomber dans les fameuses dérives sémantiques, dites d'extrême droite, qu'on a tant reprochées à Jorg Haider, non sans quelque raison.

Encore une fois ne mélangeons pas, je m'empresse de le dire, ne confondons pas les militants actuels de « l'indépendantisme » savoyard tels que Patrice Abeille et Jean de Pingon avec un Jorg Haider dont on ne connaît que trop la tendance aux embardées verbales. En ce qui concerne Patrice Abeille, on est en présence du parcours classique d'un ancien normalien de la rue d'Ulm, professeur certifié, jadis « anarcho-gauchiste » (selon sa propre définition), puis membre de brève durée du PCF, enfin réinvesti dans l'autonomisme ou l'indépendantisme savoyard. Il a même porté le titre, plus ronflant que réel, de premier chef du gouvernement provisoire de la Savoie (de Gaulle aurait-il fait des petits ?). M. Abeille revendiquait, en 1998 pour la Ligue dont il a pris la tête, 6 % des voix en Haute-Savoie et 4,4 % en Savoie ; parfois plus de 10 % dans certains villages. Cette organisation, en tant que telle, a réuni en octobre 1998, environ un millier de congressistes à Sévrier (Haute-Savoie). Le congrès en question, bon prince, laissait la porte ouverte, à l'entrée dans ses rangs, de toute personne, fût-elle arrivée en Savoie après le 26 mai 1996... dès lors que cette même personne, entre autres conditions préalables, « admet l'idée de souveraineté de la Savoie ». Militant de la même organisation et camarade d'Abeille, Jean de Pingon, dès 1996, a produit un ouvrage choc, intitulé *Savoie française*. Rejetant aussi bien l'italianité que la francité, en dépit de la communauté de langue, ce livre [36] propose en exemple à la Savoie (p. 140 *sq.*) le sort de la Lituanie et des pays baltes, récemment séparés de l'ex-URSS ; ou bien encore, fort d'une citation de l'inévitable François Mitterrand, l'auteur de *Savoie française... Histoire d'un pays annexé*, offre en modèle à l'ex-duché l'actuel destin des ci-devant Républiques soviétiques d'Asie centrale, Ouzbékistan, Tadjikistan et autres Kirghizistan, eux aussi devenus États souverains, pour le meilleur ou pour le pire, depuis l'ablation du cordon ombilical communiste. De telles perspectives, reconnaissons-le, n'ont rien de bien réjouissant, compte tenu du bas niveau de vie et des divers problèmes internes de ce qu'on n'ose pas appeler, par crainte de déplaire à MM. Abeille et de Pingon, ces malheureux pays, situés tant au nord-ouest qu'au sud-est de l'actuelle Russie, guère plus heureuse qu'eux, nous dit-on. Quant aux Français de l'intérieur se trouvant en Savoie (ils sont vraisemblablement quelques centaines de milliers par naissance ou par descendance), de Pingon leur rappelle que les Russes de Crimée, eux aussi étrangers en principe à leur nouvelle patrie ukrainienne, ont voté néanmoins à la majorité pour cette vaste entité dorénavant indépendante, dont ils deviennent désormais citoyens à part entière. J'avoue que le spectacle actuel de la flotte russe en mer Noire, dévorée par la rouille dans le port de Sébastopol (sans même parler de certaines dictatures d'Asie centrale parmi les anciennes « républiques » musulmanes de l'URSS), ne me paraît point avoir valeur exemplaire ni galvanisante pour les riverains du lac d'Annecy ou du lac du Bourget. Mais sans doute ai-je mauvais esprit.

Divers historiens, parmi lesquels Guichonnet, Greslon, Jean Nicolas, ont pourfendu quelques-unes des thèses pingoniennes, si stimulantes qu'elles puissent paraître aux yeux de certains : on ne peut pas affirmer que le plébiscite de 1860 votant oui était truqué, voire le traiter de mascarade, et simultanément revendiquer comme porteurs d'avenir les 47 076 bulletins qui dans le nord de la Haute-Savoie proclamèrent haut et fort le « oui et zone ». De même, voir dans l'annexion « l'instauration d'une véritable débâcle économique en Savoie » (de Pingon, *op. cit.*, p. 62), c'est passer sous silence le formidable décollage économique et culturel de ce même pays devenu français sous la IIIᵉ République (Guichonnet, *Nouvelle Histoire de la Savoie*, p. 301 *sq.*)

À défaut d'autres avantages et tout producteur qu'il soit de contre-vérités occasionnelles, l'actuel mouvement savoisien [37] a néanmoins le « mérite » de démontrer que les autonomismes périphériques sont loin d'être devenus choses du passé ; on aurait tort de les ranger une fois pour toutes au rayon des accessoires de l'historiographie nationalitaire…

9

Les pays d'oc

Nous avons gardé, pour finir, la plus importante des différencia-
tions linguistiques : elle sépare les pays d'oc [1] (étalés sur le tiers
sud de la France) d'avec les aires d'oïl qui recouvrent l'essentiel
de la zone septentrionale. Les différences ainsi mises en cause ne
sont pas seulement sémantiques. Elles concernent aussi ce qu'on
pourrait appeler la question méridionale, dans l'Hexagone ; et plus
largement les contrastes entre Septentrion et Midi à l'intérieur des
frontières qui cernent la nation.

Les pays d'oc comme tels naissent, en date large, vers 5800, voire
6000 avant Jésus-Christ. Une telle proposition, bien sûr, n'a rien à
voir avec la linguistique d'oïl ou occitane. Ce qui est en cause, sur
le territoire actuel de la « France », et bien au-delà, c'est le contraste
très ancien – déjà ! – entre un Nord continental et un Midi méditerranéen ; contraste bien sûr qu'il ne faut point absolutiser car les
contacts entre les deux « aires » ont été nombreux, spécialement du
Sud au Nord. Contrastes-contacts : le couple est indissoluble, indéchirable. Quoi qu'il en soit, la civilisation « cardiale », venue du
Moyen- et Proche-Orient *via* l'axe méditerranéen et l'Italie méridionale, amène avec elle des immigrants qui ont un rôle fondateur,
même et surtout quand ils se mêlent aux populations indigènes ;
disons qu'en gros ces nouveaux arrivants apportent avec eux dans
leurs bagages une agriculture presque entièrement neuve, par comparaison avec le Mésolithique aboriginal, fondé sur la cueillette et
sur la chasse en ces mêmes régions, tel qu'il fleurissait antérieurement à 6000 avant Jésus-Christ. Agriculture venue du dehors, donc
basée notamment sur l'orge ; et en second lieu sur le froment ou
blé tendre compact, à vocation panifiable ; nette différence, là aussi,

d'avec les Danubiens du Rubané, immigrés progressivement par voie terrestre, eux, vers le nord de la France et vers l'Europe en général : ils fondent leur régime nutritionnel sur le froment « amidonnier », lui aussi de lointaine origine moyen-orientale, mais non point géniteur des miches comme dans le cas du susdit blé tendre, bien plutôt père des bouillies et galettes en lieu et place du pain. Ajoutons que les Rubanés « nordistes » sont « champions » de l'élevage du bœuf et du porc alors que nos « cardiaux » sudistes s'en tiennent davantage à la chèvre et au mouton, ainsi qu'à l'orge qui restera pendant des millénaires l'un de leurs aliments de base. Il est vrai que le bœuf en zone méridionale compense sa relative rareté par son volume et son poids considérables, bien plus « conséquents » que les dimensions relativement modestes de telle chèvre ou de telle brebis « sudiste ».

L'originalité de l'aire méditerranéenne, en France et pas seulement dans ce pays, se veut chronologique, d'autre part : les systèmes agricoles importés jusqu'en Provence et Languedoc vers 5800 avant Jésus-Christ ont quatre siècles d'avance sur le Nord [2], où ces mêmes « systèmes », à vrai dire un peu différents, ne commencent à répandre leurs bienfaits qu'à partir de 5400 avant notre ère. En second lieu, le vocabulaire des animaux domestiques et plantes cultivées n'est pas exactement analogue, tant s'en faut, des deux côtés de la « barricade » des latitudes, si perméable soit-elle le cas échéant. Résumons ici en un tableau quelques éléments déjà évoqués ci-dessus :

Le tronc commun de l'agriculture d'origine moyenne-orientale ou proche-orientale inventée là-bas, quelque part en Syrie ultraseptentrionale (aux frontières actuelles) et Turquie du centre-sud-est (nomenclature géographique contemporaine) vers 9000-8000 avant Jésus-Christ, a donc bien divergé selon que les influences issues d'icelui se sont propagées par voie méditerranéenne (les « cardiaux » de notre Sud), ou par voie danubienne (les Rubanés du Nord, ci-après Gaulois ou Français, un peu plus tardifs).

*

Incidemment, ces constatations tracent des limites précises à l'Empire de la Mémoire, auquel trop souvent certains chercheurs

« Caractères originaux » des deux agricultures		
	Midi méditerranéen	Moitié Nord de la France
Froment	Blé tendre compact	Amidonnier
Vocation culinaire d'icelui	Panifiable	Bouillies-galettes
Accent mis sur quelques animaux domestiques	Chèvre, mouton	Bœuf, porc
Dates initiales approximatives	5800 av. J.-C.	5400 av. J.C.

authentiques, mais aussi politiciens ou métaphysiciens, voire pataphysiciens, voudraient identifier plus ou moins notre héritage historiographique. L'histoire agricole d'oc – cinq ou six millénaires, rien que ça – est absolument immémoriale. Elle se base uniquement sur les traces archéologiques et sur les datations au carbone 14. Toutes les découvertes effectuées de la sorte, pourtant très *réelles*, correspondent (à bien peu de chose près) à des données qui avaient entièrement disparu du *souvenir* des hommes et des femmes et n'y survivaient que sous forme de mythes (Déméter et l'origine du blé ; Noé et les débuts du vin, etc.).

*

Des premières implantations agricoles du Midi jusqu'à l'agriculture gallo-romaine de la province narbonnaise, celle-ci bel embryon de l'Occitanie contemporaine, il n'y a si l'on peut dire qu'un pas à franchir, et nous le franchirons, un peu trop allégrement sans doute, afin d'établir une fois de plus les caractères originaux d'une vaste région, plus ou moins « bordière » de la mer intérieure. L'araire si différent de ce que sera la charrue des pays du nord est déjà en place dans le Midi avant même la conquête romaine. Le bœuf ou la vache, ou la paire de bovins qui traîne l'araire dispose à cet effet d'un joug, que concurrencera par la suite, de région à région, le collier de cheval venu des agriculteurs septentrionaux. L'assolement languedocien est biennal et le restera pendant des dizaines de siècles : une année de jachère suivie d'une année de récolte. Le Nord, au contraire, à des dates variées, prendra l'initiative du « triennal ». L'irrigation des prairies et jardins potagers, spécifique là aussi des provinces françaises de l'extrême sud comme de la Catalogne et de la Ligurie, existait vraisemblablement dès l'époque romaine. Rappelons à ce propos le vers fameux d'un poète latin :

Claudite jam ripas, pueri, sat prata biberunt
(Obturez les canalisations, esclaves, les prairies ont assez bu)

La moisson « sudiste » se fait à la faucille ou plutôt au *volant*, « longue faucille à lame étroite et faiblement recourbée »[3]. La faux pour couper les blés ne s'imposera que beaucoup plus tard, du nord au sud, en commençant par la Flandre, certainement pas par la Provence. On bat les céréales sur l'aire, au sud, en climat méditerranéen. C'est le « dépiquage » dont il ne faut du reste pas exagérer les vertus. Ce système qui consiste à faire courir des chevaux sur les gerbes étalées a bien des défauts que signalera, beaucoup plus tard, un abbé catalan, Marcé, cher à la savante Mme Marcet, et curé de Corneilla de La Rivière en 1785. « Les propriétaires de chevaux prennent des prix exhorbitants, prélevant une gerbe sur trente aux dépens du cultivateur. Il faut d'autre part nourrir les conducteurs [de ces montures], gens qui ont la gale aux dents, qui ont toujours soif, qui croient la boisson de l'eau très pernicieuse, et qui emmènent des chiens qu'on voit bien gras après le temps. Quant aux chevaux dépiqueurs, enfoncés dans le blé jusqu'au ventre, ils en mangent une partie. Il n'y a pas de bête employée à dépiquer qui dans la journée ne consomme près d'une demie mesure de blé... » Le battage au fléau, somme toute, usité dans la France du Nord et dans quelques villages peu nombreux du Bas-Languedoc, serait-il plus économique, plus « progressiste »[4] ?

La vigne et l'olivier, en ce qui les concerne, furent introduits dans leur zone écologique de développement (méridionale) par les Grecs, puis par les Latins. Enfin de nombreux outils agricoles plus ou moins régionaux sont eux aussi d'époque préromaine, ou romaine au plus tard.

L'ultime millénaire avant le Christ est riche, effectivement, de développements spécifiques, corrélés avec les latitudes. Le Sud, en effet, acquiert les privilèges premiers de l'hellénisme, grâce à la fondation d'une colonie rhodienne à Marseille, vers 600 avant Jésus-Christ. Il détient aussi la palme d'une première empreinte romaine, y compris linguistique, annonciatrice légitime de l'identité occitane d'hier ou même d'aujourd'hui. Ce « palmarès » tient à la mise en place précoce de la province narbonnaise, bientôt viticole et oléicole ; elle fut rattachée dès avant notre ère à la métropole du Latium, peu après devenue capitale d'empire. Rome n'est plus dans Rome, elle est toute en Provence...

Aujourd'hui encore, la maison carrée de Nîmes, les « Antiques » de Saint-Rémy-de-Provence, le pont du Gard portent témoignage d'un immense apport culturel venu de l'*Urbs*. Pendant toute une période, assez courte il est vrai, ce processus n'eut pas d'équivalent dans la Gaule chevelue du centre et du nord : c'est toujours l'avance méridionale, une fois de plus, comme cinq ou six mille ans plus tôt ! Par la suite, une véritable prépondérance administrative, sinon politique, appartient encore au Midi, largement dessiné, certes. L'étoile des voies romaines, qui témoigne pour un certain centralisme, se focalise en effet sur Lyon, dans la moitié sud de la Gaule. Les décalages géochronologiques, en ce genre, persistent à se faire sentir. La vigne, par exemple, dans l'espace gallo-romain, à l'apogée impérial, demeurait longtemps cantonnée au sud d'une ligne Libourne-Genève. Cette frontière ne sera traversée par la viticulture en marche vers le nord qu'à partir du IIIe siècle de notre ère...

...Mais le vignoble en province narbonnaise n'était pas seul au monde : on était confronté, au moins dans la zone strictement méditerranéenne, à la trilogie classique : oliviers, vignes, céréales. L'importance de celles-ci, par exemple dans les plaines du Bas-

Rhône, est attestée par la meunerie hydraulique à gros débit de Barbegal, près d'Arles. Quant à l'oléiculture, les archéologues mettent au jour assez fréquemment des contrepoids en pierre pour les pressoirs à huile, ainsi qu'un outillage agricole ou viticole très proche de ce qui restera coutumier en Provence (et dans la langue provençale, imprégnée de latin) presque jusqu'à nos jours : soit les différents types de houes (*eissado*), diverses espèces de pioches (*trenco, descaussadou, bécaas* ou *bigot*) et le *poudo* pour tailler la vigne, dérivé de la *falx vineatica* de Columelle. Et puis des pelles, et des serpes de bûcherons ; des socs d'araire en forme de fer de lance, mais beaucoup plus lourds et trapus qu'icelui. Enfin, pour l'artisanat tant du métal que du bois dont les produits importaient tant aux maîtres du sol : « les marteaux, pinces, gouges, limes... ».

L'habitat rural ou « paysan » d'époque romaine, pour sa part, consiste en *oppida*, sites de sommets, plus ou moins fortifiés... et plus ou moins désertés à l'époque impériale, par descente du peuplement qu'attirait vers la plaine la meilleure sécurité garantie du fait des conquérants romains, grands pacificateurs devant l'Éternel. *Oppida* donc, fussent-ils tombés en déshérence, mais aussi *vici*, autrement dit petites et parfois grosses bourgades, aïeules prosaïques de nos bourgs, villages et même hameaux. Et puis un habitat dispersé a pris racine, à son tour, sous l'impulsion romaine. Ce sont les fameuses *villae*, grands ou très grands domaines centrés chacun sur une maison de maître isolée, avec ferme et dépendances attenantes. Le semis des *villae*, dû à l'initiative et à la paix romaines, est l'une des fortes innovations ou réalisations « méridionales » du tournant des millénaires (en Narbonnaise, dernier siècle avant Jésus-Christ, et surtout premiers siècles après). Les *villae* regroupent en général autour d'une grande cour, souvent agrémentée d'une pièce d'eau, la demeure du propriétaire et les locaux d'exploitation – hangars, écuries, étables, granges et greniers, caves, forges, ateliers de menuiserie, de tissage, et enfin les logements des ouvriers agricoles, des esclaves et des artisans attachés au domaine[5]. Les *villae* sont les aïeules, en plus d'une occasion, de quelques-uns des grands mas du pays d'oc actuel, tels ceux qu'on rencontre dans la plaine devenue entre-temps vigneronne ou viticole qui s'étendait entre Montpellier et la mer, avant que cette plaine ne subisse de nos jours l'invasion des immenses magasins « mammouths »... La villa gallo-romaine est confortable, souvent luxueuse, quant au logis du grand propriétaire résidant, lui-même d'origine romaine ou venu des élites de l'indigénat ci-devant celtique. Elle fait figure aussi (au titre des ateliers qui l'entourent) d'emplacement manufacturier au sens étymologique de ce terme. On fabrique *in situ* les ustensiles nécessaires à l'économie agricole locale et à la commercialisation des produits du sol. Parmi les grandes *villae* du Languedoc méditerranéen (Aspiran, Corneilhan, Sallèles d'Aude...), on découvre aujourd'hui les restes des fours à poterie, jouxtant le manoir du grand propriétaire, dans lesquels on cuisait les amphores nécessaires au stockage du vin. En attendant que s'impose, à cet effet, l'usage du tonneau, inventé plus au nord par les Allobroges du Dauphiné, eux aussi « d'époque romaine », aux alentours de la ville de Vienne.

L'élevage dans la Narbonnaise antique intéresse les moutons à sonnailles et les chèvres des garrigues ou des Causses, et puis les bovins d'Aigues-Mortes, les porcs du Bas-Rhône. Les bêtes fromagères, tant ovines que bovines et caprines, pâturent au pays nîmois ou dans le Gévaudan. Les produits cynégétiques enfin seront recensés, de nos jours, *a posteriori*, grâce aux ossements archéologiques des divers gibiers que conservent les dépotoirs des *villae*...

La pêche s'effectue par hameçons de bronze et filets lestés de poids de pierre. Elle repose sur les ressources de la mer bien sûr, mais aussi sur celles des « lacs salés » de Lattes, et sur les huîtrières de l'étang narbonnais.

Du côté industriel, la métallurgie n'est pas en reste et de vastes dépôts de scories assorties de pinces à feu connotent le travail du fer. Ils sont en grand nombre dans la région des Martys, sise en Montagne Noire.

Quant à la poterie de la Graufesenque, sa production sigillée s'avérait connue de longue date, dans de vastes secteurs de l'Empire ; l'exportation d'icelle s'opérait par le port de Narbonne. En sont témoins, si négligés furent-ils, les vases laissés pour compte, les « pots cassés » avant l'embarquement ; ils garnissent encore, de nos jours, à n'en savoir que faire, la strate gallo-romaine des sites archéologiques du terroir portuaire narbonnais. Les patrons potiers du Massif central méridional, auteurs de ces monceaux de céramique exportable ou jetable, étaient des hommes libres, usagers d'une main-d'œuvre servile. L'hiver, tout ce monde, esclave ou non, charriait le bois pour les fours ; on cuisait les vases lors de la belle saison[6].

*

Quant à la vie urbaine en Narbonnaise, Arles avec sa position centrale pourra nous servir d'exemple. Ville peuplée *grosso modo* de 5 000 à 10 000 âmes à la belle époque de l'Empire, Arles était point de passage obligé, sur le Rhône, par son pont de bateaux entre l'Espagne et l'Italie, point de raccordement entre la via Aurelia (est) et la via Domitia (ouest). Le susdit « pont-batelier » continuera du reste à fonctionner jusqu'au temps de notre Ancien Régime, tant le Rhône est profond en ce lieu, et requérant, pour la confection d'un véritable pont de maçonnerie, divers travaux d'ingénierie que les époques antiques n'étaient pas toujours capables de consentir à ce point. Tout au plus changeait-on les bateaux du pont, l'un après l'autre, au fur et à mesure de leur obsolescence, au cours de la cinquantaine de générations qui s'écouleront ainsi entre les empereurs romains et les rois Bourbons... À l'époque gallo-romaine donc, Arles[7] redistribuait vers la Gaule les produits venus de la Méditerranée impériale. En retour, cette même ville exportait en direction de Rome les blés de l'arrière-pays, Bourgogne incluse. Grains venus *via* Saône et Rhône, éventuellement transformés en farine à Barbegal. L'agglomération romaine constituait, pour ces Provençaux d'avant la lettre qu'étaient les citoyens du Bas-Rhône, un assez prodigieux débouché, puisque la capitale des empereurs comptait vraisemblablement entre 800 000 et 1 million d'habitants, banlieues incluses, à l'apogée de ces admirables chefs d'État que furent les Flaviens, puis les Antonins, dont Marc Aurèle était l'extraordinaire prototype.

*

Villes et campagnes de la Narbonnaise sont le siège spirituel et physique d'un Panthéon gallo-narbonnais, fils aîné du Panthéon de

Rome. Le chef de file, en cette collection de déités, c'est comme il se doit *Jupiter*, se voulant maître de la foudre... et donc protecteur antifulgurant, invoqué à ce titre. De ces vertus prophylactiques, attribuées à un Dieu paratonnerre, l'Église chrétienne en Languedoc, à son tour, fera largement usage ; elle ordonnera que sonnent les cloches du beffroi paroissial, afin d'écarter la menace d'orage. *Mars* en ses rôles belliqueux, et tout bouillant d'ethnicité locale, semble être lui aussi un personnage essentiel parmi les dieux païens de la Narbonnaise. Pour le reste, les divinités fonctionnellement utilitaires paraissent avoir été légion, en ce tiers sud de la Gaule. On dispose de *Mercure* pour le commerce, *Silvain* pour le bûcheronnage et le travail des carrières, *Vulcain* pour les forges, *Bacchus* pour la vigne (à Béziers notamment, on s'en serait douté), *Apollon* quant à la médecine, *Hercule* à l'usage des voyageurs, sans oublier d'innombrables « Immortels » préposés à la bonne marche des sources, en commençant par Nemausus, responsable de la fontaine de Nîmes. Les continuités, non sans ruptures certes, au titre de l'héritage catholique à venir, sont assurées par avance : l'ermitage de Notre-Dame-de-Collias (Gard) était nanti jadis d'un lot d'autels voués à Jupiter, à Mars et aux Mères gauloises ; par la suite, ce petit sanctuaire se retrouvera dédié à un anachorète christique au VIIIe siècle ; il deviendra enfin lieu de pèlerinages approuvés par l'épiscopat au temps de notre Belle Époque jusque vers 1914. Question de site, bien sûr, et non d'immobilisme architectural.

Abstraction faite de ces développements des plus tardifs, le fait même, immédiatement postpaïen ou antipaïen de la *Christianisation*, au sud de la Gaule, a des contours chronologiques assez clairs. Elle est plus précoce dans les villes ; en Arles, on signale des demeures et objets chrétiens ainsi qu'un évêque à partir de la seconde moitié du IIIe siècle ; certains indices témoignant pour la religion de Jésus seraient même antérieurs, en cette cité, sans qu'il faille nécessairement remonter jusqu'à la fin du IIe siècle. Dans le monde agraire, les « traces » christiques sont plus tardives. En Aude (actuelle), Hérault et Gard, les basiliques funéraires rurales datent des Ve-VIe siècles [8]. Le paganisme rustique a longtemps coexisté avec la nouvelle religion : au cours de la première moitié du VIe siècle, saint Césaire d'Arles, dont les reliques viennent d'être exactement

datées et confirmées chronologiquement de nos jours par les méthodes radioactives, saint Césaire donc constatait que dans son diocèse
les sources, fontaines et arbres sacrés « continuaient à se nourrir
d'ex-voto ». À Javols, au lac sacré de Saint-Andéol, les paysans,
au milieu du VIᵉ siècle, s'obstinaient à jeter dans l'eau les fromages
et les toisons de laine en vue d'honorer le dieu local hydrique, qu'ils
imaginaient à l'image de l'homme, en tant qu'amateur de dons, de
pourboires et de sacrifices de toute espèce. L'évêque du cru fit alors
construire près du lac une basilique en l'honneur de saint Hilaire
de Poitiers, et il y déposa les reliques de ce pieux personnage.
Remarquable transition du culte païen (la source, la fontaine, le
plan d'eau) à la religiosité chrétienne (les reliques). Le fait est que
le pèlerinage du lac Saint-Andéol continuera d'être fréquenté
jusqu'à la Révolution française. Remarquable continuité… ou évolution, déjà très ancienne, dans la perpétuité…

Revenons sur un terrain plus laïque : à la fin du IIIᵉ siècle, deux
Gaules administratives coexistent, celle de Trèves et celle d'Arles
(la nôtre) ; déjà séparées, c'est vraisemblable, du fait de certaines
coupures linguistiques et pas seulement bureaucratiques.

Viennent les invasions barbares : les influences franques pèsent
lourd dans la partie nord de la Gaule ; elles confèrent aux parlers
d'oïl, même rattachés encore et toujours à leurs structures latines,
un aspect particulier, teinté de germanismes. En revanche, cette
imprégnation franque apparaît faible, voire nulle, dans le Midi, où
l'on continue à parler un latin assez correct (le futur occitan ou
provençal) et en lequel fleurissent, selon les époques, divers royaumes wisigothiques ou ostrogothiques. Leur fécondité culturelle n'est
pas négligeable. Les conquêtes ou reconquêtes méridionales de
Clovis n'empêcheront pas, ensuite, vers 670, l'émergence d'une
Aquitaine derechef autonome. En pleine menace musulmane, au
début du VIIIᵉ siècle, l'idéal d'oc (avant la lettre) paraît même s'être
momentanément réalisé, dans les pires conditions, il est vrai !
Coexistent alors une Aquitaine, une Provence et un Languedoc
« septimanien » qui, tous trois, sur le mode provisoire, fonctionnent
de façon plus ou moins autonome ou même indépendante, face aux
dangereux voisins du nord, du sud et de l'est. La montée septentrionale des Arabes, battus comme on sait à Poitiers en 732, déclen-

che, par contrecoup, les nouvelles « avalanches » franques, sous forme de violentes contre-offensives, dont celle, paraît-il dévastatrice, que mène Charles Martel. Ainsi se prépare, d'une façon qui n'est point *a priori* très gaie, l'intégration de l'actuelle France du Sud et de la Catalogne aux structures carolingiennes ; celles-ci, durables sur le plan de la culture, mais fragiles au niveau quotidien de l'administration.

Les vicissitudes politiques sont une chose ; le Midi, avant puis après l'ère chrétienne, est tantôt rattaché, tantôt détaché vis-à-vis du Nord[9]. L'originalité culturelle demeure ; elle s'affirme dès l'époque tardive antique, barbare, puis mérovingienne ; une intelligentsia de qualité, qu'illustrent des écrivains comme Ausone, Sidoine Apollinaire, Fortunat et l'Auvergnat Grégoire « de Tours », marque la prépondérance intellectuelle de la Gaule du Sud, entre Clermont et Bordeaux. La Provence de ce temps-là est un réservoir de moines et d'évêques. Le Midi, tenté par l'arianisme et l'adoptianisme, inaugure d'autre part une longue carrière de propension à l'hérésie.

L'avenir de la différence, pourtant, appartient aux faits de langage. Le français d'oïl est l'enfant bâtard des parlers latins, eux-mêmes nuancés sur place par un substrat celtique (antérieur) et par un puissant « superstrat » germanique (ultérieur). Au sud, en revanche, une autre pièce se joue par-delà le désert humain qui, après les invasions, s'intercale momentanément entre Loire et Garonne : de Gironde à Camargue s'individualise en effet, dès les IXe-Xe siècles, le faisceau préoccitan du « gallo-roman méridional ». Dans ces régions, la langue vernaculaire des Romains, des légionnaires païens et des prédicateurs chrétiens perdurera au mieux par la suite, sous l'égide d'une pureté latine, plus authentique et plus riche, nous le disions à l'instant. Les idiotismes des Celtes, puis des Germains la « pollueront » à un moindre degré qu'en Gaule du Nord. Un phénomène analogue, caractérisé par une excellente conservation du langage, se produit vers la même époque en Espagne et en Italie, mais les modalités dialectales n'y sont pas les mêmes qu'au pays d'oc.

N'est jamais entièrement exorcisée, certes, la tentation des coupures en longitude, d'est en ouest. Au IXe siècle, la Lotharingie les matérialise, non sans difficulté d'être. Pourtant, quand approche l'an mil, la diversité Nord-Sud persiste à imprimer sa marque, de diverses façons. En secteur agraire et nobiliaire, le féodalisme et le servage se développent moins dans la moitié sud que ce n'est le cas entre Loire et Meuse. Les réserves seigneuriales, aïeules des grands domaines agricoles, sont plus menues en « Occitanie » qu'ailleurs. Ce trait, sous d'autres formes, persistera jusqu'au XIXᵉ siècle, voire jusqu'à nos jours.

*

Le pays d'oc n'est pas incapable d'initiative ni de création en matière institutionnelle : c'est de lui que va partir, aux Xᵉ-XIᵉ siècles, dans les régions de Clermont, Brioude, Aurillac et du Puy-en-Velay, l'idée bientôt paneuropéenne de la trêve de Dieu[10]. Mais les vouloirs centralisateurs y font défaut : la tendance aux dispersions géographiques l'emporte, malgré les souhaits d'unité, encore juvéniles, qui balbutient autour de Toulouse. On ne note rien qui soit comparable, entre Auvergne et Pyrénées, avec les patients efforts de la coagulation capétienne, telle qu'elle sévit ou fleurit plus au nord à partir de 987 de notre ère, année symbolique. L'aristocratie méridionale, peu militaire, est affaiblie par les comportements mêmes qui la rendent sympathique. Ses biens sont en effet dévitalisés par les constants partages successoraux, y compris au profit des filles. La gentilhommerie « sudiste », au temps des épreuves, ne fera pas le poids, confrontée à ses puissants collègues septentrionaux, bardés de fer et d'idées rudes.

Une fois de plus (comme six ou sept siècles plus tôt, à l'époque d'Ausone, de Sidoine, de Grégoire), la création littéraire, orale, écrite, poétique, dès l'orée du Beau Moyen Âge, ouvre carrière aux talents particuliers du Midi. Les troubadours exaltent la langue d'oc au détriment du latin ; ils soulignent les valeurs nobiliaires et dévalorisent les modèles cléricaux. Le retour en force du droit romain, qu'on ramène d'Italie en France méridionale *via* la Provence, favorise aux XIIᵉ-XIIIᵉ siècles l'initiale prolifération des notaires, ces troubadours du quotidien prosaïque. Les consulats, premiers organismes municipaux, plus vifs et plus actifs qu'en pays d'oïl, confèrent aux cités, puis aux communautés paysannes un statut de personne morale. Ils distribuent du pouvoir à la noblesse, d'abord ; puis à la bourgeoisie citadine et même au peuple artisanal ou rustique. Le municipalisme cellulaire, couplé à l'absence d'unité macrorégionale, devient l'un des traits essentiels de la vie politique dans le Midi, et donc favorable, incidemment, au « libéralisme » prohérétique. Tout est relatif, bien sûr... Aux XIIe-XIIIe siècles, trois groupes de puissants, soit les Plantagenêts, illustrés par Aliénor d'Aquitaine, les comtes de Toulouse, et les souverains de Catalogne ou d'Aragon, tâchent de mettre un peu d'ordre, chacun tirant la couverture à soi, dans ce Sud extensif, situé en deçà des Pyrénées et qui n'est encore qu'une expression géographique. Trois larrons en foire, soit deux de trop.

L'originalité méridionale, malgré tout, prend forme sur le terrain dans un grand cycle d'art roman, aux antipodes du gothique ultérieur qui tirera davantage son inspiration d'Île-de-France et de Normandie. Au cœur de la « zone sud », sans souci d'évanescentes frontières administratives, une aire géographique bien délimitée enfante, au-delà des dispersions dialectales, les langues d'oc, communes aux poètes du *trobar* et aux chancelleries. Cette aire inclut, et bien au-delà, le sud du Massif central ; elle correspond *grosso modo* aux anciennes provinces ou simples pays de Quercy, Toulousain, Albigeois, Rouergue, Gévaudan, Narbonnais, Nîmois. Les termes (que les historiens emploieront quelquefois) de langue et de poésie « provençales » ou « limousines » auront donc, en l'occurrence, peu d'exactitude. Car les ordres militaro-religieux, hospitaliers de Saint-Jean ou templiers, jouent un rôle de premier plan, pour cette cristallisation d'un mode d'écrire ou de parler en *oc*. La minuscule communauté de Sainte-Eulalie, en Rouergue, bien pourvue de moines chevaliers, s'impose aussi lourdement, pour ce processus linguistique, que ce n'est le cas parmi les vastes collectivités romanophones, à Limoges ou à Marseille.

*

Le rattachement « français » de la nébuleuse méridionale, captée par une galaxie capétienne, s'opère au XIIIe siècle à travers la croisade anticathare ou antialbigeoise et l'annexion qui va suivre.

Le rattachement du Languedoc à la France ne concerne pas seulement les destinées particulières d'une partie majeure des pays d'oc, destinées capitales, certes, pour la constitution de l'ensemble français. Ce rattachement pose aussi le vaste problème du catharisme méridional *alias* religion des Albigeois. Un « piège à c... », ce catharisme, me disait un jour Georges Duby, consterné par l'amoncellement des sottises qui purent être écrites sur ce phénomène étrange ; au point qu'elles semblaient par moments retirer quelque chose au trésor des connaissances humaines. Et cependant, de nos jours, la situation n'est plus, tant s'en faut, celle que déplorait Georges Duby. Notre savoir « catharologique » a beaucoup évolué depuis un quart de siècle, grâce aux travaux d'un grand juriste devenu historien, Jean Duvernoy ; grâce aux recherches, aussi, d'une chartiste, Anne Brenon, et du Pr Chiffoleau.

Et donc, qu'est-ce que le catharisme, tel qu'il a connu, sur le territoire de la France actuelle, sa plus éclatante et malheureuse carrière historique, parmi les territoires de nos départements contemporains de la Haute-Garonne, de l'Ariège, de l'Aude, du Tarn et de la partie orientale de l'Hérault[11]. À propos de cette essence d'une « hérésie », on ne croit plus guère en notre temps aux lointaines influences d'idéologies dualistes (principe du Bien contre principe du Mal) qui seraient d'origine non chrétienne. Ou plus exactement on croit bien au dualisme, en l'occurrence, mais d'origine chrétienne ! Les susdites « pseudo-influences » auraient dérivé, selon cette hypothèse aujourd'hui périmée, d'antiques pédagogies des maîtres orientaux voire iraniens, à commencer par ceux de Zoroastre (VIIe-VIe siècle avant Jésus-Christ ?) et de Manès (IIIe siècle de notre ère). Mais, en réalité, le catharisme est bien davantage une espèce de « christianisme d'extrême gauche », si l'on veut bien nous passer cette qualification volontairement anachronique.

En termes précis, le catharisme récupère, de façon plus ou moins consciente, certaines traditions venues du premier christianisme évangélique. Une telle recherche albigeoise des « racines » pourrait même être quelque peu « marcionite », c'est-à-dire faisant fi dans certains cas de l'Ancien Testament. Quoi qu'il en soit, la pensée cathare[12] considère avec les Actes des Apôtres et saint Matthieu que l'Église de Dieu n'est pas un quelconque bâtiment de pierre ou de bois, et qui serait donc susceptible d'être affecté par toutes sortes de déviations ; celles-ci pouvant être militaristes : transformation du « Saint Lieu » en forteresse ; ou bien déviations « branchées » sur l'excès des richesses, depuis longtemps condamné par l'Écriture sainte. Il peut s'agir en cette conjoncture d'une condamnable surabondance matérielle de luxe, d'or, d'argent, débauches artistiques à l'intérieur ou à l'extérieur des églises, urbaines et rurales. En réalité, l'Église de Dieu, à vue cathare, n'a rien à voir avec tout ce clinquant ; elles est simplement le Corps mystique que forment dans leur Ensemble, les « vrais chrétiens », les « Bonshommes » : ils se chargent de transmettre les leçons du Saint-Esprit, lequel va jusqu'à siéger directement parmi eux en leur collectivité de saints personnages.

Cette Église immatérielle, essentiellement spirituelle, a reçu du Christ le pouvoir de lier et de délier, bref d'absoudre les péchés ; pouvoir ou faculté dont ne dispose nullement, malgré ses prétentions contraires, la fausse Église, romaine et papale, celle qui, dit-on, écorche et possède, gâtée par les biens de ce monde.

L'Église authentique (cathare) s'abstient de meurtres et de violences ; elle diffère en cela de l'image d'Épinal des évêques bottés et casqués ou des Inquisiteurs assassins que les polémistes hérétiques se complaisent à décrire et même à caricaturer, conscients qu'ils sont de l'incontestable fond de vérité, au moins partielle et si peu que ce soit, que contiennent leurs propres satires et autres attaques anticléricales. La Bonne Église, d'autre part, « se garde des souillures charnelles » ; elle fait échec, en principe, aux fornications en tout genre, celles-ci fussent-elles consommées à l'intérieur même du mariage, jusques et y compris, ô redondance, entre mari et femme. On n'est pas plus rigoriste – même si existent, en ce domaine, certains accommodements avec le Ciel ou plutôt avec le sexe, car la chair est faible (voir à ce propos le cas, parfois scabreux, du « Parfait » Guillaume Belibaste). Dans tous les cas, on retrouve en ce souci de pureté, de chasteté souhaitable, sinon réalisable, l'idéologie au moins théorique du renoncement : elle courait et elle va courir encore, comme un fil rouge, à travers deux mille années de christianisme ; et aussi, de manière tout à fait indépendante, parmi les religions de l'Inde (voir le thème très indien, en effet, du Sannyasi renonçant, tel que l'analysera Louis Dumont).

Quittant le domaine des plaisirs volontiers interdits, et de la fécondité (il faudrait plutôt parler d'un thème de l'antifécondité ou de l'antisexualisme), la dogmatique cathare s'adresse également aux problèmes de l'économie, du travail, et, si l'on peut dire, du *business*. Sur ce point, les Albigeois sont fidèles à saint Matthieu, encore lui, ainsi qu'aux épîtres pétriennes et pauliniennes (Éphésiens, Romains) : « Tu ne voleras ni ne désireras ce qui appartient à ton prochain. »

Après ces divers excursus (violence, sexe, propriétés et possessions terriennes, mais surtout pécuniaires, et autres), la thématique cathare revient aux valeurs centrales de la spiritualité : en conséquence, il y a refus du mensonge, du faux témoignage, du blasphème et de l'acte même de malédiction ainsi que de celui, également blâmable, qui consisterait à prêter serment. Enfin, « l'hérétique » se doit de respecter la loi, la règle de Justice et de Vérité, ce qui revient le plus simplement du monde à imiter Jésus-Christ, et à être persécuté comme lui ! On ne saurait être plus chrétien, nullement zoroastrien en l'occurrence. Le moine Thomas A. Kempis, auteur, à l'automne du Moyen Âge, d'une immortelle *Imitation de Jésus-Christ*, n'aurait rien trouvé à redire à ces ultimes préceptes.

Ajoutons que l'Église albigeoise pourrait faire figure aussi d'organisation pentecôtiste ; Napoléon Peyrat, parlera même à son propos « d'Église du Paraclet[13] ». Cette église hétérodoxe va, en effet, bien au-delà du baptême d'eau, tel que l'avait conçu saint Jean-Baptiste au début du récit des Évangiles : la « Nouvelle Hérésie » méridionale propose, comme complément majeur à cet épisode aquatique, un baptême non aqueux, inspiré de la descente du Saint-Esprit sur la tête des disciples lors de la première Pentecôte, celle qu'ont narrée les Actes des Apôtres. De là vient, en droite ligne, l'étonnante institution du *Consolamentum*, sacrement spécifique des Cathares : il fait preuve à lui tout seul d'une élégance et d'une économie de moyens tout à fait considérable. Déjà l'Église catholique avait beaucoup simplifié les choses. Des rites certes parfaitement compréhensibles comme les sacrifices d'animaux largement pratiqués dans l'Antiquité tant païenne que biblique[14], et d'autre part la circoncision (dont nous ne contestons nullement la légitimité), sans oublier le baptême par immersion cher aux chrétiens orthodoxes (lui-même générateur certes à titre rarissime de malaises d'origine hydrique pour les bébés, nous fûmes témoin d'un incident de ce genre), de tels rites donc ont été remplacés, en milieu catholique, par un baptême d'eau à peine humidifiant, inoffensif donc, sur le front et la tête du bébé. Les Cathares ont poussé la simplification plus loin encore, puisqu'ils préconisent, eux, un « baptême » purement spirituel : la matérialité du liquide versé d'une façon ou d'une autre – eau, huile, sang... – est réduite à zéro dans le *consolamentum* : celui-ci se ramène à l'imposition des mains et du Livre saint, de la part de l'officiant, sur la tête de l'Ordonné (adulte), avec participation active et collective des « hérétiques » présents, le tout étant accompagné de pieuses lectures adaptées aux circonstances. L'élégante économie de moyens, déjà mentionnée, se manifeste aussi et même davantage en raison du caractère absolument synthétique, ou plutôt fusionnel, du *consolamentum*. Ce sacrement albigeois fonctionne simultanément comme *baptême*, déjà indiqué ici, mais aussi comme *confirmation* (le Saint-Esprit !) et puis *pénitence*, *extrême-onction*, *mariage* mystique (entre le Saint-Esprit divin et l'âme du fidèle), enfin *ordination* ; le croyant, une fois « consolé », est *ipso facto* élevé au rang quasi ecclésiastique de « Bon chrétien » ou Bonhomme. Un seul parmi les sept sacrements de l'Église catholique n'est pas « récupéré » par cet extraordinaire « fourre-tout » qu'est le *consolamentum*. Il s'agit de l'Eucharistie : elle baisse en grade parmi les hérétiques, et se réduit, sans vraie valeur sacramentaire dorénavant, à un modeste repas de pain bénit. Cette manducation, dont il ne faut pas surestimer l'importance, peut être néanmoins complétée par l'ingestion symbolique d'un « Pain supra-substantiel » qui n'est autre que la Loi du Christ convenablement assimilée. Malgré cette exception eucharistique ou plutôt, à tout prendre, anti-eucharistique, on ne peut qu'admirer, sur un plan purement technique, ce processus de réunification d'une demi-douzaine de sacrements sous les auspices et apparences d'un seul et unique *consolamentum*, épisode à la fois consolateur et sacramentaire. Prouesse impressionnante... Chapeau !

Et le dualisme, dans tout cela ? On a beaucoup insisté en effet, répétons-le, au fil d'une interminable littérature théologico-politique, sur le caractère essentiel, en pays cathare, de l'idéologie dualiste : Bien contre Mal, Lumières contre Ténèbres, etc. Une telle attitude aboutissant à évacuer ou à minorer tous éléments qui seraient « plus que deux », soit ternaires, quaternaires, etc. Et de gloser, en style sempiternel, sur le « manichéisme » de ces braves gens de Carcassonne ou de Béziers des années 1200, lequel leur viendrait tout droit d'un Manès des premiers siècles de notre ère, non chrétien s'il en fut jamais. On comprend que de telles affirmations (des hypothèses en fait) aient pu fasciner plusieurs générations de chercheurs, de grands théologiens comme le père Dondaine, ou des historiens de grande valeur, venus des pays du Nord, comme Arno Borst, Steven Runciman et Hans Söderberg. Fascination d'autant plus intense, dès lors qu'on croyait voir s'enfoncer ainsi, dans le vieux Languedoc, un coin de pensée authentiquement non christique, performance extraordinaire dans le cadre d'une culture européenne, fût-elle sudiste, qu'on avait imaginée d'abord « chrétienne à 150 % », pour reprendre une expression chère au grand écrivain allemand Victor Klemperer. Ce parcours intellectuel non chrétien, même des plus problématiques et monté sur pieds d'argile, ne se terminait pas au XIIIe siècle, ni *a fortiori* au XVe. On le prolongeait jusqu'en notre temps ! Le manichéisme, ex-cathare, et soi-disant héritier des siècles obscurs ou préchrétiens (Zoroastre), allait reprendre du galon aux XXe, XXIe siècles, par réincarnation dans les idées ou pratiques manichéennes de notre temps, inévitables compagnes des divers totalitarismes, éliminateurs de l'ennemi de race ou de classe ; et même, nouvelle hypostase, ces entités manichéennes deviennent les concubines obligatoires de la pensée démocratique de l'an 2000 ; celle-ci tranchant avec vigueur entre, d'une part, le politiquement correct, la nouvelle religion civique et lumineuse des Droits de l'homme, qui sont bons ; et, d'autre part, les Ténèbres extérieures du Racisme, de la Discrimination ethnique, qui sont mauvaises, maudites, etc. Tout n'est pas faux du reste dans ces « analyses », à ceci près que l'héritage « binaire » ne vient pas, en réalité, de Zoroastre ni de Manès *via* les Cathares ; mais bien plutôt du christianisme « johannique » (Évangile selon saint Jean, première épître de cet apôtre, Apocalypse, etc.) *via* les Cathares, en effet, et *via* mainte autre médiation, jusqu'aux grandes idéologies « binaires » de notre époque, qui s'appuient, en effet, de temps à autre, sur telle ou telle opposition simpliste entre le Bien et le Mal, le Correct et l'Incorrect.

S'agissant du dualisme des Cathares languedociens du XIIIᵉ siècle, nous ne chercherons pas, dans le cadre nécessairement limité du présent ouvrage, à démêler, microscope en main, les nuances et finesse des distinctions qui séparent le dualisme absolu du dualisme mitigé. Satan, génie du Mal, est-il en effet, selon l'expression de Lamartine, « un archange tombé qui se souvient des Cieux », bref un ange déchu, créé par le Très-Haut dans les commencements, et devenu odieux (point de vue « mitigé ») ; ou bien, face au Tout-Puissant, créateur de Tout, le susdit Satan incarne-t-il, en toute radicalité, la Puissance finie du Néant, du Nul, du *Nihil* ou du *Nichts* teuton, ce que les physiciens de notre temps, dans un tout autre registre, appellent « l'énergie du vide ». Plutôt que de nous lancer dans ces subtilités sur lesquelles l'éminente Mˡˡᵉ Thouzellier s'est quelque peu exténuée au cours d'une grande partie de sa féconde carrière, disons, répétons ou soulignons, avec Jean Duvernoy, que le dualisme des Cathares d'oc (et autres) du « Beau Moyen Âge » [15] diffère profondément, totalement même, de celui de Manès et de ses disciples, une fois de plus. Chez celui-ci le dualisme est *premier*. Il configure, il informe dès le départ l'entière doctrine manésienne ou manichéenne en ses structures natives et durables. Au contraire, chez les Cathares, le dualisme est tout au plus une conséquence certes essentielle, mais *seconde*, une dérivée, une retombée, un sous-produit, on n'ose pas dire un résidu de doctrines fondamentalement chrétiennes, ou chrétiennes-sinistristes, axées tautologiquement sur le Christ ; et peut-être plus encore (nuance par rapport au christianisme officiel des temps médiévaux), axées sur le Saint-Esprit, à la Joachim de Fiore. Ajoutons que le dualisme, à condition de n'être point « totalement absolu », est un fait médiéval banal, typique aussi d'un christianisme normal, trivial même (nullement « hérétique » en tout cas), tel qu'on le trouve établi avant comme après l'an mil. Le catharisme « dual » ou binaire en cette conjoncture n'est jamais qu'une variante par rapport aux normes christiques de la spiritualité moyenâgeuse – Dieu contre Diable ! –, telle qu'admise par les papes, les conciles et l'immense masse du peuple chrétien, tant septentrional que méridional. Le dualisme cathare n'est pas une aberration, un ou une météorite venue d'autre planète idéologique ; il figure simplement un cas limite. Ajoutons que le spectacle plus ou moins permanent (malgré quelques entractes) de l'action du « Mal » dans le Monde, épidémies, guerres, famines, etc., ne pouvait qu'encourager nos ancêtres ou prédécesseurs en ces anciens temps, à se représenter le Monde comme un théâtre *d'ombres* assez tragiques, trouées de temps à autres par d'éclatantes *Lumières* en provenance de Dieu dans sa gloire et de l'Église en sa majesté.

*

Deux mots maintenant sur l'Événementiel (languedocien et méridional) des XIᵉ-XIVᵉ siècles, vu sous l'angle de l'albigéisme, de la Croisade venue du nord et de l'Annexion française. Hérésie chrétienne ou parachrétienne, le catharisme au sens strict ou quelque peu laxiste de ce terme, était assez répandu aux XIᵉ et même XIIᵉ siècles, en divers pays d'Europe : on trouvait alors ses partisans à Cologne, Bonn, Mayence, Soissons, Liège, Soissons, Orléans, et bien sûr plus au sud, signalés ou répertoriés, çà et là, par les flammes d'un bûcher ou par les questions anxieuses que se posaient au vu de ces brasiers fumants les clercs restés loyaux à l'Église officielle. Mais, très vite, la répression ou même les simples réactions hostiles d'une majorité silencieuse marginalise ces phénomènes de non-conformisme, du moins dans l'aire septentrionale. L'espace disponible se restreint ; ou disons que le catharisme est comme une proto-étoile qui se rétracte... ; et qui s'allume avec d'autant plus d'énergie. Il a « perdu le nord » ; il concentre ses forces au sud, toujours davantage après les années 1170-1190 (le protestantisme français au XVIᵉ siècle connaîtra semblable évolution, du septentrion vers le Midi... et ne parlons pas du rugby... !). Une étoile secondaire s'allume elle aussi entre Lyon et Durance, celle du valdéisme [16]. Comme quoi il y a effectivement de l'hérésie dans l'air. Dès la fin du XIIᵉ siècle, et pendant tout le XIIIᵉ, on trouve surtout des Cathares dans l'aire balkanique *(Bogomiles)*, en Italie du Nord *(Patarins)*, ainsi qu'en Languedoc et dans le comté de Foix *(Bonshommes)*. Les pouvoirs seigneuriaux ou princiers du « Sud » étaient-ils plus relaxés qu'en Allemagne occidentale ou France septentrionale ? Le fait est qu'ils ont toléré « l'hérésie » à l'amiable : ce fut le cas des comtes de Toulouse. Ou même ils sont allés jusqu'à flirter avec elle, en ce qui concerne les comtes de Foix. Quelques dames de cette grande famille « fuxéenne » ont même franchi le pas et se sont carrément converties à la religion des Bonshommes. Les nouvelles croyances s'étaient tellement répandues dans le Midi que l'illustre saint Bernard de Clairvaux en 1145 s'est fait missionnaire à Toulouse et Albi, en vue d'une entreprise de conversion antihérétique dont les résultats ne furent guère évidents. L'appellation « cathare » – fondée du reste sur une série de contresens, mais peu importe – apparaît vers 1163 (en Allemagne). En 1167, un évêque bogomile (de Constantinople ?), un certain Nicétas ou Niquinta aurait même participé (?) à une assemblée méridionale de leaders hérétiques [17] tenue à Saint-Félix-de-Caraman (?). Soulignons à ce propos que M. Chiffoleau ne croit guère à l'existence même d'un tel concile, *a fortiori* épiscopal. L'émergence difficile du valdéisme (en vallée du Rhône, puis de Durance) date elle des années 1170-1182. L'apogée du catharisme tant languedocien qu'ariégeois se situerait, lui, au début du XIII⁰ siècle, sous le « règne » du comte Raymond VI de Toulouse. Vers la même époque (1206), saint Dominique fait l'essai, toujours dans la grande province « sudiste », d'une contre-propagande ; elle attaquerait l'hérésie avec ses propres armes : prédication évangélique, vie exemplaire et pauvre des disciples « dominicains » (rappelons que le catharisme, amoureux de la pauvreté volontaire, se situe en parallèle avec des tendances « renonçantes à la richesse » qui sont le fait, à la même époque, des ordres mendiants, tant franciscains que dominicains. Il y a donc émulation, sur ce point précis, entre les hérétiques et toute une portion du catholicisme « normal », inspirée par le *Poverello*).

Dans la brève durée, l'initiative de saint Dominique n'obtient pas de grands résultats. Il faut « faire quelque chose » face aux succès de l'hérésie. À l'appel du pape Innocent III, une croisade de chevaliers venus d'Île-de-France, de Normandie et de Bourgogne inaugure l'action militaire contre les « Albigeois », tel est aussi leur nom ; elle est suivie de conquêtes territoriales. En 1215, Simon de Montfort, chef des croisés, prend en main le comté de Toulouse.

De 1216 à 1224, une contre-offensive languedocienne (et cathare) fait échec aux conquérants septentrionaux. Mais une nouvelle croisade, sous la direction du roi de France Louis VIII descend la vallée du Rhône (1226) et puis reprend le contrôle du Languedoc presque entier. Après maints épisodes meurtriers, au premier rang desquels figure le bûcher de Montségur (1244), le comté de Toulouse est rattaché au royaume de France (1271). L'événement est considérable : il contresigne le *connubium* définitif de la partie médiane et méridionale des pays d'oc avec le royaume capétien. En outre, ce mariage inégal a été précédé de violences dont on ne trouve pas l'équivalent au même degré dans d'autres unions occitano-françaises, notamment celles concernant l'Auvergne (XIIIᵉ siècle), le Bordelais (1453) et la Provence (années 1480). Un bref revival cathare a pris place encore entre 1295 et 1325 autour de la prédication des frères Authier, partiellement centrée sur le haut village ariégeois de Montaillou.

*

Il n'y aura pas vraiment de continuité avec « l'hérésie » suivante, celle des huguenots, destinée à s'imposer en Languedoc... et bien au-delà d'icelui, dès le second quart du XVIᵉ siècle. Néanmoins certains parallélismes s'imposent et même quelques phénomènes de gestation, du plus ancien au plus récent. Tout comme l'entité cathare, la Réformation va correspondre à une foi développée au nord, puis refoulée hors d'icelui, et préservée plus librement au Midi, non sans épisodes de répression subséquente, décisive aux XIIIᵉ et XIVᵉ siècles, mais qui ne sera point totalement victorieuse, par contre, lors des générations protestantes pourtant persécutées au XVIIᵉ siècle. Le catharisme, par ailleurs, est bien un coup d'essai de l'hétérodoxie intrachrétienne. Coup manqué ! L'hérésie albigeoise n'avait pas les moyens de sa politique. Les huguenots, à l'inverse, disposeront de cette formidable caisse de résonance qu'est le média Gutenberg. Ils pourront de la sorte s'implanter de façon définitive contre vents et marées – avec des flots de sang versés dans les deux sens, à mainte reprise. Ces mêmes protestants inaugureront ainsi la véritable guerre idéologique franco-française, engagée pour l'essentiel contre l'Église romaine et destinée à durer plusieurs siècles, à travers des relais successifs : protestantisme extracatholique, puis jansénisme intracatholique ; philosophie des Lumières antichrétienne ; déchristianisation révolutionnaire ; anticléricalisme parfois mordant du XIXᵉ et du premier XXᵉ siècle, jusqu'à ce que s'imposent de nouvelles religions civiques en notre temps. Les pauvres Cathares, démunis de tout ou presque tout, étaient bien incapables d'un tel succès. *Après eux*, au cours des six générations qui vont suivre, et *avant* l'implantation fort ultérieure du protestantisme, il n'y aura plus tellement, dans l'entre-deux, débat d'idées ni de dogmes, mais surtout luttes de factions dans le cadre des grandes guerres ou querelles en cours : Armagnacs contre Bourguignons ; et puis divers partis opposés, sans grandes divergences doctrinales, lors du Grand Schisme... Il importait néanmoins ici même, dans les limites d'une réflexion sur les pays d'oc, de développer assez longuement les problèmes d'hérésie méridionale et de croisade. Qu'on le veuille ou non, ils sont constitutifs de l'unité française qui est l'un des grands sujets du présent ouvrage. « Constitution » pour le pire (les massacres de Béziers, au XIIIᵉ siècle), mais aussi pour le meilleur : la gauche française, républicaine, dont on ne peut contester les mérites, sans pour autant lui appartenir corps et âme, la gauche française notamment « sudiste », tellement décisive à l'échelon national, s'appuie, entre autres étais, sur une réflexion, fût-elle parfois mythique, relative à l'hérésie, à la croisade, à l'unification partiellement forcée du Nord et du Midi.

Plus modestement, le XIIIᵉ siècle finissant pose aussi les premières pierres, éventuellement anticathares en effet, d'un âge gothique des pays d'oc, dont porte témoignage au premier chef la cathédrale Sainte-Cécile d'Albi, commencée en 1282 ; mais aussi[18] Notre-Dame de Rodez (1277), et puis, loin de l'albigéisme cette fois, Notre-Dame de Clermont-Ferrand (XIIIᵉ-XIVᵉ siècle...) ; enfin, tardive, Sainte-Marie d'Auch, celle-ci totalement postalbigeoise, à tous points de vue (1489). Les pays d'oc et spécialement les zones cathares, terres de haute culture les unes et les autres, avaient vu précédemment l'efflorescence vaguement simultanée (quoique point nécessairement corrélative) de la poésie des troubadours et des protagonistes de l'hérésie. La croisade, pour sa part, va donc

« générer », comme on dit de nos jours, un certain renouveau de l'architecture sacrée (gothique), faisant ainsi de la région d'oc un jardin de Marie et d'autres dévotions féminines. Les braves Bons-hommes et leurs fidèles qui ne furent jamais qu'une minorité, certes active, du peuplement de leurs grandes et petites patries se seraient sans doute passés de cette noble consécration architecturale, qui au surplus allait en sens inverse de leur vœu le plus cher, contempteurs qu'ils étaient des belles églises et des sanctuaires splendides.

Enfin « l'épopée cathare », avec sa contre-épreuve de la Croisade, impliquera de lointaines conséquences, quant à la résurrection du mouvement provençal ou occitan, comme on voudra l'appeler – reviviscence à demi laïque, intervenue dès le XIXᵉ siècle (il est paradoxal, du reste, de parler de provençalisme à ce propos, puisque la grande province – Provence – du sud-est fut très largement épar-gnée par le catharisme, phénomène qui, à son fragile apogée, se voulait essentiellement languedocien et latéralement ariégeois). En tout état de cause, il appartenait à Napoleon Peyrat[19] (né en 1809), pasteur protestant du Midi et bon historien des hérésies d'oc, d'incarner cette résurrection ou cette résurgence *post factum*, en des termes qui exercèrent sur le grand Michelet une étonnante fascina-tion. Intuitif au possible, Peyrat fut l'auteur d'une *Histoire des Albigeois* dont les volumes ultimes illuminèrent de façon significa-tive, à leur date ultime de parution (1880), les premiers feux de la IIIᵉ République, voire du « Midi rouge ». Peyrat a bien senti – en quoi il est précurseur de Duvernoy – que l'influence de Zoroastre et de Manès n'était pas pour grand-chose dans la gestation des théologies albigeoises (nous dirions aujourd'hui qu'elle n'y était pratiquement pour rien, sinon au titre de l'histoire comparée). Excellent écrivain et même styliste, Peyrat a vu avec justesse, dans le catharisme, un prolongement de la pensée johannique et d'une théologie du Paraclet, fondée sur l'Amour et sur le Verbe. La tendance « hérésiarque » ainsi définie s'était opposée sans amba-ges (au XIIIᵉ siècle) à ce que le vigoureux Peyrat tiendra, en son temps, pour l'Essence même de l'oppression majeure : à savoir l'Église colossale de saint Pierre, le Sanctuaire papiste et romain de la Force, qui pétrifiait le monde, Jean contre Pierre. Il y avait là de beaux sujets de méditation, dualistes eux aussi, en leur style singulier. Et ce fut suffisant pour que les occitanistes et néocathares du siècle dernier (ils ont existé) reconnaissent en Peyrat l'un de leurs maîtres, et le prédécesseur privilégié d'une certaine explosion postalbigeoise : elle prendra feu et flamme sous la Ve République avec le film de Claude Santelli relatif aux *Cathares*, lui aussi troué de fulgurations saisissantes... et d'erreurs inévitables.

L'incorporation médiévale d'oc en oïl, où n'ont pas manqué les actes sanguinaires, marque un basculement du Midi vers le Nord ; un partiel arrachement du Sud à ses vieux tropismes méditerranéens. La « France » en tire avantage pour refouler au-delà des Pyrénées l'État catalano-aragonais (quant à la possession disputée du Roussillon, ce « refoulement », on l'a vu, ne prendra effet total et irréversible qu'à partir de 1659). Mais sans attendre cette date encore lointaine, il apparaît que le royaume capétien, dès le XIIIe siècle, tient l'Occitanie au cœur et au ventre par Auvergne et par Languedoc. Qui plus est l'incorporation des deux ailes est en chemin. L'aile girondine et gasconne perd son autonomie (ou son anglomanie ?) dès 1453, lors de l'éviction des Britanniques hors de Bordeaux. L'aile provençale est pacifiquement « digérée », à partir de 1482-1483.

Essayons, à ce propos, d'éviter l'anachronisme d'expressions telles que colonialisme, *a fortiori* génocide. L'Occitanie, au moins dans ses portions languedociennes, fut d'abord violée par le pouvoir français. Ensuite, comme il arrive parmi les vieux couples même étrangement formés, ou après les mariages forcés (voyez Anne de Bretagne...), elle s'est librement habituée à l'État du Nord. La royauté capétienne n'arrivait pas les mains vides. Elle avait de quoi gratifier les uns et les autres. Les clercs, à Toulouse ou à Carcassonne, lui étaient reconnaissants de ce qu'elle consolidait le monopole (parfois oppressif) des croyances papistes. Elle légitimait aussi les structures municipales, dont s'enorgueillissait la bourgeoisie d'oc. Elle proposait, enfin, le minimum de justice et le débouché dans les carrières militaires que souhaitaient respectivement la paysannerie et la noblesse. Il n'est pas question, bien sûr, de peindre en rose une union où ne manquèrent justement ni les conflits ni les scènes de ménage, parfois violentes. Mais jamais on n'est allé, en bloc, jusqu'aux menaces officielles de divorce.

Les XIVᵉ et XVᵉ siècles, durement marqués par des crises graves (pestes, guerres de Cent Ans, etc.), voient naître et se développer, *in situ*, de grandes institutions régionales. Elles sont du reste souhaitées par la monarchie. Dans l'état de microcéphalie institutionnelle qui la caractérise encore, celle-ci n'a ni les moyens ni le désir de pratiquer des stratégies massives d'administration directe ; en l'occurrence, elles seraient absurdes. Parmi les fortes organisations locales qui vont faire ainsi la différence et la fierté du Sud, citons en premier lieu les états de Languedoc et le parlement de Toulouse ; celui-ci, comme ses homologues d'autres régions, étant si l'on peut dire l'expression d'un centralisme royal à retombées décentralisatrices ! Les parlementaires, même et surtout souhaités par la monarchie, ne seront point à l'égard d'icelle des béni-oui-oui. Et d'abord, ils seront du cru...

La seconde moitié du XIVᵉ siècle, dans les pays d'oc, à tout le moins dans leurs portions sudistes ou sud-occidentales, avait été dominée par la puissante personnalité du comte de Foix (et seigneur de Béarn) Gaston Phébus (1331-1391). Il avait assuré la transformation de la vicomté béarnaise « en une principauté souveraine de fait », laquelle le demeurera jusqu'en 1620 (et cela même si cette souveraineté s'appliquait principalement, là comme ailleurs, au maintien des coutumes *internes*, davantage qu'au contrôle effectif tant diplomatique que militaire, de l'environnement *extérieur*, fût-il le plus proche). La mémoire et l'illustration du phénomène Phébus ont connu certaine traversée du désert entre le XVIᵉ et le XVIIIᵉ siècle. Mais l'admirable manuscrit à miniatures de son *Livre de la chasse* a procuré au prince pyrénéen depuis une centaine d'ans un renouveau d'immortalité dans le genre iconographique et cynégétique. Les luxueux fac-similés photographiques sont nombreux, confectionnés en notre temps ; ils s'inspirent avec bonheur des plus belles versions illustrées de ce grand texte, datées de la fin du Moyen Âge. Façon de concrétiser aussi la zoologie sauvage des XIVᵉ-XVᵉ siècles : les dépeuplements humains dus à la guerre ou à la peste, à partir de 1348, et le retour en force des forêts et des friches y ont permis la résurgence d'innombrables fauves et grosses bêtes de toute espèce, fort grouillantes désormais dans les montagnes d'oc, tellement boisées ou reboisées à l'époque : Alpes du Sud, Cévennes et Pyrénées, celles-ci chères, par priorité, au cœur de l'illustre Phébus[20]. Il faudra, dès les années 1440, la formidable reprise économique et démographique, matérialisée après 1453 par la fin des guerres anglaises, pour renverser la vapeur et pour donner de nouveau la priorité aux défrichements, destructeurs des ci-devant friches, arborées ou broussailleuses, si giboyeuses fussent-elles[21]...

*

À la fin du XVᵉ siècle, après le rattachement définitif de la Provence et de Marseille (début des années 1480), l'« Occitanie », ou du moins l'expression géographique qu'on appellera quelquefois de ce nom, prend sa configuration quasi contemporaine. Seuls demeurent en dehors du système la région de Nice (jusqu'en 1860), le Comtat (qui reste papal pendant tout l'Ancien Régime) et le Béarn, soumis pour plus d'un siècle encore à la dynastie pyrénéenne des Albret-Navarre (dont naîtra Henri IV).

Il devient possible, en cette conjoncture, de définir, ne serait-ce que de façon négative, ladite « Occitanie », déjà presque entièrement constituée. Elle correspond, dans les faits, entre Alpes et Pyrénées, à la vaste zone des langues romanes (« non d'oïl ») que les Français ont réunie et qui, de ce fait, échappe définitivement aux mouvances italiennes, catalanes, castillanes. Après tout, le rattachement d'un fragment des pays d'oc à l'une de ces trois entités était concevable, mais l'histoire en a décidé autrement. L'« accent méridional », qui est divers, mais qui semble unique à l'écoute peu sophistiquée d'une oreille parisienne, marquera jusqu'à nos jours, d'un sceau indélébile, la majorité des habitants, des « autochtones » de cet étrange pays qui n'en est pas un. L'Occitanie, un grand vaisseau qui navigue tous feux éteints dans la nuit noire, avais-je écrit jadis dans un livre sur Montaillou...

Les cultures, à l'aube de la Renaissance, y deviennent plurielles : la langue française (d'oïl), grâce aux techniques de Gutenberg, effectue dans cette aire extensive, à partir de 1480-1490, une première percée. Des phénomènes de mécénat (dont sont responsables le roi René à Aix-en-Provence, les agents des papes en Avignon, le Gai Savoir et les jeux Floraux à Toulouse) accompagnent ou sous-tendent une créativité littéraire et artistique qui ne se ramène pas uniquement, tant s'en faut, aux modèles parisiens, ligériens, lyonnais. Un théâtre dialectal, qui traite de sujets religieux, vient relayer, dans le cadre des régions diverses, la défunte créativité des troubadours. De manière plus concrète, un régime assez libre, et même moderne, caractérise la tenure du sol : les alleux (propriétés roturières pleines et entières, sans ingérence seigneuriale) sont beaucoup plus nombreux au sud qu'au nord. Les paysans d'oc tiennent énormément à la maxime « ouverte » « Nul seigneur sans titre », alors que ceux d'oïl doivent se résigner à la devise rigide « Nulle terre sans seigneur ». En Languedoc et Provence, l'impôt est « réel », équitablement assis sur la surface et la qualité des champs ; dans le Bassin parisien, il est « personnel », frappant parfois de façon arbitraire les humains, « à la tête du client ». Les populations du Midi sont, par appartenance, soumises au roi de France. Mais elles se gouvernent presque partout, au XVIe siècle encore, grâce aux assemblées représentatives des trois ordres ou « estats ». La semi-démocratie communaliste qui caractérise dans cette zone le pouvoir éclaté se double ainsi d'une représentation régionale, espèce de régime constitutionnel avant la lettre, à tendance oligarchique cependant. C'est ce que l'historien américain Russel Major appellera la monarchie (limitée) de la Renaissance. Autres facteurs malgré tout « démocratiques », du moins dans le long terme : les grands lignages princiers du Midi (Albret, Foix, Armagnac, etc.) sont voués à l'extinction, même glorieuse. Tout au plus les remplace-t-on pour quelque temps, dans ce rôle directeur, par des familles de substitution, venues du nord et actives au Midi. Voyez à ce propos les Rohan (bretons) et les Montmorency (parisiens) qui prendront la tête des grosses révoltes « sudistes » contre le pouvoir royal au XVIIe siècle. L'échec de ces leaders, à leur tour, facilitera la montée en puissance d'une bourgeoisie occitane, et d'une petite ou moyenne noblesse locale.

Les caractères originaux du Sud s'affirment, d'autre part, grâce à l'adoption préférentielle du protestantisme, *hic et nunc*. On ne doit point particulariser à l'excès ce processus ; les adhésions huguenotes, au point de départ, s'effectuèrent dans toute la France urbaine, à Meaux comme à Toulouse, à Caen comme à Montpellier. Le tropisme méridional, à leur égard, fut, d'abord, le négatif d'une répression ; elles furent en effet refoulées progressivement hors de l'aire septentrionale, en raison des rudes châtiments qui émanaient de l'État monarchique, des forces militaires, de la Sorbonne et du parlement de Paris. Or ce « bras armé » catholique perdait de sa vigueur et s'amollissait au fur et à mesure qu'on s'éloignait des « centres de gravité » de la décision centralisée. Par simple effet de survie résiduelle, la mouvance protestante s'est donc décantée, cristallisée, solidifiée en arc de cercle, à distance respectueuse de la capitale, dans le *croissant fertile* ou *croissant de lune* huguenot qui va de La Rochelle à Nîmes et à Genève en passant par Tonneins, Montauban, Sommières. Subsistent néanmoins, dans le Midi et notamment dans le Massif central « d'oc » du Sud (Rouergue, Gévaudan et bien sûr en Provence, en Auvergne, en Aquitaine), des blocs puissants de fidélité catholique.

Très remarquable, tragique à souhait, et surtout authentiquement provençale au long de ce « *croissant* de lune », est l'aventure des Vaudois de la rive est du Rhône [22]. Disciples lointains de Pierre Valdo, ou Valdès, et des pauvres de Lyon, ces « hérétiques » avaient planté dans le Val de Durance, et notamment autour des bourgades de Mérindol et de Cabrières, devenues célèbres de leur fait, une nouvelle et discrète Jérusalem. Ils récusaient le mensonge, refusaient de prêter serment, niaient le Purgatoire et pratiquaient en tant que confesseurs improvisés, non-prêtres, à l'usage de leurs ouailles, « l'exercice illégal » du Sacrement de pénitence. D'où les cris d'orfraie du « vrai » clergé catholique, seul compétent dans ce domaine, du moins en principe. À quoi s'ajoutait chez ces Vaudois et spécialement chez leurs Barbes [23], un « donatisme » résolu [24] : ils considéraient en effet qu'un prêtre fornicateur (et qui sortait, par exemple, du lit d'une prostituée) ne pouvait consacrer le pain de l'Eucharistie ni surtout le métamorphoser en corps et en sang du Christ – quoique puissent penser à ce propos les théologiens de Rome. Les ecclésiastiques qui manquaient au devoir de chasteté qu'implique le célibat presbytéral, avaient perdu, au gré des Vaudois, leur aptitude à réaliser la transsubstantiation ecclésiastique.

Le valdéisme par ailleurs était hostile à la peine de mort, hostilité qui peut nous apparaître modernissime : elle s'expliquait, à l'époque, par une fidélité absolue au principe du « Tu ne tueras point » qu'avait promulgué la Bible. Ni les papes, ni les évêques, d'autre part, n'étaient en odeur de sainteté parmi les Barbes, car ceux-ci s'estimaient injustement persécutés par l'épiscopat officiel. Enfin dernier trait, préfigurant la Réforme protestante : le culte de la Vierge et des saints n'était guère en honneur chez ces successeurs de Valdès. Et pourtant, malgré ces ressemblances superficielles avec les nouvelles doctrines réformées, rien ne prédestinait véritablement les Vaudois, après plus de trois siècles d'autonomie, à entrer dans l'obédience du protestantisme tant méridional qu'helvétique, ou venu des rives septentrionales du Léman. Ils vont néanmoins s'adonner corps et âme à cette « fusion », au temps de François Ier, précisément en 1532. Ils doivent abandonner, à cette occasion – en renâclant quelque peu, mais sans plus –, leur croyance à la liberté humaine et à l'efficacité des bonnes œuvres. Ils acceptent ainsi, bon gré mal gré, le dogme, extrêmement rigoureux, de la prédestination dont Calvin fera, un peu plus tard, ses choux gras. Pour complaire encore aux Réformés, les Vaudois réduisirent à deux, selon la mode huguenote, le nombre des sacrements, soit désormais la Cène et l'Eucharistie, au lieu des sept sacrements que, tout comme l'Église catholique officielle, ils avaient conservés pendant des siècles. Enfin ces mêmes Vaudois, une fois « protestantisés », ne serait-ce que superficiellement dans les débuts, durent financer à grands frais – de bon cœur, certes – la confection typographique d'une bible réformée en français. Cette « confection » est du reste l'un des épisodes innombrables de ce qu'Adolphe Brun a appelé la pénétration du langage français dans le Midi, si décisive au cours du XVIe siècle, à tout le moins dans le domaine de l'expression écrite, et notamment du fait de l'imprimerie.

La suite d'un tel devenir, de portée plus que locale, est désolante : en 1545, les Vaudois du Val de Durance, convertis depuis peu à la créance qu'on appellera huguenote, sont victimes des massacres ordonnés ou « couverts » par le parlement de Provence, le tout sous l'égide d'un François Ier qu'on avait connu, dans les premières décennies de sa gouvernance, nettement moins rigide ou moins cruel

(Franz-Olivier Giesbert a fait état de cette sanglante aventure dans un roman récemment paru). En paraphrasant Gabriel Audisio, éminent historien de cette communauté broyée, elle aussi, par une société de persécution, on pourrait dire que les Barbes de la Durance ont d'abord commis un suicide conceptuel ou idéologique en renonçant à leur identité propre, et largement triséculaire, au profit des certitudes protestantes importées du Nord-Est ou du Nord, tant germanique ou alémanique que romand ou français d'oïl. Et puis à ce suicide (purement symbolique !) va succéder, comme on vient de le voir, un homicide ou un génocide perpétré non loin des rives de la Durance (1545) par les soins des sbires qu'envoyaient sur place les magistrats provençaux, afin de massacrer « qui de droit ». Et pourtant la flamme de la résistance vaudoise ne va pas s'éteindre, on la retrouvera, toujours ardente, et communiquée par voie migratoire, jusqu'en Piémont bien sûr, mais aussi en Lombardie, Toscane, Romagne, Sicile… voire Uruguay, sous l'égide des croyances huguenotes, une fois de plus. En ce qui concerne la Provence, l'attitude résolue, et fort contestable du parlement d'Aix, ultracatholique en l'occurrence, n'est-elle pas l'une des causes du peu de développement ultérieur du protestantisme en cette province, à la différence du Bas-Languedoc où le parlement de Toulouse, trop éloigné, peut-être, n'est point parvenu à mener une répression aussi efficace. Il ne faut pas sous-estimer la portée des actes répressifs et préventifs dans l'histoire de « l'hérésie » sous la Renaissance : en pays d'oc, le massacre antivaudois « protège » (!) la Provence contre l'irruption réformée. En Italie, l'exemplaire bûcher de Savonarole (1498), fait lui aussi par avance effet de « préservatif » ô combien efficace, hélas, à l'encontre de la propagation des idées de Réforme, au cours des décennies ultérieures, dans la Botte.

*

S'agissant toujours de l'expansion protestante et de la persistance catholique, quelques monographies méridionales ou occitanes ne seront pas inutiles, et les voyages des frères Platter, Felix au milieu du XVIᵉ siècle, Thomas junior, de 1595 à 1599, devraient nous permettre de concrétiser certains aspects de ce qui vient d'être dit quant aux formidables querelles de religion en ce temps-là : les Platter ont donné de ce double phénomène, huguenot et catholique, une image qui pour être impressionniste, voire… baroque, n'en présente pas moins les linéaments d'un système. Espace catholique à l'est, en Comtat et Provence, en Avignon et à Marseille, terres et grandes villes provençales ; et quelques cités en effet pourraient nous servir ici d'éclaireuses, je n'ose pas dire de poteaux indicateurs. Ensuite tout le centre de cette même et grande région d'oc devient protestant, par contre, et va, difficilement, le demeurer : Nîmes, Montpellier, les cités cévenoles. Enfin, vers l'ouest, règne à nouveau un catholicisme dominateur, en l'agroville de Narbonne, dépouillée certes de ses splendeurs commerciales tant romaines que moyenâgeuses, mais toujours fidèle à l'Église de Rome ; et puis surtout les deux grandes sœurs aquitaines demeurent catholiques elles aussi, de gré ou de force : Toulouse et Bordeaux. Comptons également à l'ouest, mais cette fois dans le camp réformé, ici très minoritaire : Montauban huguenot ; et la modeste chaîne des petites cités protestantes (Tonneins, Clarac…) fichées sur le val de Garonne…

Faute de place, en ces quelques pages, nous ne donnerons ici que deux exemples citadins qu'on voudrait signifiants et glorieux. Soit, une grande ville provençale et catholique, incidemment portuaire : Marseille. Et d'autre part, une cité languedocienne de force moyenne, mais douée de hautes destinées huguenotes : Nîmes.

Marseille. Felix Platter a visité ce grand port et la cité attenante autour de 1555, mais il ne donne à ce propos que peu de détails, tout occupé qu'il est à se pencher, aux rives de la Canebière, sur sa vie intime (indigestions, coliques, etc.). En revanche, le frère cadet Thomas, sous Henri IV, n'est pas avare d'informations sur la vie marseillaise : les pêcheries, les douanes, les fortifications côtières, les galères et l'existence misérable des galériens, l'odeur que dégage le port, réceptacle de toutes les ordures, ménagères et autres, le gouvernement local de la ville et de la province par le duc de Guise *junior*, personnage opportuniste et plutôt malhonnête, les diverses catégories de navires, depuis les barquettes et tartanes jusqu'aux vaisseaux de haut bord en passant par les *mezas barcas*, le grand commerce du Levant, les zoos exotiques du cru, les ateliers de coraillerie, de verreries précieuses, les modes féminines, les réseaux de fourniture d'eau, aqueducs et autres, les carnavals et processions religieuses entremêlées, ces diverses entités n'ont pas de mystère pour Thomas. Plus précisément, c'est le côté catholique de la ville qui passionne ce jeune homme, plus encore que les facilités maritimes et négociantes du grand centre de négoce. Papisme, dirons-nous, et spécialement reliques sur lesquelles notre écrivain donne maint détail : rien qu'à l'abbaye marseillaise de Saint-Victor, il a pu voir le tombeau des Sept Dormants creusés dans le roc ; et puis la grotte de Marie-Madeleine la pécheresse, avec la marque de ses genoux sur la pierre ; la croix de saint André, enveloppée dans un coffre de bois pour éviter qu'elle ne s'abîme ; les corps embaumés de deux saintes et les tombes de six saints ; la cruche de pierre blanche où Jésus lava les pieds des apôtres à moins que ce ne soit l'amphore où les pieds du Christ avaient été baignés par Marie-Madeleine (ou ne serait-ce pas tout simplement, note Platter, pour une fois un peu « voltairien », une urne romaine pour les cendres des morts ?). Et puis un coffre de fer où se trouve la tête de saint Victor, torse inclus, bardée d'argent, et trois autres têtes de saints et de saintes, ces dernières faisant partie de l'illustre contingent des onze mille vierges ; et encore une côte de saint Lazare ; un morceau, argenté, de la vraie croix du Christ, deux têtes des enfants innocents massacrés par Hérode, un bras de saint Cassien, une dent de l'apôtre Pierre (dans une boîte précieuse), un doigt de saint Martin et un autre de saint Antoine ; un poil de la barbe de saint Paul, incrusté dans une tête en argent plaqué or, elle-même pourvue d'une longue barbe faite du même métal ; l'huile parfumée avec laquelle Marie-Madeleine a oint Notre Sauveur, un doigt de Marie-Madeleine et cinq bras de saints divers, parmi lesquels le bras gauche de saint Victor. À eux seuls, cette tête et ces bras « victoriens », globalement vendus, vaudraient 300 000 livres tournois, soit autant que le clou de la croix du Christ, clou forgé ensuite en forme de fer à cheval, et conservé dans un sanctuaire à Carpentras ; soit encore cinq fois plus que le prix d'un grand navire de combat, vendu sans ses voiles et cordages, il est vrai ; et cent fois plus ou même davantage, qu'un tableau attribué à Michel-Ange, *La Résurrection de Lazare*, superbe œuvre d'art qui est en réalité l'œuvre majeure de Sebastiano del Piombo, faisant de nos jours l'orgueil de la National Gallery de

Londres, après un long séjour en la cathédrale de Narbonne, où Thomas Platter eut en effet l'occasion de l'admirer en 1599. De telles proportions, de Michel-Ange au bras de saint Victor, seraient aujourd'hui exactement inversées, ou pis que ça ! La relique est le lien corporel, ou plus généralement physique, qui unit le divin à l'humain comme l'a montré Peter Brown. Elle ne mérite pas forcément, fût-elle marseillaise, tous les lazzis, certes fort spirituels, dont l'accablèrent tour à tour Calvin et Voltaire. La relique en tout cas illustre la spiritualité catholique de l'époque, à base... de matérialité en l'occurrence ; une spiritualité « matérialiste » qui se distingue assez fortement de la religiosité protestante au gré de laquelle le rapport entre l'homme et Dieu a quelque chose de direct et d'immatériel se passant fort bien de la médiation d'une substance, fût-elle de nature prosaïquement corporelle (le poil de la barbe de saint Paul) ou minérale (la cruche de Marie-Madeleine, ou même une boule de terre tirée du champ à partir duquel Dieu avait créé Adam, cadeau d'un pèlerin retour de Palestine et qui fit le plus grand plaisir à Thomas Platter).

Ajoutons qu'il s'agit bien à Marseille, en Avignon et ailleurs, d'une religion populaire, puisque les processions des Battus et autres Pénitents, dans la cité phocéenne, en février, derrière le défilé des reliques de Lazare et de saint Victor, sont suivies par des milliers de personnes encagoulées, appartenant à toutes les classes sociales de la ville. L'irruption huguenote a bel et bien échoué à Marseille et elle n'a donc pu déraciner, bien au contraire, les vieilles dévotions plébéiennes et bourgeoises, qui de surcroît si paléo-papistes qu'elles puissent paraître sont renouvelées en profondeur, sur les bords de la Canebière, par les initiatives baroques et posttridentines du clergé de la Contre-Réforme [25], *Platter dixit*.

*

Les contreforts catholicisants de Provence, tant avignonnais que marseillais, font fortement contraste néanmoins avec la trouée de lumière protestante qui s'irradie des Cévennes à la mer en passant par Nîmes, Aigues-Mortes, Montpellier... Nîmes, qui nous concerne ici davantage, fut abordée par Felix Platter en octobre

1552. Il a visité les arènes et pris connaissance, de façon certes globale, des configurations diverses de la cité : la ville, au premier quart du XVIᵉ siècle, avait fonctionné, entre autres « rôles », comme un collectif de pieux ouvriers agricoles qu'illuminaient les miracles spectaculaires enregistrés autour d'une effigie de la Belle Croix. Tout cela basculait à partir de 1530 ; les nouvelles épreuves d'un paupérisme accru dont souffraient les classes inférieures avaient induit au sein de l'élite dirigeante, pénétrée d'humanisme renaissant, une volonté farouche d'organisation régulatrice : travail obligatoire « infligé » aux mendiants ; assistance autoritaire pour les vagabonds, éventuellement jetés aux fers ou aux galères. La mairie nîmoise, en 1532, avait fermé le bordel local, disséminateur de maladies vénériennes, elles-mêmes importées d'Amérique trente-cinq ou trente-sept années plus tôt. Toute laïque qu'elle fût dans son recrutement, la municipalité du cru se croyait en droit de réformer les couvents et de surveiller la pureté des mœurs chez les nonnes. Sur cette lancée moralisante, « l'hérésie », promue localement au plus grand avenir, recrutait dans d'assez vastes proportions. Les évêques successifs de Nîmes, issus de la lignée tourangelle des Briçonnet, protégés par Marguerite de Navarre, elle-même ouverte à l'humanisme érasmien, étaient simultanément absentéistes (ce qui arrangeait les fortes têtes de la ville) et complices de la Réformation, dès lors qu'elle restait modérée (ce qui ne sera pas toujours le cas…). La huguenoterie se développait d'autant plus, dans la mesure où les prêtres de Nîmes, qui plus est sympathisants mainte fois aux idées neuves, se révélaient moins vigilants contre l'hétérodoxie que ne l'étaient leurs confrères d'Avignon, soumis au contrôle quasi direct d'une papauté sourcilleuse. Depuis 1534 (autre indice de croissance, tant intellectuelle qu'économique), un collège secondaire, « distributeur » d'une pédagogie d'avant-garde, fonctionnait en ville, au bénéfice, entre autres, de la « secte » des huguenots. Dans cette cité de 6 000 à 7 000 habitants, fière de ses monuments romains, mais parsemée de cloaques et de venelles, le catholicisme traditionnel avait son avenir derrière soi. Les supplices et les bûchers pouvaient freiner le progrès protestant, mais la prise du pouvoir par le calvinisme apparaîtra comme inévitable en 1561, dès le commencement des troubles et de l'iconoclasme. Quant aux perspectives manufacturières, lainages et surtout soieries, elles concerneront principalement les XVIIe et XVIIIe siècles nîmois. Lorsque Felix passe à Nîmes, il tombe en année assez heureuse, 1552 : signe d'animation économique persistante, une bourse commerciale, notamment pour le change, est établie sur la Calade, ancienne place peu éloignée de l'église cathédrale. Et puis, bonne conjoncture encore, pestes et famines n'infestent point la ville...

Fin XVIe siècle, lors de la visite nîmoise de Platter junior, le changement de décor est complet, mais il est dans la logique de ce qui précède. La prise de pouvoir calviniste s'est étalée de 1560 à 1595 ; elle est quasiment totale à Nîmes. Toutes ou presque toutes les églises catholiques ont été détruites entre ces dates, et l'on peut parler, pour le coup, d'un iconoclasme *de facto* même si Calvin s'est toujours opposé, avec une fermeté qui lui faisait le plus grand honneur, à un total iconoclasme *de jure*. Une élite intellectuelle, de religion réformée, à la tête de laquelle se trouve la grande famille ci-devant allemande des Pistorius, donne le ton aux citoyens nîmois, sans qu'on puisse mettre en doute, effectivement, la supériorité morale et culturelle de ces personnages éclairés. La recatholisation, qui restera toujours partielle, de la ville de Nîmes demandera des générations, voire des siècles... Et il va de soi qu'au temps d'Henri IV, Thomas Platter n'avait pas trouvé une relique en place dans ce qui restait, si peu que ce fût, des anciens sanctuaires de la ville. Elles avaient subi un sort assez analogue à celui dont avait souffert, en zone lodévoise[26], la tête de saint Fulcran, patron de Lodève, tête extraite par les huguenots de son ancien reliquaire : elle avait servi de ballon de football, au début des guerres de religion, à l'usage des enfants de la ville, voyous en tête.

*

Par-delà les divergences religieuses, énormes, s'impose un fait essentiel : la francophonie, thème central (ou latéral) du présent ouvrage, progresse toujours en pays d'oc, autour de 1600, pour ainsi dire par tous les bouts, dans le prolongement de ce qui fut déjà noté ici même vers 1520. Les huguenots, et par exemple les prédicants réformés réunis dans la région d'Uzès, utilisaient volontiers le langage « national » (français) dans leurs assemblées, en le farcissant éventuellement d'occitanismes et en le prononçant avec ce qui correspondait alors à un « accent du Midi » extrêmement marqué. Mais qu'importe…

Quant à l'Église catholique et aux administrations municipales, elles parlent également, ou du moins écrivent, en langue française (mais aussi en latin, pour une part, dans le cas du clergé). Laissons de côté le Massif central occitan, moins pénétrable et qui reste quelque temps fidèle aux langages d'oc, y compris dans l'écrit. Bien sûr le peuple et même l'élite, parmi tout le Midi, continuent à parler les diverses langues d'oc au fil de la vie courante. Mais à l'échelle des siècles, dirons-nous qu'ils ne font « que reculer pour mieux sauter » ? Simple constatation : elle n'implique de notre part aucune ironie mal placée ni dénigrement contre « oc ».

*

L'originalité religieuse n'est pas tout, ni non plus les changements linguistiques. Car durable est le nouveau flux de créativité littéraire, en un vaste Sud où les élites (mais non la plèbe) apprennent et savent la langue nationale. De grands écrivains francophones s'y révèlent, pour la première fois, entre 1550 et 1600 : Montaigne, La Boétic, Monluc, Brantôme, voire d'Aubigné… L'envahissante forêt (d'oïl) ne doit pas cacher néanmoins quelques beaux arbres (d'oc). À la fin du XVIᵉ siècle, et pendant les deux premiers tiers du XVIIᵉ, une littérature strictement dialectale (qui, de surcroît, innove dans le sens picaresque, théâtral, baroque) fleurit à Aix, Avignon, Béziers, Agen, sous l'égide de Brueys, Zerbin, Cortète, Michalhe et quelques autres. Elle n'est ni sans piquant ni sans attraits. Cette dramaturgie régionale va rester très vivante, au XVIIIᵉ siècle encore : voici peu, l'admirable historien gascon qu'est Christian Desplat publiait la comédie, restée longtemps inédite, du *Mariage de Camardou*[27], farce béarnaise écrite tardivement, vers 1750. L'intrigue en était consacrée, entre autres, au charivari local, venu troubler la noce d'un vieux veuf et d'une fille toute fraîche.

Pour en rester au XVIᵉ siècle, cependant, disons que de son côté, Nostradamus, prophète de Provence, demeure, jusqu'à aujourd'hui, l'un des auteurs les plus populaires, sinon les plus lus de la littérature française et même mondiale, dès lors qu'on cesse d'envisager celle-ci au seul niveau de son « lectorat » distingué. Ce déchiffreur d'avenir avait « prévu » avec quatre ans d'avance le décès cruel d'Henri II en 1559, abattu à mort dans un tournoi au cours duquel il fut éborgné :

> Le lion jeune le vieux surmontera
> En champ bellique par singulier duel.
> Dans cage d'or les yeux lui crèvera.
> Deux classes une, puis mourir, mort cruelle.

Plus remarquable encore est « l'annonce » de la fuite à Varenne, dans le cas d'un certain Louis XVI, en 1792, un roi dont le cou sera ultérieurement « tranché » par le couteau de la guillotine, elle-même accompagnatrice des « tempêtes » révolutionnaires :

> De nuit viendra par la forêt de Reines,
> Deux par vaultorte, Herne la pierre blanche.
> Le moine noir en gris dedans Varennes :
> Élu cap cause tempête, feu sang tranche.

Et Nostradamus, « dans la foulée », de prévoir successivement Louis XIV (De brique en marbre aura les murs réduits), puis Napoléon (un empereur naîtra près d'Italie, etc.).

Il est naturellement plus raisonnable de considérer que « Michel de Nostre Dame », bien loin de préfigurer pour de bon le futur, se complaisait à grimer, à poste fixe, divers événements d'un passé proche ou lointain. Ses centuries obscures, ses décasyllabes métalliques sont d'un très grand poète, égal ou supérieur à nos meilleurs surréalistes, André Breton inclus ; ses méditations sur la fabrique des confitures à base de sucre font également de lui le prédécesseur de son compatriote méridional Olivier de Serres, lui aussi grand confiturier devant l'Éternel en un temps où le sucre était effectivement et progressivement relégué en queue des festins, à l'instant du dessert[28]. Enfin, en fait de politique religieuse, Nostradamus est

« centriste » à la Catherine de Médicis, à la Montaigne ou à la Henri IV : position médiane, hostile aux fanatismes divers [29].

*

Aux XVIIe et XVIIIe siècles, un certain sous-développement économique forme l'une des composantes tenaces [30] de la « question méridionale », mais n'empêche pas de remarquables réalisations, tant à l'âge classique que postclassique. Elles peuvent venir « d'en haut », autrement dit des autorités versaillaises ou montpelliéraines (canal du Midi, réseau routier créé par les états du Languedoc). Ou bien elles surgissent d'« en bas », s'agissant des petits ou moyens patrons des manufactures : songeons, par exemple, à la draperie languedocienne ou carcassonnaise, exportant vers les terres levantines, il est vrai stimulée par Colbert. Elle connote une croissance locale qui n'est pas purement agricole. Peut-on parler dans ces conditions (comme le font souvent les occitanistes) d'un Midi qui serait d'ores et déjà marginalisé à partir du dernier siècle de l'Ancien Régime ? L'évidence urbaine contredit cette affirmation ; les villes dynamiques, de Louis XIV à Louis XVI, dans le royaume, s'appellent Lyon, Bordeaux et même Marseille (malgré la peste de 1720). Le retard « sudiste » persistant, mais qui de toute façon s'atténue, ne doit pas masquer les tentatives constantes, et souvent réussies, du rattrapage, voire du dépassement….

Spécialement remarquables sont les croissances, quant au pays d'oc, de Bordeaux et de Marseille. À Bordeaux, grâce à un trafic certes immoral fondé sur l'esclavage, la croissance du commerce total est de 4,5 % par an de 1717 à 1789. Pour le commerce colonial 4,9 % ; ces chiffres sont dignes des Trente Glorieuses de nos IVe et Ve Républiques. À Marseille, malgré la peste de 1720, le peuplement global au cours du XVIIIe siècle passe de 80 000 à 120 000 habitants (ville + banlieue). Une hausse de 50 % : le multiplicateur est intéressant, mais assez modeste encore, bien moins du double. Mais venons-en aux draps de Languedoc exportés, aux importations en provenance du Levant, et aux importations en valeur, d'une façon générale, ainsi qu'au mouvement des entrées de navires : les multiplicateurs marseillais vont selon le cas au double, au quintuple, voire au décuple. Comme à Bordeaux, l'enrichissement par tête d'habitant, même mal réparti socialement, est considérable [31]. Cette proposition reste vraie, y compris pour de petites villes comme Aurillac à peine touchées néanmoins par l'essor démographique, 6 000 habitants d'un bout à l'autre du XVIIIe siècle. Aurillac : Massif central perdu, Occitanie profonde ! Et pourtant les progrès y sont nets, minimes bien sûr par rapport à Marseille ou à Bordeaux, et mesurables en termes qualitatifs plus que quantitatifs : dès 1720, à Aurillac, on commence à éventrer les remparts depuis longtemps périmés qui témoignaient d'une ancienne époque d'insécurité révolue. En 1774, on les détruit définitivement : Aurillac-Cendrillon sort de sa citrouille, ci-devant poliorcétique, dont l'avaient affublée l'ancienne phase médiévale et même l'époque renaissante ou classique. Et puis on entreprend à intervalles réguliers de laver les rues à grande eau même si bovins, ovins et porcins continuent à circuler en pleine ville. Là comme ailleurs enfin on expulse les abattoirs hors de la cité et les sépultures hors des églises. L'alphabétisation aurillacienne, à son tour, progresse de 42 % à 58 % de la population au siècle des Lumières [32].

*

Nous parlions, à l'instant, des draps languedociens, tels que comptabilisés depuis l'observatoire marseillais, à l'instant même où ils s'embarquent à destination des consommateurs et marchés du Levant. Mais en Languedoc même, lieu de naissance du Premier ministre Fleury, ecclésiastique et cardinal (mort nonagénaire, toujours en place, au cours de l'année 1743), les faveurs du gouvernement retombaient comme une pluie de roses sur la ville drapante de Lodève, cité natale de Fleury, stimulée par ses soins, grâce à une manière de monopole, afin de produire les étoffes vouées aux habillements de l'infanterie française. Rentable privilège ! Le cardinal lodévois, devenu tout puissant à Versailles et à Paris, jusqu'à sa mort en 1743, était un homme *d'ouverture*, celle-ci très « poppérienne [33] » au triple sens que la politique française d'Ancien Régime avait conféré à ce substantif : ouverture aux puissances libérales, maritimes, protestantes et capitalistes, autrement dit l'Angleterre et les Pays-bas ; ouverture (relative) aux minorités religieuses plus ou moins brimées, telles que jansénistes et huguenots ; ouverture enfin à l'essor économique qui de toute manière se produisait indépendamment des stimulations, certes effectives, émanées du pouvoir politique. Le prélat Fleury était également un prêtre consciencieux, l'un de ces personnages que leur destin propre et leur longévité prédisposaient de longue date à représenter Dieu pendant trois quarts de siècle sur certaines portions de la terre. Dieu, et plus encore le Monarque... Celui-ci servi par Fleury, servi aussi par quelques autres évêques...

Il vaut la peine d'évoquer ici, en effet, un peu longuement, la personnalité de quatre grands prélats méridionaux (d'oc) qui, par leur semi-libéralisme, ont contribué à modifier la donne politique, en direction précisément de « l'ouverture », dans l'ensemble du territoire national, sous l'impulsion gouvernementale à laquelle ils avaient accès directement ou indirectement. Ces quatre ecclésiastiques ont nom : Fénelon, Dubois, Fleury et Bernis. On a un peu tendance à les oublier, dans notre mémoire historiographique, « coincés » qu'ils sont chronologiquement entre les prestigieux ou prodigieux cardinaux-ministres du XVIIe siècle. Richelieu et Mazarin ; et, d'autre part, les prestigieux politiciens méridionaux, laïques, libéraux ou radicaux, voire socialistes qui bien sûr ont laissé de grands noms dans l'histoire politique de la France : Gambetta, Jaurès, Combes et *tutti quanti*.

Une recherche périphérique et plus spécialement méridionale se doit, me semble-t-il, de rendre une juste place au quatuor en question.

1. *Fénelon* d'abord (1651-1715). Périgourdin, très lié à la noblesse réformatrice en sa province de Périgord, celle-ci de langue d'oc, il a prêché la déflation de la souveraineté individuelle du monarque[34] : « C'est la loi et non pas l'homme qui doit régner. Un roi n'a d'autre humeur, ni d'autre intérêt que celui de la nation qu'il gouverne. » Disgracié par Louis XIV, Fénelon qui ne fut jamais ministre n'en exercera pas moins une forte et féconde influence intellectuelle et politique sur le régent Philippe d'Orléans ; et même, par pédagogues interposés, sur le jeune Louis XV.

2. *Dubois*, maintenant. Cet homme d'État, prénommé Guillaume, est né à Brive-la-Gaillarde, rue des Frères, en 1656, dans ce qu'on pourrait appeler, géographiquement et linguistiquement, l'Occitanie du nord-ouest. Dubois est le symbole même d'une ascension sociale, d'abord modestement commencée du fait de ses ascendants, puis foudroyante en ce qui le concerne. Il dément la thèse souvent avancée, au sujet de Colbert, selon laquelle une promotion familiale et ministérielle de très haut niveau sous l'Ancien Régime se prépare de loin, en un assez grand nombre de générations, par l'élévation de la famille et son accession progressive à la marchandise, puis à la robe, enfin jusqu'à des offices de grande responsabilité dans l'État (la robe du Conseil) ; et pour conclure, vient l'installation aux postes gouvernementaux du plus haut sommet (le contrôlc général des finances, s'agissant de Colbert). Or, dans le cas de la famille Dubois, ce fut bien différent. Il y eut d'abord un très long et lent décollage en « rase-mottes », morne plaine ; puis une foudroyante montée en chandelle quant au héros lui-même, personnellement. Du côté des « origines », on imagine à son propos quelque ascendance paysanne et vraisemblablement béarnaise. Mais dès la fin du XVIᵉ siècle, le lignage des Dubois s'enracine dans la ville de Brive. L'arrière-grand-père était chirurgien, le grand-père avocat au présidial (ce tribunal était en effet un marchepied classique pour la montée à l'échelle des honneurs locaux) ; le père du grand homme était apothicaire pratiquant éventuellement la dichotomie médicalo-pharmaceutique. Rien de sensationnel dans tout cela, mais rien non plus que d'honorable puisque père, grand-père et arrière-grand-père avaient été tous trois, en différentes époques, consuls de la ville de Brive ; ce qui témoigne en effet d'une position de *leadership* citadine dans un collectif urbain qui ne conférait pas les charges municipales aux premiers venus. Guillaume Dubois dont l'enfance, à bien des égards, fait penser par avance à celle de Gambetta fut d'abord élève, à 6 ans, de la petite école (primaire, dirions-nous) du prieuré briviste de Saint-Martin. Un négociant de Brive, aisé et généreux, fut ensuite son mécène : il finançait, à hauteur suffisante, six années d'études secondaires du garçon au collège local des Pères de la doctrine chrétienne, où Dubois devint excellent latiniste. Il y prit aussi le goût de la philosophie politique (Machiavel) et de la chimie, à quoi s'adon-

nera plus tard le duc d'Orléans qui sera son élève et fort influencé par le Maître. En 1669, Dubois « teenager » a fait sa première communion, reçue des mains de l'évêque de Limoges. En 1672, si l'on fait abstraction de grotesques calomnies relatives à un enfant illégitime et à un mariage secret, il bénéficie grâce au marquis de Pompadour, lieutenant général en Limousin, d'une bourse au collège Saint-Michel à Paris, rue de Bièvre, collège fondé jadis par l'aïeul du lieutenant général. Ces faveurs pompadoriennes, venant après quelques autres, montrent bien que les notables brivistes ou limousins savaient pouvoir faire fond sur le jeune Guillaume, enfant prodige, élève excellentissime... La suite de l'histoire est simultanément exceptionnelle et classique : le jeune Dubois sorti d'études devient collaborateur du principal du collège Saint-Michel, personnage ecclésiastique d'importance, lié aux familles dirigeantes du royaume. Après divers postes de précepteur dans de bonnes maisons, le contact est pris avec la famille d'Orléans, celle de Monsieur frère du roi. Précepteur du duc d'Orléans, lui-même futur régent, Dubois peut ainsi accéder, le moment venu, à un poste de ministre, puis premier ministre auprès de son ancien pupille. Il invente de toutes pièces la diplomatie proanglaise, voire paneuropéenne du régent. Dubois devint ainsi l'annonciateur lointain et trop méconnu des grands « européistes » de notre XXe siècle, Briand, Stresemann, Robert Schuman, Adenauer, Gasperi et quelques autres[35]. Pour le reste, il fait sienne la politique de relative tolérance de son patron Philippe, notamment vis-à-vis du jansénisme voire des protestants ; ainsi qu'une stratégie de stimulation économique à la Law ; l'une et l'autre, diplomatique et religieuse, marqueront profondément les années de Régence du duc d'Orléans.

3. *Hercule de Fleury*, déjà rencontré ici, et qui plus tard christianisera son prénom en André-Hercule, naquit en l'année 1653, à Lodève (Hérault actuel), d'une famille de collecteurs des deniers laïques ou diocésains ; son père était receveur des tailles royales. Il s'agit là d'un lignage de financiers provinciaux du Sud, qui tiennent à l'autel et au trône, mais qui sont alliés aussi aux bonnes familles de robe, de seigneurie foncière et de gentilhommerie du Languedoc, telles que les Ranchin et les Sarret. Le jeune Hercule, tout comme

son prédécesseur Dubois, représente un type humain d'avenir, et jusqu'en notre époque ; c'est l'enfant doué, méridional, qui fait à Paris de brillantes études ; il s'intègre ensuite, par processus méritocratique, à l'élite dominante de la capitale, donc du royaume. Dès l'âge de 6 ans, Hercule, par le biais de ses parents, bénéficie de l'influente amitié d'un duo de potentats languedociens, branchés sur la cour du jeune Louis XIV. Il s'agit du cardinal de Bonzi et du marquis de Castries. Hercule va donc parcourir un superbe cycle d'écolier. Il étudie d'abord au collège de Navarre, sur la montagne Sainte-Geneviève ; puis au collège Louis-le-Grand ; enfin au collège d'Harcourt, l'actuel lycée Saint-Louis. Trois établissements que Saint-Simon, toujours aimable, appelle « ces petits collèges à bon marché » [sic]. Destiné à la prêtrise, Hercule est ensuite chanoine de Montpellier en 1668 (c'est un retour – symbolique ? – au pays natal). Puis, revenu en Île-de-France, il est aumônier de la reine en 1675, grâce au soutien sans défaillance du cardinal de Bonzi. Il obtient sa licence de théologie en 1676. L'année 1678, il devient l'un des huit aumôniers du roi ; il est député à l'assemblée du clergé en 1680. Admis dans les meilleures sociétés, affable et spirituel, mais point fornicateur (pour ce qu'on en sait), il est en bons termes de sociabilité avec les grands (et les grandes) des diverses cabales de cour, sans jamais tremper dans aucune. Il a d'aimables rapports avec les jésuites. Il est du dernier bien avec les Colbert, les Villeroy, les Harcourt, les Noailles, les Caylus, les Villars et les Lamoignon de Bâville. Trop bien même ! Louis XIV le trouve mondain à l'excès, et ne lui concède qu'en 1699 le médiocre évêché « sudiste » de Fréjus : on est donc en présence d'une carrière joliment inaugurée, mais qui par la suite a traîné, sans tourner court.

À Fréjus, autre « chef-lieu » des pays d'oc, Fleury passe une quinzaine d'années. Actif prélat, il s'occupe avec zèle du bureau des pauvres, du petit séminaire, des synodes diocésains, de l'éducation des garçons et des filles ; il prend partie contre le jansénisme, mais sans fougue abusive ; il demeure réservé (sur l'autre bord des options catholiques) vis-à-vis de l'hispanisme excessivement dévot. Bref, il s'en tient déjà aux positions relativement centrales ou « centristes » qui resteront les siennes. Ni janséniste ni ultramoliniste. En 1707, les aléas de la guerre de Succession d'Espagne le montrent empreint, semble-t-il, d'un patriotisme vigilant (quoi qu'en dise Saint-Simon) vis-à-vis des envahisseurs, Savoyards et autres. Tout au plus daigne-t-il les rencontrer avec un minimum de courtoisie. Il se lasse pourtant de la ville de Fréjus, et souhaite respirer à nouveau l'air de la cour. Au début de 1715, il résigne son évêché, puis le quitte en juillet. Ses ouailles le regrettent. Louis XIV, dorénavant, à l'instar de Villeroy et de la Maintenon, lui fait pleine confiance, après quelques décennies de « purgatoire ».

Le 23 août 1715, Sa Majesté, peu avant de mourir, désigne « l'ancien évêque de Fréjus », largement sexagénaire, au poste de précepteur du petit Dauphin, futur Louis XV. C'est le pied à l'étrier. Un pied tardif ! À l'âge où d'autres songent à la retraite, Fleury entre dans la carrière. Elle sera considérable. Elle n'aura plus grand-chose à voir dorénavant avec Lodève, ni avec Fréjus, bref avec le Midi, même si la famille du vieil évêque est en mesure, au XVIIIᵉ siècle, d'élargir considérablement ses possessions en Languedoc, grâce aux puissantes influences qui émanent d'un prestigieux parent et prélat, devenu principal ministre.

Fleury (« Midi » ou pas) avait de qui tenir. Il se situait, quoique avec moins de spiritualité, dans la ligne tant d'oc que d'oïl de son quasi-compatriote l'archevêque Fénelon, né de bonne noblesse périgourdine, inventeur du pacifisme moderne dont Fleury et le jeune Louis XV feront en effet leur miel. Et, en proximité plus immédiate, le maître à penser, objectivement parlant, de ce même Fleury ne fut-il point cet autre Méridional d'oc, qu'était le cardinal Dubois, lequel, à la différence de « l'Hercule débonnaire » de Lodève, se montra très peu prêtre, sinon dans les dernières années de sa vie ; mais il fut aussi et d'abord, ce qui nous importe bien davantage, l'inventeur de la politique d'ouverture, notamment diplomatique, dont Fleury, bon élève studieux, n'eut plus qu'à appliquer les principes.

4. La « montée à Paris » pour la première fois dans la grande histoire politique française d'hommes de considérable talent venus du Midi, et propulsés grâce à cet ascenseur social qu'était de temps à autre le clergé voire l'épiscopat, va se poursuivre quoique de façon moins éclatante avec un autre cardinal : *François-Joachim de*

Pierre, plus tard cardinal de Bernis, est né dans l'Ardèche en 1715, l'année du trépas de Louis XIV, il meurt à Rome en 1794, au lendemain de la grande Terreur parisienne, celle-ci terminée effectivement en thermidor de cette même année, quelques mois avant le décès de Bernis[36]. Le vieil Ardéchois ou ex-Ardéchois s'était-il rendu compte de l'importance du tournant thermidorien ? Savait-il que déjà c'était le commencement de la fin d'une Révolution jacobine qu'il exécrait ? Quoi qu'il en soit, les péripéties de la longue existence de cet abbé des Lumières (devenu, jeune encore, prince de l'Église) résument à leur façon le siècle des Lumières en son entier. Au point de départ, Bernis n'est qu'un cadet de Languedoc, d'excellente noblesse, mais sans le sou. Élève du collège des Barnabites de Bourg-Saint-Andéol (Vivarais) et nanti d'un accent du midi à couper au couteau, le jeune Bernis poursuivra sa carrière d'étudiant brillantissime à Louis-le-Grand, où il perd son accent, à force de volonté, en quelques mois ; puis devenu petit abbé, il se fait connaître dans les salons parisiens par des poèmes et par d'indéniables succès auprès des dames. Catholique sincère, authentique, certes dépourvu de tout fanatisme religieux, Bernis est aussi un charmeur, un séducteur dont Casanova ne craindra point de narrer par le menu les prouesses. Les deux hommes ont en commun, paraît-il, quelques conquêtes féminines, jolies nonnes vénitiennes comme il se doit. Cela dit, Bernis, en tant qu'homme à femmes, est à cent coudées en dessous de ce même Casanova, *a fortiori* n'a-t-il rien à voir avec Sade, auquel Roger Vailland néanmoins songeait, de temps à autre, à le comparer.

Au point de départ, c'est la poésie – galante, encore elle – qui met l'écrivain Bernis sur orbite. Elle le propulse en effet jusqu'à l'Académie française dont il devient membre en 1744, à 29 ans. « Vous êtes bien jeune, lui dit-on, pour entrer de si bonne heure aux Invalides. » Les moqueries le laissent froid et il se lie en tout bien tout honneur, ou peu s'en faut, avec les grandes dames des salons parisiens de l'époque : la duchesse du Maine, Mme Geoffrin, et surtout, infiniment plus importante pour un cursus politique qui très tôt s'annonce exigeant, la marquise de Pompadour. C'est par elle qu'il obtient, dans les débuts, d'être ambassadeur de France à

Venise. Il y devient (peut-être ?) l'amant d'une des filles de Louis XV, Infante à la forte poitrine, mariée non loin du grand port de l'Adriatique. Surtout le coup de maître du ci-devant abbé languedocien, c'est la mission diplomatique que ce même Louis XV va lui confier : elle consiste à promouvoir une alliance française avec l'Autriche, le fameux renversement des Alliances de 1756. Opération réussie, et dans laquelle on aperçoit bel et bien, de la part de Bernis, un brin de génie : notre homme est en effet l'un des premiers (le grand historien Bainville le soulignera avec force) à avoir compris l'énorme danger que va représenter pour la France le dynamisme prussien, momentanément compensé par notre alliance de revers en 1756 avec l'Autriche. Brièvement ministre des affaires étrangères en 1757-1758, Bernis agit dans ce poste selon la logique d'une politique de « droite » : alliance des puissances catholiques (France-Autriche) contre le bloc protestant (Prusse-Angleterre). Dix années plus tard, sous l'égide de son ami-ennemi le ministre Choiseul, et devenu entre-temps tout à fait pacifiste en politique extérieure, il fera au contraire une politique de gauche ou du moins de centre gauche, fût-elle, de sa part, raisonnable et tempérée. Il est en effet l'un de ceux grâce auxquels la liquidation finale des entreprises des jésuites, gage donné par Louis XV aux Lumières ou soi-disant telles, est devenue possible. Cette performance anti-jésuitique, du reste modérée, répétons-le, en ce qui concerne notre gentilhomme ardéchois, est l'une des étapes d'une magnifique carrière au sein du clergé. Archevêque d'Albi, et revenu en conséquence au pays d'oc, Bernis se dépense sans compter pour le bien-être de ses diocésains, lors d'une période albigeoise et provinciale, au cours de laquelle, semble-t-il, nulle dame d'Aquitaine n'est venue égayer la vie du grand prélat de la vallée du Tarn. Puis Bernis est fait ambassadeur à Rome. Il y participe à l'élection de deux papes, si possible profrançais ; il tient table ouverte, vit somptueusement, devient l'amant d'une jeune princesse italienne et gère fort intelligemment les intérêts romains de la cour de Versailles.

Bernis c'est un peu l'Edgar Faure du XVIIIe siècle avec plus de charme encore, et moins de souplesse d'échine que ce n'était le cas pour l'illustre biographe de Law, homme d'État des IVe et Ve Républiques. Bernis c'est l'anti-énarque, l'ambitieux délicat, l'ascensionniste social dénué d'arrivisme vulgaire, le séducteur discret ; c'est l'homme du monde qui veut qu'on prêche une moralité sévère ; et qui néanmoins, personnellement, n'en fait qu'à sa tête, à sa guise. C'est le catholique pieux, mais esclave, le cas échéant, de ses désirs et de ses plaisirs...

À Rome, il s'est fait le défenseur aussi, sous la Révolution, d'une position modérée et même critique vis-à-vis des émigrés français d'extrême droite, trop excités à son goût. Bref, Bernis fait figure de centriste méridional ; comme les pays d'oc en ont produit quelques-uns, notamment Dubois et Fleury, précédemment rencontrés ici même, lors des débuts du règne de Louis XV...

Bernis, Fleury, Dubois, avec Fénelon en croupe, comme eût dit Saint-Simon, c'est une certaine façon de partir des pays d'oc, ou de parler des pays d'oc ; et de rappeler que, dès la Régence (1715-1723), on avait assisté à un certain mouvement géographique du personnel en place : car l'entourage de Philippe d'Orléans au plus haut niveau lors des années 1715-1720, et même auparavant, s'est peuplé de Dauphinois, Périgourdins, Limousins, Languedociens... et même Écossais. D'une certaine manière les hommes qui eurent la confiance du régent-duc furent provincialement, voire socialement des marginaux, à tout le moins des périphériques, pour reprendre le vocabulaire qui nous est familier dans le présent ouvrage. Ils constituaient un milieu assez différent de celui où s'étaient recrutés sous Louis XIV, les serviteurs de la monarchie, tels que Colbert, Le Tellier, Louvois, les Phélypeaux, Voysin, Chamillart, les Villeroy... et autres robins décrassés, enracinés dans le Bassin parisien, en cette vieille aire gothique, puis centraliste et finalement jacobine. Elle donna longtemps à la stratégie royale son ossature multiséculaire. Il s'agissait toujours de rassembler, guerroyer, évincer le concurrent anglais ou hollandais. Il s'agissait de repousser ou de pousser sans ménagements les puissances voisines. L'approche des Dubois, Fleury, et Bernis deuxième manière, est plus flexible. Ces Méridionaux, et on en dirait autant de Fénelon voire de Tencin, ne sont pas au premier chef ultrapatriotes ni supernationalistes. On comprend qu'avec un personnel aussi renouvelé Philippe d'Orléans puis son royal neveu Louis XV aient pu mener une politique moins centrée sur la gloire au sens superlatif du terme ; plus conciliante vis-à-vis des forces de progrès qu'incarnent aux horizons septentrionaux les puissances protestantes ; stratégie plus européenne et plus pacifiste encore dans ce qui sera finalement par répercussion ou par accompagnement de Choiseul, le style « bernisien » des années 1760...

Bernis, brillant élève du collège occitanissime de Bourg-Saint-Andéol (on se souvient du lourd et ravissant décor baroque dont s'orne l'une des grandes églises de cette ville, aussi rhodanienne que prédestinée) ; Bernis dont l'œuvre littéraire considérable, tant en vers qu'en prose, ne déshonore nullement l'éminente participation du Midi aux Lettres françaises, qu'elles soient francophones ou d'oc ; Bernis enfin, homme institutionnel du Sud par excellence, puisque archevêque d'Albi, donc membre éminent des états de Languedoc, et situé d'autre part dans l'aire magnétique qu'influence *a priori* le parlement de Toulouse ; Bernis nous introduit de la sorte à deux éléments essentiels des activités de première fonction dans les pays d'oc, en l'ultime siècle de « l'absolutisme » bourbonien : je veux dire la production culturelle et les institutions.

*

Le XVIIIᵉ siècle s'est en effet signalé par d'abondantes contributions littéraires tant languedociennes que provençales ou occitanes. Renvoyons ici à la savante *Histoire* de cette littérature d'oc, rédigée par Robert Lafont et Christian Anatole et bornons-nous à signaler l'étonnante vigueur intellectuelle presque unique en France du village d'Aubais (Gard actuel) où s'élaborent simultanément un chef-d'œuvre du parler d'oc en termes de fiction, le *Jean l'ont pris* ou *Jean l'an près* de l'abbé Fabre, vicaire en cette paroisse, et cet autre chef-d'œuvre en langage français cette fois d'un écrivain populaire au sens où Ménétra[37] en région parisienne, lui aussi, était peuple : il s'agit du Journal et des souvenirs de Pierre Prion, membre de la domesticité plus ou moins supérieure ou moyenne du château d'Aubais, et natif de l'Aveyron[38]. En Rouergue, on notera aussi l'émergence d'une œuvre rare, connue encore en l'an 2000 de quelques *happy few* seulement, à savoir le *Diaire* météorologico-poétique du sieur Mouret de Saint-Jean du Bruel (Aveyron), dont la prose est digne en tous points, science en moins quand même, de celle de ce grand naturaliste provençal et mondial que sera Jean-Henri Fabre. Citons seulement ici quelques lignes de Mouret parmi des milliers d'autres phrases, de sa main rédigées :

Le 21 mars [1757] on voyoit dans les prairies des fleurs de souci.

Le 22. Un loup enragé attaqua un patre à 2 lieues de St Jean du Bruel, et l'auroit devoré si son maître ne fut venu a son secours. Ce dernier se batit corps a corps avec le loup et le tua, il en fut mordu aussi, mais il eut le bonheur de prevenir la rage par des remedes, le patre en mourut.

Le 23. Les chataigners, arbres tardifs, etoient en pleine sève, les enfants faisoient des cornets de leur ecorce.

Le 26. Les vignes etoient aussi en pleine seve.

La riviere de Dourbie avoit enflé, quoi qu'il n'eut pas plu depuis asses longtems, les neiges fondoient a L'Esperou, ou elle a sa source.

Le 29. Les buis, les amandiers, les ormeaux etoient en pleine fleur a Cantobre a 2 lieües à l'ouest de St Jean, et dont le sol se trouve plus bas. Les feuilles des halliers commençoient a y paroître.

Les fourmis couraient par la campagne.

Le 4. Avril les prairies commençoient a verdoyer a St Jean, on y voyageait quantité de fleurs de marguerites. Les amandiers fleurissoient, les boutons de poirier eclosoient.

Le 8. On voyait a la campagne quantité de guêpes, de mouches, plusieurs especes de papillons, les soucis etoient fleuris, les boutons de pommier éclatés, ils montraient le bout de quelques feuilles.

Le 9. Plusieurs habitans avoient arboré l'habit d'Eté.

Le 10. Il parut des chauves-souris. Les mouches etoient deja incommodes. Les pruniers et les poiriers fleurissaient, non encore les pommiers. La riviere etoit toujours pleine par la fonte des neiges sur le groupe des montagnes nommées, L'Esperou, L'Aigoual...

Le 13. La secheresse se faisoit deja sentir. Le seigle montoit fort clair semé, et le froment etoit chetif.

On entendit le cri du crapaud.

Le 18. Les serpents sortoient de terre. Le coucou chantoit.

Le 21. Les pruniers, les poiriers, les cerisiers, les pommiers etc commençoient a verdoyer : les mûriers, les chataigners etoient encore depouillés.

Le 25. Avril il parut des hyrondelles pour la premiere fois de l'année.

Les boutons des chataigners commencoient à eclore, non ceux des meuriers.

On cessa de tenir du feu allumé dans la chambre d'observation.

Le 27. On donnoit aux vignes la premiere façon du printemps...

Ouvrage illisible à la longue, car il y en a des pages et des pages, de cette « farine », mais assez merveilleux dans son principe...

*

Quant aux institutions, l'époque classique et les Lumières se signalent par une double poussée : sur le premier versant, il y a progrès (bien connu et pas toujours univoque) de la centralisation monarchique, telle que l'incarnent au chef-lieu de région (Aix, Bordeaux...) les intendants des diverses généralités méridionales : ils viennent de la technocratie parisienne ; ils sont soutenus par la hiérarchie catholique. Basville, intendant de Montpellier, persécuteur des protestants, administrateur de première force, est le roi sans couronne du Languedoc, pendant la seconde partie de l'époque louis-quatorzienne. La Révocation (1685) a fait de ce personnage, à tort ou à raison, avec Simon de Montfort, l'un des grands « vilains » de la dramaturgie historique du Languedoc. L'acte de 1685 marque la volonté versaillaise d'éclipser pour toujours le « croissant de lune » huguenot, au nom d'un centralisme sans entrailles, relayé sur le terrain par les évêques.

Simultanément, là est le paradoxe, les institutions régionales vont conserver, et même, au temps des Lumières, accroître leur puissance, du moins dans plusieurs provinces d'oc qui les ont par chance conservées. En fait, l'antagonisme vis-à-vis du processus centralisateur est quelquefois plus apparent que réel : après tout, les états du Languedoc, si fiers de leur autonomie, se laissent guider par les prélats du cru... qui sont les meilleurs agents du pouvoir national, en matière de répression anticalviniste ! Synthèse dialectique ou jésuitique entre le Pour (royal) et le Contre (régional)... Dans un Languedoc ambigu, l'assemblée des états conserve la haute main sur la perception des impôts et traite de puissance à puissance avec Louis XV, certes moins dominateur que ne l'était son arrière-grand-père Louis XIV. À la fin du XVIIIᵉ siècle, la synthèse (conflictuelle, sans doute) et le *connubium* entre les deux entités – centralisme et régionalisme – deviennent fort intimes, au moins dans quelques zones. En Provence, par exemple, certains intendants vont jusqu'à « passer à l'ennemi » ; ils se font, auprès du Conseil du roi, les avocats tonitruants de leurs administrés.

S'agissant, de façon plus particulière, des parlements méridionaux, leur évolution, à tout prendre positive, est également très caractéristique. Tenons-nous-en au cas du parlement de Toulouse [39]. Très gallican, il prend parti, au début des années 1760, contre les Jésuites, effectivement en voie de dissolution et de suppression ; il s'élève ainsi contre l'ultramontanisme proromain, propapiste, en faveur d'un gallicanisme très franco-français, c'est le cas de le dire. Du coup, la vigilance parlementaire redouble, excitée par ces initiatives antijésuitiques issues de la majorité des « Pères conscrits » du Haut Tribunal toulousain. Elle se tourne maintenant contre toutes les déviances religieuses, y compris protestantes ! Car les huguenots sont soupçonnés eux aussi de troubler ou pervertir éventuellement l'ordre public. Et c'est la malheureuse affaire Calas : un négociant protestant de Toulouse, Jean Calas, est faussement accusé d'avoir tué son fils soi disant pour l'empêcher de se convertir au catholicisme. Jean est donc condamné à tort par le parlement toulousain et fort injustement exécuté (1762). Voltaire, grâce à une énergique campagne d'opinion, fera réhabiliter Calas et casser le jugement. Or, fait remarquable, presque immédiatement après ce scandale meurtrier, le parlement de Toulouse va complètement changer son fusil d'épaule ; disons même que, en ce qui concerne les Réformés, ce parlement ne brandira plus aucune répression du tout. Les magistrats d'icelui, aux jeux Floraux, couronneront désormais des poèmes à tendance libérale, et le parlement lui-même, à partir de 1769, s'arrangera pour que soient reconnus *de facto* les mariages et les procédures d'héritage des religionnaires. Non plus simple tolérance par indifférence, comme c'était le cas déjà, de temps à autre, autour de 1750 ; mais tolérance de principe, en vertu de laquelle on tient pour déraisonnable et absurde les persécutions religieuses. L'esprit des Lumières l'emporte désormais dans la ville rose, celle-là même

qui fut, au XVI⁰ siècle, l'une des capitales des Ligueurs ; fort into-
lérants, ce n'est un secret pour personne.

On ne s'étonnera pas dans ces conditions que le milieu des par-
lcmentaires du Sud, et plus généralement des cours souveraines, ait
été matriciel dès la fin du XVIII⁰ siècle et à titre posthume au début
du XIX⁰ d'un libéralisme sympathique et raisonnablement modéré.
Un Charles de Rémusat (1797-1875) qui sera de Louis XVIII à
Napoléon III l'un des pères de la doctrine et même du doctrinarisme
libéral, était le fils d'un avocat général de cour souveraine en
Provence et sa mère venait en droite ligne de la famille d'un premier
président au parlement de Toulouse [40]. Charles de Rémusat avait de
qui tenir. Par tradition familiale, il allait au libéralisme comme on
va à la fontaine.

*

Nous sera-t-il permis au moment où va se déclencher une Révolution française qui dans le Midi comme ailleurs changera tant de
choses et bousculera d'innombrables habitudes ou coutumes apparemment enracinées depuis des siècles, nous sera-t-il permis, en
quelque sorte, de faire la pause et d'embrasser d'un simple mais
ample coup d'œil l'Ancien Régime « sudiste » en sa totalité chronologique : il ne demandait pas nécessairement à mourir et il s'était
étalé depuis la Renaissance sur une quasi-dizaine de générations.
Nous choisirons un problème, tellement central en Languedoc, mais
aussi en Gascogne, et plus généralement dans l'Aquitaine, en
Rouergue aussi : ce sera la « question protestante » et nous sélec-
tionnerons à cet effet une ville petite à souhait, mais l'on sait bien
qu'au Midi plus une communauté urbaine est mince, et plus elle
est ville en effet, plus elle est citadine... Cette cité, ce sera Millau,
dans l'actuel département de l'Aveyron, ci-devant Rouergue. Nous
y contemplerons ce groupement citadin « millavois » profondément
influencé par « l'hérésie », laquelle va tantôt fleurir et tantôt défleu-
rir... puis repartir de l'avant. Ultime flashback, vision en longue
durée (plus de trois siècles) : elle complétera celle qui nous fut

donnée pour la fin du XVIᵉ siècle, à propos de Nîmes la huguenote, confrontée plutôt qu'affrontée à Marseille la catholique[41].

Millau, en Rouergue, au pied du Larzac, est postée à 365 mètres d'altitude non loin d'anciennes fabriques de poteries gallo-romaines. La ville fut siège d'une viguerie en 785. Elle est devenue aragonaise en l'an 1172 de notre ère, et c'est pourquoi sans doute on y retrouve, à peine dégénérées, de belles légendes ambulatoires venues des mythes fondateurs de l'abbaye de Montserrat, grand monastère catalan et barcelonais, sis, en effet, dans le royaume d'Aragon. Puis Millau tombe dans le giron des comtes de Toulouse pour devenir enfin française en 1271. Aux XIVᵉ et XVᵉ siècles, le destin de la ville s'avère usuel... et fâcheux : pestes, guerres... Mais, dès le dernier siècle du Moyen Âge, la ville est devenue drapante ; les foires y prennent place à partir de 1437. Modestes débuts de la Renaissance économique... L'essor démographique du XVIᵉ siècle est substantiel... là comme ailleurs : 3 500 habitants vers 1515, 5 500 vers 1547. Un texte de Thomas Platter (junior) nous parle en 1599 de cette ville où « si l'occasion, dit-il, m'avait été donnée de m'établir, personne n'aurait jamais su ce que j'étais devenu, tant ce lieu est situé au fond des montagnes. *C'est là*, conclut Platter et la phrase est significative, *que trouvent refuge les Réformés dans les temps de persécutions.* » Effectivement, Millau, transformée ainsi en ville de réfugiés, a eu le privilège d'abriter l'une des premières églises protestantes du royaume, si l'on en croit le vicomte de Turenne, s'exprimant *post festum*, en 1588. Outre les causes générales de l'implantation du protestantisme, notons une certaine influence, locale, du « milieu » évangélique qu'animait Marguerite de Navarre. Dès 1550-1554, certains textes notariaux, qui sont des contrats de noces, parlent « de se marier en l'église de Jésus-Christ »[42]. La noblesse locale est partiellement gagnée aux idées nouvelles et les premiers prêches, locaux, d'un pasteur genevois datent de 1560 ; on dispose, à propos de ces développements initiaux, de l'excellent *Journal* d'un calviniste de Millau (1560-1582). En novembre 1561, les protestants millavois[43] s'emparent des couvents et des églises, en synchronisme avec les débuts des guerres de religion. Vers la même époque, un frère cordelier se marie et, significativement, se fait corroyeur. En juin 1563, toute la communauté de

Millau se déclare « pour l'Évangile », prétendant ainsi à un monopole, peut-être abusif, quant à l'importance accrue du Nouveau Testament, accommodé à la façon Genève. Huit cents habitants participent à l'assemblée huguenote, convoquée à cette occasion. Bien évidemment, les catholiques millavois restants (il y en a !) n'osent rien dire, ni requérir une liberté de célébration pour la messe. C'est le genre de phénomène communautaire « total », sinon totalitaire, que décrira Maurice Agulhon pour la Provence proche. Crussol, chef des Réformés, donne sa protection à la ville. Les huguenots essaient – souvent par force – de convertir le peuple des campagnes voisines. Montluc, vigoureux catholique, et dénué de scrupules, très « papisto-résistant », les menace de contre-mesures. Le parlement de Toulouse, en cette même année 1563, les houspille. En 1566, époque de contre-offensive « papiste », on trouve un compromis : trois consuls catholiques, un protestant. Mais en 1567, Taurines, petit noble calviniste et violent, fait peser sur la ville quelque chose qui ressemble assez à une dictature, proréformée bien sûr. L'édit de Saint-Germain (1570) rend certaines forces aux catholiques, sans plus. Mais la Saint-Barthélemy (par réaction contre elle ou par contrecoup) induit, sur le plan local, une emprise protestante de plus en plus forte. L'édit « pacificateur », en 1576, ne pourra rien changer, désormais, à l'identité devenue toute huguenote de Millau, ville forte, et cela pour au moins deux générations voire davantage. Dès 1573, on a fondé un collège millavois d'enseignement secondaire, et de tendance huguenote. Le consulat et l'hôtel de ville sont aux mains des Réformés. Le consistoire fait respecter les bonnes mœurs et de fait l'illégitimité sera totalement absente des naissances protestantes jusqu'au XVIIIe siècle. Quels que soient les camouflages possibles, on ne peut qu'être frappé par cette indomptable vertu, puritaine, c'est le mot, des femmes et filles calvinistes d'un tel Rouergue d'Ancien Régime. L'année de fondation du collège, 1573, est aussi celle de la réunion « d'États généraux » protestants – en fait surtout réformés d'oc – à Millau. C'est l'une des sources originelles de ce que seront au cours des décennies 1580-1590 les très éphémères Provinces-Unies du Midi, regroupant sur la base d'organismes assez représentatifs et sous l'égide d'Henri de Navarre, devenu Henri IV, les protestants, et les catholiques modérés. Régionalement, à partir de 1585, Millau protestant s'oppose à Rodez ligueur. Quant à la population millavoise, elle a peut-être chuté, du fait de la guerre et de ses nuisibles retombées, à 4 000 âmes vers 1595. À partir du début des années 1600, quelques prêtres catholiques reviennent, difficilement, pour desservir un quart des habitants, restés dans le giron de l'église romaine, auxquels s'ajoutent, en ville également, les immigrants papistes, de niveau prolétarien, en provenance des contrées pauvres du Massif central. Les Réformés (75 % de la population citadine) tiennent le consulat, le conseil de ville, la cour de justice, l'éducation, l'assistance, et résistent aux « incursions » des prédicateurs jésuites. En février 1615, une émeute antipapiste est suivie d'attroupements de centaines d'hommes masqués, armés, prohuguenots eux aussi.

Puis viennent les guerres de Rohan, dernier avatar des conflits de religion, mais limités cette fois au sud de la France, et à La Rochelle. Une assemblée des églises protestantes se réunit en 1620 à Millau, base essentielle des opérations militaires et politiques du parti réformé. Parmi les chefs présents à ce « sommet », on recense un Béthune-Sully, un Bourbon-Malauze, et l'illustre Rohan. Pléiade de grands seigneurs, venus du nord pour diriger les révoltés du Midi.

Sous Louis XIII, l'ultime guerre de religion « fait rage » en effet de 1620 à 1629, date de la « grâce d'Alès » : défaite huguenote, point totale néanmoins [44], et tournant stratégique : à Millau comme ailleurs, certaines mesures de « déprotestantisation » se font jour. Dès 1631, le consulat devient mi-partie – deux protestants, deux catholiques. Le collège est repris en main, quoique pas entièrement, par l'église romaine. Les dominicains, bénédictins, capucins avec, en plus, des prêtres séculiers pleins d'ardeur viennent s'installer sur place. Deux périodes s'individualisent : d'abord, les débuts de la reconquête catholique du fait d'initiatives locales ou régionales entre 1629 et 1661. Puis, c'est le « rouleau compresseur » papiste de 1661 à 1685, par application, notamment, des règlements répressifs, qu'a promulgués Louis XIV depuis Versailles, entre 1661 et 1685. Les cérémonies calvinistes sont désormais corsetées dans un réseau de dispositions très limitatives, et une émeute huguenote, protestataire, est déclenchée contre de telles mesures en février

1663. Le conseil du Roi riposte quelques mois plus tard en expulsant les calvinistes de l'hôtel de ville et des fonctions consulaires. C'est aussi le début du rasement des temples. Une Compagnie locale du Saint-Sacrement émerge, dans le cadre de la paroisse catholique, elle-même revivifiée par les visites épiscopales. La régence du Collège était mi-partie ; elle devient maintenant 100 % catholique. La capitulation des huguenots est pourtant loin d'être immédiate : le 9 octobre 1683, le pasteur, au temple, avec son peuple, en présence du curé et du représentant de l'évêque, récuse l'avertissement sévère de l'Église gallicane, daté de 1682, qui avait préconisé l'abjuration, à l'usage des « frères séparés ». L'abjuration collective, insincère et forcée, prend place pourtant le 11 septembre 1685, à l'hôtel de ville, lieu symbolique en la circonstance. Le dernier baptême huguenot avait été célébré le 7 septembre 1685. Le 18 octobre c'est la Révocation. Le 2 novembre, il y a destruction du temple. En 1688 encore, les « NC » (Nouveaux Convertis) de Millau signent, contraints et forcés, un texte d'attachement à la foi catholique et au roi. Dès 1689 néanmoins, quelques craquelures se font perceptibles, au détriment de l'unanimisme de façade : les NC deviennent moins assidus aux processions de la Fête-Dieu. Mais la violence camisarde de 1703 les tente peu : ils craignent d'être accusés de collusion avec les rebelles cévenols, et ils font profession de fidélité au roi, face à de Bonald, magistrat catholique relativement tolérant. Cette « profession » prône le loyalisme envers le monarque, mais ne se prononce point expressément en faveur de l'Église romaine. La restriction mentale est intéressante. Dès 1695, une assemblée clandestine des religionnaires locaux avait été réprimée – mollement, du reste… Il est même question de créer des inspecteurs pour surveiller les NC, avec un système de quadrillage des quartiers, comme à Montpellier. En dépit du fait que les Camisards comme tels n'ont pas « débordé » sur Millau, une assemblée clandestine, où des veuves en 1712 jouent un rôle dirigeant, fait l'objet de punitions sévères. En 1731 encore, l'évêque de Rodez « verse des larmes » sur les erreurs et l'opiniâtreté des prétendus nouveaux catholiques de Millau. Ce n'est pourtant pas faute d'avoir tenté, avec succès, à maintes reprises, de les convertir pour de bon ; dès 1701-1709, les jésuites puis les pénitents blancs s'affairaient. Des écoles catholiques pour les filles sont fondées en 1700, 1726... Les frères des écoles chrétiennes, prédestinés à l'instruction du peuple, s'installent également. La décennie 1730-1739 est spécialement fertile en conversions au catholicisme, souvent authentiques pour ce qu'on en sait. Et pourtant, le tiers de la population demeure huguenot et ce n'est pas terminé. Après 1730, les églises réformées du Rouergue s'agrègent officiellement à la province protestante des Cévennes, celles-ci ayant bien mérité de la « patrie » calviniste. La « décennie Choiseul », autrement dit celle des années 1760, une fois passée les tempêtes de l'affaire Calas, est contemporaine, enfin, d'une tolérance déjà authentique et authentifiée, Voltaire aidant. C'est déjà l'époque où les religionnaires de Millau ne sont plus mentionnés (dans les registres de l'hôtel de ville) comme des trublions perturbant l'ordre public par leurs cérémonies et autres activités cultuelles néanmoins très présentes. Coexistence papisto-huguenote, parfois maussade mais dorénavant déconflictualisée. La société millavoise, au lieu de se quereller pour des questions de dogme, s'oriente toujours plus, sous le « vieux » Louis XV et sous Louis XVI, vers la performance économique : cuirs et peaux, fabrication des gants, en laquelle se distinguent les patrons et cadres réformés. L'édit de tolérance de 1787 ne sera jamais, comme jadis l'édit de Nantes, que l'heureuse constatation d'un état de coexistence *de facto*, à base de dédramatisation mutuellement consentie, pour la bonne cause.

Dans la compétition incessante de la défensive et de l'offensive, de la cuirasse et de la lance, pour ne point parler du blindage et du canon, Millau a progressivement choisi, à partir des années 1680, le premier terme de cette alternative. Il fallait des *Camisards*, brandissant la lance, l'épée, le fusil. Mais le besoin se faisait sentir aussi de *Millavois* sachant faire le gros dos en 1685, battant en retraite sous les fausses couleurs d'une abjuration de « Dégonflés » que d'aucuns jugeaient à tort scandaleuse, puis regagnant progressivement dès le début de Louis XV une partie du terrain perdu ; tandis que le réformiste Antoine Court, plus au sud, replante les églises réformées, certes torréfiées par le souffle révocateur et brûlant du Roi-Soleil et de Basville, mais quelque peu chahutées aussi par les excès convulsionnaires des Camisards. En ce sens, Millau est emblématique du pays d'oc, et, plus largement, des pays d'oïl ; ils ont su sous les auspices et apparences d'une flexible souplesse, que d'aucuns tenaient à tort pour indigne et répugnante, préserver la libre pensée huguenote dans l'intimité ainsi que toute une autonomie de réflexion coexistentielle. Le Rouergue, en la personne de cette petite ville discrètement résistante, méritait ainsi d'occuper une place de choix[45] dans les conclusions de ces quelques lignes sur l'Ancien Régime occitan. L'Aveyron millavois et huguenot avait contribué, en agissant de la sorte, à la survie d'un protestantisme français qui restera, de nos jours encore, une grande force de tolérance, de libéralisme, d'ouverture et d'adaptation rationnelle.

*

La Révolution dans le Midi

La Révolution française a bouleversé les pays d'oc, au même titre que les aires d'oïl, et plus ou moins profondément selon le cas : une appréhension globale du phénomène révolutionnaire dans les zones méridionales en sa phase la plus active et, si l'on me passe le mot, parfois « dévastatrice » (1793), peut être abordée ici, d'abord, sous l'angle rural, qui concerne, faut-il le rappeler, plus de 80 % des populations occitanophones, en particulier celles qui n'accèdent pas, ou très peu, au savoir, fût-il élémentaire, de la langue française. Et de fait, le mouvement paysan méridional, qui accompagne, stimule, déborde la Révolution, est d'une profonde originalité, innovateur au suprême degré puisqu'il ébranle, et même détruit le système seigneurial, féodalité incluse. Le contraste, en l'occurrence, est net, par rapport au passé : car les révoltes agraires les plus typiques sous l'Ancien Régime en toute sa vigueur, je veux dire celles de l'Aquitaine au XVIIe siècle, dites des Croquants, ne s'étaient attaquées, sauf exception minime, qu'aux structures fiscales, perçues comme excessives ; au logement des troupes, oppressif ; et à la cherté des grains, tenue périodiquement pour insupportable[46]. Il y aura donc dans le Midi comme ailleurs, en 1789, une double rupture d'avec le passé, qui fut moins radical, et d'avec la seigneurie, dorénavant contestée, à la différence du siècle précédent. Cela dit, on ne doit rien précipiter : car l'offensive antiseigneuriale, dans le Midi occitan est assez tardive, au cours de l'année essentielle qu'est 1789, par rapport à d'autres régions de la France, tant d'oïl que franco-provençales, alsaciennes, etc. Effectivement, le Dauphiné, l'Alsace et la Franche-Comté, dès juillet-août 1789, sont en proie aux violences rustiques contre les châteaux, contre les seigneurs. Or, en pays d'oc, les actions de masse similaires, du type antiféodal, de la part des populations « terriennes » ne sont signalées d'abord, à vaste échelle, que dans le seul Vivarais : celui-ci étant déterminé, en cette conjoncture, par une contagion contestataire en provenance du Dauphiné, région pilote en l'occurrence. Mais cette solitude vivaroise ne va pas durer : au cours de la période suivante, de septembre 1789 à septembre 1791, une partie importante du Sud-Ouest agraire, d'oc, va se lancer à son tour dans l'action, à l'encontre des droits seigneuriaux, du champart et de la dîme (celle-ci à vrai dire contestée depuis longtemps, avec des hauts et des bas, depuis la Réforme protestante, mais il s'agissait là, en quelque sorte, quant au prélèvement des décimateurs, d'une taxe latérale par rapport au féodalisme classique). Les décalages chronologiques – le Midi d'oc s'étant ébranlé après d'autres provinces – indiquent bien que ce même Sud, en son point de départ révolutionnaire, a été plus « agi » qu'acteur, influencé par des exemples venus du Nord, ou du proche Nord-Est. Pourtant, une fois lancé, le Midi, et en particulier l'Aquitaine, va mettre les bouchées doubles. Notons cependant que ces mouvements sudistes, notamment aquitains, ne sont pas profondément politisés dans leurs commencements. Quelles que soient les influences, en effet, venues du Septentrion, elles ont travaillé une pâte paysanne qui ne demandait ensuite qu'à fermenter d'elle-même sans être particulièrement réceptive aux idéologies sophistiquées, *politisantes*, militantes, qui seraient venues des villes.

La *politisation* rurale « d'oc » va venir, certes, mais elle est un peu plus tardive, elle surgit après la fuite de Louis XVI à Varennes (juin 1791), laquelle va faire figure presque immédiatement, une fois connue et reconnue, d'épisode mobilisateur. Et de fait, c'est bien cette politisation un peu tardive (agitation en provenance des clubs citadins, jacobins et autres, « arrivage » de leaders et de chefs de révolte, venus des villes, etc.) qui va marquer, pour une part importante, les émeutes agraires de 1792, notamment dans le Gard, le sud de l'Ardèche, les Basses-Alpes, le Cantal... Et cette fois, ce sont bien de larges portions du Midi qui s'enflamment, tant dans les terres « heureuses » du Languedoc méditerranéen que dans l'Occitanie profonde, typique du Massif central. Avec cette restriction, bien sûr, qu'on ne devrait jamais dire « *les* paysans s'agitent », mais « *des* paysans... », puisque aussi bien les agités, les manifestants, les agresseurs de seigneuries et *a fortiori* les brûleurs de châteaux ne représentent jamais, dans le Midi comme ailleurs, qu'une minorité du monde rural, certes agissante et historiquement sinon toujours personnellement respectable.

Avec l'année 1793, la scène du « théâtre rustique », drames et parfois tragédies en tout genre, pivote à nouveau. De graves difficultés économiques sont induites *volens nolens* par les perturbations révolutionnaires qu'il ne faut pas pour autant accabler de critiques passéistes. Et du coup, une bonne partie ou une grosse partie du monde paysan prend en aversion, en grippe ou même en haine, ces mêmes bouleversements révolutionnaires dont elle avait d'abord apprécié certains aspects positifs, à commencer, en effet, par la liquidation des droits seigneuriaux. Le Midi rural n'a pas connu, malgré bien des troubles locaux, l'équivalent de l'immense révolte vendéenne. Mais pour nous borner à un exemple caractéristique, dans la région toulousaine, la réticence marquée des cultivateurs qui répugnent à livrer aux villes en échange d'assignats dévalués le grain produit par leurs labourages, en dit long sur un certain retournement de l'esprit public vers la « droite » ou vers ce qui en tenait lieu, au sein du monde rural, en particulier parmi les producteurs de maïs et de froment du Sud-Ouest aquitain[47].

Ce qui vaut historiquement pour le monde des *campagnes* pourrait être transposé sans trop de modifications parmi les *villes* : un activiste comme le prêtre Rive, classique abbé des Lumières devenues rougeoyantes en ce qui le concernait, ancien bibliothécaire des remarquables collections livresques de la Méjane d'Aix-en-Provence, l'abbé Rive, donc, a pu mener à Marseille et à Aix, avec de profondes répercussions et des succès marqués, la politique d'un *Enragé* révolutionnaire, comme n'hésite point à le qualifier l'éminent historien américain Hubert C. Johnson, disciple d'Albert Soboul et de Michel Vovelle[48]. La mort de ce même Rive en octobre

1791, après une année tout juste de violente action contestataire, ne mettra pas fin à ces agitations. Le parcours d'un marquis d'Antonelle, aristocrate arlésien devenu lui aussi révolutionnaire, talons rouges et bonnet rouge[49], et l'un des grands politiciens provençaux des années bouillonnantes (1789-1792), ultérieurement babouviste, prolonge en longue période l'impressionnante trajectoire de l'abbé Rive. En revanche, un cardinal de Bernis, disions-nous, d'origine et d'adolescence ardéchoise et de carrière partiellement méridionale (il fut archevêque d'Albi) saura raison garder, voire maintenir le cap au centre jusqu'en pleine tourmente jacobine et montagnarde quand les pressions ultradroitières des émigrés nobles, à Rome, où il était ambassadeur, se feront sentir de toutes parts en ses alentours.

Rive, Antonelle, Bernis et bientôt dans le sens inverse Rivarol : les destinées individuelles participent d'un mouvement brownien, infiniment divers ; elles ne préjugent point des mouvements collectifs : à partir de 1793, on note, en milieu *urbain* d'oc aussi, le grand retournement d'opinion, par suite, notamment, d'une conjoncture économique qui s'est complètement dégradée, au point d'apparaître à certains comme désespérée : les violentes crises de mortalité de 1793-1794 particulièrement nettes dans les villes (excédent de décès de 30 à 40 % en Bas-Languedoc citadin[50]) témoignent, entre autres facteurs, quant à leur causalité propre, pour une situation matérielle devenue très difficile à l'égard du peuple des cités comme des collectivités urbaines et même rustiques, en général. L'alacrité, l'agressivité même du mouvement fédéraliste et girondin, antimontagnard et antirobespierriste (mai-juin 1793), s'avère très nette dans le Var, mais aussi à Nîmes et en une moindre mesure dans l'Hérault. La bourgeoisie modérée, y compris protestante (voir le cas du père de Guizot dans le Gard), se détourne d'une Révolution qu'elle avait reçue, initialement, avec une sympathie souvent teintée d'activisme. Au surplus, dès 1790, et cette fois dans le camp délibérément contre-révolutionnaire, le camp de Jalès en Vivarais avait proclamé la méfiance des tenants d'un catholicisme pur et dur à l'égard d'une phase d'extraordinaire changement social en laquelle les huguenots de tous bords, ceux des Cévennes et d'ailleurs, dès 1789, avaient décidément pris trop d'importance, au gré d'un grand nombre de papistes. Les échauffourées de Montauban et surtout de Nîmes (la

« Bagarre » de 1790[51]) sont significatives, elles aussi, non sans précocité, d'un durcissement de la majorité papiste vis-à-vis de processus révolutionnaires, qui certes vont s'avérer irréversibles, nous le savons maintenant; ils sont matriciels d'une légitimité démocratique qui se confirmera graduellement par la suite jusqu'en notre siècle ; mais pour le quart d'heure, ces processus sentent le fagot et ils assèchent les bourses d'un chacun. La Révolution française, assez vite, va prendre à contre-pied les pays d'oc, même si elle y compte, fussent-ils minoritaires, de nombreux partisans. À l'encontre d'iceux, les élites traditionnelles, et même modernes ou modernistes du Sud admettent avec difficulté, pour nombre d'entre elles, la suppression des grands corps de l'immense région (états de Languedoc, parlements provinciaux, etc.). Ajoutons qu'elles supportent mal la déchristianisation, et pire encore l'envoi des jeunes hommes aux frontières, métamorphosés en soldats de la République. La Révolution d'autre part a ruiné le grand négoce ; elle a jeté à bas, par exemple, pour des longueurs de temps diverses, la prospérité de quelques-unes des plus grandes villes méditerranéennes, comme l'a bien montré Bartholomé Bennassar : à Toulon, premiers massacres en 1792, en tant que conséquences du « radicalisme jacobin ». Puis retour de balancier vers le fédéralisme girondin, avec occupation militaire et navale antirévolutionnaire, du fait des Anglais en 1793. La population toulonnaise baisse de 75 % à partir de ces dates (en comparaison de 1790, quand l'on dénombrait 28 000 habitants dans cette ville). La répression par les conventionnels, par Fréron « qui manquait d'indulgence » (certes…), fit 700 morts à elle seule. Et cependant Toulon, port de guerre, indispensable au Directoire comme à l'Empire, va « remonter » à 22 000 âmes en 1799 et plus de 33 000 en 1812.

À Marseille, la crise manifeste davantage de durée : plus du tiers des négociants émigrent à partir de 1793, à la suite d'une occupation militaire par l'armée de la Convention, et l'on enregistre sur place 300 condamnations à mort dans une ville ou plutôt contre une ville devenue, par réaction, fédéraliste. Un nouveau massacre, en prairial (juin 1795) fait plus de 100 morts. Du fait du blocus continental, le grand commerce marseillais ne reprendra vraiment force et vie qu'après 1815, en un port important où le royalisme, par conséquence logique, constitue dorénavant, pour quelques années encore, « la Loi et les Prophètes ».

Un Rivarol sudiste « monté » lui aussi dans la bonne société parisienne se fera l'interprète de la « Réaction », au fil de l'événement révolutionnaire, réaction méridionale et plus généralement hexagonale vis-à-vis de chambardements dont la fécondité (lointaine) parfois échappe à cet auteur tant il est obsédé dans l'immédiat par les conséquences négatives de cette formidable rupture.

*

« Glissons » sur la « décennie et demie », tant consulaire qu'impériale : en 1815, Napoléon et les siens s'effacent, qui furent les ultimes avatars des onze années révolutionnaires. Du coup, le Midi émerge brutalement pour ce qu'il est, du moins en sa majorité : « ancien-régimiste », bourbonophile, revanchard, et responsable d'une Terreur blanche. Et puis la Restauration, avec Decazes et Villèle, met au pouvoir (serait-il parisien et suprême) les nobles ou notables méridionaux. Leurs esprits bien-pensants, quoique marqués d'un libéralisme feutré, séduisent le bon Louis XVIII.

Une nouvelle mutation, dénuée d'unanimisme, fait surface dans le Sud (après 1830) à l'ombre du parapluie de Louis-Philippe, puis au lendemain de la chute de ce souverain (1848). Elle est due, principalement, dans les zones occitanes les plus développées, à l'influence qu'exercent sur la classe inférieure les bourgeois et petits-bourgeois devenus républicains. La propagande des premiers socialistes joue, là aussi, un certain rôle : on assiste, dès 1849-1851, à l'émersion publique d'un « Midi rouge », au long de la côte languedocienne, et jusqu'en Limousin.

Une telle « rougeur méridionale » n'est du reste pas sortie tout armée du néant, au cours de l'année 1851, ni même lors de la seule monarchie du dynaste orléaniste. Car, dès 1815, en dehors même des zones protestantes, une tiédeur marquée vis-à-vis du royalisme se manifestait aux frontières de l'Aude et de l'Hérault, dans des régions comme le Biterrois, le Narbonnais, le Minervois même[52]... Quoi qu'il en soit, au travers de mainte vicissitude, ce particularisme de gauche, dans une grande région, est voué à l'enracinement

Rivarol

Antoine « de » Rivarol (1753-1801), incarnant un certain esprit contre-révolutionnaire, se révèle typique de divers intellectuels d'origine occitane et modeste qu'une mobilité sociale ascendante, fréquente dans les milieux méridionaux, emporte sans crier gare jusqu'à d'importantes positions nationales dans le secteur littéraire, voire politique.

Son grand-père (illettré) était piémontais, soldat de fortune en Espagne, installé en Languedoc, Dieu sait pourquoi. À Nîmes, en 1720, il épouse la fille d'un maître tailleur originaire d'Alès. L'artisan tailleur était petit notable, lié au mathématicien et physicien Deparcieux, membre de l'Académie des sciences. Le soldat illettré va donc franciser, ou plutôt méridionaliser son nom Rivaroli en Rivarol. Parmi les enfants du couple italo-nîmois, on compte un prêtre, devenu curé près d'Avignon ; une fille qui épousera (plus haut que sa propre famille) un Monsieur du noble lignage des De Barruel, bien connu dans la région « gardoise » de Bagnols-sur-Cèze ; une autre fille, demeurant célibataire, en tant que tante ou « tata », pour éduquer ses neveux et nièces ; enfin, un fils, Jean, Nîmois comme ses parents, puis établi à Bagnols, et qui à son tour sera *pater familias* d'une quinzaine d'enfants, dont Antoine, notre futur et célèbre Rivarol.

Jean Rivarol, père de famille nombreuse, est successivement artisan dans la manufacture des soies, aubergiste, maître d'école, receveur de diverses taxes ou impôts.

C'est aussi, fait qui n'est pas totalement exceptionnel dans la petite bourgeoisie méridionale de cette époque, un homme cultivé, latiniste, féru d'histoire ancienne et de littérature, pratiquant l'italien, écrivant des vers (sa profession, même momentanée, d'instituteur le prédispose de toute manière à l'ouverture culturelle). Avec l'aide de la « tata », il élève, plutôt bien semble-t-il, ses nombreux enfants. Aubergiste, il tient boutique de sociabilité languedocienne ; on l'accusera parfois, en haut lieu, d'indélicatesses dans la facturation de ses repas.

Antoine est élevé à Bagnols au collège des joséphites, qui fut fondé au temps de Louis XIV sur l'initiative du prince de Conti, seigneur du lieu et cousin du roi. L'élève du collège prend goût à la grammaire, à l'histoire, aux mathématiques, à la physique, aux sciences naturelles. On le tient pour un futur prêtre : « Tu seras *capelan*[1], mon fils. » Le jeune homme, protégé par l'évêque du cru, Mgr de La Baume, atterrit de bonne heure au séminaire d'Avignon, et le voici tonsuré, joli garçon, portant la soutane. Pas plus que l'abbé Fabre, qui fut grand écrivain occitan *(in partibus)* de l'époque, Rivarol ne cherche à jouer au séminariste anticlérical. Avignon, ville fort méridionale elle aussi, mais pontificale en cette période, offre un extraordinaire « grouillis » de moines : antonins, dominicains, cordeliers, augustins, carmes, bénédictins, trinitaires, célestins, observantins, jésuites, minimes, récollets, oratoriens, augustins réformés, capucins, tertiaires des grands ordres, oblats divers ; pénitents de toutes couleurs (gris, noirs, blancs, rouges, violets), et nonnes également variées. Outre l'université – bien sûr ecclésiale – d'Avignon, on rencontre en ville trois séminaires ; Rivarol, dans l'un d'entre eux, fait figure de jeune espoir de la communauté. L'aspirant prêtre est reçu chez les de Barruel, auprès desquels il exerce ses talents de sociabilité méridionale qui feront merveille ensuite parmi les salons parisiens.

Au début du règne de Louis XVI, il quitte Bagnols pour Lyon puis Paris, et le froc pour la culotte, mais sans se parer pour autant des frustrations ni des aigreurs d'un Julien Sorel. Clerc de notaire à Lyon, puis intellectuel brillamment arriviste et arrivé dans la capitale, il devient (lui, l'ex-Occitan) le chantre de la langue française[2], tout comme le Provençal Sieyès sera l'apologiste du tiers état.

Les événements de 1789 et des années suivantes ayant porté leurs fruits, parfois amers, Rivarol apparaît à Paris, puis en émigration, comme l'un des polémistes les plus doués au service de la Contre-Révolution. Entre deux morceaux de bravoure et d'assaut contre les jacobins ou (par la suite) contre le tout nouveau Bonaparte, il est sujet, à la Tocqueville, à d'étonnants accès de clairvoyance prophétique.

Lui qui meurt en 1801, bien avant que ne se réalisent ses prédictions, voilà qu'il lui arrive d'écrire : « Il serait plaisant de voir un jour les philosophes et les apostats suivre Bonaparte à la messe en grinçant des dents, et les Républicains se courber devant lui [...]. Il serait plaisant qu'il créât un jour des cordons [des décorations] et qu'il en décorât les rois ; qu'il fît des princes, et qu'il s'alliât avec quelque ancienne dynastie... Malheur à lui s'il n'est pas toujours vainqueur ! »

Et d'ajouter, lors d'une autre fulmination futurologique : « Quel Bourbon ne faudrait-il pas après notre affreuse Révolution ? Car la légitimité ramènera les rois tôt ou tard et tuera Bonaparte. »

À sa manière, Rivarol a donc prévu les avatars encore à venir de Napoléon Bonaparte, les fastes d'une monarchisation à vrai dire plus impériale que royale, et, en fin de compte, la restauration d'un certain Louis XVIII. Même si la royauté bourbonienne, une fois revenue à la surface, n'a qu'un temps, c'est la moindre des choses que de rendre hommage à la prescience du fils de l'aubergiste nîmois, devenu séminariste avignonnais, en attendant mieux, ou pire.

1. Prêtre, en languedocien.
2. *Discours sur l'universalité de la langue française*, 1784.

séculaire. De minoritaire, il va devenir, à diverses reprises, carrément majoritaire. Il fournira, au fil du temps, la force d'appoint : elle consolidera la IIIe République et, au moment venu, les victoires nationales de la gauche. C'est une véritable coupure épistémologique par rapport à l'esprit « blanc d'oc » du début du XIXe siècle.

*

Les victoires de la gauche sont symbolisées, à terme, par le séduisant et puissant personnage de Léon Gambetta, « Méridional » au possible et au meilleur sens de cette expression. Né en 1838, fils d'un épicier de Cahors, d'origine italienne, le jeune Léon a parlé, enfant, la langue d'oc avant de « se mettre » au français ; son éloquence chaleureuse, vibrante, gardera, fidèle à elle-même, les traces de cette prime éducation dialectale. Élève des pères du Sacré-Cœur de Cahors, puis du petit séminaire régional (mais sans vocation ecclésiastique), Léon se montre, dès l'âge de 10 ans, féru d'histoire, de version latine, de discours publics. Lycéen dans le Quercy, puis étudiant en droit à Paris, il devient avocat en 1861, député républicain en 1868. À la date du 4 septembre 1870, jour de fondation difficultueuse du Régime qui nous gouverne encore, le voilà ministre de l'Intérieur, à 32 ans. « Créateur », avec d'autres hommes d'État, de la IIIe République, il devrait occuper dans « l'imaginaire » français la place d'honneur que les Américains accordent à Washington et à Jefferson, sculptés sur les monts Rushmore. L'injustice des hommes et une mort prématurée (1882) en décideront autrement [53].

*

Le Midi du temps des révolutions, disons entre Turgot et Gambetta (au travers des grands ébranlements de 1789-1815, des petites secousses du XIXᵉ siècle – 1830, 1848 – et des Communes méridionales de 1871, à Narbonne et ailleurs), apparaît dédoublé, « rose et noir ». D'une part, les faits de haute culture y sont anciens et bien établis, voilà pour le rose. Grâce à l'adoption précoce du droit romain, les conceptions modernes de la propriété, dite « quiritaire », y ont fleuri, du Moyen Âge au XVIIIᵉ siècle ; ce type de propriété était plein et entier, ou déféodalisé, par rapport aux possessions de type traditionnel dont jouissaient les propriétaires de la France du Nord ; celles-ci demeurèrent encombrées fort longtemps, jusqu'en 1789, à la différence du Midi, par les survivances seigneuriales. D'autre part, et cette fois le tableau vire au noir, pour les performances économiques et plus généralement « quantitatives », la vaste région « d'oc » est restée engourdie, en longue période, dans une certaine somnolence, malgré de belles réalisations locales dues aux villes portuaires comme Bordeaux, Marseille, etc. Si l'on choisit des critères comme l'alphabétisation, la stature humaine en tant qu'indice d'un bon niveau de vie, l'industrialisation, la productivité agricole, on constate que le Sud (lors des premiers travaux de comptabilité nationale effectués vers 1820-1840 par des hommes comme d'Angeville, Dupin, etc.) fait figure de « bras mort » ou de « bayou » quant aux performances de toute sorte qui devraient caractériser l'expansion. On doit bien sûr apporter des nuances à ce tableau pessimiste. Les « nappes » du sous-développement recouvrent encore, en effet, de vastes régions méridionales, notamment dans le Massif central. Mais des trames, des filets [54], des réseaux à remarquable croissance se dessinent le long du val de Garonne, en Bordelais, en Toulousain ; ils filent ensuite, à travers le seuil de Naurouze, jusque dans le Languedoc méditerranéen, si prospère, et sur les côtes provençales ; ils remontent enfin, d'aval en amont, la vallée du Rhône, depuis Arles et Avignon, jusqu'à Lyon et Saint-Étienne, cette fois hors de l'Occitanie proprement dite. C'est du reste à partir de ces secteurs longtemps filiformes mais déjà privilégiés que va s'opérer, au XXᵉ siècle, le brillant rétablissement des pays d'oc. À l'aube des années 1990, à l'heure où soleil et ciel bleu comptent bien plus que charbon de terre ou limon des plateaux pour définir les bases d'une supériorité régionale, le Sud français tend à fonctionner comme *sunbelt* ou ceinture dorée ; il attire une population d'immigrants d'âge variable. Toujours plus nombreux (actifs ou retraités), ils viennent des zones septentrionales, mais aussi des pays méditerranéens, tant chrétiens que musulmans. Les valeurs géographiques de sous-développement et de surdéveloppement tendent donc à s'inverser. Ce n'est plus à Lille ou à Nancy, mais à Toulouse ou à Montpellier qu'il faut désormais rencontrer, en notre temps, les zones motrices de l'expansion nationale.

Ce mouvement favorable intervient au bénéfice des régions concernées, mais au détriment de leurs caractères ethniques. Les défenseurs de l'identité ou de la personnalité des provinces d'oc, à juste titre, s'en alarment. Perçu par certains comme une menace, au même titre que l'ancienne centralisation française, ce nouveau devenir méridional induit par contrecoup la revendication d'ordre minoritaire, périphérique, voire nationalitaire. La chose est du reste ancienne : depuis près d'un siècle déjà, sur des territoires divers et délimités, un choix « provençal », puis « occitan » s'était fait connaître, à la fois modeste et vivace, groupusculaire et persistant. Le félibrige mistralien autour de la Trinité Mistral-Aubanel-Roumanille fut monarchiste et de droite, en rive orientale du Rhône, depuis le milieu du XIXᵉ siècle jusqu'à la Seconde Guerre mondiale. L'occitanisme, par contre, en rive occidentale du fleuve, se veut de gauche, en liaison, entre autres, avec les voisins Catalans, depuis 1945-1950. René Nelli, Robert Lafont, Yves Rouquette, et bien d'autres, l'ont successivement animé. Les divergences essentielles ont longtemps séparé Provence et Languedoc, bord gauche et bord droit de la vallée rhodanienne, partisans de Frédéric Mistral et de Louis Alibert. De fait, les félibres, à l'est, et les Occitans, à l'ouest, écrivent ou écrivaient d'oc, chacun pour soi, en deux orthographes divergentes. Ce fut la bataille de l'*a* ou de l'*o* final. Elle fit couler plus d'encre que de sang.

*

Question de sang toujours, ou de ce qui en tient lieu, d'une façon parfois purement symbolique et nul ne va s'en plaindre : il est remarquable que pendant la Seconde Guerre mondiale les pays d'oc n'ont pas donné lieu aux dérapages « ethniques » en direction des puissances de l'Axe, ces dérapages qu'on a pu constater en Flandre, en Bretagne et aussi, inévitablement, en Alsace. Certes le régime de Vichy a restauré, ou plutôt instauré quelque peu l'enseignement du provençal dans les établissements d'instruction publique (initiative qui sera reprise par la loi Deixonne en 1951, du nom d'un dirigeant socialiste qui en fut l'auteur), mais entre Clermont-Ferrand, Pau, Marseille et Montpellier, on ne note pas de dérive systématique et significative à l'encontre de la collectivité française, au bénéfice de l'Allemagne nazie, de l'Italie fasciste ou de l'Espagne franquiste, serait-ce au nom de telle ou telle revendication d'ordre sémantique. Une exception quand même, mais elle est facilement compréhensible, sinon excusable, compte tenu des circonstances bien... particulières de l'époque. Il s'agit du pays niçois qui fait incontestablement partie du domaine occitan (ou provençal), puisque le *niçart* est l'une des variétés du langage sud-occitan ou occitan moyen qui comprend le languedocien, et, en effet, le provençal [55]. C'est donc à Nice que furent fondés, en janvier 1941, par les soins d'Enzio Garibaldi, petit-fils du grand agitateur péninsulaire Garibaldi, les Gruppi di azione nizzarda. La chute du fascisme en l'été 1943 mettra fin rapidement à cette entreprise qui de toute façon n'avait rien à voir avec un désir de résurrection dialectale ou linguistique sur un plan local ou régional [56].

Dans un tout autre contexte, infiniment plus sympathique, cela va sans dire, j'évoquais à l'instant la puissante personnalité de Robert Lafont : Nîmois, homme d'oc, né en 1923, c'est un personnage complexe, et certainement multiple ; écrivain, romancier, poète, il y a en lui, par ailleurs, une dualité d'*homo doctus*, et d'*homo politicus*, féru d'histoire littéraire et de militantisme. « Têtu comme un âne rouge » (l'expression est d'Yves Rouquette), il lance, dès 1945, à 22 ans, un mensuel intitulé *L'Ase negre* (L'âne noir), qui se veut porteur d'un occitanisme de gauche : balayant devant leur propre porte, les Languedociens rouges (plus tard, roses) évacuaient ainsi les félibres d'outre-Rhône, trop blanchâtres à leur gré, réactionnaires ou démodés, si l'on se fiait à leurs accusateurs, eux-mêmes transrhodaniens de l'Ouest. « *Prends le félibrige et tord-lui son cou.* » En pleine prospérité des Trente Glorieuses, au début des années soixante, la crise des mines de Decazeville symbolise la régression particulière, spécifique, ponctuelle même, de certaines industries du Sud, héritées de Louis XVIII, ou comme disait Alphonse Dupront, du post-colbertisme. Elle incite Lafont et quelques-uns de ses camarades à se lancer dans une action sociale ou plutôt politique, voire socialiste. Littérairement, Lafont persiste à vouloir « casser toutes les vocations qu'on avait assignées à la prose méridionale, de Mistral à Giono, en passant par Daudet ». (Et ne parlons pas de Charles Maurras, qui fut félibre en sa jeunesse.) Mais être ainsi « casseur », n'est-ce pas s'attaquer à plus fort que soi, tant est dominante cette triplette des grands écrivains. On lit Daudet, Giono, Mistral… Lira-t-on encore Lafont dans cinquante ans ? Notre homme répondra, à juste titre, que là n'est pas son problème et il aura raison, Rouquette tient Lafont pour hanté, personnellement, par des trilogies telles que Peuple, Sexe et Raison, ou encore, à niveau de spiritualité, Salut, Péché, Mort, ce qui rapprocherait notre auteur d'un certain christianisme de base (de gauche ?), congénital aux pays d'oc : christianisme baroque-papiste, ou calvinien-cévenol selon le cas. À quoi s'ajouterait un « quadriloge invectif » : quand l'écrivain s'efforce, après tant d'autres, de s'en prendre à la guerre, à l'injustice, à l'exploitation, aux lâchetés de toutes sortes. Vaste programme aurait dit le général de Gaulle ! Comme si la lâcheté n'était pas, de temps à autre, le commencement de la sagesse. Voyez notre époque… En réponse à la question précédemment posée quant aux perennisations d'une œuvre, deux livres majeurs devraient survivre, me semble-t-il, aux luttes plusieurs fois décennales du Sisyphe de la région nîmoise, aujourd'hui retiré en Toscane : je pense à sa magistrale *Histoire de la littérature occitane*, écrite en collaboration avec Christian Anatole ; et plus encore à son *Histoire de l'Occitanie*, si orientée qu'elle puisse être parfois. Elle résulte de la collaboration d'un littéraire, Robert Lafont en personne, et d'un authentique historien d'Aquitaine, trop méconnu de nos jours, André Armengaud.

*

Épaulée par les *Calendretas*, écoles élémentaires de langue occitane, la revendication régionaliste du Midi, ou d'oc, si l'on préfère, ne se heurte pas seulement « bille en tête » aux traditions centralisatrices. Elle est contrariée, à flanc de coteau, par la surenchère patriotique et profrançaise que provoque chez les électeurs languedociens ou provençaux un double flot d'immigrants venus d'Algérie : les pieds-noirs et les musulmans sont nombreux sur les rivages méditerranéens. Ils ne s'abreuvent pas mutuellement du lait de la tendresse humaine. Leurs piques réciproques ont contribué aux succès locaux du *Front national*, cher aux ci-devant Français d'Algérie ou à certains d'entre eux, et pour lesquels l'occitanisme, c'est le moins qu'on puisse dire, se présentait, du moins au point de départ, comme le cadet des soucis.

Les plus vieilles terres de gauche du Midi rouge furent ellesmêmes affectées par le FN. Dès 1984, un électeur sur cinq (ou un peu plus, un peu moins) vote FN dans les Alpes-Maritimes et les Bouches-du-Rhône. En termes de villes c'était également un électeur sur cinq voire davantage à Montpellier, Marseille, Toulouse et Nice... Depuis il y a eu des hauts et des bas, mais le Sud-Est et spécialement la susdite région PACA[57] est restée terre d'élection pour une certaine extrême droite qui du reste, à l'heure actuelle, ô paradoxe, se réclame volontiers, notamment à Marignane, de l'héritage provençaliste. Mais les « lafontiens » (à la différence peut-être des mistraliens) voient sans doute de telles avances d'un assez mauvais œil. Aix-en-Provence et Béziers furent également touchés d'assez bonne heure par le FN. À Marseille, aux mêmes époques, une liste « Marseille Sécurité » proche des « lepénistes » obtenait déjà 5,9 % des voix. Le nouvel enracinement du parti de Jean-Marie Le Pen était corrélatif de portions dynamiques, citadines, de l'aire occitane ; grande différence avec l'ancien poujadisme, lié lui-même à des territoires quelque peu en perte de vitesse, si respectables soient-ils, tels que le Quercy, l'Aveyron et les Cévennes. Qui disait « lepénisme », voici dix ou quinze années, évoquait volontiers Provence-Alpes-Côte d'Azur, Languedoc-Roussillon, et accessoirement Aquitaine. Outre les Pieds-Noirs, la « contagion » atteignait nombre de « Français de souche », comme on dit dans le ridicule vocabulaire de notre temps. Pour nous en tenir à une excellente étude de Pascal Perrineau[58], dès les élections municipales des années 1980, le Front national présentait des listes « seul à seul » à Nice et à Montpellier ; ses candidats étaient présents ailleurs, dans le « Midi », sur des listes de la « droite traditionnelle », notamment à Grasse, Antibes, Toulon… En 1999, tous les départements d'oc qui sont en bordure de la Méditerranée ont ou avaient des maxima de voix lepénistes et/ou mégrétistes : dans le cas des Alpes-Maritimes, du Var, des Bouches-du-Rhône (et du Vaucluse, non maritime, lui) et puis Gard, Hérault, Aude[59]…

*

Et la droite méridionale ? Il ne faut pas juger d'elle, bien entendu, par les médiocres performances qu'enregistre depuis vingt années, à niveau national, ce qu'on appelle la droite modérée ou même la droite républicaine (comme s'il y avait encore quantité de royalistes en notre pays !). À propos de celle-ci, il est de bon ton de la part des gens qui aiment à tirer sur les ambulances, *a fortiori* sur les corbillards, il est de bon ton de dire « qu'en France, à droite, depuis vingt-cinq ans l'art de gouverner n'a produit que des Nuls ». Et d'ajouter qu'il en va de même quand les leaders de cette même droite sont dans l'opposition. De telles appréciations gravement dépréciatrices sont évidemment très exagérées, même quand elles ont un fond d'indéniable vérité. Mais en fait ce qui a tué cette droite modérée (jusqu'à son ultérieure résurrection que chacun s'accorde à espérer prochaine…), c'est moins l'absence de talent des leaders droitiers, hommes souvent remarquables, que leur incapacité à s'unir, comme à fédérer nos tribus gauloises, art presque diabolique dans lequel par contre, à gauche, François Mitterrand était passé maître. De toute manière ces jugements péjoratifs ne valent pas, régionalement, pour la droite (modérée) des pays d'oc. En dehors des bastions qu'elle contrôle encore dans les zones sud du Massif central, restées fidèles et parfois traditionalistes au meilleur sens du terme, elle a su également engranger quelques beaux succès dans le bas pays tant languedocien que provençal : à Marseille, Jean-Claude Gaudin, démocrate-chrétien et ancien professeur, après bien des années de duel avec Gaston Defferre, a su conquérir l'hôtel de ville compliqué de la cité phocéenne. Plus à l'ouest, à Montpellier, François Delmas, « modérantiste », a dû céder la place, par contre, au socialiste Georges Frèche, mais à Toulouse la dynastie, sinon droitière à tout le moins centriste et fort éclairée, des Baudis père et fils aura donné, pendant bien des décennies, tout son lustre à la ville rose.

*

La droite méridionale modérée, minoritaire, nous ramènera-t-elle invinciblement au « Midi rouge » qui fut si longtemps « dominateur et sûr de lui », en ces mêmes régions, si l'on nous permet d'utiliser ici une expression d'assez mauvais goût, concoctée par le général de Gaulle, quant à un tout autre sujet...

*

Il y a ou il y eut en effet un Midi rouge, déjà rencontré ici même au XIXᵉ siècle, un Croissant rouge de la France du sud « chasse gardée de la gauche historique ». Les historiens, à commencer par Henri Lerner[60], ne sont pas en peine d'explications à ce propos. Ils proposent une liste de facteurs, incomplète, et dans le désordre : prépondérance de la menue propriété rurale (les petits contre les gros) ; influence de l'école laïque ; hostilité plus ou moins vive au catholicisme ; dénatalité souvent précoce, malgré l'Église, justement ; vieilles traditions « hérétiques » (Albigeois, protestants) ; anciennes structures communales, urbaines (Nîmes, etc.) à base de républicanisme civique, dans le genre italien ; égalitarisme ; viticulture parcellaire et démocratisante (Béziers, Narbonne-la-Rouge...) ; antimilitarisme, sinon pacifisme. Que sais-je encore... La gauche en morceaux, mais jamais en miettes, a eu ses incarnations successives : républicains, relayés par les radicaux, puis par les socialistes, enfin les communistes ; les trotskistes, même... La plupart de ces groupes étaient assez doués, en somme, pour se réunifier un jour ou l'autre sous la houlette de François Mitterrand, à partir de 1970. Les leaders sont mainte fois de qualité, parachutés éventuellement depuis les bases de lancement d'Île-de-France, jusque dans l'extrême Sud. (On pense au cas de Léon Blum, député de l'Aude, dans l'entre-deux-guerres, réussissant le mariage du caviar et du cassoulet, des mondanités parisiennes et du vin rouge, de l'aristocratie du bouchon et de la démocratie du tonneau.) Les camions-citernes du sinistrisme viticole chargés à ras bords, porteurs des espérances et des votes du petit peuple, ont pu ainsi remonter vers la capitale, déterminant « là-haut » le succès des majorités du progrès social ou du moins des solutions qu'on tenait à cet égard pour les plus progressistes. La gauche méridionale a eu ses hauts et ses bas, ses sommets (combisme, Cartel des gauches, Front populaire post-Libération, mitterrandisme « en majesté »). Et puis ses talwegs, extrêmement divers bien entendu, les uns par apport aux autres : Bloc national, Vichy, gaullisme de 1958-1969, sinon chiraquisme éphémère (?). La gauche méridionale a dominé ses faiblesses ; elle a su gérer ses divisions et se faire éventuellement toute petite lors des traversées du désert. Sous Vichy par exemple *La Dépêche de Toulouse* en un temps qui pour elle et pour beaucoup de gens était bien évidemment de vaches maigres, *La Dépêche* donc avait su porter l'art du compromis à un niveau métaphysique (Henri Lerner). Ce qui n'empêchera pas cette feuille illustre de reprendre très largement « du poil de la bête » avec le remarquable Jean Baylet, « le Glaoui du Sud-Ouest », devenu l'une des puissances occultes de la IVe République, étant lui-même fidèle aux conceptions démocratiques, laïques… et finalement conservatrices de l'ancien parti radical, toujours solidement implanté en Aquitaine. Quant à d'autres périodes de vaches grasses, après 1981 par exemple, l'exemple d'un département comme l'Ariège, certes démographiquement vieillissant, mais entièrement pris en main du haut jusqu'en bas, du Canigou à la plaine ariégeoise à l'exception quand même de quelques petites villes, par le parti socialiste, demeure éloquent à cet égard. Et l'on pourrait en dire autant ou presque de l'actuel département de l'Aude.

Faut-il invoquer à cet égard les influences maçonniques ? Elles ont existé sans aucun doute, mais elles ne sont pas nécessairement déterminantes : sur la trentaine de politiciens [61] de gauche énumérés par M. Lerner dans l'excellent texte que nous avons déjà cité pour l'époque des IIIe et IVe Républiques, on n'en trouve guère que six ou sept indiqués comme maçons au gré du grand dictionnaire *ad hoc* de Daniel Ligou[62] ; le plus célèbre d'entre ces maçons étant comme il se doit Émile Combes. Cette encyclopédie des « Frères » malgré sa sympathique énormité n'a pas l'impossible prétention d'être exhaustive, mais elle jalonne assez bien, me semble-t-il, les tendances. La maçonnerie fut certainement l'un des « moteurs » de la gauche méridionale, mais nullement le seul.

*

Le Midi rouge a ses mérites qui furent éminents (notamment au temps de la Résistance, où ses meilleurs éléments confluèrent avec ceux de la droite non collaboratrice). Mérites d'autant plus incontestables qu'avec le temps les couleurs ont passé, le rouge a viré au rose, plus ou moins pâle ou vif selon les lieux, les groupes, les personnes. Un épisode rougeoyant à souhait, et qui ne fut le fait que d'une fraction des militants de gauche, la plus extrémiste en ce temps-là, pose problème. C'est celui non pas de l'épuration en général, mais plus spécialement des exécutions sommaires[63] de 1944-1945. Tenons-nous-en aux chiffres de l'Institut d'histoire du temps présent peut-être sous-estimés puisqu'il y a inévitablement des lacunes. Ils ont en tout cas, et c'est l'essentiel, en ce qui concerne le niveau de base, la solidité du roc. Dans les vingt-neuf départements méridionaux (les pays d'oc plus le Roussillon[64]) pour lesquels on a des chiffres, on recense 3 347 exécutions sommaires sur un total de 8 042 exécutions sommaires dans les quatre-vingt-quatre départements qui furent étudiés. On peut donc affirmer que 34,5 % des départements (ceux du Midi d'oc plus le Roussillon) ont 41,6 % des exécutions. Mais la « fourchette », si l'on peut dire, se précise quand on envisage les quinze départements (méridionaux toujours, dans les mêmes limites[65]) ayant chacun plus de 100 exécutions sommaires. On arrive alors (toujours par rapport à l'échantillon total des quatre-vingt-quatre départements avec leurs 8 042 exécutions) à 2 669 exécutions sommaires pour les quinze en question, sur ces mêmes 8 042 ; autrement dit 17,85 % des départements, les plus « motivés », ont eu 33,19 % des exécutions. Et c'est évidemment là que le bât blesse. Le Midi rouge est encore plus rouge qu'on ne le pensait, dans ce cas. Les départements méridionaux concernés du groupe des quinze n'étaient pas, en moyenne, plus peuplés que les autres départements moins mortifères, qu'ils soient du Nord ou du Midi. Et pourtant le département « moyen » du groupe des quinze a dans chaque cas 177,9 exécutions ; alors que le département moyen dans le groupe des soixante-neuf « plus modérés » ne recense que 77,9 exécutions soit 43,8 % de la moyenne précédente (méridionale-« extrémiste »). La différence n'est pas gigantesque. Elle est quand même significative.

Parmi les causes de cet « excédent » dans un *certain* Midi (pas dans *tout* le Midi), on doit bien sûr signaler le très compréhensible esprit de revanche de diverses populations locales désireuses de venger les meurtres qu'avaient provoqués les Allemands ou leurs collaborateurs et coopérateurs. Évoquons aussi une « atmosphère » de guerre civile, avec l'environnement fâcheux qui l'accompagne, dans les divers camps en présence. « Atmosphère, atmosphère… », disait déjà Arletty, qui était orfèvre. Le fait est qu'un assez grand nombre de ces exécutions sommaires a eu lieu *avant* la Libération, donc dans une ambiance, en effet, de guerre civile. Mais cette « justification » n'est pas suffisante. Doit-on également mettre en cause, comme en Savoie, par-delà telle ou telle éruption de violence sauvage[66], la volonté d'intimidation émanant des cadres communistes et apparentés ou d'éléments « excités », à l'encontre d'une partie des élites locales, voire des classes moyennes et populaires, pas seulement pétainistes en l'occurrence mais tout simplement droitières, qui eussent pu faire obstacle à une prise de pouvoir par le PCF dans le cadre régional, sinon national ? Le Midi rouge, dans cette affaire, ne s'est pas toujours abreuvé du lait de la tendresse humaine. Il en irait différemment aujourd'hui. Autres temps, autres mœurs ! Les circonstances extraordinaires dans lesquelles était plongé le Sud expliquaient de tels comportements sans qu'ils en devinssent, de ce fait, plus légitimes. Le fait que toute une partie du Midi s'était libérée d'elle-même en 1944 contribuait lui aussi à la confusion, parfois sanglante. Quand on parle d'autolibération, il faut du reste préciser et signaler que l'évacuation des lieux par l'armée allemande a permis aux nouvelles autorités françaises parfois peu « *régulées* » de s'imposer sans que les armées *régulières* alliées ou françaises fussent nécessairement présentes pour tenir quelque peu la main à l'ordre public. Ajoutons bien sûr à titre absolutoire une fois de plus que d'autres départements nullement méridionaux, nullement occitans, et ne faisant point partie de la quinzaine des départements « d'oc » les plus concernés, se sont eux aussi « manifestés » par de nombreuses exécutions sommaires : je pense par exemple, entre autres, à l'Aube et au Finistère.

*

Un bilan sur l'histoire de ces pays d'oc, si contrastés, si complexes, les montrerait simultanément, avec le recul du passé, comme conservatoires et comme laboratoires. Le Midi, en effet, a préservé pour une longue durée, ou bien il a accueilli sur le tard, des structures que le Nord, comme foyer politique et stratégique des pouvoirs nationaux, tantôt délaissait, tantôt dépassait. Parmi ces « données de base » précieusement maintenues, et plus longtemps qu'ailleurs, dans la zone occitane, citons, en nous référant à ce qui fut exposé ici même, la persistance d'une coriace minorité huguenote ; la dévotion baroque et spectaculaire des confréries de pénitents : celles-ci ne connurent guère d'homologues en deçà de la Loire, et matérialisèrent *in situ* les reliquats glorieux de la Contre-Réforme, implantée à Marseille et ailleurs dans l'esprit posttridentin ou latin. Citons encore l'attachement viscéral aux communautés politiques du cru, municipales et autres, aussi représentatives que décentralisées, allergiques, comme le montrèrent de nombreuses révoltes dès le XVIIᵉ siècle, à l'empiétement fiscal du pouvoir parisien ; la revendication nostalgique et violente d'un retour au passé catholique et royal, concrétisée par la Terreur blanche de 1815 ; l'implantation, après coup, des tendances révolutionnaires et rouges, si visibles à partir de 1851, et qui s'enracinent localement de la sorte avec des années de retard sur les villes septentrionales ; la persistance dans toute une partie des provinces méridionales d'un certain sous-développement économique ; et, bien sûr, la survie longtemps brillante des langues et des dialectes d'oc. Autant de faits muséographiques, au meilleur sens du terme, car il s'agit bien sûr dans la plupart des cas d'un musée vivant et fécond, et non point d'une fossilisation irrémédiable. Conservatoire donc, et du même coup laboratoire.

L'idée républicaine et socialiste depuis plus d'un siècle a connu dans les pays d'oc quelques-uns de ses développements essentiels autour de Gambetta et de Jean Jaurès ; l'œuvre de Mistral inspirera les régionalismes périphériques ; le *sunbelt* français voit naître et croître aujourd'hui les modes d'existence postindustriels ou liés à l'industrialisation sophistiquée.

En fin de compte, la morale de toute cette histoire d'oc, ou plutôt d'oïl-oc, ne serait-elle pas à chercher du côté de ce qu'on appelle aujourd'hui la cohabitation. Au titre de celle-ci, à l'époque du tandem Matignon/Élysée, une moitié de la France gouverne, avec la bénédiction de l'autre moitié (voir les sondages pour le quart d'heure favorables à cet attelage et qui sont fort éloquents à ce propos). On peut dire par analogie que *oïl* (soit une quarantaine de départements, au minimum) a longtemps gouverné *oc* (une trentaine de départements) sans que le second partenaire trouve trop à redire à cette cohabitation d'ancien type, en laquelle il intervenait activement lui aussi et dont il tirait divers avantages. Reconnaissons bien sûr que ceux-ci n'effaçaient pas toujours les inconvénients : centralisation excessive, abusive, notamment d'origine parisienne, au profit d'oïl, etc. La prépondérance actuelle des gauches confère du reste certains atouts aux pays d'oc, puisque aussi bien les bastions traditionnels du « sinistrisme » en France, sont, jusqu'à un certain point, davantage sudistes que septentrionaux. Le « plus » méridional en matière de prédominance de la gauche n'est pas considérable vis-à-vis du Nord, et pourtant il existe, il est traditionnel, il est peut-être durable.

*

En l'an 2000, l'Occitanie se récapitule : une trentaine de départements, 13 millions d'habitants [67] (dont de nombreux retraités venus du Nord). Par ailleurs, selon des chiffres toujours sujets à caution, et qui représentent certainement, dans bien des cas, un « plafond » plutôt qu'une moyenne ou un plancher, « entre 2,5 et 3 millions de personnes parlent (?) diverses variétés de l'occitan, et 5 à 6 millions le comprenant (?) peu ou prou ». L'Occitanie table aussi sur ses villes, Pau, Toulouse, Montpellier, Bordeaux, Aurillac, Limoges, Clermont-

Ferrand, Valence, Avignon, Marseille, Nice, et sur des variétés dialectales qui décomposent la langue à la façon d'un prisme analysant la lumière : on a donc le nord-occitan qui comprend le limousin (parfois cher aux troubadours), et l'auvergnat ; ensuite le provençal-alpin, immédiatement au sud du franco-provençal, disons *grosso modo* au sud et à l'ouest immédiat de Valence. Et puis le sud-occitan ou occitan moyen qui inclut existentiellement et même conflictuellement le languedocien et le provençal (maritimes) ; à quoi s'ajoute le niçart (niçois) vers l'extrême sud-est. Enfin à l'ouest, très originaux : le gascon et le béarnais [68].

La conjoncture *réelle* et proprement linguistique de l'occitanophonie, ou plutôt des occitanophonies, multiples en fait parce que distribuées en dialectes régionaux, est à la baisse en 1991 : lors de ce début de l'ultime décennie du XXe siècle, voire au XXIe, en « Languedoc-Roussillon », la bonne compréhension d'« oc » ne dépassait pas 11 % de l'échantillon ; 4 à 5 % des sondés pouvaient tenir au moins une conversation courte, « et moins de 2 % employaient fréquemment leur compétence linguistique en ce domaine ». On peut regretter la confusion faite ici, de par les enquêteurs, entre occitan et catalan, Languedoc et Roussillon, mais la tendance paraît quand même assez claire [69].

Au niveau politique et d'autodétermination, le pays d'oc est quelque peu embarrassé par la multiplicité des provinces, bien souvent prestigieuses (Provence, Auvergne...) dont il se compose. Il lui est donc difficile de trouver une modalité d'expression commune... ou communautaire, multiprovinciale en quelque sorte. Il existe néanmoins des partis ou groupements politiques occitano-centrés, mais ce n'est pas les offenser que d'oser écrire qu'ils pèsent assez peu, beaucoup moins en tout cas que les tendances et organisations proprement culturelles qui se sont développées sur le même terreau « d'oc », quoique de façon pour ainsi dire latérale.

Fonctionne donc, en droite ligne soixante-huitarde, un CROC (Comité révolutionnaire occitan), hypostase lointaine du gauchisme des années 1960-1970, centré sur les souvenirs du *Gardarem lou Larzac*. Et puis un « parti occitan » présidé par un maire rural de la région du Puy-en-Velay : il se veut fédéraliste en compagnie des Basques, des Savoyards, etc., et des petits ou moins petits peuples d'Europe, en général. Et pour finir, le PNA (Parti national occitan) fondé à Nice en 1959, de nos jours présent sur Internet et supporter de « l'indépendance de l'Occitanie ». De bien plus considérable importance, mais moins branché sur la politique au sens strict du terme, est l'Institut d'études occitanes, démultiplié à l'échelle des divers départements du pays d'oc. À Béziers, une bibliothèque occitane, fondée jadis avec la participation très active d'Yves Rouquette, se place sous les auspices de ce qui fut le CIDO (Centre international de documentation occitane), et maintenant le CIRDOC. Elle constitue un foyer de recherche irremplaçable quoique un peu contesté, de nos jours, y compris par certains de ses fondateurs. Rien qu'en Midi-Pyrénées, plus de 300 entreprises ont incorporé dans leur sigle l'adjectif « occitan ». Le temps des années 1970 n'est plus, comme l'a bien noté Irina de Chirikoff, où occitanisme rimait avec anti-européisme, les militants de cette tendance s'étant opposés tant et plus à l'entrée de l'Espagne et du Portugal dans la Communauté européenne, pour des motifs de dangereuse concurrence légumière et surtout viticole. Or, à l'inverse, les occitanistes sont devenus maintenant ultra-européens. Du coup, les vignerons de Languedoc ont déserté en masse le bateau-citerne occitan sur lequel certains d'entre eux, y compris parfois l'excellent et sympathique Maffre-Baugé, s'étaient embarqués voici quelques années, à la belle époque du Larzac. Ces mêmes vignerons continuent sans connotations occitanes dorénavant à manifester pour leur propre compte en s'opposant, par exemple pendant le mois d'août 2000, aux importations des vins de provenance ibérique. Les camions des pinardiers espagnols venus du sud passent de temps à autre un mauvais quart d'heure, une fois franchies les Pyrénées, sur les routes du Midi de la France, assaillis qu'ils sont çà et là par telle ou telle communauté vigneronne... La perspective globale des pays d'oc n'est quand même pas mauvaise, tant s'en faut : leurs départements figurent pratiquement tous dans la zone mainte fois méridionale, en effet, où les taux de décès des ouvriers et employés ne sont que de peu supérieurs à ceux des cadres supérieurs et professions libérales (à la différence par exemple de la Bretagne et de l'Armorique en général ainsi que du Nord-Pas-de-Calais où les écarts, au détriment des groupes défavorisés, sont nettement plus forts[70]). Structures davantage démocratiques du Sud, donc, au sens le plus social de cet adjectif. Et puis, si l'on met à part le Cantal, la Creuse et la Corrèze, tous les départements d'oc devraient voir augmenter nettement, stabiliser, ou quasiment maintenir (dans le cas de l'Aveyron) leur niveau de population au cours des années 2000-2020 [71]. Mais cette population accrue, ou maintenue, d'ici à vingt années, gardera-t-elle des liens dignes de ce nom avec la culture d'oc ? La réponse à cette interrogation me paraît devoir être positive, mais les chercheurs, locuteurs, animateurs et militants de tout bord, linguistiques, régionalistes, autonomistes sont, effectivement, en droit de poser une telle question.

Conclusion

Venons-en maintenant à quelques éléments de conclusion sur l'ensemble des aires périphériques envisagées :

1. La chronologie du rattachement des diverses régions est si je puis dire *double* ; grosso modo, à partir du XIIIe siècle, les régions d'*oc* se relient aux régions d'*oïl* ; en tout cas le processus est largement entamé comme conséquence imprévue de la Croisade contre les Albigeois. Dans le cas des zones *occitanes*, en général, toutes provinces comprises (Languedoc, Provence, Auvergne, etc., du XIIIe au XVIIIe siècle), il s'agit de la principale région périphérique linguistique ; du plus gros morceau en quelque sorte de la synthèse française, en dehors de la zone d'oïl (quelque peu dominante) proprement dite. Les petites minorités, par contre, que j'ai précédemment évoquées et qui de par leur importance moindre sont assez aisément digestibles ou intégrables pour l'ensemble national [1], subissent les processus de rattachement entre deux dates essentielles : disons d'abord que la chose peut commencer à partir de 1453, première francisation encore très partielle des pays basques, et se conclure en 1766-1769, rattachement de la Lorraine et de la Corse. Dans l'intervalle, on peut signaler la venue ou la « re-venue », selon le cas, de la Bretagne au XVIe siècle, de l'Alsace, de la Flandre et du Roussillon au XVIIe siècle. Enfin, en 1860, aura lieu le rattachement de la Savoie.

2. L'installation de la France dans ces diverses régions s'est déroulée, euphémisme, de façon souvent assez rude ; ce fut par exemple le cas pour l'Alsace, la Bretagne, le Roussillon, la Corse

et certaines régions du Midi, surtout le Languedoc, mais non pas la Provence ni bien sûr l'Auvergne. Les troupes françaises ne se livraient pas toujours – tant s'en faut – à des atrocités contre les habitants, mais il suffisait qu'une armée vienne du nord du royaume jusque vers les régions dont on souhaitait le rattachement ; il suffisait que cette armée se déplace ou se déploie pour que certaines violences soient infligées éventuellement aux habitants des régions traversées ou convoitées. Remarquons qu'il y a cependant des exceptions ; ainsi le pays basque qui, *grosso modo*, a été rattaché entre 1450 et 1620, n'a pas connu (de ce fait) de tels phénomènes de violences ni de souffrances particulières. Est-ce l'une des raisons pour le relatif pacifisme des relations d'antan franco-basques au nord des Pyrénées, par contraste avec ce qui se passe du côté de l'Espagne entre disons les Basques et les Castillans ? Ajoutons, sur ce point, que la maison (localement dirigeante) d'Albret-Navarre ayant été éjectée d'Espagne dès le XVIᵉ siècle, son intégration à la haute aristocratie princière française d'Ancien Régime a facilité les choses, du côté basque-français.

3. Malgré les violences précitées, point du tout universelles, répétons-le, les sujets ou habitants (fussent-ils brimés au départ) de telle ou telle zone périphérique ont fini par se résigner au rattachement, ou même ils ont été jusqu'à accepter ou à approuver ce « synoecisme » sur un mode tantôt passif et tantôt actif. Doit-on simplement, je le répète, parler de résignation ; ou bien d'une adhésion de fait ? Ou d'un lien véritablement effectif et affectif procédant de la bonne volonté, du sentiment, voire d'une passion en effet affectueuse[2] vis-à-vis de l'ensemble français ? On peut dans tous les cas constater un rapprochement plus ou moins existentiel entre région et nation ; rapprochement qui annonce une intégration future et pacifique à l'ensemble « hexagonal ». Aussi bien, même si ce souvenir pour beaucoup de Français est douloureux, on pourrait évoquer à ce propos l'Alsace des années 1910-1913 ; cette province, ou partie d'icelle, s'était accommodée finalement, grâce à l'octroi d'une espèce d'autonomie interne, à l'idée d'une re-germanisation. Ce qui valait pour l'Allemagne pourrait après tout avoir valeur d'exemple également pour la France, au sujet d'autres régions.

4. Et néanmoins, pendant d'assez longues périodes de temps, il y eut des résistances, et cela même après des siècles de vie commune entre le centre et la périphérie. Les révoltes se rencontrent en effet beaucoup plus fréquemment dans les zones périphériques que ce n'est le cas parmi les provinces « centrales », depuis longtemps françaises ou disons francisées, telles que l'Île-de-France, la Picardie ou la Champagne... peut-être parce que l'État central était moins fort dans les zones de « bordures ». Ces résistances en forme de contestations ne se branchent pas nécessairement, de toute manière, sur une volonté d'indépendance ou d'autonomie. Elles prennent plutôt la forme classique d'un refus de l'impôt, surtout quand il s'agit de la gabelle du sel, fort peu aimée des populations ; c'est le cas à Bordeaux notamment, en 1548 ; en Bretagne, vers 1675 ; dans le Pays basque et en Roussillon au XVIIe siècle, etc. En certaines occurrences, les rébellions vont si loin qu'elles peuvent définir un particularisme régional ; je pense par exemple à la révolte de Montmorency en Languedoc au cours de l'année 1632 ; et pourtant Montmorency, rebellé contre l'État centraliste, venait d'une grande famille septentrionale. Je mentionnerai aussi les petites révoltes basques en faveur de l'assemblée locale du Biltzar au temps de Louis XIV.

5. Quels que soient ces épiphénomènes, on doit cependant constater que le rattachement, d'une façon générale, a rempli sa « mission ». La même remarque vaudrait du reste, sans aucun doute, pour d'autres grands pays européens depuis la Russie jusqu'à l'Espagne en passant par l'Allemagne, l'Italie et même l'Angleterre, compte tenu bien sûr de la spécificité du problème irlandais. Néanmoins, dans cet ensemble européen, les réalisations françaises apparaissent parmi les plus remarquables, paradigmatiques, tant à cause de l'économie des moyens que de l'élégance et de la durée des résultats. Une série de circonstances historiques a conduit à ce qui est aussi, somme toute, une réussite. Depuis le XIIIe siècle, rattachement du Languedoc, jusqu'au XVIIIe, début d'intégration de la Lorraine et de la Corse, la loyauté au roi avait représenté le mode de liaison le plus général. Cette loyauté, cette liaison, assurait, sur la base d'un

lien de fidélité encore à demi féodal, le rapport entre le centre et la périphérie. En outre ce mode d'unification laissait subsister, dans les provinces éloignées, un certain nombre de structures, notamment sous la forme de langues et d'assemblées régionales des trois ordres, sur lesquelles l'historien américain Russel Major a beaucoup insisté. La vieille image du monarque comme seigneur justicier conservait toute sa force, même pour ces parties de la population qui étaient géographiquement éloignées de Paris (éloignées aussi du Val de Loire) où se trouvaient les principaux foyers du centralisme. Puis, lorsque cette loyauté dynastique va commencer à s'affaiblir, la Révolution française prendra le relais et donnera une nouvelle force au centralisme intégrateur, par le biais notamment de la citoyenneté et de l'adhésion « librement consentie ». Voyez à ce propos la fête de la Fédération sur le Champ de Mars, en 1790, qui veut en effet exprimer ce sentiment de collectivité consensuelle.

Je voudrais envisager la Révolution française, puisqu'il en est question ici, sur le mode « allongé » que proposait François Furet et la considérer comme un gigantesque bouleversement qui prend place entre 1789 et les années 1880, jusqu'à ce que la IIIe République consacre enfin, de façon définitive, les transformations révolutionnaires intervenues au sein de notre peuple ; jusqu'à ce qu'on atteigne, en une certaine étape du parcours, aux domaines de l'irréversible – semble-t-il ! Le XIXe siècle, c'est l'époque où les régions périphériques sont très largement soumises ou du moins soudées au centre par l'intermédiaire des préfets, avec en contrepartie bien sûr une participation à la décision démocratique ; participation et décision qui se sont peu à peu imposées disons après 1877 ou 1880. Les hommes et, nettement plus tard, les femmes de la périphérie ont obtenu (comme les autres citoyens) la capacité civique, le droit d'élection, la franchise électorale, l'accès aux écoles primaires ; et puis, par la suite, l'entrée dans des niveaux supérieurs de l'enseignement. L'éducation laïque, gratuite, obligatoire sera l'une des fiertés de la République. Des processus d'échanges se sont instaurés ; on a partiellement enlevé aux minorités leur langage ou leur dialecte ; et cela en « contrepartie » de la citoyenneté comme de l'identité française complète, avec ses avantages qui ne paraissent pas devoir être discutés ou discutables ; parmi les « plus », citons, sur le mode répétitif, la participation à la souveraineté grâce au droit de vote et à la liberté de vote ; l'accès aux lumières de l'enseignement et aux carrières de la promotion sociale ; celle-ci conditionnée à son tour par les bienfaits de l'éducation primaire, voire secondaire ou supérieure. Est-ce que *l'un*, la perte de la langue, a été compensé par *l'autre*, l'accès à ces divers avantages « nationaux » ? À chacun d'en juger ! Mais une chose est sûre : bien des hommes ou femmes des minorités de la périphérie, qu'il s'agisse des Flamands, des Bretons, des Occitans, des Basques ou des Corses, ont accepté le sacrifice d'un cœur léger, il faut le reconnaître. Au moins le sentiment d'un déchirement profond a-t-il été souvent fort absent de l'inconscient populaire. Les choses, pour beaucoup de gens, allaient d'elles-mêmes. À tort ou à raison ? L'historien sur ce point n'a pas à juger, tout au plus à comprendre, voire à constater. Il appartient aux faits de parler d'eux-mêmes.

On doit cependant remarquer que les particularismes n'ont pas disparu du premier coup, loin de là. C'est même, à certains égards, le contraire qui est vrai. Entre 1850 et 2000, les mouvements périphériques ont émergé me semble-t-il en cinq épisodes.

1. Au début, pendant la période qui va de 1850 à 1914, on expérimente en Corse, au Pays basque, en Bretagne, en Flandre, dans les zones occitanes, une floraison d'exigences essentiellement culturelles qui sont encore peu politisées. Faut-il y voir, tautologie, l'effet boomerang d'une acculturation ? Il est certain que la IIIe République, en répandant les bienfaits et les lumières de l'éducation au bénéfice de presque tous les citoyens, a favorisé l'intégration nationale ; mais elle excitait aussi, dans toute une partie du public cultivé, le désir de récupérer les fameuses *racines*, celles-ci inséparables d'un folklore local qu'on commençait à mieux connaître, à étudier, du fait précisément des bienfaits de l'éducation en question.

2. En second lieu, pendant l'époque située entre les deux guerres mondiales, 1919-1939, une prise de conscience politique a pris place ; elle a pu aller en Bretagne jusqu'aux actes terroristes qui, du reste, étaient assez innocents et bénins. Cette prise de

conscience se définissait en particulier lors de la formation d'organisations militantes qui étaient en même temps activistes et folkloriques. Normalement, leurs leaders s'inspiraient de mots d'ordre qui venaient de la droite conservatrice, de l'Église ou plus exactement d'éléments cléricaux, parmi lesquels quelques prêtres, bien plus rarement l'épiscopat. L'ultracentralisme laïc, que les partis républicains proposaient parfois sans nuances, détenait dans cette affaire une certaine responsabilité ; les exigences et les revendications d'éléments réactionnaires « papistes » pouvaient heurter ou froisser de ce point de vue la « bonne volonté » (?) de la gauche, qui était elle-même coupable d'attitudes de centralisation excessive. Les intrigues menées par des éléments proallemands et même pronazis en Flandre, en Alsace et en Bretagne, ou profascistes en Corse, aboutissaient ensuite à exploiter la naïveté d'une partie des élites régionales ; celles-ci firent preuve dans cette affaire d'une candeur désarmante vis-à-vis de leaders redoutables situés à l'extérieur du système tels qu'Adolf Hitler, sinon Mussolini. Le Caudillo ou généralissime Franco restant hors de course et ne s'intéressant guère à la récupération du Roussillon (le Maroc, en 1940-1941, lui tenait davantage à cœur).

3. Le second conflit mondial entre 1933 et 1945 change les données du problème. Dans le pire des cas, l'ancien régionalisme, tel que nous venons de l'évoquer, s'est compromis avec les occupants. Par conséquent, au cours de l'après-guerre, les divers mouvements périphériques sont refoulés vers l'arrière-plan ; et le centralisme revient en force. Puis, au cours des années 1950 et 1960, un nouveau « retour du balancier » se produit ! Le régionalisme est ravivé, mais cette fois-ci à gauche ou à l'extrême gauche de l'échiquier politique ; sauf peut-être en Corse où les choses, de ce point de vue, sont beaucoup moins claires. À partir de 1968, les *militants* régionalistes formulent des propositions qui sont comme des mixtures de revendication périphérique et d'ultragauchisme ; mixtures, positions ou postures qu'à vrai dire les *élites* régionales, elles, ont quelque peine à accepter ; au Pays basque, c'est l'influence de l'ETA qu'il faut mettre en cause ; en Bretagne, les poseurs de bombes prétendent agir au nom de l'indépendance ou de l'autonomie locale ; ils sèment

souvent la peur, rarement la mort (un cas quand même, il y a peu). En fait, dans certains cas extrêmes ou extrémistes il est vrai, ils ne représentent qu'eux-mêmes plus une poignée de sympathisants durs ou moins durs ; ils disposent pourtant d'un environnement de sympathies régionales qui, lui, n'est pas négligeable. Qu'ils soient réformistes ou révolutionnaires, ils ont du mal dans la plupart des régions périphériques à dépasser la barre des 5 % ou 10 % aux élections. En serait-il de même aujourd'hui ? De toute manière, les organismes d'expansion économique « provinciale » se sont longtemps méfiés de ces nouveaux zélotes ; ils ne faisaient cause commune avec eux qu'assez rarement ; sauf encore une fois, dans des conditions parfois obscures, en Corse.

4. De 1981 à l'an 1999, le cycle de la protestation des régions semble être entré dans une phase de relatif apaisement, si toutefois on excepte, en effet, le cas isolé de la Corse. La gauche au pouvoir a-t-elle donné satisfaction (en distribuant des « postes ») à certaines aspirations secrètes (non formulées jusqu'alors) de la part des militants ; celles-là parfois prosaïquement matérielles, car il faut bien vivre ; ceux-ci précédemment, dans les provinces éloignées, ayant d'abord sacrifié aux déités ou aux divinités de l'identité régionale avant la présidence mitterrandienne... Ou bien n'est-ce pas plutôt parce que le problème s'est déplacé ? L'immigration des Maghrébins (qui a beaucoup augmenté) produit dans la première génération un prolétariat parfois mécontent et dans la deuxième génération une minorité de jeunes « Beurs » dont les revendications peuvent se mêler d'une certaine violence, notamment dans les banlieues. Brusquement, une prise de conscience s'opère en France, en dehors de toute question politique ; elle met en avant l'unité existentielle, l'uniformité factuelle qui unit entre eux les Français autochtones et même les Européens, qu'ils soient Bretons, Alsaciens, Flamands, habitants du Roussillon, Italiens, Polonais ou Portugais. Enfin les forces puissantes de l'intégration qui sont elles-mêmes le produit d'une société de consommation mercantile, capitaliste et vendeuse d'images écartent souvent les jeunes gens des vieilles recherches auxquelles ils procédaient en direction des « racines ». On voit s'affirmer les valeurs d'une culture internationale : le rock affaiblit

parfois la *fest noz*[3], toujours bien vivante[4] néanmoins ; l'apprentissage de l'anglais triomphe, sans trop de difficultés, de la pédagogie
des dialectes gascons. Exception, quand même : la situation insulaire de la Corse fait contraste avec ces phénomènes d'assimilation.
L'île, en effet, semble résister, peut-être justement à cause de sa
position insulaire, au processus d'intégration ; cette région « corsi-
que », infiniment moins petite qu'on ne pourrait croire, paraît représenter, au cœur de la Méditerranée, un dernier obstacle à la force
assimilatrice de la nation. Jusqu'à un certain point la Corse formule
un défi vis-à-vis des pays du continent européen avec leurs tendances à l'uniformisation et même au mixage culturel ; ce continent
étant lui-même parcouru par les autoroutes, unifié par les médias,
libéré de la fastidieuse obligation des passeports.

Enfin la nationalité française aurait pris parfois le dessus par
rapport aux particularismes périphériques pour être menacée à son
tour par un nouveau *melting pot* dont les capacités fusionnelles
semblent être considérables, un melting pot dans lequel les peuples
de notre petit cap de l'Eurasie sont en quelque sorte « touillés »
sans rémission ni pitié : ces peuples sont soumis à des processus
de destruction ou de renouvellement (?) culturel, vis-à-vis desquels
le prestige de leur propre culture importe assez peu. Voici qu'on a
maintenant la langue anglo-américaine comme sabir ou mode
d'expression dominant. Un flot de productions télévisuelles et audi-
tives nous viennent, qui plus est, depuis l'autre côté de l'Atlantique,
voire de Hongkong. Mentionnons enfin la suppression des barrières
nationales telles que prévues par les différents actes d'unification
européenne. La France sera-t-elle capable, dans ces conditions, de
faire vis-à-vis des nouvelles populations, principalement maghrébi-
nes, voire subsahariennes, le geste unificateur qui lui a tellement
réussi dans le passé à l'égard des anciennes minorités de la périphérie ? Nous sommes placés là devant un problème assez comparable à celui qu'ont connu les États-Unis, dans un contexte fort
différent, vis-à-vis de leurs propres minorités d'immigrants.
L'Hexagone a réussi de façon assez extraordinaire à incorporer ses
périphéries régionales dans le cas des locuteurs des langues germaniques, provençales et bien d'autres. Un deuxième succès, plus
important, plus clair, vis-à-vis des nouveaux immigrants n'est pas

inconcevable pour l'avenir. Le moins qu'on puisse dire, c'est qu'il n'est pas garanti d'avance.

5. Mais l'histoire s'avère décidément imprévisible ! « Que sais-je ? »... L'initiative corse de Matignon en l'an 2000 a-t-elle changé la donne une fois de plus ? La remontée des mouvements sociaux en général depuis 1995 a-t-elle joué un rôle de catalyseur, par rapport aux territoires minoritaires et frontaliers eux aussi ? Un nouveau cycle de contestation régionale [5], non seulement dans l'île, ce qui est usuel, mais aussi sur les périphéries hexagonales (continentales) est-il en train de naître ? On sera, sur ce point, fixé d'ici peu...

Notes

NOTE DE L'AVANT-PROPOS

1. *Le Figaro*, à cette date.

NOTES DE L'INTRODUCTION

1. En revanche, nous excluons de notre enquête les divers faciès de la langue d'oïl, autrement dit de la francité : Normands, Picards, Bourgui-gnons, Champenois, etc.

2. Sur la minorité arménienne en France et ailleurs, voir « Arméniens d'aujourd'hui », *Cahiers de l'Orient*, 1ᵉʳ trim. 2000.

3. Sur quelques aspects typiques de cette immigration irlandaise de l'âge « moderne », voir l'ouvrage fort intéressant de Gabriel de Broglie, *Mac Mahon*, Paris, Perrin, 2000, p. 15-21.

4. ... Sur lesquelles vient de paraître le beau livre de Jacques Solé, *Être femme en 1500*, qui nous « sort » enfin des stéréotypes habituels, relatifs aux sentiers battus et aux femmes battues (non, elles ne l'étaient pas toutes)... On peut se reporter aussi à Susan Pedersen, *The Future of Feminist History*, Perspectives, American Historical Assoc. Newsletter, vol. 37, nº 2, octobre 2000. Mais pourquoi diable parler d'histoire *fémi-niste*. Histoire des femmes ne serait-elle pas plus indiquée...

5. Voir à leur sujet, *infra*, le chapitre *ad hoc* (Savoie, etc.).

NOTES DE LA PREMIÈRE PARTIE :
Les minorités non latines

CHAPITRE 1. ALSACE

1. Philippe Dollinger, *Histoire de l'Alsace*, Toulouse, Privat, 1970, p. 61. François-Georges Dreyfus, *Histoire de l'Alsace*, Paris, Hachette, 1979.

2. *Ibid.*, p. 65-66.

3. *Ibid.*, p. 74.

4. Marc Hug, « La situation en Alsace », *Langue française*, n° 25, février 1975, p. 112-120, en particulier p. 115. Même remarque pour la Bretagne, la Flandre, le Pays basque.

5. Faudrait-il parler, contrairement aux usages, d'un court XIXᵉ siècle (l'expression est de M. François Lafon) ? La guerre de 1870, matricielle d'une Première Guerre mondiale (1914-1918) et donc d'une Seconde (1939-1945) ne serait-elle pas une rupture considérable, préparant d'entrée de jeu un long XXᵉ siècle (1870-1989), lui-même incluant la paix armée (1871-1914), la guerre de trente ans (1914-1945), et la guerre froide : 1945-1989. On irait ainsi de la dépêche d'Ems à la chute du mur de Berlin ; et je le répète, de 1871 à 1989, une douzaine de décennies d'affilée.

6. La Vᵉ République, par contre, avant comme après 1981, a su effectivement décentraliser.

7. E. Reimeringer, « Un communisme régional ? Le communisme alsacien », Actes du colloque de Christian Gras et Georges Livet, *Régions et Régionalismes en France du XVIIIᵉ siècle à nos jours*, Paris, PUF, 1977, p. 361-392 ; et Georges Livet, *Histoire de Colmar*, Toulouse, Privat, 1983, p. 230.

8. Ian Kershaw, *Hitler*, Paris, Flammarion, 2001, vol. 2, p. 488.

9. Pierre Lambert et Géraud Le Marec, *Partis et Mouvements de la collaboration*, Paris, Grancher, 1993 (tendancieux mais factuel).

10. Bernard Vogler (dir.), *L'Alsace*, Beauchesne, Paris, 1987.

11. Sur Hermann Bickler, voir le *Dictionnaire* de Dominique Venner, dans son *Histoire de la collaboration*, Paris, Pygmalion, 2000, p. 549.

12. Ian Kershaw, *op. cit.*, p. 951.

13. *Ibid.*, p. 1067.

14. De décembre 1945 à décembre 1974, *Les Dernières Nouvelles*

d'Alsace en « bilingue » (autrement dit sous les auspices et apparences de la partie essentielle du journal éditée en allemand) ont connu une régression importante, de 83,2 % à 39,06 % par rapport à l'édition purement française, monolingue, laquelle devient prépondérante au cours des mêmes années, passant de 16,80 % à 60,94 % du nombre total des exemplaires diffusés. La chute a continué par la suite et, en l'an 2000, l'édition bilingue ne représente plus que 17 % du total. D'une position très majoritaire, quatre lecteurs sur cinq, le *Hochdeutsch* « journalistique » a donc transité vers un palier fort minoritaire ; moins d'un germanophone sur cinq lecteurs alsaciens des *DNA* ; cependant que les francophones sont maintenant à « quatre sur cinq ». En un gros demi-siècle, il y a eu inversion radicale des proportions. Les mesures prises par le recteur Deyon en 1982 pour introduire trois heures hebdomadaires d'allemand à l'école enfantine n'auront d'effet bien visible – si c'est le cas – qu'au cours des prochaines décennies du XXIᵉ siècle (G. Antoine, ouvrage cité *infra*, p. 690)...

15. *Le Figaro*, 12 août 2000.

CHAPITRE 2. LORRAINE

1. Michel Parisse, *Histoire de la Lorraine*, Toulouse, Privat, 1987, p. 13.

2. Sans qu'il soit question pour autant d'un quelconque progrès des parlers allemands, dans la partie romanophone : pendant dix-huit siècles (jusqu'en 1871), Metz reste constamment un centre de culture latine, romane, puis française. D'où le scandale (sur ce point) de l'annexion allemande ; d'où la « tragique erreur » de Bismarck...

3. Michel Parisse, *op. cit.*, p. 191.

4. *Ibid.*, p. 236.

5. *Ibid.*, p. 272.

6. *Ibid.*

7. Sur la bataille de la Montagne Blanche (colline voisine de Prague), où les protestants de Bohême furent vaincus par l'empereur Ferdinand II (1620), voir le grand livre de Jean-Pierre Chaline, *La Bataille de la Montagne Blanche*, Paris, Noesis, 1999.

8. Cf. Anne Muratori, *Stanislas*, Paris, Fayard, 2000.

9. René Taveneaux, *Histoire de Nancy*, Toulouse, Privat, 1987, p. 297.

10. Emmanuel Le Roy Ladurie, Jean-Paul Aron et Paul Dumont,

Anthropologie du conscrit français 1819-1826, Paris-La Haye, Mouton, 1972. Repris dans Emmanuel Le Roy Ladurie, *Le Territoire de l'historien*, Paris, Gallimard, t. II, p. 99-135.

11. *Heimatbund* : ligue du pays ; *Heimatrecht* : droit au pays.

12. François Lehideux, *Mémoires*, Pigmalion, 2001.

13. Pierre Lambert et Géraud Le Marec, *op. cit.*, p. 206 *sq.* Cet ouvrage, dont la tendance « idéologique » est éventuellement sans mystère, contient pourtant de fort intéressantes informations.

14. La Lorraine « rattachée », complication supplémentaire, fut partiellement concernée par un étrange système « État-parti », lequel sévissait dans l'Allemagne hitlérienne et dans les pays conquis, système d'après lequel c'était le Parti nazi (un Gauleiter) non l'État allemand qui, en principe, gouvernait *in situ*. Dans la réalité, le Gauleiter régional Joseph Bürckel demeurait responsable de la NSDAP (Parti nazi), dans son Gau (allemand) de Sarre-Palatinat, mais il ne put adjoindre à ce Gau la portion de Lorraine annexée ; en celle-ci Bürckel n'était que chef de l'administration civile. Ce qui bien sûr n'était en rien une « consolation » pour les Lorrains transformés de toute manière en sujets momentanés du Führer (Ian Kershaw, *op. cit.*, p. 476).

CHAPITRE 3. FLANDRE

1. Sur ce qui précède et ce qui suit, voir l'excellent ouvrage d'Émile Coornaert, *La Flandre française de langue flamande*, Paris, Éd. ouvrières, 1970.

2. *Ibid.*, p. 59 *sq.*

3. Éric Defoort, *Une châtelaine flamande, Marie-Thérèse Le Boucq de Ternas, 1873-1961*, Éd. des Beffrois, 1985, p. 15.

4. Cette contradiction apparente fait la faiblesse du livre, par ailleurs fort intéressant, de Jacques Toussaert, *Le Sentiment religieux en Flandre à la fin du Moyen Âge*, Paris, Plon, 1963.

5. C'est en 1067 que Dunkerque est mentionnée pour la première fois dans un texte où le comte de Flandre accorde à une abbaye le droit de percevoir la dîme dans certaines localités, dont faisait partie justement Dunkerque, qui n'était alors, semble-t-il, qu'une bourgade ; vers 1170-1180 au plus tard, cette communauté reçoit significativement le statut de ville. La population dunkerquoise évoluerait dans les limites suivantes :

5 000 habitants de 1621 à 1666 ; 10 515 en 1685 ; maximum de 14 000 en 1706 ; puis 10 000 ou 11 000 entre 1713 et 1745 ; on remonte à 13 700 en 1736 ; 16 000 en 1770 ; 27 000 en 1789. Alain Cabantous, *Histoire de Dunkerque*, Toulouse, Privat, 1983, p. 36-37 et p. 89.

6. Louis Trénard, *Histoire des Pays-Bas français*, Toulouse, Privat, 1974, p. 197-226, en particulier p. 219 ; et Émile Coornaert, *op. cit.*, p. 308 *sq.*

7. On retrouvait cette idée, atténuée, dans une formulette jadis courante en région lilloise : « Le [département du] Nord travaille, paie des impôts, et fait des enfants, *lui.* »

8. Éric Defoort, « Jean-Marie Gantois dans le mouvement flamand en France, 1919-1939 », colloque Gras-Livet, *op. cit.*, p. 327-336 ; et aussi, indispensable, Étienne Dejonghe, « Un mouvement séparatiste dans le Nord et le Pas-de-Calais sous l'Occupation (1940-1944) : le Vlaamsch Verbond van Frankrijk », *Revue d'histoire moderne et contemporaine*, 17, 1970, p. 50 *sq.*

9. Voir le cas de Y. Sohier en Bretagne, personnalité très typique en effet (en une autre province) d'un régionalisme de gauche, y compris linguistique.

10. Éric Defoort, « Jean-Marie Gantois... », *op. cit.*, p. 335.

11. Pierre Lambert et Géraud Le Marec, *op. cit.*

12. Robert Badinter, *L'Abolition*, Paris, Fayard, 2000.

13. Pierre Lambert et Géraud Le Marec, *op. cit.*, p. 234 *sq.*

CHAPITRE 4. BRETAGNE

1. Jean Delumeau, *Histoire de la Bretagne*, Toulouse, Privat, 1969, p. 118 *sq.*

2. « Fondations, Rennes et son pays dans l'Antiquité », Musée de Bretagne, an 2000.

3. C'est la théorie bien connue du chanoine Falc'hun.

4. François Furet et Jacques Ozouf, *Lire et Écrire, l'alphabétisation des Français de Pascal à Jules Ferry*, Paris, Minuit, 1977, t. 1, p. 190-191 et 328 *sq.*

5. Annuaire du Collège de France, 1983-1984. Résumé des cours de E. Le Roy Ladurie, p. 745.

6. Jean Delumeau, *op. cit.*, p. 347 *sq.*

7. Nous dirions aujourd'hui « permanente », celle qui se réunit entre les sessions des états de la province.

8. Le terme de recteur désigne le curé.

9. Rita Hermon-Belot, *L'Abbé Grégoire...*, préface de Mona Ozouf, Paris, Seuil, 2000.

10. *Armor*, côte bretonne, par opposition à *Arcoat*, intérieur.

11. Et non pas 240 000 hommes, comme l'écrira R. Rouhaut, dans la revue *Les Temps modernes*, « Histoire du mouvement breton », août 1973, p. 170-193, en particulier p. 176.

12. Anne-Marie Couderc, *Bécassine inconnue*, Paris, Éd. du CNRS, 2000.

13. Voir Suzanne Berger, *Les Paysans contre la politique : l'organisation rurale en Bretagne (1911-1974)*, Paris, Seuil, 1975.

14. Texte cité par Gordon Wright, *La Révolution rurale en France*, Paris, Éd. de l'Épi, 1967.

15. Merci à M. P. pour les indications qu'elle m'a données à ce propos.

16. Il existait cependant des instituteurs de gauche, malgré tout favorables à la langue bretonne et s'efforçant de la préserver. Ce fut le cas de Y. Sohier... père d'une de nos grandes historiennes (voir Jean-Maurice de Montrémy, Mona Ozouf, « Bretonne, laïque... », *L'Histoire*, n° 196, février 1996, p. 14 *sq.*).

17. Gérald Antoine et Bernard Cerquiglini (dir.), *Histoire de la langue française*, III, *1945-2000*, Paris, Éd. du CNRS, 2000, p. 667 ; et Michel Denis, « Mouvement breton et fascisme. Signification de l'échec du second EMSAV », colloque Gras-Livet, *op. cit.*

18. Michel Denis, « Mouvement breton et fascisme... », *op. cit.*, p. 489-506, en particulier p. 499.

19. *Histoire de la Bretagne et des pays celtiques*, vol. 5, *D'une guerre à l'autre 1914-1945*, Skol treizh, 1994 notamment ; et Dominique Venner, *op. cit.*

20. *Ibid.*, p. 610.

21. Hervé Le Boterf dans le grand livre qu'il a consacré à la Bretagne au cours de la guerre (Paris, France Empire, rééd. 2000) et en particulier à la Résistance bretonne présentée par lui sous le jour légitimement le plus favorable, Le Boterf donc a fortement insisté sur la déplorable absurdité de cette « exécution » de l'abbé Perrot.

22. *Op. cit.*, p. 211 *sq.*

23. Jean Philippon, *Services secrets contre cuirassés*, Paris, Nouvelles Éditions latines, 2000.

24. Encore qu'il ne semble pas que l'antisémitisme qui est le « péché

mortel », dans tous les sens de ce terme, tant du vichysme que de la Collaboration, ait été au premier plan des préoccupations des nationalistes, certes pro-allemands, de Bretagne. Mais, sur ce point, je ne m'avancerai qu'avec une infinie prudence, ne disposant pas des textes qui pourraient confirmer ou infirmer une telle suggestion de ma part. Je suis très ouvert à toute révélation à ce propos, dans un sens ou dans l'autre.

25. Voir le remarquable ouvrage de Pascal Ory, *Les Collaborateurs*, Paris, Seuil, 1976, p. 195. On complétera aussi, en tout œcuménisme, par le « Dictionnaire des collaborateurs » de Dominique Venner, dans son *Histoire de la collaboration, op. cit.*

26. Perrot n'était pour rien dans cette dénomination *post mortem* (Pascal Ory, *op. cit.*, p. 258).

27. Voir *supra*, note 24.

28. Côtes du Nord, arrondissement et canton de Dinan.

29. Pierre Rigoulot, *Les Enfants de l'épuration*, Paris, Plon, 1993.

30. On songe, en ce même esprit, quoique dans une veine nullement régionaliste, au livre de Marie Chaix, *Les Lauriers du lac de Constance*, Paris, Seuil, 1974 (rééd. 1998). Et aussi, fort littéraire, en harmonie espérons-le avec notre proposition (ci-dessus), l'excellent ouvrage, tragico-humoristique, de François Dufay, *Le Voyage d'automne*, Paris, Plon, 2000.

31. Comité d'études et de liaison des intérêts bretons.

32. Sur la Bretagne pendant l'occupation allemande, outre les livres déjà cités, il faut consulter aussi le livre de l'ancien maire de Rennes, Henri Fréville, *Archives secrètes de la Bretagne, 1940-1944*, Rennes, Ouest-France, 1985. À voir aussi, œuvres éventuellement déjà indiquées, Jean Delumeau, *Histoire de la Bretagne*, 1969 ; Jean Meyer, *Histoire de Rennes*, Toulouse, Privat, 1972 ; Paul Bois, *Histoire de Nantes*, Toulouse, Privat, 1977 ; Yves Le Gallo, *Histoire de Brest*, Toulouse, Privat, 1976 ; E. Le Roy Ladurie, *Le Territoire de l'historien*, Paris, Gallimard, 1973-1978 ; Suzanne Berger, *Les Paysans contre la politique..., op. cit.* ; André Burguière, *Bretons de Plozévet*, Paris, Flammarion, 1975 ; *Les Temps modernes*, « Les minorités nationales en France », août-septembre 1973.

33. Texte cité dans *Le Spectacle du monde*, septembre 2000.

34. Gérald Antoine et Bernard Cerquiglini, *op. cit.*, p. 684.

35. Nous employons ce mot « à l'anglo-saxonne », sur le mode purement technique, sans connotations péjoratives pour les intéressés.

CHAPITRE 5. PAYS BASQUE

1. Claude Hagège, *Halte à la mort des langues*, Paris, Odile Jacob, 2000, p. 85.

2. D'une façon générale, je remercie le Pr Christian Desplat de l'université de Pau et des pays de l'Adour pour les informations qu'il a bien voulu m'apporter quant à une région qu'il connaît de manière approfondie.

3. Christian Desplat, dans Pierre Bidart, *Société, politique, culture en pays basque*, Bayonne, Elkar, 1986, p. 195.

4. Dernier vers de la Chanson de Roland...

5. Thomas Lefèbvre, *Les Modes de vie dans les Pyrénées atlantiques orientales*, thèse, Paris, Colin, 1933.

6. Voir à ce propos l'intéressant ouvrage de J. Haritschelhar, *Être basque*, Toulouse, Privat, 1983, p. 220.

7. L'expression « se mettre au vert » peut du reste avoir des significations variées, et qui n'ont rien de péjoratif : tel professeur d'université espagnol, trouvant l'atmosphère irrespirable dans la ville effectivement universitaire d'Euskadi-Sud où il enseignait jusqu'alors, viendra en effet chercher un poste en telle université française, à Pau ou ailleurs, pour y respirer enfin l'air de la liberté, académique et autre.

8. La bibliographie du sujet est importante, nous avons utilisé notamment l'étude de Pierre Letamendia, *Nationalismes au Pays basque*, Talence, Presses universitaires de Bordeaux, 1987.

9. Aux élections législatives de mars 1986, les nationalistes de gauche obtenaient 3,8 % des voix au Pays basque français.

10. Gilles Ménage, *L'Œil du pouvoir*, vol. II, Paris, Fayard, 2000, p. 387.

11. *Ibid.*, p. 392.

12. *Journal du dimanche*, 16 juin 2000.

13. Gilles Ménage, *op. cit.*, p. 525, note 1.

14. Le dernier attentat Iparetarrak connu date du 21 octobre 2000, à Cambo-les-Bains, dans les Pyrénées-Atlantiques : il a été commis à l'aide d'une bonbonne de gaz contre une agence immobilière. On n'est donc pas si je puis dire « sorti de l'auberge ».

15. L'impunité pour cet acte politique « innocent » se comprend.

Mieux vaut larcin que bombe... Néanmoins, on imagine le sort désastreux qui attendrait un thésard encagoulé, venu « prélever » de la sorte aux archives, par hold-up quasi public, un document nécessaire à la poursuite de ses savantes recherches...

16. Le préfet des Pyrénées-Atlantiques a porté plainte à ce sujet.

17. Gérald Antoine et Bernard Cerquiglini, *op. cit.*, p. 684.

18. Cette expression humoristique est de M. Raphaël Draï (*Tribune juive*, 26 octobre 2000).

19. *Le Monde*, 17 octobre 2000.

20. En une intéressante page spéciale, *Le Monde* (12 novembre 2000) présente la jeunesse basque française comme de plus en plus attirée par la cause indépendantiste. Il est question, aussi, d'une nouvelle organisation juvénile et régionale, transpyrénéenne, Haïka, pro-autonomiste, et sur laquelle divergent les opinions, celles des militants et celles, plus soupçonneuses, des Renseignements généraux... Quelques bons sondages permettraient sans doute d'y voir plus clair encore quant aux tendances réelles de la jeune génération du PBF.

NOTES DE LA DEUXIÈME PARTIE :
Les minorités latines

CHAPITRE 6. ROUSSILLON

1. Sur tout ceci et ce qui va suivre, voir les deux beaux volumes de notre ancien élève et ami Jean Sagnes, *Le Pays catalan*, t. I et II, Pau, Société nouvelle d'édition régionale et de diffusion, 1983, p. 74 *sq.*

2. Pierre Ponsich, « Des Wisigoths aux Arabes et aux Carolingiens », dans Jean Sagnes, *op. cit.*, vol. I, p. 139-175, en particulier p. 154-155.

3. Grâce à l'Église, et au clergé tant régulier que séculier, les Wisigoths avaient su tempérer par l'idée chrétienne de la justice divine « la conception germanique et romaine de l'autorité monarchique. La loi de Recces-

wint, promulguée en 654 au huitième concile de Tolède, proclamait déjà : *Tu seras roi de ce peuple, si tu agis avec droiture [si recta facis] sinon tu ne le seras pas !* C'est là le ton – et telle est la source – des fameux *fueros* de l'Aragon, jurés plus tard par les rois catalans » (Pierre Ponsich, dans Jean Sagnes, *op. cit.*, tome 1, p. 151).

4. Joaquim Nadal-Farreras et Philippe Wolff, *Histoire de la Catalogne*, Toulouse, Privat, 1982, p. 342.

5. Joseph Calmette et Pierre Vidal, *Histoire du Roussillon*, Paris, Honoré Champion, 1975, p. 158 ; Marcel Durliat, *Histoire du Roussillon*, Paris, PUF, coll. « Que sais-je ? », 1962, p. 79.

6. Il y a cependant un essor économique du XVIᵉ siècle, en Roussillon, notamment grâce à la formation d'une « aristocratie du fer », dans le cadre, bien sûr, d'un artisanat ou d'une industrie métallurgique qui connaît divers développements : *Nouvelle Histoire du Roussillon*, dirigée par Jean Sagnes, Perpignan, Le Trabucaire, 1999, p. 205 (contribution de M. Larguier).

7. Alice Marcet, dans Jean Sagnes, *Le Pays catalan*, tome 1, p. 514.

8. Je remercie ici M. Larguier, parfait connaisseur des peuplements roussillonnais et languedociens d'autrefois, pour ses précieux conseils quant à l'Ancien Régime de sa ou ses régions.

9. Dans Jean Sagnes *et al.*, *op. cit.*, p. 538.

10. L'église catholique post-Vatican II a malheureusement « limogé » le « Georges » en question sous un prétexte assez ridicule : ce saint, paraît-il, n'a jamais existé ! Et alors…

11. *Gran Geografia comarcal de Catalunya*, 1985 (Grande géographie de Catalogne), vol. XIV, consacré au Roussillon, p. 32.

12. Cet essor perpignanais du XVIIIᵉ siècle a même des dimensions assez phénoménales et cosmopolites : le trafic des piastres espagnoles y est évidemment pour quelque chose. M. Larguier, dans ses savantes études, pour peu de temps encore inédites à partir des archives de la ville et de la région, note quelques faillites chrétiennes ou juives se situant aux alentours de 700 000 à 1 million de livres tournois, au terme de relations financières et commerciales avec Cadix, etc. Tout cela est considérable.

13. Selon Mᵐᵉ Alice Marcet (communication personnelle à moi transmise à partir d'une première « mouture », plus brève, du présent texte « périphérique » paru dans l'*Histoire de la France* au Seuil), on ne doit pas dire que « Louis XIII a conquis le Roussillon », mais bien plutôt « que les Catalans, soulevés contre le pouvoir madrilène, ont offert la couronne comtale au roi de France, sous réserve qu'il n'y ait pas d'annexion ». Je donne acte bien volontiers de cette précision à l'éminente historienne catalane. Il demeure que l'impression de « conquête » reste exacte, de

Louis XIII à Louis XIV, dans le long terme, de l'avis même de maints catalanistes. Mais j'admets de bon cœur qu'un historien digne de ce nom ne devrait pas se fier, lui, à de telles « impressions ».

14. À propos de cette expression « avantageuse », Mme Marcet se demande ou me demande « avantages pour qui ? ». J'admets volontiers que les avantages d'une certaine absence de guerre sont inégalement répartis entre les bénéficiaires. Je me permets cependant de considérer que la paix par ailleurs, la paix en soi est un avantage pour tous ; la démonstration en a été faite grâce à toute la pensée pacifiste occidentale depuis Fénelon et, *a contrario*, par l'expérience des guerres cruelles hors d'Europe de 1945 à l'an 2000.

15. Mme Marcet conteste ce « peu de chose ». J'accepte sa critique, mais il reste vrai qu'aucun des mouvements anticentralistes de l'Ancien Régime, nord-catalans et autres, n'égale en violence et en intensité (mutuelle) le soulèvement camisard. La religion, plus forte que l'ethnie ? Aucun mouvement sauf effectivement la guerre de Vendée, qui elle non plus n'est pas ethnique, mais politique, religieuse et sociale.

16. Sur tout ce qui précède, voir Alice Marcet, dans Gérard Cholvy, *Le Languedoc et le Roussillon*, Roanne, Éd. Horvath, 1982, p. 281.

17. *Le Nouvel Observateur*, 25-31 mars 1988, sous la plume de Mona Ozouf, rendant compte de l'ouvrage de Maurice Agulhon, *Histoire vagabonde*, Paris, Gallimard, 1988.

18. Encore que, il faut le dire et le redire, les parlers roussillonnais dans l'oralité populaire étaient proches des dialectes (d'oc) narbonnais, voire biterrois, proches aussi de la langue barcelonaise ou sud-catalane officielle. Il y a, en cette époque, un continuum interdépartemental « oc-catalan ».

19. D'après la *Gran Geografia comarcal de Catalunya*, *op. cit.*, p. 117 et Jean Sagnes, *op. cit.*, t. II, p. 780 *sq.* et 862.

20. « Langue régionale » : Mme Marcet me signale que cette expression ne convient pas. Mais quel adjectif faudrait-il alors employer ?

21. Outre les références susmentionnées dans les notes de ce chapitre, on citera encore ici quelques ouvrages qui nous furent essentiels : Joseph Calmette et P. Vidal, *Histoire du Roussillon*, Paris, Honoré Champion, 1975 ; Joseph Calmette, *Le Roussillon à travers les âges. Chronologie et commentaires* (par Joseph Calmette et P. Vidal), Toulouse, 1944 ; M. Durliat, *Histoire du Roussillon*, Paris, PUF, coll. « Que sais-je ? », 1962 ; *Gran Geografia comarcal de Catalunya*, t. XIV, Barcelone, 1985 ; Jep Pascot, *Légendes, Contes et Récits catalans*, Toulouse, Privat, 1973 ; les deux ouvrages fondamentaux des éditions Privat sur l'histoire de la Catalogne du Nord : Philippe Wolff, *Histoire de la Catalogne*, Toulouse, Privat, 1982

au dernier chapitre ; et, du même auteur, l'excellente *Histoire de Perpignan*, Toulouse, Privat, 1985 ; plus les deux gros et beaux volumes de Jean Sagnes, *Le Pays catalan*, t. I et II, Pau, Société nouvelle d'édition régionale et de diffusion, 1983.

22. Quatrième de couverture de ce livre, Plon, 1973. En fait, la gestation de l'ouvrage, fort intéressant, fut beaucoup plus longue et raisonnable que ne l'indique ce texte « brûlant ».

23. *Le Figaro*, 11 août 2000.

24. D'après Irina de Chirikoff, *ibid.*

25. *Ibid.*

26. Un dernier point, peut-être litigieux : Mme Marcet regrette que j'aie cité Philippe Wolff, directeur de l'*Histoire de Catalogne*, et non point elle-même qui contribua à cet ouvrage, en effet, de façon essentielle. Mais n'est-ce pas le sort commun ? J'ai moi-même contribué, jadis, en un « demi-gros volume » à l'*Histoire économique et sociale de la France*, dirigée par mon maître Fernand Braudel qui n'y a écrit que quelques pages, certes d'une extraordinaire densité, comme tout ce qui venait de sa plume. Néanmoins quand on cite cet ouvrage, c'est toujours le nom de Braudel qui est référé, jamais le mien. Je n'avais point songé à m'en plaindre. Et à vrai dire, je n'y songe toujours pas.

CHAPITRE 7. CORSE

1. L'âpreté de la *vendetta* corse s'explique aussi, originellement (selon les recherches d'historiens anglo-saxons) par le fait, ou par la croyance selon laquelle l'âme du mort (l'âme de la victime), toujours errante et présente, a besoin d'être vengée, et même l'exige.

2. Antoine-L. Serpentini, *Bonifacio*, Ajaccio, La Marge, 1995.

3. Michel Vergé-Franceschi, *Histoire de Corse*, 2 vol., Paris, Éd. du Félin, 1996, vol. I.

4. Antoine-L. Serpentini, *op. cit.*

5. Pierre Antonetti, *Histoire de la Corse*, Paris, Laffont, 1983, p. 216.

6. Clause par laquelle on (Gênes) peut théoriquement se réserver le droit de racheter dans un certain délai la chose vendue (la Corse) en remboursant à l'acquéreur (la France) le prix principal et les frais de l'acquisition.

7. La plus récente publication relative à Paoli est celle, symbolique à souhait, du prince Napoléon : *Charles Napoléon Bonaparte et Paoli*, Paris, Perrin, 2000.

8. Chiffres à comparer avec ceux des États-Unis contemporains : 250 millions d'armes à feu, pour une population de peu supérieure à ce chiffre.

9. Francis Pomponi, *Histoire de la Corse*, Paris, Hachette, 1979, p. 283.

10. Cité par Francis Pomponi, *ibid.*, p. 351 *sq.*

11. Paul Arrighi *et al., Histoire de la Corse*, Toulouse, Privat, 1971, p. 425-428.

12. « La terre est basse » : expression française, surtout méridionale. Dans le Nord de l'hexagone, on disait plutôt : « c'est dur la culture » (= l'agriculture).

13. Jacques Gregori, *Nouvelle Histoire de la Corse*, Jérôme Martineau éd., s.l., 1967, p. 363.

14. Gabriel Xavier Culioli, *Le Complexe corse*, Paris, Gallimard, 1990, p. 236 *sq.*

15. La guerre, faut-il le rappeler, n'est pas intégratrice *a priori* : l'envoi des jeunes Alsaciens sur le front russe à partir de 1941 ne les a nullement rapprochés de l'Allemagne nazie… bien au contraire !

16. Sur tout ceci, voir Ian Kershaw, *op. cit.*, p. 494, 784-785 et 864.

17. Voir à ce propos les grands travaux de M. Graziani qui rectifie certains chiffres abusifs.

18. *Le Figaro*, 14 octobre 2000.

19. Michel Vergé-Franceschi, *Histoire de la Corse*, Paris, Éd. du Félin, vol. 2, p. 503.

20. Yves Lacoste, *Géopolitique des régions françaises*, t. III, Paris, Fayard, 1987, p. 1065 *sq.*

21. Gilles Ménage, *L'Œil du pouvoir*, II, *Face aux terrorismes 1981-1986… Corse, Pays basque*, Paris, Fayard, 2000.

22. Jean-Paul de Rocca-Serra fut longtemps surnommé « là-bas » le Renard argenté, en raison de son apparence capillaire et de ses hautes capacités politiques. Au cours des dernières années, on parlait même à son propos du « Renard blanc »…

23. Action régionaliste corse.

24. Les influences sardes vers le « Nord » ont été souvent évoquées, de nos jours, tout comme en Savoie celles de la ligue padane et d'éléments « italianisants » (Jean-Michel Rossi et François Santoni, *Pour solde de tout compte. Les nationalistes corses parlent*, Paris, Denoël, 2000).

25. Pierre Pasquini, cité dans *Le Figaro*, 14 octobre 2000.

26. Gilles Ménage, *op. cit.* Notons, au passage, que les femmes, tellement présentes sur le Continent dans un mouvement ultra-extrême comme était *Action directe* (Nathalie Ménigon, Joëlle Aubron…), semblent avoir été assez peu activistes, pendant longtemps, dans le FLNC. La parution récente du livre de Marie-Hélène Mattei, *Le Prix du silence* (Éd. Michel Lafon, 2000), représente-t-elle à ce point de vue un tournant ? L'auteur, sympathisante du nationalisme, et à propos d'une tentative de rançon prélevée sur le PDG du golf de Sperone, a écrit ce livre lors d'un séjour en prison, à Fleury-Mérogis.

27. Il y aurait eu d'après *Valeurs actuelles* (28 juillet 2000) près de 2 milliards de francs de subventions européennes à la Corse, pendant une demi-douzaine d'années, au cours de la période immédiatement antérieure à l'an 2000. Jusqu'à quel point ponctionnées, ou exfiltrées, ces subventions ?

28. *Le Figaro*, 14 octobre 2000.

29. *Le Figaro*, 28 octobre 2000.

30. Selon deux journalistes, l'explication de cette non-intervention et du silence présidentiel de la part d'un chef d'État gaulliste tiendrait à l'idée suivante : « Mieux vaut attendre que Jospin s'enferre et en tirer le bénéfice, plutôt que d'adopter trop tôt une position claire et ferme sur la question », prise de position d'autant moins souhaitable qu'elle risquerait fort, éventuellement profrançaise, d'être « ringarde » *[sic]*. Qu'en penserait le général de Gaulle, qui fut en ces matières, grand interventionniste, clair et ferme, en faveur, lui, de l'unité nationale, fut-elle décentralisée (Claude Angeli et Stéphanie Mesnier, *Chirac père et fils*, Paris, Grasset, 2000, p. 150). Notons, enfin, pour la bonne bouche, que M. Juppé a proposé, d'après *Le Monde* daté du 3 novembre 2000, l'organisation, en Corse même, d'un référendum, afin que les insulaires puissent dire, ou non, leur désir de rester français. En novembre 1999 enfin, Jacques Chirac s'est quelque peu démarqué du projet Jospin et il a même parlé de la « nation » (française) et de son unité souhaitable.

31. La question fut posée lors d'une réunion tenue à Corte en la mi-octobre 2000 (*Le Monde*, 17 octobre 2000).

32. Les processus qui pourraient y mener sont du reste complexes. Car comme l'a fort bien écrit Chantal Delsol que je cite approximativement : « si l'on organisait aujourd'hui un référendum, il y aurait fort à parier que les Français du continent réclameraient de laisser la Corse à son destin, alors que les Corses exigeraient de demeurer français » (*Le Figaro*, 14 octobre 2000). Oserons-nous dire que « dans ce cas c'est le principe de l'intérêt matériel qui domine ? Après tout les Tchèques ont, sans trop

de remords, accepté de divorcer d'avec la Slovaquie, province sous-développée qui leur coûtait cher et qui gênait leur entrée dans ce club des riches qu'est l'Europe unie. Les Français trouvent que la Corse leur coûte trop cher. Les Corses, mise à part la minorité trublionne, savent bien que le continent améliore de beaucoup leur niveau de vie, par prestations transmaritimes... ». On assiste ainsi entre l'île et le continent à un ballet de chaises musicales.

33. *Le Figaro*, 25 novembre 1999.

CHAPITRE 8. SAVOIE

1. On consultera, sur ce point, Henriette Walter, *Le Français dans tous les sens*, Paris, Robert Laffont, 1988, p. 146 *sq*.

2. Tout ceci et ce qui suit d'après la *Nouvelle Histoire de Savoie*, Privat, Toulouse, dirigée par Paul Guichonnet (1996). Nous avons également utilisé l'ancienne *Histoire de la Savoie*, Privat, 1984, qui précéda celle que nous venons de mentionner ; elle fut également dirigée par Paul Guichonnet.

3. Voir à ce propos une étude de M. Bernard Rémi, dans les Mélanges offerts à Bernard Grosperrin, recueillis par M. Vergé-Franceschi, Bibliothèque des études savoisiennes, t. I, Montmélian, 1994.

4. Les ressources, financières et autres, du comte de Savoie au milieu du XIIIe siècle, ne s'élèvent qu'au dixième des revenus du roi de France (ancienne *Histoire de Savoie, op. cit.*, p. 177).

5. Robert Muchembled, *Une histoire du Diable*, Paris, Seuil, 2000, p. 58 *et passim*.

6. *Ibid.*, p. 57

7. Il est vrai qu'en nos temps trop « chauds » d'effet de serre, le petit âge glaciaire des temps baroques commence à prendre des allures de fraîcheur nostalgique.

8. E. Le Roy Ladurie, *Histoire du climat depuis l'an mil*, Paris, Flammarion, 1988, chap. IV.

9. Henri Menabrea, *Histoire de la Savoie*, Montmélian, Éd. La Fontaine de Siloé, 1999.

10. Le « second ordre », autrement dit la noblesse.

11. Frédéric Mistral, *Trésor du Félibrige*, art. *cabano*.

12. Paul Guichonnet, *Nouvelle Histoire de la Savoie*, *op. cit.* p. 220.

13. *Ibid.*, et les ouvrages de Jean et Renée Nicolas.

14. Voir le chapitre de J. Nicolas sur la Révolution en Savoie dans Paul Guichonnet, *Nouvelle Histoire de la Savoie, op. cit.* ; ainsi que deux livres essentiels de Jean Nicolas : *Annecy sous la Révolution*, Annecy, Société des Amis du Vieil Annecy, 1966 ; et la *Révolution française dans les Alpes*, Toulouse, Privat, 1989.

15. Georges et Geneviève Frèche, *Les Prix des grains, des vins et des légumes à Toulouse (1486-1868)*, Paris, PUF, 1967, p. 133.

16. Jean Nicolas, *Annecy sous la Révolution*, *op. cit.*, p. 74.

17. Jean Nicolas, *La Révolution française dans les Alpes, Dauphiné et Savoie*, Paris, 1989, p. 200 et 247.

18. *Ibid.*, p. 247 ; voir aussi le sort analogue de Louis XVII après la mort de ses parents, et le destin des enfants Stauffenberg en Allemagne en 1944-1945.

19. Robert Badinter, à propos de la guillotine.

20. Jean Nicolas, *La Révolution française dans les Alpes...*, *op. cit.*

21. D'après Henri Menabrea, *Histoire de la Savoie*, *op. cit.*

22. Jean Nicolas, *La Révolution française dans les Alpes...*, *op. cit.*, p. 222.

23. Jean Nicolas, dans Paul Guichonnet, *Nouvelle Histoire de la Savoie*, *op. cit.*, p. 254.

24. Vaucanson : mécanicien génial de l'époque Louis XV, mais dont les techniques eussent été peu adaptées à « l'organicisme » d'une société humaine façonnée par l'Histoire.

25. Texte cité par E. Le Roy Ladurie dans *Histoire de France*, Paris, Hachette, 1993, *L'Ancien Régime*, vol. III, p. 308.

26. Joseph de Maistre, *Œuvres*, I, *Considérations sur la France*, édition critique par Jean-Louis Darcel, Slatkine, p. 30 *sq.*

27. E. Le Roy Ladurie, *Saint-Simon ou le Système de la Cour*, Paris, Fayard, 1997, chap. VI.

28. Cette transition qui va du renoncement au self-sacrifice, y compris en raison d'une guillotinade appliquée à l'intéressé par quelque « terroriste », a été très bien exprimée par Maistre en 1794, dans la lettre (précitée) à la marquise Costa :

« Je sens que la raison humaine frémit à la vue de ces flots de sang innocent qui se mêle à celui des coupables. Ce n'est pas sans timidité, Madame, et même sans une espèce de terreur religieuse, que je me sens conduit à *traiter*, ou plutôt à *toucher* un des points les plus profonds de la métaphysique divine. [...] Or, dans l'état déplorable de dégradation et de malheur auquel nous sommes condamnés, tous les hommes ont cru dans tous les siècles que les châtiments [souffrances, et aussi macération, privations, ascèse] de l'innocence avoient la double force de comprimer l'action du mal et de l'expier. De là l'idée de ces abstinences, de ces privations volontaires qu'on a toujours crues agréables à la divinité et utiles à la famille humaine. [...].

De là, en particulier, parmi nous, ces ordres [ordres religieux, monastiques, etc.] d'une austérité effrayante, isolés du monde pour être des *paratonnerres*. Mais l'effusion de sang innocent a, surtout, possédé éminemment dans l'opinion de tous les hommes cette force mystérieuse dont je vous parlais tout à l'heure. De là l'idée des sacrifices aussi anciens que l'univers : et prenez garde que les animaux féroces ou stupides, étrangers à l'homme par leur instinct, tel que les animaux carnassiers, les oiseaux de proie, les serpents, les poissons, etc. n'ont jamais été immolés. Pythagore eut beau s'écrier : « Innocentes brebis qu'avez-vous mérité ? », on ne le crut pas ; car aucun homme n'a le pouvoir de déraciner une idée naturelle. À quelques exceptions près qui tiennent à un autre principe, on choisit toujours les victimes les plus précieuses par leur utilité, les plus douces, les plus innocentes, les plus en rapport avec l'homme par leur instinct et leurs habitudes ; les plus *humaines* en un mot, s'il est permis de s'exprimer ainsi ; et l'abus de cette idée produisit les sacrifices humains. Il s'en faut donc de beaucoup que le sang innocent qui coule aujourd'hui soit inutile au monde. Tout a sa raison que nous connoitrons un jour. Le sang de la céleste Élisabeth étoit peut-être nécessaire pour faire équilibre dans le plan général au Tribunal Révolutionnaire, et celui de Louis XVI sauvera peut-être la France. »

29. « Mon neveu est fou à lier », disait, répétons-le, l'évêque et le cardinal Fesch, oncle de Bonaparte, peu après l'apogée (fragile, le prélat ne l'ignorait point) du grand Empire.

30. Ces trois règnes se succèdent effectivement de 1814 à 1849.

31. Lucien Febvre, *Philippe II et la Franche-Comté*, thèse de lettres, Paris, 1911.

32. Ce terme n'était pas tenu pour désobligeant par les Savoyards. Il y avait et il y a encore à Annecy une « rue de l'Annexion ».

33. La phrase exacte est « les chassepots partiraient d'eux-mêmes » (Mac-Mahon *dixit*, en 1873. Chassepot : fusil réglementaire de l'armée française à l'époque).

34. Haute-Savoie (arrondissement et canton de Saint-Julien).

35. Une carte complète de la zone et des zones subdivisionnaires

se trouve dans Guichonnet, *Nouvelle Histoire de la Savoie*, *op. cit.*, p. 306.

36. Édité par Cabédita, en Suisse romande, 1996.

37. La ligue savoisienne compterait aujourd'hui plus de 4 000 adhérents. Elle est « membre observateur » d'un groupe de députés régionalistes à Bruxelles, dans le cadre de l'Europe unie (avec des Écossais, l'UDB bretonne, etc.) ; l'Europe unie, toujours ravie d'« enquiquiner » la France, considérée comme trop centraliste... La Ligue est née d'un groupuscule « Région Savoie », fondé en 1972. À quoi se sont joints des Confédérés du commerce et de l'artisanat, et momentanément certaines personnes en provenance du Front national que l'exemple de la Ligue lombarde avait séduites (d'après *Le Figaro*, 14 août 2000). Mais Patrice Abeille a rompu les liens, par ailleurs, avec ces champions de la Padanie. La ligue capitalise, quoiqu'il en soit, un fond de mécontentement régional qui lui préexistait et qui la dépasse largement. Le mécontentement en question n'a évidemment rien d'exceptionnel, puisqu'il sévit ou fleurit sous des formes variables dans quantité de régions, périphériques ou non, des divers pays d'Europe. La seule France compte, comme chacun sait, soixante millions de sujets, sans compter les sujets de mécontentement. Dans le cas savoyard, et pas seulement savoisien, on se demandera par exemple à tort ou à raison, avec les « Ligueurs », pourquoi cette province doit d'abord regarder vers Lyon (capitale de Rhône-Alpes) et pas vers Genève, débouché naturel ; ou bien, question plus légitime, pourquoi la présidence, si longtemps nonchalante paraît-il, de la Société du tunnel du Mont-Blanc, était-elle située à Paris et pas « sur place », en localisation nord-alpine où peut-être (?) elle aurait mieux prévu la catastrophe que l'on sait... Le cas savoisien-savoyard est d'autant plus intéressant qu'il s'agit là, fait unique en périphérie française, d'un mouvement sans base linguistique propre, autre que francophone ; les dialectes franco-provençaux, dans cette région des Alpes, ayant perdu beaucoup de leur vigueur ancienne...

CHAPITRE 9. LES PAYS D'OC

1. À propos des pays d'oc, je me suis exprimé dans de nombreux ouvrages individuels ou collectifs (*Histoire du Languedoc, Paysans de Languedoc, Montaillou ; Lieux de mémoire, Territoire de l'historien, Pierre Prion scribe*, les deux volumes des *Platter*, etc.). Voir aussi sur ces

problèmes Robert Lafont et André Armengaud, *Histoire de l'Occitanie*, Paris, Hachette, 1979. Pierre Nora, *Lieux de mémoire*, E. Le Roy Ladurie, *Nord-Sud*, vol. II, *La Nation*, t. II, p. 117-140, Paris, Gallimard, 1986, bibliographie, p. 140. E. Le Roy Ladurie, « Un théoricien du développement : Adolphe d'Angeville », dans *Le Territoire de l'historien*, Paris, Gallimard, 1973. François Furet et Jacques Ozouf, *Lire et Écrire, l'alphabétisation des Français de Calvin à Jules Ferry*, Paris, Minuit, 1977, t. I ; Roger Chartier, « Les deux France, histoire d'une géographie », *Cahiers d'histoire*, 1979, p. 393-415. M. Demonet, *La Statistique agricole de la France, vers 1850*, thèse, Paris-I, 1985. Paul Ourliac et Jean-Louis Gazzaniga, *Histoire du droit privé français de l'an mil au Code civil*, Paris, Albin Michel, 1985.

2. Un grand merci à mon collègue Jean Guilaine, du Collège de France, pour les informations et conseils qu'il a bien voulu me donner à ce propos.

3. Alice Marcet, dans Gérard Cholvy, *op. cit.*, p. 278 (s'agissant il est vrai du Roussillon, guère différent, sur ce point, du Languedoc).

4. *Ibid.*, p. 279.

5. D'après Gérard Cholvy *et al.*, *op. cit.*, p. 75.

6. Guy Barruol, dans Gérard Cholvy, *op. cit.*, p. 81-82, 84.

7. Je remercie M. Sintès, du musée d'Arles, pour les renseignements qu'il a bien voulu me fournir à ce propos et sur la suite de l'histoire arlésienne, lors de l'Antiquité tardive et du Très Haut Moyen Âge.

8. Guy Barruol, dans Gérard Cholvy, *op. cit.*, p. 91 *sq.*

9. A : Gaule celtique, Empire romain et postromain ; Gaule carolingienne. B. Narbonnaise romaine pré-impériale ; et périodes variées de l'autonomie aquitaine ou provençale, pendant la seconde moitié du Ier millénaire [A : unité gauloise ; B : division Nord-Sud].

10. Dominique Barthélemy, *L'An mil et la Paix de Dieu*, Paris, Fayard, 2000, p. 306 *sq.*

11. Anne Brenon, *Le Dico des Cathares*, carte p. 210.

12. Nous reprenons ici de façon plus que littérale, les analyses d'Anne Brenon dans ses *Archipels cathares*, Cahors, Dire Éd., 2000, p. 163 *sq.* Nous remercions également M. Chiffoleau, professeur à l'université d'Avignon, pour les précisions qu'il a bien voulu nous apporter, à partir de son considérable savoir, quant à ce vaste sujet. Nous tenons compte, bien sûr, des divergences existant entre les divers auteurs, à ce sujet, pour l'époque envisagée.

13. Sur Napoléon Peyrat, cf. *infra*.

14. Nous laissons de côté le problème des sacrifices humains, en style

aztèque par exemple, et qui sont bannis de la tradition judéo-chrétienne depuis le non-sacrifice d'Isaac par Abraham.

15. Nous employons ce terme au sens où l'on parle du « Beau XIIIe siècle ».

16. On se reportera, à son sujet, aux grands travaux de Gabriel Audisio (voir ci-après, note 22).

17. L'existence même, ou selon certains, la non-existence pure et simple de ce « concile » fait l'objet de savantes polémiques parmi les spécialistes (information aimablement fournie par M. Chiffoleau).

18. Voir l'ouvrage de Werner Schäfke, *La France gothique…*, Paris, Arthaud, 1990, p. 142-187.

19. Anne Brenon, *Archipels…, op. cit.*, p. 34 *sq.*

20. Pierre Tucoo-Chala, *Gaston Phébus, prince des Pyrénées*, Éd. Deucalion, Pau, 1993.

21. Cette reprise démographique et économique constitue l'un des thèmes essentiels de nos *Paysans de Languedoc*, 1966 (partie II, chap. 2). La chronologie tendancielle ainsi proposée est entièrement vérifiée par le bel ouvrage de Gilbert Bou, *Sculpture gothique en Rouergue*, Rodez, 1971, p. 9-11 *sq.*

22. Gabriel Audisio, *Les Vaudois, histoire d'une dissidence, XIIe-XVIe siècles*, Paris, Fayard, 1998.

23. Les Barbes sont les prédicateurs du valdéisme. Leur nom connote un terme d'affection, « avunculaire ». Ils pensent « qu'il vaut mieux obéir à Dieu qu'aux hommes ». Voir aussi à leur propos et sur le valdéisme en général le chapitre « vaudois » d'Anne Brenon, dans *Le Pays cathare*, dirigé par Jacques Berlioz, Paris, Seuil, 2000, p. 125-147.

24. Donatisme : « hérésie » qui doit son nom à Donat, personnage hétérodoxe des débuts du IVe siècle, en Afrique septentrionale.

25. Sur Marseille, et Nîmes au XVIe siècle, voyez notre *Siècle des Platter*, vol. I, partie 3, et vol. II, p. 24-48, 144-156, 229-258 *et passim* (Paris, Fayard, 1995 et 2000).

26. E. Le Roy Ladurie, *Histoire du Languedoc*, Paris, PUF, 1974, p. 64.

27. *Le Mariage de Camardou*, présenté par Christian Desplat, Pau, Éd. du Hédas, s.d. On trouvera une étude détaillée sur le théâtre occitan de cette époque (XVIe-XVIIe siècles) dans E. Le Roy Ladurie, *L'Argent, l'Amour et la Mort en pays d'oc*, Paris, Seuil, 1980 (première partie), ouvrage écrit en collaboration avec Philippe Gardy.

28. Rachel Laudan, « La diététique aux XVIe et XVIIe siècles », *Pour la science*, octobre 2000 ; Olivier de Serres, *Théâtre d'agriculture*, Grenoble, Éd. Dardelet, vol. II, p. 357 *sq.* (recettes d'un grand écrivain languedocien).

29. Bernard Cottret, *La Renaissance 1492-1599*, Éd. de Paris, 2000, p. 53 *sq.* Voir aussi l'intéressant ouvrage de Roger Prevost, *Nostradamus, le mythe et la réalité*, Paris, Laffont, 1999.

30. Sur ces problèmes de sous-développement global et, par contraste, de vive croissance sectorielle ou locale, en diverses régions, ports ou villes du « Midi » aux XVIIIe et même XIXe siècles, on peut consulter nos ouvrages ou contributions, *Histoire du Languedoc, op. cit.* ; *Histoire de la France urbaine* (Seuil, 1981, t. 3, s'aidant notamment des travaux bordelais de Jean-Pierre Poussou) et enfin *Territoire de l'historien* (Seuil, 1973 et 1978, vol. I et II. Anthropologie militaire, D'Angeville, etc.).

31. Charles Carrière, *Négociants marseillais au XVIIIe siècle*, Marseille, Institut historique de Provence, 1973, vol. I, p. 46-47, 49, 63, 209...

32. Claude Grimmer, *Vivre à Aurillac au XVIIIe siècle*, Aurillac, Imprimerie Gerbert, 1983.

33. Voyez Karl Popper, *La Société ouverte et ses ennemis*, Paris, Seuil, 1979.

34. La pensée libérale du ci-devant Périgourdin Fénelon a été bien étudiée par Lucien Jaume, *La Liberté et la Loi*, Paris, Fayard, 2000, p. 49 *sq.* ; Fénelon n'oubliait pas que le Périgord fut pays d'états, et ses liens avec le marquis (périgourdin) Du Lau D'Allmans, cet autre libéral, n'étaient pas dénués d'importance. Je remercie Joëlle Chevé pour les précieuses informations qu'elle m'a fournies à ce propos.

35. Guy Chaussinand-Nogaret, *Le Cardinal Dubois (1656-1723)*, Paris, Plon-Perrin, 2000 (fondamental).

36. Sur Bernis, voir les ouvrages de Jean-Maric Rouart, *Le Cardinal des plaisirs*, Gallimard, 1988 ; de Jean-Paul Desprat (Perrin, 2000) ; de Roger Vailland (Grasset, 1988) ainsi que les *Mémoires* de Bernis lui-même (Mercure de France, 1980).

37. Jacques-Louis Ménétra, *Le Journal de ma vie : Jacques-Louis Ménétra, compagnon vitrier au XVIIIe siècle*, Daniel Roche (éd.), Paris, Albin Michel 1988.

38. Cf. *Jean-l'ont-pris* de l'abbé Fabre savamment publié par Philippe Gardy dans notre ouvrage commun *L'Argent, l'Amour et la Mort en pays d'oc (op. cit.)*, et aussi *Pierre Prion, scribe*, publié par E. Le Roy Ladurie et Orest Ranum (de la John Hopkins University), Paris, Gallimard, 1985.

39. David Bien, *The Calas Affair*, Princeton University Press, 1960.

40. Dario Roldan, *Charles de Rémusat, Certitudes et impasses du libéralisme doctrinaire*, Paris, L'Harmattan, 1999.

41. *Supra*, en notre paragraphe « plattérien ».

42. Alain Molinier a fort bien étudié ce problème des influences protestantes dans les contrats de mariage cévenols, etc. dès 1540-1560.

43. Jacques Frayssenge, Millau, 1668-1789, *Société catholique...,* *et protestante*, Millau, Librairie Trémolet, 1990. Voir aussi du même auteur en collaboration avec Anny Bloch, *Les Êtres de la brume et de la nuit*, Paris, Éd. de Paris, 1994 (sur le mythe catalan et rouergat de Jean Garin).

44. Henry Kissinger, dans les premiers chapitres de son livre *Diplomacy* (trad. fr. *Diplomatie*, Paris, Fayard, 1996), nous dit que la relative modération de Richelieu à l'égard des Réformés, lors de la « grâce d'Alais », est corrélative chez lui d'un souci de ménager les princes protestants d'Allemagne, pour faire contrepoids au danger d'hégémonie en provenance des Habsbourg, et cela en dépit du commun dénominateur catholique, commun à ceux-ci et au cardinal.

45. Voir ci-dessus au chapitre « Savoie » une distinction qu'on peut transposer ici entre *Widerstand* et *Resistenz* : *Résistance* des Camisards, et *Résistence* des Millavois.

46. Yves-Marie Bercé, *Histoire des Croquants,* Paris, Seuil, 1983.

47. Anatoli Ado, *Paysans en révolution*, Paris, Éd. de la Société des études robespierristes, 1996 (un grand livre...).

48. *Ibid.* ; et Hubert C. Johnson, *The Midi in Revolution,* Princeton, 1986, p. 237.

49. P. 190 de son *Midi in Revolution.* Sur Antonelle, ci-après, voir Pierre Serna, *Antonelle* (préface de Michel Vovelle), Paris, Éd. du Félin, 1997.

50. *Démographie et Crises en Bas-Languedoc, 1670-1890*, par Hélène Berlan *et al.*, Montpellier, IRIIIS, 1992, lors du paragraphe consacré aux crises démographiques à l'époque révolutionnaire.

51. Cette « Bagarre » mit aux prises, en juin 1790, des catholiques nîmois, de niveau souvent populaire, à l'encontre de protestants de la ville, ou descendus des Cévennes.

52. Gérard Cholvy, *Civilisations populaires régionales...*, *op. cit.*, p. 454.

53. Daniel Amson, *Gambetta*, Paris, Tallandier, 1994.

54. Voir à ce propos la thèse, essentielle, du regretté Bernart Lepetit, *Les Villes dans la France moderne*, Paris, Albin Michel, 1988.

55. Henriette Walter, *Le Français dans tous les sens,* Paris, Robert Laffont, 1988, p. 143.

56. Pierre Lambert et Géraud Le Marec, *op. cit.*, p. 245 *sq.*

57. PACA = Provence-Alpes-Côte d'Azur.

58. Dans *Histoire de l'extrême droite en France*, ouvrage dirigé par Michel Winock, Paris, Seuil, 1993, p. 252 *sq.*

59. *Le Figaro*, 24 octobre 2000.

60. Henri Lerner, dans Gérard Cholvy, *Histoire du Languedoc de 1900 à nos jours*, Toulouse, Privat, 1980, p. 203 *sq.*

61. Nous employons ce mot selon la coutume anglo-saxonne sans aucune connotation péjorative.

62. Daniel Ligou, *Dictionnaire de la franc-maçonnerie*, Paris, PUF, 1987.

63. Henri Amouroux, *La Grande Histoire des Français après l'Occupation, V, Les Règlements de comptes (septembre 1944-octobre 1945)*, Paris, Robert Laffont, 1991-1999, p. 615 *sq.* (tableaux et statistiques).

64. Basses-Alpes, Hautes-Alpes, Alpes-Maritimes, Ardèche, Ariège, Aude, Aveyron, Bouches-du-Rhône, Cantal, Corrèze, Creuse, Dordogne, Drôme, Gard, Haute-Garonne, Gers, Gironde, Haute-Loire, Lot, Lozère, Pyrénées, Pyrénées-Atlantiques, Hautes-Pyrénées, Pyrénées-Orientales, Tarn, Tarn-et-Garonne, Var, Vaucluse, Haute-Vienne.

65. Basses-Alpes, Alpes-Maritimes, Ardèche, Ariège, Bouches-du-Rhône, Dordogne, Drôme, Haute-Garonne, Gers, Gironde, Lot, Hautes-Pyrénées, Var, Vaucluse, Haute-Vienne.

66. À titre comparatif, et à propos d'une « éruption » analogue dans le passé, on citera le remarquable ouvrage d'Alain Corbin, *Le Village des cannibales*, Paris, Aubier, 1990, sur un fait d'agression collective, antinobiliaire et symboliquement antiprussienne, en Dordogne (août 1870).

67. *Le Figaro*, 15 août 2000, enquête de Irina de Chirikoff.

68. Henriette Walter, *Le Français dans tous les sens*, Paris, Robert Laffont, 1988, p. 143.

69. Gérald Antoine et Bernard Cerquiglini, *op. cit.*, p. 684.

70. *Le Monde*, 13 septembre 2000.

71. *Le Courrier, Territoires et Espaces ruraux*, Paris, n° 104, 1er trimestre 2000, p. 7.

NOTES DE LA CONCLUSION

1. Encore qu'il ne faille pas toujours s'y fier : voyez la Corse.

2. De ce point de vue, les deux unions conjugales successives d'Anne de Bretagne ont valeur d'exemple, pour le moins métaphorique. Mariage forcé d'Anne la Bretonne avec Charles VIII. Puis, veuve, noces d'amour avec Louis XII...

3. Fête de nuit bretonne.

4. Les dernières manifestations celtiques internationales, en Bretagne, au cours de l'an 2000, ont été d'une rare puissance et fort réussies, selon les observateurs.

5. Toute question de contestation étant, par ailleurs, mise de côté, il convient de signaler ici la tenue du récent congrès des écoles en langues régionales, réuni à Villeneuve-sur-Lot. On y a enregistré diverses annonces, telles que celles concernant l'ouverture, cette année, de cent classes bilingues, et la création à venir, très prochaine, d'un concours spécial de recrutement d'enseignants bilingues pour le second degré (*Le Monde*, 9 et 31 octobre 2000). Signalons aussi la parution, toute récente, du remarquable article de Jean-François Chanet, démontrant que ni la Révolution française, ni l'Église, ni la République, ni même les instituteurs n'ont eu partout et toujours l'attitude bêtement hostile et répressive qu'on leur a prêtée trop souvent, dans la vulgate ou *doxa* en vigueur, vis-à-vis des langues régionales (Jean-François Chanet, « La question des langues régionales… », *L'Histoire*, n° 24, novembre 2000, p. 52-59).

Bibliographie

La bibliographie régionale ou « périphérique » en France est d'une ampleur confondante. On ne trouvera ici qu'un nombre limité de références, plus spécialement prochcs des travaux et des centres d'intérêt de l'auteur.

Abbad, Fabrice (sous la dir. de), *La Loire-Atlantique*, Saint-Jean-d'Angély, Éd. Bourdessoules, 1984.

Agulhon, Maurice, *La Vie sociale en Provence intérieure au lendemain de la Révolution*, Paris, Société des études robespierristes, 1970.

–, *Histoire vagabonde*, Paris, Gallimard, 1988.

Albiser, M., *Patrimoine et Culture en Lorraine*, Metz, Éd. Serpenoise, 1980.

Alfonsi, Nicolas, *Déclaration à l'Assemblée de Corse*, réunion du 28 juillet 2000.

[Le point de vue d'un homme politique corse qui se veut, incidemment, français et profrançais...]

Allard, Jean-Marie, *Reliques et Reliquaires limousins*, Bibliothèque municipale de Limoges, 1988.

Allières, Jacques, *Les Basques*, Paris, PUF, 1999.

Altuna, Joseph, *et al.*, *Les Bastides du Béarn et du Pays basque*, Toulouse, Diagram, 1997.

Amouroux, Henri, *La Grande Histoire des Français après l'Occupation*, V, *Les Règlements de comptes (septembre 1944-octobre 1945)*, Paris, Robert Laffont, 1991-1999.

[Sur les chiffres d'exécutions sommaires de 1944-1945, notamment dans le « Midi d'oc ».]

Antonetti, Pierre, *Histoire de la Corse*, Paris, Robert Laffont, 1983.

Appolis, Émile, *Le Diocèse civil de Lodève*, Albi, Imprimerie coopérative du Sud-Ouest, 1951.

[Sur l'histoire administrative et sociale languedocienne : essentiel.]

Arrighi, Paul, *et al.*, *Histoire de la Corse*, Toulouse, Privat, 1990.

–, *Le Livre des dictons corses*, Toulouse, Privat, 1976, rééd. 1987.

–, et Pomponi, Francis, *Histoire de la Corse*, Paris, PUF, 1984.

– et Ettori, Fernand, *et al.*, *Histoire de la Corse*, Toulouse, Privat, 1971.

[Ouvrage capital, au titre d'une « avant-dernière génération » de l'historiographie insulaire. Renvois utiles (p. 403), quant à l'entre-deux-guerres, au *Telegrafo* de Livourne, et à l'*Atlante linguistico* [de la Corse] de Gino Bottiglioni, la seconde référence étant, de l'avis même des auteurs, nettement moins critiquable que la première, toute « télégraphique » et livournaise que puisse être celle-ci.]

Azéma, Jean-Pierre, *et al.*, *Jean Moulin*, Paris, Flammarion, 2000.

[Notamment p. 28-39, la « saga » – finalement tragique – d'un enfant de Béziers ; et, incidemment, données diverses sur la « résistance » biterroise au coup d'État en 1851.]

Barraqué, Jean-Pierre, « Du bon usage du pacte : les passeries dans les Pyrénées occidentales à la fin du Moyen Âge », *Revue historique*, n° 614, avril-juin 2000, p. 307.

[Sur l'une des frontières du pays d'oc.]

Bazille, Frédéric, *Correspondance recueillie par Didier Vaturne*, Montpellier, Les Presses du Languedoc, 1992.

[Mémorial et « tombeau » pour l'artiste qui fut, avec Courbet et quelques autres, l'un des grands peintres des pays(ages) d'oc.]

Bec, Pierre, *La Langue occitane*, Paris, PUF, 1963.

Belloin, Gérard, *Renaud Jean, le tribun des paysans*, Paris, Les Éditions ouvrières, 1993.

[Sur un militant agricole et, plus encore, communiste, dans le Sud-Ouest français.]

Belmont, Alain, *Des ateliers au village*, thèse, Presses universitaires de Grenoble, 1998.

[Sur l'artisanat dans l'Ancien Régime franco-provençal.]

Benoit, Fernand, *Histoire de l'outillage rural et artisanal (1947)*, Marseille, Laffitte Reprints, 1982.

[Un grand livre d'ethnographie méridionale.]

Berger, Suzanne, *Les Paysans contre la politique : l'organisation rurale en Bretagne (1911-1974)*, Paris, Seuil, 1975.

Berlioz, Jacques, Brenon, Anne, *et al.*, *Le Pays cathare. Les religions médiévales et leurs expressions méridionales*, Paris, Seuil, 2000.

Berthe, Maurice, *Le Comté de Bigorre, un milieu rural au bas Moyen Âge*, Paris, Sevpen, 1976.

Béteille, Roger, *Rouergue terre d'exode*, Paris, Hachette-Littérature, 1978.

Bien, David, *L'Affaire Calas*, trad. par Philippe Wolff, Toulouse, Eché, 1987.

[Sur les tendances devenues authentiquement « libéralisantes » du parlement de Toulouse, vers la fin du règne de Louis XV, immédiatement après la malheureuse affaire Calas et sa terminaison.]

Biget, Jean-Louis (sous la dir. de), *Histoire d'Albi*, Toulouse, Privat, 1983 (éd. de poche, 2000).

Bois, Jean-Pierre, *Bugeaud*, Paris, Fayard, 1997.

[Une contribution individualisée, en provenance de l'Occitanie septentrionale, à partir d'une patiente ascension familiale, au bénéfice du devenir militaire et colonial de la France.]

Bois, Paul (sous la dir. de), *Histoire de Nantes*, Toulouse, Privat, 1977.

Bou, Gilbert, *La Sculpture en Rouergue à la fin du gothique*, Rodez, Carrière, 1971.

[Intéressant, sur la haute conjoncture de croissance économique dans le sud du Massif central, après 1450.]

Bougard, Pierre (sous la dir. de), *Le Pas-de-Calais,* Saint-Jean-d'Angély, Éd. Bordessoules, 1989.

Bourdon, Sébastien [peintre prodige du grand siècle, artiste montpelliérain de très haut niveau], dans « Dossiers de l'art », hors série : « dossier » tiré de *L'Objet d'art*, avril 2000.

[Voir aussi le *Catalogue 2000* de l'œuvre de ce peintre, rédigé par Jacques Thuillier, Montpellier, musée Fabre, juillet 2000.]

Boyer, Henri, Gardy, Philippe, Martel, Pierre, *et al.*, *Le Texte occitan de la période révolutionnaire*, Montpellier, Section française de l'Association internationale d'études occitanes, 1989.

Bravard, Yves, *Tignes, vie, mort et résurrection d'une communauté montagnarde*, Chambéry, 1987.

Brenon, Anne, *Les Cathares : pauvres du Christ ou apôtres de Satan*, Paris, Gallimard, « Découvertes », 1997.

–, *Le Dico des Cathares*, Toulouse, Milan Éd., « Les dicos essentiels », 2000.

–, *Les Archipels cathares. Dissidence chrétienne dans l'Europe médiévale*, Cahors, Dire Éd., 2000.

Bubenicek, Michelle, *Le Pouvoir au féminin. Une princesse en politique et son entourage : Yolande de Flandre (1326-1395)*, thèse dactylographiée de l'École des Chartes, Paris, 1994, 4 vol.

Bulletin du Comité flamand de France (publication périodique éditée à Hazebrouck), notamment le numéro de février 2000 sur le bilinguisme en Flandre française (article de Christian Kasper).

Burguière, André, *Bretons de Plozévet*, Paris, Flammarion, 1975. [Important.]

Butel, Paul, *Les Dynasties bordelaises*, Paris, Perrin, 1991.

Cabantous, Alain (sous la dir. de), *Histoire de Dunkerque*, Toulouse, Privat, 1983.

Cahiers de doléances du Comté de Sault (Aude), Éd. Accès, 1998. [Exemples d'un cahier de doléances exagérant fortement la misère locale, aux fins de jérémiade et de détaxation fiscale...]

Calmette, Joseph (sous la dir. de), *Le Roussillon à travers les âges. Chronologie et commentaires*, Toulouse, Privat, 1944.

–, Vidal, Pierre, *Histoire du Roussillon*, Paris, Honoré Champion, 1975.

Canard enchaîné, Le, 20 septembre 2000. [Important article quant au « solipsisme » initial du projet « Matignon 2000 » relatif à la Corse, élaboré sans participation et même à l'encontre, en certains cas, des ministres ou de divers ministres de l'actuel gouvernement français.]

Carrière, Charles, Courdurié, Marcel, Rebuffat, Ferréol, *Marseille ville morte, la peste de 1720*, Marseille, J.-M. Garçon, 1988.

Carrière, Charles, *Négociants marseillais au XVIIIᵉ siècle. Contribution à l'étude des économies maritimes*, Marseille, Institut historique de Provence, 1973. [Essentiel, sur la forte croissance de l'économie marseillaise au temps des Lumières.]

Castellani, Charles, *Histoire de la Corse*, Vichy, Aedis, 2000. [Intéressante chronologie. L'ouvrage néanmoins passe totalement sous silence les influences mussoliniennes en Corse au cours de l'entre-deux-guerres. On a aussi du même auteur, chez le même éditeur, un livret sur Pascal Paoli.]

Catalogue de l'exposition Gérard Ambroselli (un artiste témoin de la Libération de l'Alsace), Mairie de Colmar, novembre 2000.

Catalogue du fonds Saint-François-de-Sales, Bibliothèque municipale d'Annecy, 1986. [À propos de la « catholicité essentielle »... et des élites du monde savoyard.]

Chartier, Roger, « Les deux France. Histoire d'une géographie », *Cahiers d'histoire*, 1979.

Chaussinand-Nogaret, Guy, *Les Financiers de Languedoc au XVIIIe siècle*, Paris, Sevpen, 1970.
[Important.]

Chevé, Joëlle, *Au pays des mille châteaux. La noblesse du Périgord*, Paris, Perrin, 1998.
[Cet ouvrage traite, avec beaucoup d'intelligence, de la noblesse méridionale et du pays de Jacquou le Croquant.]

Cholvy, Gérard (sous la dir. de), *Histoire de Montpellier*, Toulouse, Privat, 1984.

–, *et al.*, *Histoire du Languedoc de 1900 à nos jours*, Toulouse, Privat, 1980.

–, Guilaine, Jean, Barruol, Guy, Bourin-Derruau, Monique, Michel, Henri, Marcet, Alice, *et al.*, *Le Languedoc et le Roussillon*, Roanne, Éd. Le Coteau, Horvath, coll. « Civilisations populaires régionales », 1982.
[Important.]

Chomel, Vital, Belmont A., Favier, R., *et al.*, *Dauphiné, France, de la principauté indépendante à la province (XIIe-XVIIIe siècles)*, Presses universitaires de Grenoble, 2000.

Collomp, Alain, *La Maison du père : famille et village en Haute-Provence aux XVIIe et XVIIIe siècles*, Paris, PUF, 1983.
[Sur les structures familiales, en pays d'oc.]

Colombani, Jean-Marie, *Les Infortunes de la République*, Paris, Grasset, 2000.
[L'Hexagone, considéré dans « l'ovale » du miroir corse. Notamment, p. 71 « De la Corse » : le système segmentaire en cette île.]

Conte, Arthur, *Hommes libres*, Paris, Plon, 1973.
[Autobiographie « chauffée au volcan » d'un Catalan illustre.]

Coornaert, Émile, *La Flandre française de langue flamande*, Paris, Éd. ouvrières, 1969.
[Important.]

Corbin, Alain, *Archaïsme et Modernité en Limousin au XIXe siècle (1845-1880)*, Paris, Marcel Rivière, 1975, 2 vol.

–, *Le Village des cannibales*, Paris, Aubier, 1990.
[Un épisode cannibalesque à mi-chemin de la révolte populaire et du lynchage patriotique... en Dordogne au XIXe siècle.]

Corse, Écologie, Économie, Histoire..., Christine Bonneton Éditeur.

Cremadeills, Jacques (sous la dir. de), *L'Aude de la préhistoire à nos jours*, Saint-Jean-d'Angély, Éd. Bordessoules, 1989.

Culioli, Gabriel Xavier, *Le Complexe corse*, Paris, Gallimard, 1990.
[Ouvrage essentiel, notamment sur l'autonomisme de l'entre-deux-

guerres (avec parfois sa dérive mussolinienne) ; et relativement aussi au « quadriennat » authentiquement résistantialiste de l'île (1940-1943). L'auteur connaît bien, et cite avec précision l'important journal, faut-il dire de tendance autonomiste, intitulé *A Mouvra* (le mouflon), paru avec régularité, à partir de 1920 : publication périodique et parfois... « coruscante », cette *Mouvra* ; comme le note, non sans pertinence, G.X. Culioli.]

Defoort, Éric, *Une châtelaine flamande, Marie-Thérèse Le Boucq de Ternas, 1873-1961*, Dunkerque, Éd. des Beffrois, 1985.

Dejonghe, R., « Un mouvement séparatiste dans le Nord et le Pas-de-Calais sous l'Occupation (1940-1944) : le Vlaamsch Verbond van Frankrijk », *Revue d'histoire moderne et contemporaine*, 17, 1970.

Delorme, Philippe, *Les Grimaldi, 700 ans d'une dynastie*, Paris, Balland, 1996.

[Sur l'une des plus grosses fortunes actuelles en marge extrême-orientale des pays d'oc ; et cela depuis les temps lointains où Saint-Simon, traitant des Grimaldi, écrivait que Monaco est une roche à partir de laquelle, où que l'on soit, « on peut toujours cracher dans la mer ».]

Delsol, Chantal, *Éloge de la singularité*, Paris, La Table ronde, 2000.

[Notamment au chapitre X de ce livre : problèmes d'une éventuelle tyrannie, à base clanique.]

Delumeau, Jean (sous la dir. de), *Documents de l'histoire de la Bretagne*, Toulouse, Privat, 1971.

–, *Histoire de la Bretagne*, Toulouse, Privat, 1969, rééd. 1987.

Demarolle, Jeanne-Marie, Le Moigne, François-Yves, *Histoire de Sarrebourg*, Metz, Éd. Serpenoise, 1981.

Demonet, Michel, *La Statistique agricole de la France en 1852*, thèse, Paris-I, 1985.

[Ouvrage publié en 1990 par l'EHESS sous le titre *Tableau de l'agriculture française...*]

Denis, Michel, « Mouvement breton et fascisme. Signification de l'échec du second EMSAV », Actes du colloque dirigé par Christian Gras et Georges Livet, *Régions et Régionalismes en France du XVIIIe siècle à nos jours*, Paris, PUF, 1977, p. 489-506.

Desprat, Jean-Paul, *La Belle Histoire de Gironde*, Desprat éditeur, 1998.

[Sur le culte, en privé, des reliques, dans le pays d'oc, à l'âge médiéval et moderne, p. 49 *et passim*.]

–, *Le Cardinal de Bernis*, Paris, Perrin, 2000.

Devos, Roger, et Joisten, Charles, *Mœurs et Coutumes de la Savoie du Nord au XIX⁰ siècle*, Annecy, Académie salésienne, 1978.

Deyon, Pierre, et Frémont, Armand, *La France et l'Aménagement de son territoire, 1945-2015*, Dexia, Éditions locales de France, 2000.

Dollinger, Philippe (sous la dir. de), *Documents de l'histoire de l'Alsace*, Toulouse, Privat, 1972.

–, *Histoire de l'Alsace*, Toulouse, Privat, 1970.

Dreyfus, François-Georges, *Histoire de l'Alsace*, Paris, Hachette, 1979.

Dubourg, Jacques, *Histoire des abbayes d'Aquitaine*, Pau, Princi Neguer, 1999.

–, *Histoire des bastides de Midi-Pyrénées*, Bordeaux, Éd. Sud-Ouest, 1997.

–, *Les Guerres de religion dans le Sud-Ouest*, Bordeaux, Éd. Sud-Ouest, 1992.

Dufay, François, *Le Voyage d'automne*, Paris, Plon, 2000.
[Intéressante contribution aux avatars biographiques d'un écrivain – Robert Brasillach – à l'originelle catalanité duquel peu d'auteurs ont jusqu'ici prêté attention.]

Duparc, Pierre, *La Formation d'une ville, Annecy, jusqu'au début du XVI⁰ siècle*, Annecy, Les Amis du Vieil Annecy, 1973.

Dupuy, André, *Histoire chronologique de la civilisation occitane,* en trois volumes (essentiels), Genève, Slatkine, 1998.

Durliat, Marcel, *Histoire du Roussillon*, Paris, PUF, « Que sais-je ? », 1962.

Écho des carrières, L', Bulletin de l'Association culturelle des « Juifs du pape ».
[Publication spécialisée dans l'histoire des juifs de Provence et du Comtat : voir par exemple, au n⁰ 20 du 3⁰ trimestre 1999, l'article bien documenté de D. Iancu sur les juifs provençaux à l'époque du roi René.]

Enjalbert, Henri (sous la dir. de), *Histoire de Rodez*, Toulouse, Privat, 1981.

–, et Cholvy, Gérard, *Histoire du Rouergue*, Toulouse, Privat, 1979, rééd. 1987.

Envol, journal d'action laïque de l'Ardèche, n⁰ 505, décembre 2000.
[Ce périodique, de grande qualité, témoigne d'inévitables hésitations, s'agissant de la pensée laïque ardéchoise, autrement dit « nord-languedocienne », tellement typique de certains pays d'oc. Bob Deville et Marcel Picquier protestent contre l'installation locale d'une faculté *catholique*, qui ne semble pas, pourtant, semer le désordre. Simultanément, dans le même numéro, Jean-Marie Gardès se félicite de l'actuelle

restauration d'une belle *croix de mission*, datée du siècle dernier, au village du Roux.]

Esprit, août-septembre 2000.

[Numéro spécial, fort substantiel, consacré au travail de mémoire, de la part des historiens. Bizarrement, cette excellente revue ne paraît pas faire état de la très essentielle *histoire rurale française* (occitane par exemple, voir les débuts de notre chapitre IX), aux 4 000 premières années de laquelle les contributions de la « mémoire » sont nulles, pour ne pas dire négatives ; tout reposant en fait sur l'archéologie et les datations au carbone 14.]

Ettori, Fernand, Pomponi, Francis, Ravis-Giordani, Georges, *et al.*, *Corse...*, Le Puy, Éd. Christine Bonneton, 1979.

[Plus qu'une somme, une encyclopédie... ; notamment p. 52, sur l'entre-deux-guerres, et *passim*.]

Fabre, Abbé, *Jean-l'ont-pris*, roman d'oc, publié et traduit dans *L'Argent, l'Amour et la Mort en pays d'oc*, par Emmanuel Le Roy Ladurie et Philippe Gardy, Paris, Seuil, 1980.

Faïta, Mino, *Horlogers savoyards. De l'horlogerie à la naissance du décolletage en Savoie*, Thonon-les-Bains, L'Albaron, 1990.

Figeac-Monthus, Marguerite, *Les Lur-Saluces d'Yquem, XVIII*e*-XIX*e* siècles*, Bordeaux, Mollat, Fédération historique du Sud-Ouest, 2000.

Fontette, François de, « Les fractures de l'unité linguistique », dans *Mélanges offerts à Pierre Drai*, Paris, Dalloz, 2000, p. 557 *sq.*

[Vigoureux plaidoyer pour la langue française, à l'encontre d'un certain régionalisme. Au lecteur d'apprécier !]

Frayssenge, Jacques (avec Anny Bloch), *Les Êtres de la Brume et de la Nuit*, Les Éditions de Paris, 1994.

[Données importantes sur le folklore aveyronnais relativement à Jean Grin, loup-garou dont on note l'étonnant cousinage avec le folklore catalan et « mythique » de l'abbaye de Montserrat.]

–, *Millau, une ville du Rouergue sous l'Ancien Régime (1668-1789). Société catholique et protestante*, Millau, Trémolet, 1990.

Fréville, Henri, *Archives secrètes de la Bretagne, 1940-1944*, Rennes, Ouest-France, 1985.

Furet, François et Ozouf, Jacques, *Lire et Écrire, l'alphabétisation des Français de Calvin à Jules Ferry*, Paris, Minuit, 1977.

Galliou, Patrick, et Jones, Michael, *Les Anciens Bretons, des origines au XV*e* siècle*, Paris, Armand Colin, 1993.

« Jean-Marie Gantois dans le mouvement flamand en France, 1919-1939 », dans Christian Gras et Georges Livet, Actes du colloque *Régions et Régionalismes en France du XVIIIᵉ siècle à nos jours*, Paris, PUF, 1977, p. 327-336.

Gardette, Pierre.
[Sur le langage franco-provençal, on se reportera aux nombreuses publications de l'Institut Pierre Gardette, éditées par l'Université catholique de Lyon, rue du Plat, 69288, Lyon Cedex 02.]

Genoux, Claude, *Histoire de Savoie*, Montmélian, La Fontaine de Siloé, 1997.
[Réédition d'un ouvrage ancien mais toujours utile, notamment quant à la chronologie, etc.]

Gilles, Henri, *Les États de Languedoc au XVᵉ siècle*, Toulouse, Privat, 1965.

Godechot, Jacques, *La Révolution française dans le Midi toulousain*, Toulouse, Privat, 1986.

Goyheneche, E., *Le Pays basque*, Pau, 1979.
[Essentiel.]

Gran Geografia comarcal de Catalunya, vol. XIV et XV, Barcelone, Fondation de l'encyclopédie catalane, 1985.

Gras, Christian, et Livet, Georges, Actes du colloque *Régions et Régionalismes en France du XVIIIᵉ siècle à nos jours*, Paris, PUF, 1977.

Graziani, Antoine M., *et al.*, *Les Feux de la Saint-Laurent (Une révolte en Corse au XVIIᵉ siècle)*, Ajaccio, Éd. A. Piazzola, 2000.
[L'œuvre « fin de siècle » de Graziani, grand historien corse de la nouvelle génération, est fondamentale : grosse thèse relative à la « Corse vue de Gênes » et à la Corse génoise ; ouvrages sur la guerre de course, sur Sampiero Corso, sur les tours littorales ; et enfin, une chronique de la Corse (tout ceci généralement édité par A. Piazzola).]

Gregori, Jacques, *Nouvelle Histoire de la Corse*, Paris, Éd. Jérôme Martineau, 1967.
[Données chronologiques un peu démodées, sur le plan de la méthode, mais toujours utiles ; et puis, p. 361 *sq.*, quelques paragraphes importants à propos des origines de l'irrédentisme insulaire au XIXᵉ siècle, sous les auspices notamment de l'abbé Gioberti, au cours des années 1840.]

Grimmer, Claude, *Vivre à Aurillac au XVIIIᵉ siècle*, Aurillac, Gerbert Imp., 1983.

Guichonnet, Paul, *Histoire de l'annexion de la Savoie à la France. Les véritables dossiers secrets de l'annexion*, Montmélian, La Fontaine de Siloé, 1999.

Guigou, Jean-Louis, « Les territoires ruraux dans le nouveau contexte », *Le Courrier des territoires et espaces ruraux*, n° 104, 1er trimestre 2000 [notamment page 7].

Guilaine, Jean (sous la dir. de), *Pour une archéologie agraire*, Paris, Armand Colin, 1991.

–, Faure, Daniel, *et al.*, *Histoire de Carcassonne*, Toulouse, Privat, 1984.

Guiral, Pierre, *Monsieur Thiers*, Paris Fayard, 1986.
[Vie, significative, d'un Provençal « monté à Paris » et couvert d'honneurs « là-haut ».]

Guiraud, Pierre, *Patois et Dialectes français*, Paris, PUF, 1971.

Hagège, Claude, *Halte à la mort des langues*, Paris, Odile Jacob, 2000.

Haritschelhar, Jean (sous la dir. de), *Être basque*, Toulouse, Privat, 1983.

Hellénisme et Hippocratisme dans l'Europe méditerranéenne, Université Paul Valéry, Montpellier, 2000.
[Sur la médecine montpelliéraine, pendant l'Ancien Régime.]

Higounet, Charles (sous la dir. de), *Histoire du Périgord*, Toulouse, Privat, 1983.

– (sous la dir. de), *Histoire de l'Aquitaine*, Toulouse, Privat, 1971.

Hilaire, Yves-Marie (sous la dir. de), *Histoire du Nord-Pas-de-Calais*, Toulouse, Privat, 1982.

Histoire de la Bretagne et des pays celtiques, notamment le vol. V (*D'une guerre à l'autre, Bretagne 1914-1945*), Morlaix, Skol Vreizh, 1994.

Histoire de l'Alsace (sous la dir. de Philippe Dollinger), Toulouse, Privat, 1970.

Histoire de la Savoie (sous la dir. de Paul Guichonnet), Toulouse, Privat, 1973, ainsi que le même ouvrage, largement et fortement complété, sous la direction de M. Guichonnet également et sous le nom de *Nouvelle Histoire de Savoie*, (avec la collaboration de Jean Nicolas *et al.*, Toulouse, Privat, 1996).
[Fondamental.]

Histoire et Généalogie de la maison de Gramont, Paris, Schlesinger, 1874.
[Les Gramont, grande famille ayant bénéficié de protections venues d'une maîtresse d'Henri IV ; lignage qui eut ensuite forte influence au Pays basque français, sous l'Ancien Régime.]

Histoire, L', numéro spécial sur la Corse, n° 244, 2000.

Hug, Marc, « La situation en Alsace », *Langue française*, Paris, Larousse, n° 25, février 1975, p. 112-120.

Izquierdo, Jean-Marie, *La Question basque*, Paris-Bruxelles, Complexe, 2000.
[Une ultime mise au point...]

Jaume, Lucien, *La Liberté et la Loi. Les origines philosophiques du libéralisme*, Paris, Fayard, 2000.
[Sur les doctrines des grands prélats méridionaux de tendance libérale, montés à Paris sous Louis XIV, et ultérieurement : ici, Fénelon. Notamment p. 49-61 et *passim* ; excellent.]

Jeanroy, Alfred, *La Poésie lyrique des troubadours*, 1934, rééd. Slatkine Reprints, Paris, Honoré Champion, 2000.

Johnson, Hubert C., *The Midi in Revolution. A Study of Regional Political Diversity 1789-1793*, Princeton University Press, 1986.

Joutard, Philippe, *Les Cévennes : de la montagne à l'homme*, Toulouse, Privat, 1999.

Julien, J., *Haute-Alsace, le département du Haut-Rhin*, Paris, Éd. J. Delmas, 1985.

Lacoste, Yves, *Géopolitique des régions françaises*, Paris, Fayard, 1987, 3 vol.

Lafont, Robert, Armengaud, André, *Histoire de l'Occitanie*, Paris, Hachette, 1979.
[Important.]

–, *L'Occitanie*, Paris, Seghers, 1987.

–, et Anatole, Christian, *Nouvelle Histoire de la littérature occitane*, Paris, PUF, 1970, 2 vol.
[Fondamental.]

Lambert, Pierre, et Le Marec, Géraud, *Partis et Mouvements de la collaboration*, Paris, Grancher, 1993.
[Ouvrage parfois tendancieux, mais riche en détails sur la Flandre, le pays niçois et la Bretagne au « XXe siècle... ».]

Larcan, Alain, « Les militaires... de Jacques Callot », *Le Pays lorrain*, n° 1, 1992, p. 7-14.
[Quelques aspects des « misères de la guerre », et des auteurs ou fauteurs d'icelles, notamment en Lorraine, à l'époque des guerres de Trente Ans.]

Laurent, Robert, Gavignaud-Fontaine, Geneviève (sous la dir. de), *La Révolution française dans le Languedoc méditerranéen : 1789-1799*, Toulouse, Privat, 1987.

Lauriol, Claude, *La Beaumelle, un protestant cévenol entre Montesquieu et Voltaire*, Genève-Paris, Droz, 1978.

[Intelligentsia méridionale, d'oc en oïl, et retour...]

Le Blévec, Daniel, *La Part du pauvre. L'assistance dans les pays du Bas-Rhône du XIIᵉ siècle au XVᵉ siècle (Languedoc, Provence, Comtat)*, Paris, De Boccard, édition diffusion, 2000.

Le Boterf, Hervé, *La Bretagne dans la guerre (1938-1945)*, Paris, France-Empire, 2000.

[Fondamental.]

Lebrun, François (sous la dir. de), *L'Ille-et-Vilaine*, Saint-Jean-d'Angély, Éd. Bordessoules, 1984.

Lefebvre, Th., *Les Modes de vie dans les Pyrénées atlantiques orientales*, thèse, Armand Colin, 1933.

Le Gallo, Yves (sous la dir. de), *Histoire de Brest*, Toulouse, Privat, 1976.

Leguay, Jean-Pierre (sous la dir. de), *Histoire de Vannes et de sa région*, Toulouse, Privat, 1988.

Le Moigne, François-Yves (sous la dir. de), *Histoire de Metz*, Toulouse, Privat, 1986.

Le Roy Ladurie, Emmanuel

[Parmi ceux de nos ouvrages qui traitent de l'histoire des Pays d'oc, citons *Les Paysans de Languedoc ; Montaillou ; Pierre Prion, scribe ;* deux volumes du *Siècle des Platter ; La Sorcière de Jasmin ; L'Histoire du Languedoc*, dans la collection « Que sais-je ? », etc.]

Le Roy Ladurie, Emmanuel, « Un théoricien du développement : Adolphe d'Angeville », *Le Territoire de l'historien*, Paris, Gallimard, 1973.

–, « Du couvre-chef aux polystyrènes », *Annales ESC*, septembre-octobre 1966, p. 1165 *sq.*

[À propos d'un livre de Serge Moscovici : *Les Vieilles Industries de la vallée de l'Aude.*]

–, Aron, Jean-Paul, Dumont, Paul, *Anthropologie du conscrit français, 1819-1826*, Paris-La Haye, Mouton, 1972.

[Sur les contrastes Nord-Sud, quant aux niveaux de vie, etc.]

–, *Histoire du Languedoc*, Paris, PUF, 2000.

[Édition revue et corrigée.]

–, *Le Territoire de l'historien*, Paris, Gallimard, 1973-1978, 2 vol.

–, *Les Paysans de Languedoc*, Paris-La Haye, Mouton, éd. 1966 et 1974.

–, *Montaillou, village occitan, de 1294 à 1324*, Paris, Gallimard, 1975.

–, « Résumé des cours, 1983-1984 », *Annuaire du Collège de France*, 84ᵉ année, 1984.

Lespagnol, André (sous la dir. de), *Histoire de Saint-Malo et du pays malouin*, Toulouse, Privat, 1984.

Letamendia, Pierre, *Nationalismes au Pays basque*, Talence, Presses universitaires de Bordeaux, 1987.

Ligou, Daniel (sous la dir. de), *Histoire de Montauban*, Toulouse, Privat, 1981.

Ligou, Daniel, *Dictionnaire de la franc-maçonnerie*, Paris, PUF, 1987.
[Puissante personnalité méridionale, Daniel Ligou connaissait bien les problèmes de la maçonnerie en pays d'oc.]

Livet, Georges (sous la dir. de), *Histoire de Colmar*, Toulouse, Privat, 1983.

Livet, Georges, Rapp, Francis, *Histoire de Strasbourg*, Toulouse, Privat, 1987.
[Intelligentsia méridionale, d'oc en oïl, et retour...]

Lovie, Jacques, *Poilus savoyards (1913-1918). Chronique d'une famille de Tarentaise*, Chambéry, Jacques Lovie, 1981.

Lunel, Armand, *Juifs du Languedoc, de la Provence et des États français du pape*, Paris, Albin Michel, 1975.
[Sur l'une des fortes composantes médiévales des pays d'oc, en leur « version » méditerranéenne.]

Maistre, Henri de, *Joseph de Maistre*, Paris, Perrin, 1990.

Maistre, Joseph de, *Œuvres*, I, *Considérations sur la France*, édition critique par Jean-Louis Darcel, Genève, Éditions Slatkine, 1980.

–, *Considérations sur la France*, préface d'Alain Peyrefitte, Paris, Imprimerie nationale, 1993.
[L'une des œuvres essentielles du grand « émigré » savoyard, s'il est permis de le qualifier ainsi.]

Manselli, Raoul, *Spirituels et Béguins du Midi*, traduction par Jean Duvernoy, Toulouse, Privat, 1989.

Marcet, Alice, et Clancier, Georges, *Le Roussillon*, Autrement, 1988 ; et du même auteur (en langue catalane), *Brève Histoire des terres de la Catalogne du Nord*, Perpignan, Trabucaire, 1989.

Marchini, Antoine, *À propos de la Casinca (1770-1968)*, thèse, Université de Nice, 1998.
[La famille élargie serait une « conquête » corse du début du XXe siècle tout autant qu'une « éternelle structure » de la sociologie de l'île...]

« Marseille, l'aventure industrielle [aux XIXe et XXe siècles] », revue *Marseille*, n° 190, avril 2000.

Marteel, Jean-Louis, *Cours de Flamand..., méthode d'apprentissage du dialecte des Flamands de France (Westhoek)*, Condé-sur-Escaut, Miroirs Éditions, 1992.

[Ouvrage de base, quant à l'identité de la FFF, *alias* Flandre française flamingante.]

Marteilhe, Jean, *Mémoires d'un galérien du Roi-Soleil*, édition établie par André Zysberg, Paris, Mercure de France, 1982.
[Heurs et malheurs d'un protestant méridional, sous Louis XIV.]

Mattei, Marie-Hélène, *Le Prix du silence*, Neuilly-sur-Seine, Michel Lagon, 2000.
[Réflexion féminine sur le nationalisme corse : contrairement aux apparences (trompeuses), celui-ci n'est pas « exclusivement » masculin.]

McPhee, Peter, *Les Semailles de la République dans les Pyrénées-Orientales, 1846-1852. Classes sociales, culture et politique*, préface d'Alain Corbin, Perpignan, Les Publications de l'Olivier, 1995.
[Important.]

« Méditerranée, de Courbet à Matisse », exposition au Grand Palais, Paris, septembre 2000.
[Les peintres français des XIXᵉ-XXᵉ siècles face aux « rivages d'oc » de la mer intérieure. Parmi ces artistes qui ont découvert ou redécouvert la Méditerranée (d'oc, en effet, et nord-catalane), à l'usage de la sensibilité nationale ou mondiale, on citera : Courbet, Monet, Meissonnier, Cézanne, Matisse, Maillol, Valtat, Bonnard, Marquet…]

Mélanges offerts à Bernard Grosperrin, recueillis par M. Vergé-Franceschi, Bibliothèque des études savoisiennes, t. I, Montmélian, 1994.

Menabrea, Henri, *Histoire de la Savoie*, Montmélian, La Fontaine de Siloé, 1999.

Ménage, Gilles, *L'Œil du pouvoir*, II, *Face aux terrorismes 1981-1986. Action directe, Corse, Pays basque*, Paris, Fayard, 2000.
[Important.]

Météorologie et Catastrophes naturelles dans la France méridionale à l'époque moderne, Actes du colloque de 1992 recueillis par Anne Blanchard, Henri Michel et Élie Pelaquier, Montpellier, Université Paul-Valéry, 1993.

Meyer, Jean (sous la dir. de), *Histoire de Rennes*, Toulouse, Privat, 1972.

Michaud, J. (sous la dir. de), *Histoire de Narbonne*, Toulouse, Privat, 1981.

Minois, Georges, *Histoire de la Bretagne*, Paris, Fayard, 1992.
[Important.]

« Les minorités nationales en France », *Les Temps modernes*, août-septembre 1973.

Molinier, Alain, « Esquisse d'une histoire du notariat en Languedoc oriental, des origines à la fin du XVIIᵉ siècle », *Le Gnomon* (Revue internationale du Notariat), février 1996.

–, Cholvy, Gérard, Saint-Jean, Robert de, *Histoire du Vivarais*, Toulouse, Privat, 1988.
  [Important, notamment sur Olivier de Serres et sur les guerres de religion des années 1620, spécialement destructrices en Vivarais.]
Moqueries savoyardes. Monologues polémiques et comiques en dialecte savoyard (1594-1604), édition établie par Anne-Marie Vurpas, préface de Gaston Tuaillon, Lyon, La Manufacture, 1986.
  [Le préfacier de cet ouvrage n'est autre que l'un des plus grands spécialistes de la culture franco-provençale.]
Muratori-Philip, Anne, *Le Roi Stanislas*, Paris, Fayard, 2000.
  [Notamment p. 140 *sq.* : sur la Lorraine au XVIIIᵉ siècle ; fondamental.]

Naissance, Enfance et Éducation dans la France méridionale du XVIᵉ au XXᵉ siècle. Hommage à Mireille Laget, Montpellier III-Université Paul-Valéry.
Napoléon (Le prince), *Charles, Bonaparte et Paoli*, Paris, Perrin, 2000.
  [Le dernier ouvrage, en date, sur Paoli.]
Nguyen, Victor, *Aux origines de l'Action française*, Paris, Fayard, 1991.
  [Sur l'arrière-plan provençal de la pensée maurrassienne.]
Nicolai, Jean-Baptiste, *Vive le roi de Corse*, notes et documents sur Théodore de Neuhoff, Ajaccio, Cyrnos et Méditerranée, 1981.
Nicolas, Jean
  [Outre ses divers ouvrages, Jean Nicolas a bien voulu nous confier un certain nombre de dossiers qu'il a constitués sur les problèmes savoyards, tant historiques que contemporains.]
Nicolas, Jean et Renée, *La Vie quotidienne en Savoie aux XVIIᵉ-XVIIIᵉ siècles*, Paris, Hachette, « Littérature », 1979.
Nicolas, Jean, *Annecy sous la Révolution, 1792-1799*, Société des Amis du Vieil Annecy, 1966.
–, *La Révolution française dans les Alpes, Dauphiné et Savoie*, Toulouse, Privat, 1989.
–, *La Révolution française dans les Alpes, Dauphiné et Savoie*, Paris, Payot, 2000 (Paris, Payot, 1989).
–, *La Savoie au XVIIIᵉ siècle, noblesse et bourgeoisie*, Paris, Maloine, 1977.
  [Essentiel.]
–, Vincent, Bernard, Gauthier, Florence, *et al.*, *Mouvements populaires et Conscience sociale*, Paris, Maloine, 1985.
  [Articles divers, et mainte fois suggestifs, sur les révoltes en pays d'oc, ainsi que dans d'autres aires périphériques.]
Niebor, Carlos Q., « De Bolonia a Montpellier. Evocacion y reminiscencias

de Henri de Mondeville y de Guy de Chauliac », *Workshop*, Marcelli, Ancône, novembre 1999, p. 37, 41.

Nières, Claude (sous la dir. de), *Histoire de Lorient*, Toulouse, Privat, 1988.

Nirascou, Gérard, « Enquête sur Perpignan et le Roussillon », *Le Figaro*, 26 décembre 2000.
[Faible importance, selon cet auteur, et judicieuse non-violence du catalanisme proprement politique au nord de la chaîne pyrénéenne ; mais ce texte contient aussi quelques données (outre Unitat Catalana), sur le Partit per Catalunya, Esquera republicana et Juventut nationalista, simple trio de groupuscules, cependant, si l'on en croit Gérard Nirascou.]

Nora, Pierre, *Lieux de mémoire*, II, *La Nation*, Paris, Gallimard, 1986.
[Fondamental.]

Nouvelle Histoire du Roussillon, sous la direction de Jean Sagnes, avec la participation de Monique Clavel-Lévêque, Gilbert Larguier, Alice Marcet *et al.*, Perpignan, Trabucaire, 1999.

Ory, Pascal, *Les Collaborateurs, 1940-1945*, Paris, Seuil, 2000.
[Essentiel, s'agissant notamment de certaines régions périphériques.]

Otis, Leah Lydia, *Prostitution in Medieval Society. The History of an Urban Institution in Languedoc*, Chicago, University of Chicago Press, 1985.
[Sur les « amours » occitanes…, hors troubadourisme.]

Ott, Florence, *La Société industrielle de Mulhouse, 1826-1876*, préface de Louis Bergeron, Presses universitaires de Strasbourg, 2000.
[Vues et données sur la HSP alsacienne, ici mulhousienne, *alias* « Haute société protestante ».]

Ourliac, Paul, Gazzaniga, Jean-Louis, *Histoire du droit privé français, de l'an mil au Code civil*, Paris, Albin Michel, 1985.

Ozouf, Jacques, *voir* Furet, François.

Pacteau de Luze, Séverine, *Les Protestants et Bordeaux*, Bordeaux, Mollat, 1999.
[Au sujet de la renaissance protestante en Gironde, surtout à partir de 1750.]

Parisse, Michel (sous la dir. de), *Histoire de la Lorraine*, Toulouse, Privat, 1977, rééd.

Pascot, Jep (sous la dir. de), *Légendes, Contes et Récits catalans*, Toulouse, Privat, 1973.

Patrimoines, Les, Éditions du *Dauphiné libéré* (Grenoble) ; série d'opuscules bien informés et mainte fois intéressants, parus lors des dernières années du XXᵉ siècle ; ils concernent, quant à la Savoie notamment, les *peintres alpins*, les *fortifications*, les *troupes alpines*, la *Maurienne* comme terre d'histoire, etc.

Pelaquier, Élie, *et al.*, *Démographie et Crises en Bas-Languedoc, 1670-1890*, Montpellier, Irhis, 1992.

Peronnet, Michel (sous la dir. de), *Chaptal*, Toulouse, Privat, 1988.
[Un Languedocien à l'assaut de la science... et du pouvoir.]

Pinaud, Pierre-François, *Cambacérès*, Paris, Perrin, 1996.
[Un juriste montpelliérain, à la conquête du « pouvoir parisien ».]

Pingon, Jean de, *Savoie française... Histoire d'un pays annexé*, Saint-Gingolph, Cabedita, 1996.

Platch'ou
[Revue patrimoniale de la Flandre maritime (française), onze numéros parus au 1er trimestre 2000.]

Pomponi, Francis, *Histoire de la Corse*, Paris, Hachette, « Littérature », 1979.

– (sous la dir. de), *Histoire d'Ajaccio*, avec la contribution de Paul Silvani, Ajaccio, Éd. La Marge, 1999.

Ponsich, Pierre, « Des Wisigoths aux Arabes et aux Carolingiens », dans Jean Sagnes, *Le Pays catalan*, Pau, Société nouvelle d'éditions régionales et de diffusion, 1984, p. 139-175.
[Ce « Pays catalan » est à lui tout seul un recueil absolument essentiel, dirigé par Jean Sagnes.]

Population et Avenir, n° 649, septembre-octobre 2000.
[Tableaux statistiques de la p. 7 : Paris étant mis hors jeu, les neuf ou dix plus grandes agglomérations et plus grandes communes de France sont toutes « appartenantes » aux ci-devant minorités périphériques ; ou satellites d'icelles ; ce sont Lyon et Grenoble (zone franco-provençale) ; Marseille-Aix, Toulon, Montpellier, Toulouse, Bordeaux et Nice (les pays d'oc), Strasbourg (Alsace), Nantes (quasi-Bretagne), Lille, Douai et Lens (satellites d'une plus grande Flandre, elle-même francophone et/ou néerlandophone, intra-française, et hors frontières). Ceci montre bien que l'histoire de la France périphérique est aussi, à part entière, une histoire périphérique de la France ; elle constitue en somme un aspect essentiel de « l'histoire de France ». Quant à la France d'oïl proprement dite, elle ne compte qu'*une seule* très grande agglomération, gigantesque, il est vrai ; et bien sûr, c'est Paris.]

Premiers Paysans du monde. Naissance des agricultures, sous la direction de Jean Guilaine, Paris, Éd. Errances, 2000.
[Essentiel pour « oc ».]

Rambaud, Placide, et Vincienne, Monique, *Les Transformations d'une société rurale. La Maurienne (1561-1962)*, Paris, Armand Colin, 1964.

Raulin, Henri, *L'Architecture rurale française, Savoie*, Paris, Berger-Levrault, 1977.

Reimeringer, B., « Un communisme régional ? Le communisme alsacien », dans *Régions et Régionalismes en France du XVIIIe siècle à nos jours*, colloque Christian Gras et Georges Livet, p. 361-392.

Ricalens, Henry, *Castelnaudary au temps de Catherine de Médicis*, Toulouse, Presses de l'Institut d'études politiques de Toulouse, 1999.

Ricketts, Peter T., *Contributions à l'étude de l'ancien occitan : textes lyriques et non lyriques en vers*, Birmingham, AIEO (Association internationale d'études occitanes), 2000.

Ricœur, Paul, *La Mémoire, l'Histoire, l'Oubli*, Paris, Seuil, 2000.
[Très belles études sur Histoire et Mémoire, celle-ci totalement incompétente, néanmoins, quant à l'histoire agraire, et notamment occitane, datée… uniquement au carbone 14 entre 5800 et 300 avant Jésus-Christ. Les philosophes de la mémoire ou de l'antimémoire, éminents certes, devraient davantage tenir compte de telles données.]

Rigoulot, Pierre, *L'Alsace-Lorraine pendant la guerre 1939-1945*, Paris, PUF, 1998 ; et, du même auteur, *La Tragédie des Malgré-nous*, Paris, Denoël, 1990.
[Sur le drame des Alsaciens-Lorrains, après 1940.]

–, *Les Enfants de l'épuration*, Paris, Plon, 1993.
[Notamment le chapitre intitulé « Malo, Tanguy… et l'auteur de leurs jours » : à propos d'Olier Mordrel.]

Roelker, Nancy Lygman, *Jeanne d'Albret, reine de Navarre, 1528-1572*, Paris, Imprimerie nationale, 1979.
[Une femme de pouvoir, protestante, béarnaise, voire méridionale.]

Roldá, Darío, *Charles de Rémusat. Certitudes et impasses du libéralisme*, Paris, L'Harmattan, 1999.
[Sur les origines familiales et méridionales d'un certain libéralisme.]

Rossi, Jean-Michel, Santoni, François, Entretiens avec Guy Benhamou, *Pour solde de tout compte. Les nationalistes corses parlent*, Paris, Denoël, 2000.
[Ce livre a-t-il valu à J.-M. Rossi d'être assassiné, lâchement c'est le moins qu'on puisse dire…]

Rouart, Jean-Marie, *Bernis, le cardinal des plaisirs*, Paris, Gallimard, 1998.

Rouch, Michel, *L'Aquitaine 478-781*, Paris, EHESS, 1976.
[Fondamental.]

Rouhaut, R., « Histoire du mouvement breton », *Les Temps modernes*, août 1973, p. 170-193.

Sagnes, Jean (sous la dir. de), *Histoire de Béziers*, Toulouse, Privat, 1986.
– (sous la dir. de), *Histoire de Sète*, Toulouse, Privat, 1987.
– (sous la dir. de), *Le Pays catalan*, Pau, Société nouvelle d'éditions régionales et de diffusion, 1984, 2 vol.
[Essentiel.]
Saint-Robert (Philippe de) a publié dans la revue *Lettres*, Bulletin de l'Association pour la sauvegarde de la langue française, par ses soins dirigé (n° 27, en février 2000), un important dossier relatif aux langues régionales, contresigné par ses divers collaborateurs.
Schäfke, Werner, *La France gothique... Les cathédrales* (trad. de l'allemand), Paris, Arthaud, 1990.
[Utile, quant au gothique méridional.]
Séguy, Jean, *Le français parlé à Toulouse*, Toulouse, Privat, 1978.
Serpentini, Antoine L., *Bonifacio*, thèse d'histoire, Ajaccio, La Marge, 1995.
Silvani, Paul
[Cet auteur a donné à propos de son île, une bonne douzaine d'ouvrages importants, et vivants, parmi lesquels : *Bandits corses, Ça s'est passé en Corse, Et la Corse fut libérée, La Corse des révolutions, Histoire d'Ajaccio, La Légende des Corses, L'Or bleu de la Corse*. Citons aussi son bel article du *Monde* (6 septembre 1993) sur la libération de la Corse, à propos également des « querelles claniques Giraud-de Gaulle » qui allaient s'ensuivre.]
Silvani, Paul, *La Corse des années ardentes*, Paris, Albatros, 1976.
Songeon, Just, *Just Songeon et le Patois savoyard, Littérature, Poèmes, Chansons*, Annemasse, Presses de Savoie, 1980.
Soudan, Paul, *Au pays du Mont-Blanc. Histoire de Passy*, Bonneville, Plancher Imp., 1978.
Stivell, Alan.
[On trouvera un résumé de sa contribution au dialogue interceltique et « franco-breton » dans *Le Monde*, 10 mai 2000.]
Stouff, L.-S., *Arles à la fin du Moyen Âge*, thèse de l'Université d'Aix-en-Provence, Éditions de l'Université Lille-III, 1986.
Sweets, John F., *Clermont-Ferrand à l'heure allemande* (grosse thèse d'histoire, traduction française), Paris, Plon, 1996.
[Ouvrage fort critique à l'égard de certaines « approximations », des plus partiales et « chagrinantes », elles-mêmes en provenance d'un film

illustre et qui fit date, relativement à la capitale nord-occitane au temps de l'occupation allemande.]

Taveneaux, René (sous la dir. de), *Histoire de Nancy*, Toulouse, Privat, 1978, rééd. 1987.
[Parmi les ouvrages du grand historien de la province de l'Est, on signalera, ici, *Le Jansénisme en Lorraine, 1640-1789*, Paris, Vrin, 1960.]
Toussaert, Jacques, *Le Sentiment religieux en Flandre à la fin du Moyen Âge*, Paris, Plon, 1963.
Trenard, Louis (sous la dir. de), *Histoire des Pays-Bas français*, Toulouse, Privat, 1972.
–, *Documents de l'histoire des Pays-Bas français*, Toulouse, Privat, 1974.
–, *Histoire d'une métropole : Lille-Roubaix-Tourcoing*, Toulouse, Privat, 1977.
–, *Histoire de Lille, de Charles V à la conquête française (1500-1715)*, Toulouse, Privat, 1981.
Tucoo-Chala, Pierre (sous la dir. de), *Histoire de Pau*, Toulouse, Privat, 1989.
–, *Gaston Fébus, prince des Pyrénées (1331-1391)*, Pau, Deucalion, 1993.
[Important.]
Turbé, Serge, *Ataxie pour Hazebrouck*, Paris, Éd. Baleine, « Le Poulpe », 1998.
[Curieux roman qui traite du nationalisme flamand en France, avec référence humoristique à l'abbé Gantois.]

Vaunage au XXe siècle, La (sous la dir. de Jean-Marc Roger), FAG Nîmes, 2000.
[Vaunage, pays de forte « imprégnation » protestante, à l'est de Nîmes.]
Venard, Marc, et Chiffoleau, Jacques, *Histoire de la France religieuse*, dirigée par Jacques Le Goff et René Rémond, vol. II. *Du christianisme flamboyant à l'aube des Lumières XVIe-XVIIIe siècle* (contributions de François Lebrun, Marc Venard et Jacques Chiffoleau), Paris, Seuil, 1988.
[Données régionales sur le protestantisme, dont on sait l'importance aux pays d'oc, en Alsace, etc.)
Venner, Dominique, *Histoire de la Collaboration*, Paris, Pygmalion, 2000.
Verdaguer, Pierre, « Henri Bosco et l'utopie méridionaliste », dans *French review* (USA), vol. 74, n° 1, octobre 2000, p. 106-119.

Vergé-Franceschi, Michel, *Histoire de Corse*, 2 vol., Paris, Éditions du Félin, 1996.

Vermes, G. éd., *25 communautés linguistiques de la France*, t. I, *Langues régionales*, Paris, L'Harmattan, 1988.

Vic, Claude de (*alias* Devic), et Vaissète, Joseph, *Histoire générale de Languedoc*, Toulouse, Privat, 1974, 15 vol.

Villani, Pasquale, *Mezzogiorno tra riforme e rivoluzione*, Rome-Bari, Laterza, 1973.
[Au titre de l'histoire comparée : la question méridionale.]

Vogler, Bernard (sous la dir. de), *L'Alsace*, Paris, Beauchesne, 1987.

Wallace, Peter G., *Communities and Conflict in Early Modern Colmar, 1575-1730*, New Jersey, Humanity Press International, 1995.

Walter Henriette, *Le Français dans tous les sens*, Paris, Robert Laffont, 1988 et Le Livre de poche, 1996.
[Cartographie des langues régionales ; et données diverses.]

Weber, Eugen, *La Fin des terroirs*, Paris, Fayard, 1983.
[Nombreuses données sur les pays d'oc... et autres.]

Wilcox, George, « De la cueillette à l'agriculture », *Pour la science*, n° 274, août 2000.
[Texte important quant aux origines de la céréaliculture méditerranéenne, entre 10300 et 8300 avant notre ère, en Syrie du Nord, notamment ; le tout au bénéfice ultérieur, si l'on peut dire, de la Provence et du Languedoc, où ces « dons de l'Est » arriveront... vers 5800 avant Jésus-Christ.]

Wilson, Stephen, *Feuding, Conflict and Banditry in Nineteenth-Century Corsica*, Cambridge University Press, 1988.
[Essentiel.]

Winock, Michel (sous la dir. de), *Histoire de l'extrême droite en France*, Paris, Seuil, 1993.
[Ce livre contient des textes importants relatifs à la « méridionalisation » du Front national.]

Wolff, Philippe (sous la dir. de), *Documents de l'histoire du Languedoc*, Toulouse, Privat, 1969.

Wolff, Philippe (sous la dir. de), *Histoire de la Catalogne*, Toulouse, Privat, 1982.

Wolff, Philippe (sous la dir. de), *Histoire de Toulouse*, Toulouse, Privat, 1974, rééd. 1986 et 1988.

– (sous la dir. de), *Histoire du Languedoc*, Toulouse, Privat, 1967, rééd. 1988.

–, *Commerce et Marchands* de *Toulouse, 1350-1450*, Paris, Plon, 1954.
–, *Le Diocèse de Toulouse*, Paris, Beauchesne, 1983.
Wytteman, Jean-Pierre (sous la dir. de), *Le Nord, de la préhistoire à nos jours*, Saint-Jean-d'Angély, Éd. Bordessoules, 1988.

Zysberg, André, *voir* Marteilhe, Jean.

Index des noms de personnes

418

Au terme de l'énumération qui précède, il nous est agréable de distinguer parmi tant de noms, celui d'Henriette Walter, éminente chercheuse, dont la vision spatiale des minorités périphériques, et d'abord linguistiques, nous fut précieuse à plus d'un titre. Nous signalerons également, dans le même esprit, la contribution de Jacme Taupiac ; elle s'est voulue, pour sa part, plus spécifiquement occitane. Félicitons enfin, de tout cœur, Irina de Chirikoff.

Index des noms de lieux

Table

PREMIÈRE PARTIE

Les minorités
non latines

DEUXIÈME PARTIE

Les minorités
latines

DU MÊME AUTEUR

Les Paysans de Languedoc
EHESS, 1966 ; rééd. abrégée Flammarion, 1988

Histoire du climat depuis l'an mil
2 vol., Flammarion, 1967 ; rééd. 1988

Montaillou, village occitan de 1294 à 1324
Gallimard, 1975, 1982

Le Territoire de l'historien
2 vol., Gallimard 1973 et 1978

Le Carnaval de Romans, 1579-1580
Gallimard, 1980

direction et contribution
tome 2 de Histoire de la France rurale
sous la direction de G. Duby et A. Wallon
Seuil, 1975

L'Argent, l'Amour et la Mort
en pays d'oc. *Précédé de*
« Jean-l'ont-pris », par l'abbé Fabre (1756)
en collaboration avec Philippe Gardy
Seuil, 1980

direction et contribution
tome 3 de Histoire de la France urbaine
sous la direction de G. Duby
Seuil, 1981

Paris-Montpellier PC-PSU, 1945-1963
Gallimard, 1982

La Sorcière de Jasmin
avec fac-similé de l'éd. originale bilingue (1842)
De la Françouneto de Jasmin
Seuil, 1983

L'État royal
Hachette littérature, 1987

L'Ancien Régime
Hachette Littérature, 1991 ; rééd. 2000

Le Siècle des Platter
1. Le mendiant et le professeur
Fayard, 1995

L'Historien, le Chiffre et le Texte
Fayard, 1997

Saint-Simon ou le Système de la cour
avec la collaboration de Jean-François Fitou
Fayard, 1997

Le Siècle des Platter
2. Le voyage de Thomas Platter
en collaboration avec Dominique Liechtenhan
Fayard, 2000

COMPOSITION : IGS CHARENTE-PHOTOGRAVURE À L'ISLE D'ESPAGNAC
IMPRESSION : NORMANDIE ROTO IMPRESSION S.A. À LONRAI (61250)
DÉPÔT LÉGAL : MAI 2001. N° 41568 (010978)